ANNE RICE

Née en 1941 à La Nouvelle-Orléans, Anne Rice commence à écrire au milieu des années soixante-dix ce qu'elle pense être « une courte nouvelle sur le thème du vampirisme ». *Entretien avec un vampire* deviendra un livre culte, le premier volume des *Chroniques des vampires*, bientôt suivi de *Lestat, le vampire*, best-seller dans le monde entier.

Reine du fantastique moderne qu'elle a révolutionné en lui apportant sensualité et démesure, elle passe au roman historique avec *La voix des anges*, superbe histoire de castrats à Venise, et à l'érotisme avec *Les mésaventures de la Belle au bois dormant*.

Revenue à ses chers vampires avec *La reine des damnés* et *Le Voleur de corps*, elle se consacre bientôt à *La saga des sorcières de Mayfair*, amorcée avec *Le lien maléfique* et poursuivie dans *L'heure des sorcières*, en attendant, ce qui ne saurait tarder, que les personnages de ses deux séries ne finissent par se rencontrer.

ARMAND LE VAMPIRE

DU MÊME AUTEUR
CHEZ POCKET

COLLECTION TERREUR
dirigée par Patrice Duvic et David Camus

ANNE RICE

ARMAND LE VAMPIRE

Les Chroniques des vampires

Traduit de l'anglais (Etats-Unis)
par Michelle Charrier

PLON

Titre original :

THE VAMPIRE ARMAND

Si vous souhaitez recevoir régulièrement
notre zine « **Rendez-vous ailleurs** », écrivez-nous à :

« Rendez-vous ailleurs »
Service promo Pocket
12, avenue d'Italie
75627 PARIS Cedex 13

PRESSECO

PAPIER RECYCLÉ
NATURE PROTÉGÉE

© Anne O'Brien Rice, 1998.
© Plon, 2001, pour la traduction française.
ISBN édition originale The Ballantine Publishing Group,
New York : 0-345-40927-2
ISBN : 2-266-12307-6

Pour
Brandy Edwards
Brian Robertson
Christopher et Michele Rice

Jésus à Marie de Magdala

Jésus lui dit : « Ne me retiens pas ! car je ne suis pas encore monté vers mon Père. Pour toi, va trouver mes frères et dis-leur que je monte vers mon Père qui est votre Père, vers mon Dieu qui est votre Dieu. »

ÉVANGILE SELON JEAN, 20, 17

PREMIÈRE PARTIE

LE CORPS et LE SANG

I

Une enfant était morte au grenier, disait-on. Ses vêtements y avaient été découverts dans un mur.

J'avais envie d'aller là-haut m'allonger près de ce mur, seul.

De temps à autre, le fantôme apparaissait. Celui de l'enfant. Pourtant, pas un de ces vampires ne voyait les esprits à ma manière. Aucune importance. Ce n'était pas la compagnie de la petite disparue qui m'attirait, c'était l'endroit.

Rien ne me retenait plus auprès de Lestat. J'étais venu. J'avais accompli mon dessein. Je ne pouvais aider mon hôte.

La vue de son regard attentif, parfaitement fixe, me mettait mal à l'aise. Bien que calme, empli d'amour pour ceux qui m'étaient les plus proches — mes enfants humains, mon petit Benji à la chevelure sombre et ma tendre, ma diaphane Sybelle — je n'avais pas encore la force de les emmener.

Je quittai la chapelle sans même remarquer qui s'y trouvait. Le couvent tout entier était un véritable repaire de vampires. Ni désordre ni négligence n'y régnaient, mais je ne vis pas qui demeurait dans le sanctuaire lorsque j'en sortis.

Lestat reposait ainsi qu'il avait reposé tout le temps devant l'énorme crucifix, allongé sur le côté, les mains flasques, la droite juste au-dessus de la gauche dont les doigts touchaient à peine le sol de marbre — comme à dessein, alors qu'il n'y avait là nul dessein. La droite, pliée, formait de la paume un petit creux où tombait la lumière — cela aussi semblait significatif sans l'être le moins du monde.

Simplement, un corps surnaturel gisait là, dépourvu de volonté et de mouvement, de la vie que lui eût conférée la moindre intention ; le visage trahissait une intelligence presque provocante, lorsqu'on songeait que Lestat n'avait pas bougé depuis des mois.

Les grands vitraux, respectueusement couverts de draperies avant le lever du soleil, brillaient la nuit à la magnifique lumière des bougies dispersées parmi les statues et les reliques de toute beauté qui emplissaient ce lieu autrefois consacré. De jeunes mortels y avaient alors entendu la messe sous la haute voûte ; un prêtre avait psalmodié à son autel des mots latins.

La chapelle était nôtre, à présent. Elle appartenait à Lestat — l'homme qui gisait sur le sol.

Homme. Vampire. Immortel. Enfant des Ténèbres. Tous ces termes le décrivent à la perfection.

Je le regardai par-dessus mon épaule. Jamais je ne m'étais senti aussi enfant.

Ce que je suis. Je corresponds à la définition comme si elle avait été codée en moi et qu'il n'ait jamais existé d'autre schéma génétique.

J'avais peut-être dix-sept ans lorsque Marius fit de moi un vampire. Ma croissance était terminée : depuis un an, je mesurais un mètre soixante-cinq. Mes mains sont aussi délicates que celles d'une jeune femme, et je n'ai pas de poil au menton, ainsi que nous disions à l'époque, au seizième siècle. Je ne suis pas un eunuque, non, il s'en faut de beaucoup, mais un jouvenceau.

La mode voulait alors que les jouvenceaux fussent aussi beaux que les jouvencelles. A présent seulement, j'y attache de l'importance, parce que j'aime — les miens : Sybelle, à la poitrine de femme assortie de membres grêles d'adolescente, et Benji, au petit visage rond d'Arabe, si expressif.

Je m'immobilisai au pied de l'escalier. Pas de miroir, ici, juste les hauts murs de briques au plâtre arraché, des murs que seule l'Amérique considère comme vieux, foncés par l'humidité jusqu'à l'intérieur du couvent. Tous les éléments, toutes les textures sont adoucis par les étés bouillants de La Nouvelle-Orléans et ses hivers moites, exubérants — que je qualifie de verdoyants, car les arbres ne se dénudent presque jamais dans la région.

Par comparaison, j'ai vu le jour en un lieu d'éternel hiver. Aussi n'est-il pas étonnant que, sous le soleil de l'Italie, j'aie tout oublié de mes premières années pour façonner mon existence à partir du présent, de ce que je vivais près de Marius. « Je ne me rappelle pas. » A cette condition, il m'était possible d'aimer le vice, de m'adonner au vin italien et aux repas somptueux, de jouir même du marbre tiède sous mes pieds nus, lorsque le palazzo était scandaleusement, outrageusement chauffé par des feux d'un luxe insolent.

Les amis mortels de Marius — des êtres humains, comme moi, à l'époque — critiquaient sans trêve ses dépenses : le bois, l'huile, les bougies. D'autant que seule la plus fine cire d'abeille trouvait grâce à ses yeux. La moindre fragrance avait son importance.

Foin de ces pensées. Les souvenirs ne te sont plus cruels, à présent. Tu es venu ici dans un but précis, tu as fait ce que tu avais à faire, tu vas retrouver ceux que tu aimes, tes jeunes mortels, Benji et Sybelle, et continuer ta route.

La vie n'était plus une scène de théâtre où le fantôme de Banquo revenait encore et encore s'asseoir à la sinistre table.

Mon âme saignait.

Monter les escaliers. M'allonger un moment dans le grenier où avaient été découverts des vêtements enfantins. En compagnie de leur propriétaire, assassinée dans ce même grenier d'après les commères, les immortels qui hantaient maintenant le couvent, venus contempler le grand vampire Lestat prisonnier de son sommeil d'Endymion.

Nul meurtre ne suintait de ces murs, seulement les voix douces des religieuses.

Je montai l'escalier, laissant mon corps trouver sa démarche et son poids humains.

Au bout de cinq cents ans, ce genre de tours n'a plus de secret pour moi. Je pourrais effrayer tous les débutants — curieux et parasites — aussi bien que l'ont fait les autres anciens, même les plus modestes, par des remarques qui témoignent de leur télépathie, ou en disparaissant purement et simplement au moment de prendre congé, voire en ébranlant le monastère de leur puissance — une prouesse intéressante, avec ces murs de cinquante centimètres d'épaisseur aux fondations de cyprès imputrescibles.

Les fragrances qui flottent ici doivent lui plaire, pensai-je. Marius. Où est-il ? Peu désireux de lui parler longuement avant ma visite à Lestat, je m'étais contenté de balbutier quelques civilités en lui confiant mes trésors.

Après tout, j'avais amené mes enfants au cœur d'une ménagerie de morts-vivants. Qui, mieux que mon bien-aimé Marius, eût pu les protéger, lui dont la puissance était telle que nul n'osait contester sa moindre requête ?

Il n'existait bien sûr entre nous aucun lien télépathique — Marius m'a créé, je serai son novice à jamais. Or, à peine cette pensée m'avait-elle effleuré que je m'aperçus qu'il m'était impossible, sans ledit lien, de percevoir la présence de mon créateur. J'ignorais ce qui s'était passé durant le court moment où, agenouillé, j'avais contemplé Lestat. J'ignorais où se trouvait Marius. Les odeurs humaines familières de Benji et Sybelle ne me parvenaient pas. Une courte attaque de panique me paralysa.

Je me tenais au premier étage. Appuyé contre le mur, je posai avec un calme forcé les yeux sur le parquet en cœur de pin, couvert d'un vernis épais. La lumière jetait des flaques jaunes sur les planches.

Où étaient passés Benji et Sybelle ? Qu'avais-je fait en amenant ici ces deux magnifiques fruits humains, mûrs à point ? Benji, l'intrépide garçon de douze ans ; Sybelle, la jeune femme de vingt-cinq. Et si Marius, dont l'âme recelait une telle générosité, avait négligé de garder l'œil sur eux ?

— Je suis là, enfant.

Une brusque intervention d'une voix douce, bienvenue.

Mon maître se tenait sur le palier inférieur. Il m'avait suivi dans l'escalier ou, pourrait-on dire plus justement, s'y était transporté grâce à ses pouvoirs, rapide, silencieux, invisible.

— Maître, dis-je dans une faible ébauche de sourire. Un instant, j'ai eu peur pour eux. (Je lui présentais mes excuses.) Cet endroit me rend triste.

Il hocha la tête.

— Tes compagnons sont chez moi, Armand. La ville grouille de mortels, bien assez pour nourrir tous les vagabonds que leurs errances conduisent jusqu'ici. Personne ne fera de mal à tes protégés. Personne n'oserait, même si je n'étais pas là pour l'interdire.

Ce fut mon tour de hocher la tête. Je n'en étais pas si sûr. Les vampires sont de par leur nature même des êtres pervers, capables d'horreurs et d'atrocités dans le seul but de s'amuser. Tuer les familiers mortels d'un des leurs représenterait une distraction de choix pour certains des macabres morts-vivants qui erraient aux alentours, attirés en ces lieux par des événements remarquables.

— Tu es une véritable merveille, enfant ! reprit Marius, souriant. (Enfant ! Qui d'autre que lui, mon créateur, m'eût m'appelé ainsi — car que lui sont cinq cents ans ? Il poursuivit, la sollicitude toujours visible sur son doux visage :) Tu es entré dans le soleil, et tu as survécu.

— Dans le soleil, maître ?

Je le contredisais, certes, mais je n'avais nulle envie d'en révéler davantage, d'évoquer le passé tout proche — la légende du voile de Véronique, le visage de Notre Seigneur qui y était empreint, le matin où j'avais rendu l'âme avec un bonheur si parfait. Un véritable conte.

Il monta les marches pour s'approcher de moi tout en restant à une distance polie. Marius avait toujours été un gentleman, alors même que le mot n'avait pas été inventé. La Rome antique avait sans doute disposé d'un qualificatif pour ce genre d'hommes aux bonnes manières infaillibles, qui mettaient un point d'honneur à se montrer prévenants, d'une courtoisie parfaite, envers pauvres et riches, sans distinction. Tel était Marius ; tel il avait toujours été, autant que je le pusse savoir.

Sa main blanche comme neige reposait sur la terne balustrade satinée. Il portait une grande cape informe en velours gris, autrefois d'une suprême extravagance, à présent affadie par l'usure et la pluie. Des gouttes de rosée constellaient ses cheveux blonds, aussi longs que ceux de Lestat, emplis de lumière erratique et rebelles quand ils étaient humides, la même rosée qui s'accrochait à ses sourcils pâles et assombrissait ses longs cils, recourbés sur ses yeux bleu de cobalt.

Il avait quelque chose de plus nordique, de plus froid que Lestat, dont la chevelure, malgré sa beauté lumineuse, tirait plus sur le doré, et dont les yeux à jamais prismatiques se gorgeaient des couleurs environnantes, devenant d'un violet magnifique à la moindre provocation d'un monde adorateur.

En Marius, je voyais les cieux ensoleillés du Nord sauvage, des iris dont le rayonnement constant rejetait toute teinte extérieure — fenêtres parfaites ouvertes sur une âme elle aussi des plus constantes.

— Viens avec moi, Armand, dit-il.

— Où cela, maître ? Où voulez-vous que j'aille ?

Je désirais me montrer civil, moi aussi : s'il arrivait à mon créateur de faire assaut d'intelligence avec moi, il avait toujours su mettre en lumière ce que j'avais de meilleur.

— Chez moi, avec Sybelle et Benji. Oh, n'aie aucune crainte. Pandora est restée auprès d'eux. Ce sont des mortels étonnants — brillants, très différents et pourtant semblables. Ils t'aiment, ils en savent beaucoup, et ils ont parcouru un long chemin en ta compagnie.

Le rouge me monta au visage — une chaleur douloureuse, déplaisante — puis le sang reflua. A l'instant où ma peau se rafraîchit, le simple fait d'avoir ressenti quoi que ce fût me donna un étrange sentiment d'infériorité.

C'était un choc que de me trouver là. Je voulais en finir.

— J'ignore qui je suis dans cette nouvelle vie, maître, expliquai-je avec gratitude. Est-ce une renaissance ? De l'égarement ? (J'hésitai, mais il ne servait à rien de m'arrêter là.) Ne me demandez pas de rester maintenant. Peut-être une autre fois, lorsque Lestat sera à nouveau lui-même, lorsqu'il se sera écoulé assez de temps... Je ne sais. Je ne suis sûr de rien, sinon que je ne puis accepter pour l'instant votre gracieuse invitation.

Il acquiesça d'un unique hochement de tête. Sa main eut un petit geste d'acceptation. Sa vieille cape grise avait glissé d'une de ses épaules sans qu'il parût y prêter attention. Ses vêtements de fine laine noire, poches et revers poudrés de poussière grise, avaient l'air négligés. Indignes de lui.

Le fouillis de soie blanche qui lui ornait la gorge donnait à son pâle visage un aspect plus coloré, plus humain, mais le tissu était déchiré comme par des ronces. En somme, Marius hantait le monde dans ces oripeaux plus qu'il n'en était habillé. Ils eussent convenus à un malheureux égaré, pas à mon vénérable maître.

Sans doute savait-il que j'étais désorienté. Mon regard s'était perdu dans la pénombre qui me surplombait. Je voulais gagner le grenier, trouver les vêtements de la petite morte. Cette histoire de meurtre suscitait ma curiosité. Mes pensées dérivaient avec impertinence, bien que Marius attendît.

Il me rappela gentiment à la réalité :

— Sybelle et Benji seront chez moi quand tu voudras les voir. Tu nous trouveras sans peine. Nous ne sommes pas loin. Lorsque tu le voudras, tu entendras l'*Appassionata*.

Il sourit.

— Vous lui avez donné un piano.

Je parlais de Sybelle la dorée. Ayant coupé du monde mon ouïe surnaturelle, je n'avais nulle envie de l'activer à l'instant, même pour le jeu délicieux de la jeune femme, après lequel je soupirais déjà.

A peine arrivée au monastère, elle avait vu un piano et m'avait demandé dans un murmure si elle pouvait en jouer. L'instrument ne se trouvait pas dans la chapelle où reposait Lestat mais à l'écart, au fond d'une grande pièce déserte. J'avais pourtant répondu que ce n'eût pas été convenable, que la musique risquait de déranger Lestat, qui gisait là sans que nous pussions savoir ce qu'il pensait, ce qu'il ressentait, ou s'il se débattait dans l'angoisse, prisonnier de ses rêves.

— Peut-être resteras-tu un moment, lorsque tu viendras, reprit Marius. Tu prendras plaisir à l'écouter jouer de mon piano. Qui sait s'il ne nous sera pas possible de discuter tous ensemble, si tu ne goûteras pas notre compagnie et si nous ne partagerons pas la maison aussi longtemps qu'il te plaira…

Je ne répondis pas.

— C'est un véritable palais, à la manière du Nouveau Monde, poursuivit-il avec un sourire un brin moqueur. Nous n'en sommes pas loin du tout. Je possède de vastes jardins et de vieux chênes bien plus âgés que ceux de l'avenue du couvent. Je n'ai pour toutes ouvertures que des portes-fenêtres. Tu sais combien j'aime cela. Le style romain. La maison est ouverte à la pluie de printemps, qui ici ressemble à un rêve.

— Oui, je sais, murmurai-je. Ne tombe-t-elle pas en ce moment même ?

Je souris.

— Eh bien, j'en suis tout éclaboussé, en effet, admit-il presque gaiement. Viens quand tu le désireras. Sinon cette nuit, alors la prochaine…

— Oh, je viendrai cette nuit.

Je ne voulais pas l'offenser, pas le moins du monde, mais Benji et Sybelle avaient vu assez de monstres au visage de craie et à la voix de velours. Il était temps de repartir.

Je regardai Marius avec une certaine effronterie, dont je jouis un instant, dominant la timidité qui avait été notre malédiction en ce monde moderne. Dans la Venise des temps anciens, il s'était glorifié de ses vêtements comme c'était alors l'usage pour les hommes, toujours connaisseur et magnifiquement adorné, véritable gravure de mode, selon la charmante expression désuète. Lorsqu'il traversait la place Saint-Marc, dans les douces soirées pourpres, toutes les têtes se tournaient sur son passage. Le rouge avait été son signe de fierté, le velours rouge — une cape flottante, un pourpoint somptueusement brodé et, par là-dessous, la tunique de soie dorée si populaire à l'époque.

Il possédait la chevelure d'un jeune Laurent de Médicis tout droit sorti d'une fresque.

— Je vous aime, maître, mais à présent, je rêve de solitude, déclarai-je. Vous n'avez pas besoin de moi, n'est-ce pas ? Comment le pourriez-vous ? Tel n'a jamais été le cas.

Aussitôt, le regret m'envahit. Mes paroles, sinon ma voix, avaient été impudentes. L'intimité de sang qui séparait nos esprits me faisait craindre que Marius ne se méprît.

— Je te veux, ange que tu es, mais j'attendrai, répondit-il, indulgent. Il me semble qu'il y a peu, alors que nous étions réunis, j'ai prononcé ces mêmes mots, et ainsi je les redis.

Je ne pus me contraindre à lui avouer que les temps étaient pour moi à la compagnie des mortels, que je me languissais d'une longue nuit de discussion avec mon sage petit Benji, près de ma Sybelle bien-aimée jouant encore et encore sa sonate. Il semblait vain de m'expliquer davantage. Le chagrin s'abattit derechef sur moi, lourd, indéniable, d'être venu en ce couvent abandonné découvrir Lestat immobile et muet, ne pouvant ou ne voulant s'animer — nul ne le savait.

— Ma compagnie ne vous apporterait rien, à cette heure, affirmai-je. Mais vous me donnerez une clé pour vous trouver, sans doute, afin que plus tard…

Je laissai mourir ma phrase.

— J'ai peur pour toi ! murmura-t-il soudain avec une grande intensité.

— Plus que jamais auparavant, monsieur ? demandai-je.

Il réfléchit un instant, avant de répondre :

— Oui. Tu aimes deux enfants mortels. Ce sont ta lune et tes étoiles. Viens t'installer chez moi, ne serait-ce que pour un moment. Raconte-moi ce que tu penses de notre Lestat et de ce qui s'est passé. Dis-moi peut-être, si je promets de rester très calme et de ne pas presser, ce que t'inspirent les événements auxquels tu as assisté tout récemment.

— Avec quelle délicatesse vous effleurez le sujet, monsieur. Je vous admire. Vous voulez dire : pourquoi ai-je cru Lestat, quand il a déclaré être allé au Paradis et en Enfer ? Ou encore : qu'ai-je vu en regardant la relique qu'il en a rapportée, le voile de Véronique ?

— Si tu as envie de m'en parler. Mais à la vérité, je voudrais surtout que tu te reposes.

Je posai la main sur la sienne, m'émerveillant qu'en

dépit de tout ce que j'avais enduré, la mienne fût presque aussi blanche.

— Vous serez patient avec mes enfants jusqu'à ma venue, n'est-ce pas ? interrogeai-je. Ils s'imaginent d'une perversité si intrépide, parce qu'ils m'ont accompagné et qu'ils sifflotent d'un air nonchalant dans ce repaire de morts-vivants — si l'on peut dire.

— Des morts-vivants, répéta-t-il, un sourire désapprobateur aux lèvres. Ce langage, en ma présence. Tu sais que je l'ai en horreur.

Il plaqua sur ma joue un baiser rapide. Saisi, je m'aperçus qu'il avait disparu.

— Ah, les bons vieux tours ! dis-je à voix haute.

Mais se trouvait-il encore assez proche pour m'entendre, ou m'avait-il fermé ses oreilles avec autant d'ardeur que j'avais fermé les miennes au monde extérieur ?

Le regard dans le vague, j'aspirais au calme, je rêvais de tonnelles, soudain — non en mots mais en images, ainsi que l'eût fait mon esprit d'antan — je brûlais de m'allonger dans un massif de fleurs en pleine croissance, de presser mon visage contre la terre en fredonnant tout bas pour moi-même.

Le printemps, hors les murs, la chaleur, la brume en suspension qui deviendrait pluie. Je voulais tout cela, et les forêts marécageuses au-delà, mais je voulais aussi Sybelle et Benji, partir, trouver la volonté de continuer.

Ah, Armand, voilà ce qui t'a toujours fait défaut. La volonté. Ne laisse pas la vieille histoire se répéter. Arme-toi de ce qui est arrivé.

Un autre était tout proche.

Il me fut odieux, brusquement, qu'un immortel inconnu s'imposât à mes pensées erratiques dans le but, peut-être, d'établir une égoïste approximation de ce que je ressentais.

Ce n'était que David Talbot.

Il arrivait de la chapelle, après avoir traversé l'aile

qui la reliait au corps principal du monastère, où je me tenais sur le palier du premier étage.

Je le vis pénétrer dans le hall. Derrière lui apparaissait la porte de verre donnant sur la galerie, et au-delà les lumières douces, or et blanc mêlés, de la cour.

— Le calme règne, à présent, dit-il. Il n'y a personne au grenier, qui t'est bien sûr ouvert.

— Va-t'en, lançai-je.

Je n'éprouvais nulle colère, juste le sincère désir qu'on ne lût pas dans mon esprit ni ne fouillât mes émotions.

Il m'ignora, avec une maîtrise de soi remarquable, avant d'avouer :

— J'ai peur de toi, c'est vrai, un peu, mais je suis aussi terriblement curieux.

— Ah, je vois. Et ça excuse le fait que tu m'aies suivi ?

— Je ne t'ai pas suivi, Armand, protesta-t-il. J'habite ici.

— En ce cas, je suis désolé. Je l'ignorais. Sans doute cela vaut-il mieux. Tu veilles sur lui. Il ne reste pas seul.

Je parlais de Lestat.

— Tout le monde a peur de toi, reprit David, très calme. (Il s'était immobilisé à quelques mètres seulement de moi, les bras croisés, l'air détendu.) C'est un véritable sujet d'études, figure-toi, les us et coutumes des vampires.

— Pas pour moi.

— Oui, je comprends. Je parlais pour moi-même, j'espère que tu m'en excuseras. Quant à l'enfant du grenier, celle dont on raconte qu'elle a été assassinée… C'est la longue histoire d'une minuscule héroïne. Peut-être, si tu as plus de chance que tous les autres, verras-tu le fantôme de la petite disparue dont les vêtements ont été inclus dans le mur.

— Cela t'ennuierait-il que je te sonde ? demandai-je. Puisque tu me picores l'esprit avec un tel abandon ? Nous avons fait connaissance avant tous ces événements — l'aventure de Lestat au Paradis, son arrivée dans ce monastère — mais je ne t'ai jamais vraiment jaugé. Par indifférence ou politesse, je ne saurais dire.

L'ardeur qui vibrait dans ma voix me surprit. David Talbot n'était pas responsable de mon irritation.

— Je pense à ce que tout un chacun sait de toi, poursuivis-je : tu n'es pas né dans ce corps-ci, tu étais un vieil homme quand Lestat t'a rencontré, ton réceptacle présent appartenait à un être habile, capable de passer de créature en créature et d'y installer sa propre âme criminelle...

Il m'adressa un sourire désarmant.

— C'est ce qu'a dit Lestat. Ce qu'il a écrit. Rien de plus vrai, évidemment. Tu le sais très bien. Depuis notre première rencontre.

— Nous avons passé trois nuits ensemble, et je ne t'ai jamais réellement interrogé. Je ne t'ai même jamais vraiment regardé dans les yeux.

— Nous pensions à Lestat.

— N'est-ce pas toujours le cas ?

— Je ne sais pas, avoua-t-il.

— David Talbot, commençai-je, l'évaluant d'un regard froid. Supérieur de l'Ordre des détectives psychiques ou encore du Talamasca. (Quant à la suite, j'ignorais si j'inventais ou si je paraphrasais :) David Talbot a été propulsé dans le corps qu'il occupe à présent. Il s'y est trouvé acculé, j'irais jusqu'à dire enchaîné, prisonnier d'un entrelacs de veines noueuses, avant d'être transformé par surprise en vampire à l'instant où un sang brûlant, impossible à étancher, envahissait sa bienheureuse enveloppe charnelle pour y sceller son âme, faisant de lui un immortel — un homme à la peau de bronze foncé, à l'épaisse chevelure noire sèche et lustrée.

— C'est exact, acquiesça-t-il avec une politesse indulgente.

— Un gentleman de belle apparence, poursuivis-je, couleur caramel, à l'agilité féline et au regard charmeur, évocateur de tout ce qui m'a jamais paru délectable. Un pot-pourri de senteurs, aussi : cannelle, girofle, piment doux et autres épices rouges, brunes ou dorées. Leurs fragrances me transpercent le cerveau, me plongent dans une frénésie érotique qui n'existe à présent, plus encore qu'auparavant, que pour s'épuiser d'elle-même. Sa peau, je l'affirme, exhale le parfum de la noix de cajou et de la crème d'amande onctueuse.

— Je vois ce que tu veux dire, assura-t-il en riant.

Choqué de mes propres paroles, je restai un instant bouleversé.

— Mais moi, je ne suis pas sûr de le voir, dis-je enfin pour me faire pardonner.

— Ça m'a l'air très clair. Tu veux que je te laisse tranquille.

Les ridicules contradictions de la situation m'apparurent aussitôt.

— Ecoute, murmurai-je très vite, il y a en moi quelque chose de dérangé. Mes sens s'emmêlent comme des fils enchevêtrés : le goût, la vue, l'odorat, le toucher. Je délire.

Je me demandai, pensée aussi futile que mauvaise, s'il m'était possible de l'attaquer, de le prendre, de le réduire à l'impuissance grâce à ma ruse et mon art supérieurs afin de goûter son sang sans son accord.

— Je suis allé trop loin pour cela, affirma-t-il. Et puis pourquoi courrais-tu un tel risque ?

Quelle maîtrise de soi ! En lui, le vieil homme commandait bel et bien à la jeune chair vigoureuse — le sage mortel qui exerçait une autorité de fer sur toutes choses, devenu éternel et d'une puissance surnaturelle. Quel mélange d'énergies ! Qu'il serait bon de boire son sang, de m'emparer de lui contre sa volonté. Y a-t-il rien de plus amusant sur cette Terre que le viol d'un égal ?

— Je ne sais, balbutiai-je, honteux. (Le viol est lâche.) J'ignore pourquoi je t'insulte. Je voulais partir au plus vite, vois-tu. Enfin, je voulais jeter un coup d'œil au grenier puis partir. Eviter ce genre d'engouement. Tu es merveilleux, et tu penses que je le suis, moi. Quelle bouffonnerie !

Je laissai mes yeux le parcourir. J'avais été aveugle lors de notre précédente rencontre, rien n'était plus vrai.

Il s'habillait en séducteur. Avec l'intelligence du passé, des époques où les hommes se paraient tels des paons, il avait opté pour un sépia lumineux et des teintes ambrées. Son élégance de dandy tiré à quatre épingles était semée de pépites d'or pur judicieusement placées : bracelet de montre, boutons, fine épingle sur une cravate moderne — l'éclaboussure colorée que les mortels arborent de nos jours, comme pour nous permettre de les attraper plus aisément au collet. Ornement stupide. Jusqu'à sa chemise de fine cotonnade fauve qui évoquait le soleil et la terre chaude. Jusqu'à ses chaussures qui étaient brunes, aussi brillantes que des scarabées.

Il s'approcha de moi.

— Tu sais ce que je vais te demander. Ne te débats pas dans des pensées inarticulées, des expériences nouvelles, toute une compréhension envahissante. Fais-en un livre pour moi.

Jamais je n'eusse deviné que telle serait sa requête. Ce fut certes une surprise agréable, mais une surprise tout de même.

— Un livre ? Moi ? Armand ?

Je m'avançai vers lui, pivotai soudain puis m'enfuis dans les escaliers, effleurant à peine le deuxième étage avant de me glisser au troisième.

L'air y était chaud, épais. Chaque jour, le soleil rôtissait le grenier. Tout y semblait sec et doux — le bois semblable à de l'encens, le plancher qui partait en échardes.

— Où es-tu, fillette ? appelai-je.

— Tu veux dire enfant, corrigea-t-il.

Il était monté derrière moi, un peu plus lentement, par courtoisie.

— Elle n'a jamais occupé les lieux, ajouta-t-il.

— Qu'en sais-tu ?

— Si son fantôme se trouvait là, je serais capable de l'invoquer.

Je regardai par-dessus mon épaule.

— En possèdes-tu vraiment le pouvoir, ou as-tu juste envie de le prétendre en ce moment ? Avant de t'engager davantage, laisse-moi te prévenir que peu d'entre nous parviennent à voir les esprits.

— Je suis un être neuf, répondit-il. Je ne ressemble à aucun autre, aussi suis-je venu au Monde Ténébreux avec des facultés différentes. Oserai-je dire que nous — notre espèce, les vampires — nous avons évolué ?

— C'est un terme convenu. Stupide.

Je m'enfonçai dans le grenier. Ma curiosité indiscrète m'y révéla une chambre dont les murs plâtrés perdaient leurs roses en lambeaux, grosses fleurs victoriennes tombantes, bien dessinées, aux feuilles vert pâle floues. Je m'avançai dans la petite pièce. Une fenêtre l'éclairait, haut placée, par laquelle un enfant n'eût pu regarder. Cruel.

— Qui a dit qu'une vie s'était achevée ici ? demandai-je.

Le vide régnait sous la poussière des années. Nulle présence ne s'imposait à moi, ce qui n'était que justice : aucun fantôme ne viendrait me réconforter. Pourquoi un esprit eût-il renoncé à son délicieux repos juste pour me faire plaisir ?

Peut-être alors m'était-il possible de me blottir dans le souvenir, la tendre légende de la petite morte. Comment des enfants connaîtraient-ils une fin brutale, dans un orphelinat tenu par des religieuses ? Jamais je n'ai pensé les femmes si cruelles. Desséchées, dépourvues d'imagination, parfois, mais pas agressives à notre manière, prêtes à tuer.

Je tournai et virai. Des coffres s'alignaient contre un mur. L'un d'eux, ouvert, contenait des chaussures en désordre, de petits richelieus, comme on les appelait, bruns avec des lacets noirs. Et voilà que je découvrais derrière moi le trou aux bords irréguliers, brisés, dont on avait arraché les vêtements. Ils étaient tombés là, tout moisis, chiffonnés.

Le calme m'enveloppa. On eût dit que la poussière de la pièce était un glacier, descendu des pics les plus élevés de la morgue et de l'égoïsme pour geler tout ce qui vivait, emprisonner et figer à jamais tout ce qui respirait, ressentait ou rêvait.

David parla en poète, dans un murmure :

— « Ne crains pas la chaleur du soleil, non plus que les colères de l'hiver furieux. Ne crains pas... »

Je tressaillis de plaisir. Je connaissais ces vers ; je les aimais.

Fléchissant le genou, comme devant le saint sacrement, je touchai les vêtements.

— Elle était très jeune, pas plus de cinq ans, et elle n'est pas morte ici. Elle n'a pas été assassinée. Rien d'aussi extraordinaire ne lui est arrivé.

— Tes pensées démentent tes paroles.

— Pas du tout. Je pense juste à deux choses en même temps. C'est un honneur que d'être assassiné. Je l'ai été. Oh, pas par Marius, contrairement à ce que tu pourrais croire. Par d'autres.

Je m'exprimais d'une voix douce, avec fierté, car je ne cherchais pas à faire d'effet.

— Les souvenirs sont empilés sur moi comme autant de vieilles fourrures, continuai-je. Je lève le bras ; il est couvert d'une manche de réminiscences. Je regarde autour de moi ; je vois d'autres époques. Mais le plus effrayant, c'est que cette impression, de même que bien d'autres avant elle, ne sera le prémice d'aucun changement. Elle perdurera des siècles et des siècles.

— De quoi as-tu peur, en réalité ? Que voulais-tu de Lestat en venant ici ?

— Le voir, rien de plus. Découvrir comment il allait et pourquoi il gisait là, figé. Le...

Je me refusai à en dire plus.

Les ongles luisants de David transformaient ses mains en d'étranges ornements caressants, d'une élégante beauté. Il ramassa une petite robe grise déchirée, ornée par endroits d'une pauvre dentelle. Toute enveloppe de chair dégage un charme éblouissant lorsqu'on se concentre sur elle assez longtemps. La sienne le laissait jaillir sans retenue.

— Ce ne sont que des vêtements. (Cotonnade fleurie, chiffon de velours à la manche bouffante pas plus grosse qu'une pomme, en ce siècle des bras nus, jour et nuit.) Il n'y a pas eu autour d'elle la moindre violence. (A sa voix, on pouvait penser que c'était dommage.) Pauvre enfant, tu ne crois pas ? Triste de nature autant que par la force des choses.

— Mais pourquoi dissimuler ses habits dans le mur, tu peux me le dire ? Quel péché ont commis ses petites robes ? (Je soupirai.) Seigneur, David, ne peux-tu laisser à cette fillette son roman, sa gloire ? Tu m'exaspères. Tu prétends voir les fantômes. Tu trouves leur compagnie agréable ? Tu prends plaisir à discuter avec eux ? Je pourrais te parler d'un spectre…

— Quand m'en parleras-tu ? Tu ne vois donc pas l'intérêt d'un livre ?

Il se redressa, s'époussetant les genoux d'une main, emprisonnant la robe de l'autre. La scène — une créature de haute taille froissant dans son poing un vêtement de petite fille — me mit mal à l'aise. Je me détournai pour échapper à cette vision.

— Quand on y pense, repris-je, il n'existe sous le ciel aucune raison aux petits garçons et aux petites filles. Le genre ne s'impose pas pour les tendres rejetons des autres mammifères, les chiots, chatons et poulains. Il n'a aucune importance. Un être fragile, à la croissance inachevée, n'a pas de sexe. Il n'est pas déterminé. Y a-t-il rien au monde de plus splendide qu'un petit garçon ou une petite fille ? Mon crâne déborde de concepts. Il me semble qu'il va exploser si je ne fais rien, et tu me conseilles un livre. Tu crois la chose possible, tu...

— Je crois que dans un livre, on raconte l'histoire telle qu'on aimerait la connaître !

— Je ne vois guère de sagesse là-dedans.

— Alors réfléchis, car chacune de nos paroles ou presque n'est qu'une émanation de nos sentiments. Tu n'as pas remarqué comme tes répliques t'échappent ?

— Je ne le veux pas.

— Si, tu le veux, mais ce n'est pas là ce que tu aimerais lire. Quand on écrit, il se produit quelque chose de différent. On crée une histoire, aussi fragmentée, expérimentale, irrespectueuse des conventions et des moules qu'elle soit. Essaie de le faire pour moi. Non, non, j'ai une meilleure idée.

— Laquelle ?

— Accompagne-moi à ma chambre. Je vis ici, à présent, je te l'ai dit. De mes fenêtres, on voit les arbres. Il ne me viendrait pas à l'idée d'imiter notre ami Louis, qui erre d'un recoin poussiéreux à un autre avant de regagner son appartement de la rue Royale lorsqu'il s'est convaincu, pour la millième fois, que nul ne peut nuire à Lestat. Je dispose de pièces chaleureuses où je m'éclaire à la bougie, comme autrefois. Viens, et laisse-moi écrire ton histoire. Parle-moi. Fais les cent pas, divague si le cœur t'en dit, répands-toi en invectives, oui, pourquoi pas, mais laisse-moi transcrire ce que tu diras, car ce simple fait te poussera à lui donner forme. Tu te mettras à...

— A quoi ?

— A me raconter ce qui s'est passé. La manière dont tu as survécu à ta propre mort.

— Ne t'attends pas à des miracles, surprenant érudit. Je ne suis pas mort, ce matin-là, à New York. J'ai seulement failli.

Malgré la légère curiosité que David avait éveillée en moi, je ne pouvais accéder à ses désirs. Mais il se montrait d'une honnêteté surprenante, autant que je pouvais en juger, et donc sincère.

— Oh, je ne l'entendais pas au sens littéral. Tu me raconteras ce que c'était que de s'élever aussi haut dans le soleil, de souffrir autant et, comme tu l'as dit, de découvrir dans la souffrance tant de souvenirs, de liens entre les choses. Raconte-moi !

— Pas si tu as l'intention de rendre tout cela cohérent, répondis-je, agacé.

Puis je jaugeai sa réaction. Il n'était pas déçu. La discussion l'intéressait.

— Le rendre cohérent ? Je ne ferai que coucher tes mots sur le papier, Armand.

Réponse simple quoique étonnamment passionnée.

— Promis ?

Je lui jetai un coup d'œil espiègle. Moi ! M'abaisser à une chose pareille !

Il sourit. Tassa la petite robe en une boule qu'il laissa retomber avec précaution, afin qu'elle atterrît au milieu du tas de vieux vêtements.

— Je n'en altérerai pas une syllabe, assura-t-il. Viens, accompagne-moi, parle-moi, sois mon aimé.

Un autre sourire.

Soudain, il s'avança vers moi de la manière agressive dont j'avais pensé m'avancer vers lui un peu plus tôt. Il glissa les mains sous mes cheveux, les écarta de mes tempes et les rassembla, avant d'y plonger le visage en riant puis de m'embrasser sur la joue.

— Tes boucles semblent tissées d'ambre, comme s'il était possible de le fondre, de l'étirer à la flamme des bougies en longs fils aériens puis de le laisser sécher pour en tirer une chevelure brillante. Tu es aussi doux, charmant et gracieux qu'une fille. J'aimerais avoir ne serait-ce qu'un aperçu de l'adolescent vêtu de velours, à l'ancienne mode, que tu as été pour Marius. J'aimerais te voir ne serait-ce qu'une seconde en chausses et pourpoint à ceinture brodé de rubis. Regarde-toi, enfant de glace. Mon amour ne te touche même pas.

Ce n'était pas vrai.

Je sentais ses crocs, sous la chaleur de ses lèvres, le désir pressant qui habitait ses doigts appuyés contre mon cuir chevelu. Ses caresses envoyaient des frissons à travers tout mon corps, qui se tendit puis tressauta, en une vague plus délicieuse que je n'eusse pu l'imaginer. Cette intimité dans l'isolement me déplaisait assez pour que je la transforme, voire pour que je la rejette totalement. Je préférais mourir ou rester à l'écart dans le noir, seul avec des larmes banales.

Le regard de David me disait trop qu'il était capable d'aimer sans rien offrir. Ce n'était pas un connaisseur, juste un buveur de sang.

— Tu me donnes faim, murmurai-je. Pas de toi mais d'un être vivant, condamné à mort. J'ai envie de chasser. Arrête. Pourquoi poses-tu les mains sur moi ? Pourquoi es-tu si tendre ?

— Tout le monde te désire.

— Oh, je sais. Tout le monde aimerait ravager le rusé petit voyou que je suis ! Tout le monde aimerait disposer d'un gamin à qui tout sourit et qui sait y faire. Les enfants sont meilleurs que les femmes, et les filles ressemblent trop aux femmes, mais les garçons ? Ils ne ressemblent pas aux hommes, hein ?

— Ne te moque pas de moi. Je t'expliquais simplement que j'avais envie de te toucher, de sentir combien tu es doux, dans ta jeunesse éternelle.

— C'est tout moi. La jeunesse éternelle. Ce que tu dis n'a ni queue ni tête dans la bouche de quelqu'un d'aussi beau. Je sors. Il faut que je me nourrisse. Quand j'en aurai terminé, quand je serai gavé et brûlant, je viendrai tout te raconter.

Je m'écartai un peu de David. Des frissons me traversèrent tandis que ses doigts relâchaient mes cheveux. Je me tournai vers la fenêtre vide, trop haute pour donner sur les arbres.

— On ne voyait aucune verdure, d'ici, alors que dehors, c'est le printemps — le printemps du Sud. Je le sens à travers les murs. Je veux contempler les fleurs, juste un instant. Tuer, boire du sang et jouir des fleurs.

— Ce n'est pas assez. Je veux écrire le livre. Maintenant. Et je veux que tu m'accompagnes. Je n'ai pas l'intention de passer l'éternité ici.

— Sottises ! Tu resteras. Tu me prends pour une poupée, hein ? Tu me trouves mignon, tu as l'impression que je suis en cire. Tu ne bougeras pas d'ici tant que je n'en bougerai pas.

— C'est un peu mesquin, Armand. Tu es beau comme un ange, et tu parles comme un banal voyou.

— Quelle arrogance ! Je croyais que tu me désirais.

— Seulement à certaines conditions.

— Tu mens, David Talbot.

Je le dépassai pour sortir du grenier. Les cigales chantaient dans la nuit, ainsi qu'elles le font souvent, quelle que soit l'heure, à La Nouvelle-Orléans.

Derrière les fenêtres à petits carreaux de l'escalier, j'entrevis les arbres printaniers en fleurs, une plante grimpante qui se recourbait au sommet d'un porche.

David me suivit. Nous descendîmes et descendîmes, marchant tels des mortels, jusqu'au rez-de-chaussée, où les scintillantes portes de verre s'ouvrirent sur la vaste étendue illuminée de Napoleon Avenue. Un parc humide, délicieux, en occupait le centre, empli de fleurs plantées avec soin et de vieux arbres tordus humblement penchés.

Le paysage tout entier s'animait aux vents subtils venus du fleuve. Une brume moite tournoyait, sans se résoudre à tomber en pluie, tandis que de minuscules feuilles vertes dérivaient vers le sol telles des cendres ternies. Le printemps du Sud, doux, si doux. Le ciel même en semblait gonflé, bas quoique rougi de lumières réfléchies, donnant par tous ses pores naissance à la brume.

Des parfums stridents s'élevaient des jardins, odeurs mêlées des belles-de-nuit pourpres, comme les mortels appellent ici les mirabilis, ces plantes grimpantes sem-

34

blables à de la mauvaise herbe mais infiniment délicieuses ; des iris sauvages qui jaillissaient de la boue
noire telles des lames, meurtrissant leurs pétales char-
nus énormes, monstrueux, aux vieux murs et aux
marches de béton ; des roses, bien sûr, roses de vieilles
et de jeunes femmes, trop saines pour la nuit tropicale,
gluantes de poison.

Autrefois, des tramways avaient circulé sur cette
bande centrale herbue. Je le savais. Des rails avaient
couru le long de ce large ruban vert, sur lequel je précé-
dais David en direction des bas quartiers, du fleuve, de
la mort et du sang. Même les yeux fermés, je n'eusse
pas craint le moindre faux pas : je voyais toujours les
tramways.

— Vas-y, suis-moi, lançai-je, non en manière d'invitation mais parce qu'il avançait sur mes talons.

Les quartiers se succédaient à quelques secondes
d'intervalle sans qu'il perdît du terrain. Quelle force ! Le
sang d'une cour royale vampirique tout entière coulait
en lui, cela ne faisait aucun doute. On pouvait se fier à
Lestat pour produire les monstres les plus meurtriers, du
moins après ses séduisantes bévues initiales — Nicolas,
Louis et Claudia, dont pas un n'avait été capable de se
débrouiller seul. Deux d'entre eux avaient péri ; quant
au troisième, le plus faible vampire peut-être à encore
errer de par le vaste monde, il se languissait.

Je jetai un coup d'œil en arrière. Le visage émacié de
David, avec sa peau brune parfaite, me fit sursauter. Il
semblait avoir été verni, ciré, poli. Une fois de plus, je
songeai aux épices, à la chair des noix confites, aux
arômes exquis du chocolat adouci de sucre et de riche
caramel sombre. M'emparer de lui me parut une bonne
idée.

Mais il n'eût pas remplacé un seul mortel répugnant,
sans importance, mûr à point et odorant. Aussi, devinez
quoi ? Je tendis le doigt.

— Par là.

David regarda dans la direction indiquée. Découvrit

la ligne affaissée des vieilles bâtisses. Partout, des mortels étaient tapis, endormis, assis, dînant, errant sur de minuscules marches étroites, derrière des murs lépreux, sous des plafonds craquelés.

J'en avais trouvé un parfait dans sa perversité, tourbillon de braises fumantes où se mêlaient haine, méchanceté, avarice et mépris, tandis qu'il m'attendait.

Nous avions dépassé Magazine Street sans cependant atteindre le fleuve. La rue où nous nous trouvions en était toute proche, venelle dont je ne gardais aucun souvenir malgré mes errances à travers la ville — royaume de Louis et de Lestat. Dans ce passage étroit, aux maisons ternes comme du bois flotté sous la lune, les carreaux s'ornaient de rideaux de fortune. L'homme que j'avais choisi, arrogant et vicieux, se vautrait là, soudé à son téléviseur, lampant de la bière à même une bouteille brune, indifférent aux cafards et à la chaleur palpitante qui se ruaient chez lui par la fenêtre ouverte, horreur suante, sale, irrésistible, chair et sang, à moi destinés.

La demeure, emplie de vermine et de minuscules créatures répugnantes, ne paraissait être pour lui qu'une simple coquille craquelée et friable, aux ombres couleur de forêt. Ici, pas de normes modernes d'hygiène. Les meubles eux-mêmes pourrissaient au milieu des ordures humides. Le réfrigérateur grinçant était couvert de moisissure.

Seuls les hardes et le lit empuantis indiquaient qu'un être humain occupait les lieux.

C'était bien le nid idéal de mon gibier, oiseau hideux, sac d'os, de sang et de misérable plumage — lourd, riche, bien mûr, prêt à être dévoré.

Je poussai une porte latérale — une puanteur humaine s'éleva telle une nuée de moustiques — ce qui l'arracha de ses gonds, mais dans un silence relatif.

Le plancher peint sur lequel je m'avançai était couvert de journaux. De pelures d'orange qui se transformaient en cuir brunâtre. De cafards qui fuyaient devant moi. L'homme ne leva même pas les yeux. Sa face bouffie d'ivrogne, d'un bleu surnaturel, ornée d'épais sourcils noirs négligés, avait pourtant quelque chose de presque angélique dans la clarté de l'écran.

Il donna une chiquenaude au petit pourvoyeur magique en plastique qu'il tenait à la main, pour changer de chaîne. La lumière étincela, clignota en silence, puis il monta peu à peu le son — de la musique, des applaudissements.

Bruits orduriers, images ordurières, au milieu des ordures. D'accord. Moi, je te veux. Je suis bien le seul.

A cet instant, il leva les yeux : un adolescent s'introduisait chez lui. David attendait, trop éloigné pour être visible.

Je poussai le téléviseur, qui oscilla avant de tomber à terre. Ses composants se brisèrent, réservoirs d'énergie transformés en éclats de verre.

Une brève fureur empoigna mon gibier, plaqua sur ses traits une compréhension paresseuse.

Il se leva, les bras tendus, pour venir à moi.

Au moment de planter mes crocs en lui, je remarquai ses longs cheveux noirs emmêlés. Sales mais luxuriants. Retenus par un vieux morceau de tissu noué à la base de la nuque, puis tombant sur la chemise écossaise en une épaisse queue-de-cheval mal coiffée.

L'homme possédait en outre assez de sang sirupeux, imprégné de bière, horrible et délicieux, pour deux vampires ; un cœur qui battait avec rage ; une telle masse qu'il me semblait chevaucher un taureau.

Durant le festin, les odeurs s'exaltent jusqu'aux délices, même les plus rances. Comme toujours, je crus mourir de bonheur, en douceur.

J'aspirai avec assez de force pour me remplir la bouche — le sang roula sur ma langue puis coula dans mon estomac, si j'en ai un — afin d'étancher une soif avide, répugnante, mais pas assez pour ralentir mon prisonnier.

Il se débattit, vacillant, eut la bêtise de tirer sur mes

doigts puis celle, aussi dangereuse que maladroite, de chercher mes yeux. Je les fermai étroitement et le laissai y appuyer ses pouces graisseux. Cela ne lui fit aucun bien. Je suis un petit garçon invincible. On n'aveugle pas un aveugle. Je me gorgeais de sang au point de ne pas prêter attention à la tentative. Du reste, j'aimais la sensation qu'elle me procurait. Les faibles ne font que caresser lorsqu'ils cherchent à égratigner.

La vie de l'inconnu défilait comme si tous ceux qu'il avait jamais aimés s'amusaient dans des montagnes russes, sous des étoiles clinquantes. Pire qu'une toile de Van Gogh. On ne découvre la palette d'une victime qu'à l'instant où son esprit dégorge ses plus belles teintes.

Lorsqu'il s'affaissa, bien assez tôt, je l'accompagnai. Mon bras l'entourait à présent complètement. Je reposais tel un enfant contre son gros ventre musculeux, tandis que je lui tirais le sang à flots, aveuglément, forgeant la moindre de ses pensées, de ses visions, de ses sensations dans la couleur — donne-moi juste la couleur, l'orange parfait. L'espace d'une seconde, quand il mourut — quand la mort roula sur moi, imposante sphère de force noire qui n'est en fait que néant, que fumée, voire moins encore — quand la mort me pénétra puis me quitta comme le vent, je m'interrogeai : le privais-je de l'ultime compréhension, en broyant ainsi tout ce qu'il était ?

Ridicule, Armand. Tu sais ce que savent les esprits, ce que savent les anges. Ce salopard rentre chez lui ! Au Paradis. Un Paradis qui ne veut pas de toi et n'en voudra peut-être jamais.

Morte, ma victime semblait des plus délicieuses.

Je m'assis à son côté. M'essuyai la bouche, bien qu'il n'y eût rien à essuyer. Les vampires ne boivent salement que dans les films. Le plus banal des immortels est trop habile pour gaspiller la moindre goutte. Je m'essuyai parce que la sueur du mort me couvrait les lèvres et le visage, et que je voulais m'en débarrasser.

J'admirais pourtant l'inconnu d'être aussi merveilleusement massif et musclé malgré ses évidentes rondeurs. J'admirais les cheveux noirs collés à sa poitrine là où, fatalement, sa chemise s'était déchirée.

Cette chevelure me paraissait digne d'attention. J'arrachai le chiffon qui la retenait. Elle était aussi belle et épaisse que celle d'une femme.

M'assurant que son propriétaire était bien mort, je l'enroulai entièrement autour de ma main puis entreprit de l'arracher tout entière au cuir chevelu.

David eut un hoquet.

— Le faut-il vraiment ? demanda-t-il.

— Non, répondis-je.

Déjà, quelques milliers de cheveux s'étaient détachés, ornés de leurs minuscules racines sanglantes qui clignotaient telles des lucioles miniatures. Je retins un instant la masse entre mes doigts puis l'en laissai glisser, retomber derrière la tête du cadavre.

Les cheveux déjà libérés churent mollement sur sa joue rugueuse. Ses yeux humides, comme vigilants, se changeaient en gelée.

David regagna la ruelle. Des voitures rugissaient, bringuebalaient. Sur le fleuve, un bateau fit chanter sa sirène.

Je sortis, moi aussi. M'époussetai. Un coup, un seul, m'eût suffi pour abattre la maison, la faire choir sur les ordures putrides qui l'emplissaient. Elle eût agonisé dans le calme parmi ses voisines de sorte que nul, ici, n'eût jamais rien su — son bois humide se fût effondré, tout simplement.

Je ne parvenais pas à chasser le goût et l'odeur de la sueur.

— Pourquoi t'es-tu opposé à ce que je lui arrache les cheveux ? m'enquis-je. Je voulais juste les prendre. Il est mort, ça n'a plus d'importance pour lui, et ils ne manqueront à personne.

David se retourna, un sourire rusé aux lèvres, pour me mesurer du regard.

— Tu me fais peur, quand tu as cet air-là, repris-je. Ai-je donc trahi ma nature de monstre sans y prendre garde ? Tu sais, ma bienheureuse Sybelle, qui est mortelle, est souvent témoin de mes festins, quand elle ne joue pas l'*Appassionata*, la sonate de Beethoven. Tu veux que je te raconte mon histoire, maintenant ?

Je jetai un coup d'œil en arrière, au mort couché sur le côté, l'épaule affaissée. L'appui de fenêtre qui le surplombait s'ornait d'une bouteille bleue, d'où émergeait une fleur orange. N'est-ce pas incroyable ?

— Je veux l'histoire, oui, acquiesça David. Viens, rentrons. Je ne t'ai demandé de lui laisser ses cheveux que pour une seule raison.

— Ah ? (Je le regardai. Simple curiosité.) Laquelle ? Je voulais juste les lui arracher puis les jeter.

— Comme on arrache les ailes à une mouche, suggéra-t-il, sans paraître porter de jugement.

— Une mouche morte. (J'eus un sourire délibéré.) Bon, pourquoi en as-tu fait toute une affaire ?

— Je voulais voir si tu m'écouterais. Ni plus ni moins. Parce que, dans ce cas, les choses se passeraient peut-être bien entre nous. Tu m'as écouté. Tout est pour le mieux.

Il pivota et me prit le bras.

— Je ne t'aime pas du tout ! déclarai-je.

— Oh, si. Laisse-moi coucher ton histoire sur le papier. Fais les cent pas, divague, répands-toi en invectives. Tu te sens au sommet du monde, en ce moment, très puissant, grâce aux deux magnifiques petits mortels qui boivent le moindre de tes gestes. On dirait les acolytes d'un dieu. Mais tu as envie de raconter, tu le sais très bien. Allez, viens !

Je ne pus me retenir de pouffer.

— C'est une méthode qui t'a réussi, dans le passé ?

Il rit à son tour, avec bonne humeur.

— Non, je ne crois pas. Mais je peux te présenter les choses autrement : fais-le pour eux.

— Pour qui ?

— Benji et Sybelle. (Il haussa les épaules.) Non ?

Je ne répondis pas.

Relater mon histoire pour eux… Mon esprit s'élança vers la pièce confortable, chaleureuse, où nous nous trouverions des années plus tard — moi, Armand, inchangé, l'enfant professeur — Benji et Sybelle dans la fleur de leur vie mortelle. Lui, gentleman élancé, prince arabe aux yeux d'encre, un de ses cigares favoris à la main, homme de grandes espérances et capacités. Elle, ma Sybelle au corps de reine tout en courbes, plus femme, plus grande pianiste encore qu'elle ne l'était à présent, cheveux d'or encadrant un visage ovale et des lèvres plus pleines, regard empli d'*entsagang* et d'un éclat secret.

Pourrais-je dicter mon histoire puis la leur offrir ? Leur remettre le livre de David, lorsque je les délivrerais de mon univers alchimique ? Allez, mes enfants, armés de toute la fortune et de toute l'aide qu'il m'a été possible de vous accorder, ainsi que de cet ouvrage, écrit il y a de cela bien longtemps en compagnie de David.

Oui, disait mon âme. Pourtant, je retournai arracher la chevelure de ma victime et la piétinai tel Rumpelstiltskin.

David n'eut pas un tressaillement. Les Anglais sont tellement polis.

— Très bien, dis-je. Je vais tout te raconter.

Ses appartements se trouvaient au premier étage, non loin de l'endroit où je m'étais immobilisé, dans l'escalier. Quelle différence avec les corridors nus ct froids ! Il s'était monté une bibliothèque, meublée de tables et de chaises. Un lit de laiton s'y trouvait aussi, propre et sec.

— C'était là qu'elle s'était installée, déclara-t-il. Tu ne t'en souviens pas ?

— Dora.

Soudain, l'odeur de l'ancienne occupante des lieux

me parvint. M'enveloppa. Mais tous ses biens personnels avaient disparu.

Les livres appartenaient à David, forcément. Les œuvres des nouveaux explorateurs spirituels — Dannion Brinkley, Hilarion, Melvin Morse, Brian Weiss, Matthew Fox, *le Livre d'Urantia* — auxquelles s'ajoutaient des textes anciens — Cassiodore, sainte Thérèse d'Avila, Grégoire de Tours, les Veda, le Talmud, la Torah, le Kama Sutra — tous dans leur langue d'origine. Quelques obscurs romans, pièces de théâtre et recueils de poésie complétaient la sélection.

— Oui. (Il s'assit à une table.) Je n'ai pas besoin de lumière. Tu en veux ?

— Je ne sais que dire.

— Ah. (Il sortit un stylo rechargeable, ouvrit un calepin au papier d'une blancheur extraordinaire traversée de fines lignes vertes.) Ça va venir.

Ses yeux se posèrent sur moi.

Je me tenais debout, les bras autour du buste, enveloppé de mes longs cheveux, la tête pendante, comme prête à se détacher de moi et à me tuer.

Sybelle et Benjamin, ma calme fille et mon exubérant garçon.

— Tu les aimes bien, David ? Mes enfants ?

— Oui, depuis l'instant où je les ai vus, quand tu es arrivé avec eux. Les autres aussi. Tout le monde leur a témoigné de l'affection et du respect. Cet aplomb, ce charme. A mon avis, nous rêvons tous de pareils confidents, de fidèles compagnons mortels d'une grâce irrésistible qui ne soient pas fous à lier. Ils t'aiment, alors qu'ils ne sont ni terrifiés ni fascinés.

Immobile, muet, je fermai les yeux. Dans mon cœur s'élevait l'*Appassionata* insolente, vagues de musique incandescentes, tonnantes, cassantes et palpitantes comme le métal. Mais la sonate n'existait qu'en moi. Sybelle aux longues jambes et aux cheveux d'or n'était pas là.

— Allume les bougies, demandai-je timidement.

Pour moi, s'il te plaît ? J'aimerais en être entouré… Oh, regarde : les rideaux de Dora sont toujours aux fenêtres, propres et pimpants. Je suis amoureux de la dentelle — c'est de la dentelle de Bruxelles, ou ça y ressemble fort ; oui, j'adore ça.

— Je m'occupe des bougies.

Je tournai le dos à David. Le délicieux craquement sec d'une allumette me parvint, puis une odeur de brûlé, suivie par la fragrance liquide de la mèche courbée. Enfin, la lumière s'éleva, trouva les planches en cyprès du plafond de bois brut ; elle s'enfla puis descendit vers moi, devenant presque éclatante le long du mur semé d'ombres.

— Pourquoi as-tu fait une chose pareille, Armand ? interrogea David. Oh, le Christ a bel et bien laissé son empreinte sur le tissu d'une manière ou d'une autre, je n'en doute pas. Il semble que ce soit en effet le saint voile, et Dieu sait que des milliers d'autres y ont cru. Mais pourquoi toi ? Pourquoi ? La relique était d'une beauté extraordinaire, je te l'accorde : le Christ, Sa couronne d'épines, Son sang, Ses yeux qui nous regardaient bien en face, tous les deux ; mais pourquoi y as-tu cru si totalement après si longtemps ? Pourquoi es-tu allé à Lui ? Car c'est cc que tu as voulu faire, n'est-ce pas ?

Je secouai la tête.

— Arrière, érudit, répondis-je d'une voix que je voulais douce, suppliante. (Je me retournai lentement.) Occupe-toi de ta page blanche. Cette histoire est pour toi et pour Sybelle. Oh, pour mon petit Benji aussi. Mais dans un sens, c'est ma symphonie à Sybelle. Elle commence il y a bien longtemps. Peut-être n'ai-je jamais vraiment réalisé, jusqu'à cet instant, qu'il y avait si longtemps. Ecoute et écris. Laisse-moi le soin de pleurer, de divaguer et de me répandre en invectives.

II

Je regarde mes mains. « Ne pas être fait de main d'homme ». Je sais ce que signifie l'expression, bien que je ne l'aie jamais entendue prononcer avec émotion que pour qualifier ce qui était sorti de mes propres mains.

J'aimerais peindre, à présent, m'emparer d'un pinceau et en user à ma manière d'alors, dans une transe, avec fureur, une fois, une seule, pour chaque trait et chaque tache colorés — le moindre mélange, la moindre décision définitifs.

Ah, ma mémoire est si désordonnée, si douloureuse.

Il me faut choisir par où commencer.

Constantinople — sous domination turque depuis peu. Je veux dire par là que la cité était passée aux Maures moins d'un siècle avant que je n'y fusse amené en tant qu'esclave, une fois capturé dans les contrées sauvages de mon pays, dont je connaissais tout juste le nom : la Horde d'Or.

Les souvenirs m'avaient été arrachés, en même temps que le langage ou la capacité de raisonner. Je me rappelle les pièces sordides qui furent à mes yeux Constantinople car d'autres parlaient, et pour la première fois depuis une éternité, depuis que j'avais été dépouillé de toute mémoire, je comprenais ce qu'ils disaient.

Ils parlaient grec, bien sûr, ces commerçants qui vendaient des esclaves aux bordels d'Europe. La religion n'était rien pour eux alors qu'elle était tout pour moi, quoique très floue.

Je fus jeté sur un épais tapis d'Orient, luxueux ornement tel qu'on en trouvait dans les palais, présentoir réservé aux marchandises de prix.

Mes longs cheveux étaient humides ; on les avait brossés au point de me faire mal. La moindre de mes possessions m'avait été arrachée. J'étais nu sous une vieille tunique en tissu d'or éraillé, dans la chaleur et la moiteur. La faim me taraudait, mais comme je n'avais aucun espoir d'être nourri, je savais que cette douleur mourrait d'elle-même après avoir atteint son point culminant. La tunique, qui m'arrivait aux genoux, me donnait sans doute une splendeur ternie, l'éclat d'un ange déchu, avec ses manches amples.

En me remettant sur mes pieds, nus, bien sûr, je vis les hommes qui m'entouraient et sus ce qu'ils voulaient. Le vice — un vice méprisable, dont le prix était l'Enfer. Les malédictions de vieillards disparus résonnèrent en moi : trop beau, trop gracieux, trop pâle, les yeux trop imprégnés du Démon, ah, ce sourire diabolique.

Quelle ardeur dans les discussions des commerçants, dans leurs marchandages ! Quelle habileté à me fixer sans jamais croiser mon regard !

Soudain, je me mis à rire. Tout allait si vite. Ceux qui m'avaient amené étaient repartis. Ceux qui m'avaient récuré n'avaient pas quitté leurs baignoires. J'étais un paquet jeté sur un tapis.

Un instant durant, je me rappelai avoir eu à une époque la langue bien pendue, avoir été cynique, avoir possédé une conscience aiguë de la nature humaine. Je me mis à rire, parce qu'on me prenait pour une fille.

Puis j'attendis, l'oreille aux aguets, saisissant au vol des bribes de conversation.

La vaste salle possédait un plafond bas, agrémenté d'un dais en soie brodé de miroirs minuscules et de ces volutes que les Turcs aimaient tant. Des lampes fumantes, emplies d'huile parfumée, chargeaient l'air d'une suie brumeuse, crépusculaire, qui me brûlait les yeux.

Les marchands en turban et caftan ne m'étaient pas plus étrangers que leur langue, mais seules me parvenaient des bribes de leurs discussions. Mes yeux erraient en vain à la recherche d'une échappatoire : des hommes massifs, à l'air morose, étaient accroupis près des issues. Plus loin, un employé installé à un bureau faisait des comptes sur un abaque entouré d'innombrables tas de pièces d'or.

Un des marchands, grand et maigre, tout en pommettes et en mâchoires aux dents gâtées, s'approcha pour me tâter les épaules et le cou. Puis il souleva ma tunique. Je restai figé, sans plus de peur que de colère, du moins conscientes, juste paralysé. Je me trouvais au pays des Turcs, je savais ce qu'ils faisaient aux garçons, mais je n'avais jamais vu d'image de ces contrées, je n'avais jamais entendu d'histoires véridiques à leur sujet, ni connu quiconque y eût réellement vécu, les eût pénétrées puis fût revenu chez lui.

Chez moi. Sans doute désirais-je oublier qui j'étais. Sans doute. La honte ne pouvait que m'y contraindre. Pourtant, à cet instant, dans cette pièce semblable à une tente au tapis fleuri, parmi ces commerçants et ces marchands d'esclaves, je m'efforçai de me souvenir, comme si j'avais découvert en moi-même une carte dont les indications me permettraient de m'évader pour retourner à ma vraie place.

Je revis la steppe, les terres sauvages où nul ne se rendait sinon pour... Là, il y avait un blanc. J'avais gagné la steppe. J'avais défié le sort, stupidement mais de mon plein gré, porteur d'un fardeau de la plus haute importance. Une fois descendu de cheval, j'avais libéré le gros paquet du harnachement de cuir, couru en le serrant contre ma poitrine.

— Les arbres !

46

Qui avait poussé ce cri ?

Je savais néanmoins ce qu'on avait voulu dire : il me fallait parvenir au taillis pour y déposer le trésor, le fardeau magique soigneusement emballé qui n'était « pas fait de main d'homme ».

Je n'arrivai pas jusque-là. Lorsque je me sentis soulevé de terre, je lâchai la merveille. Mes ravisseurs ne la ramassèrent pas, du moins pas que je le visse. Arraché au sol, je pensai : personne n'est censé la trouver comme ça, empaquetée. Elle devrait être déposée dans un arbre.

Sans doute me viola-t-on sur le bateau, car je ne me rappelle pas le voyage jusqu'à Constantinople. Je ne me rappelle pas avoir eu faim, froid, honte ou peur.

A présent, pour la première fois, je découvrais le viol dans ses moindres détails — la graisse puante, les chamailleries, les jurons devant les restes de l'agneau. Un sentiment d'impuissance hideux, insupportable, m'envahit.

Je rugis tel un animal à la face du marchand, qui me frappa sur l'oreille assez fort pour me jeter à terre. Là, allongé, je levai vers lui un regard empli de tout le mépris possible. Il eut beau s'acharner sur moi à coups de pied, je ne me redressai pas. Je ne desserrai pas les lèvres.

Il finit par m'emporter sur son épaule à travers une cour surpeuplée, parmi de fabuleux chameaux puants, des ânes et des tas d'ordures, jusqu'au port puis sur une passerelle en bois et dans le ventre d'un bateau.

La crasse, à nouveau, l'odeur du chanvre, le bruissement des rats. Jeté sur une paillasse de toile grossière, je cherchai une fois de plus comment m'évader. En vain. Seule l'échelle par laquelle on m'avait descendu s'offrait à ma vue, tandis qu'au-dessus de moi retentissaient bien trop de voix.

Il faisait encore nuit lorsque le navire s'ébranla. En moins d'une heure, je fus si malade que je ne songeai plus qu'à mourir. Recroquevillé sur le plancher, aussi immobile que possible, entièrement dissimulé par le tissu doré, fin et doux de la vieille tunique, je dormis une éternité.

A mon réveil, un vieillard se tenait dans la cale. Sa robe, différente de celle des Turcs enturbannés, me parut moins effrayante, ses yeux emplis de gentillesse. Il se pencha sur moi. Son langage, quoique d'une douceur et d'une beauté inhabituelles, me fut incompréhensible.

Quelqu'un lui apprit en grec que j'étais muet, idiot, et que je grognais comme un animal.

C'eût été le moment de rire à nouveau, mais j'étais trop malade.

Le même Grec expliqua que je n'avais été ni blessé ni abîmé, et qu'on m'avait estimé un bon prix.

Le vieillard écarta d'un geste ces remarques, secoua la tête puis chanta à nouveau quelques mots dans sa langue. Ses mains se posèrent sur moi pour me relever avec douceur.

Il m'entraîna jusqu'à une porte, qui ouvrait sur une petite chambre toute tendue de soie rouge.

J'y passai le reste du voyage, excepté une nuit.

Cette seule nuit — que je ne puis situer dans le cours de notre périple — je le découvris en m'éveillant endormi à mon côté, ce vieil homme qui ne me touchait jamais, hormis pour me réconforter ou me consoler. Je sortis par l'échelle puis passai un long moment à contempler les étoiles.

Nous étions à l'ancre dans une ville bleu-noir, dont les toits en coupoles et les clochers dévalaient les falaises jusqu'au port, où des torches brûlaient sous des arcades aux voûtes ornementées.

La cité, le rivage civilisé me semblaient réels, attirants, mais l'idée ne me vint pas de sauter du bateau pour m'évader. Des hommes erraient sous les arcades. Au pied du pilier le plus proche se tenait un garde à la vêture étrange, au casque brillant, une grande épée massive pendue à la hanche. La colonne rongée à laquelle il s'appuyait, merveilleusement sculptée pour imiter un arbre, se divisait en rameaux qui soutenaient le cloître — on eût dit les ruines d'un palais, au sein duquel le canal réservé aux navires eût été creusé avec rudesse.

Je ne regardai guère la côte, après ce premier long coup d'œil mémorable. Je contemplai les cieux et leur cour de créatures mythiques, à jamais installées parmi les étoiles toutes-puissantes, impénétrables. La nuit au-delà était d'un noir d'encre, les astres si semblables à des joyaux que des poèmes d'autrefois me revinrent, et même des cantiques que seuls chantaient les hommes.

Si je me souviens bien, des heures s'écoulèrent avant que je ne fusse pris, férocement battu avec une lanière en cuir puis tiré derechef jusqu'à mon trou. Je savais que les coups s'interrompraient dès que le vieillard me verrait. Furieux, tremblant, il m'attira à lui, et nous nous recouchâmes. Son grand âge l'empêchait de rien attendre de moi.

Je ne l'aimais pas. L'idiot muet comprenait trop que cet homme le considérait comme un objet de valeur, à préserver en vue de la vente. Mais j'avais besoin de lui, et il séchait mes larmes. Je dormais le plus possible. Chaque fois que les vagues forcissaient, la mer me rendait malade. Parfois, la chaleur seule y suffisait. Je ne connaissais pas la chaleur, la vraie. Le vieillard me nourrissait si bien qu'il me semblait par moments être un veau, engraissé dans l'attente du boucher.

Lorsque nous atteignîmes Venise, l'après-midi tirait à sa fin. Je n'avais aucune idée de la beauté de l'Italie. J'en avais été écarté, retenu dans mon trou sinistre en compagnie de mon vieux geôlier. Quand on m'entraîna à travers la ville, je découvris très vite que ma méfiance à son égard avait été justifiée.

Il se querella âprement avec un autre homme, au fond d'une salle obscure. Rien ne me tirait la moindre parole. Rien ne suscitait en moi la moindre réaction laissant à penser que je comprenais ce qui m'arrivait. Je comprenais pourtant. De l'argent changea de main. Le vieillard partit sans un coup d'œil en arrière.

On chercha à m'apprendre certaines choses. La nouvelle langue douce, caressante, était partout autour de moi. Des jeunes gens vinrent s'asseoir à mon côté, me cajolèrent, m'embrassèrent, m'étreignirent. Ils me pincèrent les mamelons puis voulurent toucher les parties intimes qu'on m'avait défendu de seulement regarder, afin de m'éviter l'amère tentation du péché.

A maintes reprises, je résolus de prier, pour découvrir que les mots m'avaient fui. Les images mêmes étaient indistinctes. La lumière qui m'avait guidé au long des années s'était éteinte à jamais. Chaque fois que je m'enfonçais dans mes pensées, on me frappait ou on me tirait les cheveux.

Après les coups venaient les onguents, toujours. On prenait grand soin de ma peau écorchée. A un moment, un homme me gifla avec force. Un autre, poussant un cri, attrapa son bras levé avant qu'il ne pût recommencer.

Eau et nourriture m'indifféraient. On ne parvenait pas à me les faire avaler. J'en étais incapable. Non que j'eusse décidé de mourir, mais je n'arrivais tout simplement pas à me donner le moindre mal pour me maintenir en vie. J'allais rentrer chez moi. Chez moi. J'allais mourir et rentrer chez moi. Le passage serait terriblement douloureux — j'aurais pleuré si on m'avait laissé seul, mais tel n'était jamais le cas. Il me faudrait mourir en public. Je n'avais pas vu la lumière du jour depuis une éternité. Les lampes me blessaient les yeux, à cause des ténèbres totales qui m'enveloppaient si souvent, mais jamais on ne me laissait seul.

Les lampes s'avivaient. Ils étaient assis en rond autour de moi, avec leurs petits visages sales et leurs mains vives, véritables pattes qui balayaient mes cheveux de mon visage, me secouaient par l'épaule. Je me tournais vers le mur.

50

Un son me tenait compagnie, tandis que ma vie s'achevait. Au-dehors, l'eau clapotante léchait le mur. Je savais quand passaient des bateaux ; des piliers de bois craquaient. Je posais la tête contre la pierre pour sentir la maison se balancer, comme si elle n'avait pas été dressée au bord des flots mais plantée en leur sein, ce qui bien sûr était le cas.

Je rêvai de mon foyer, une fois, mais je ne me rappelle plus à quoi ressemblait le songe. Lorsque je m'éveillai, les larmes me prirent. Des ombres, s'abattit une volée de petits mots encourageants, de voix patelines, sentimentales.

Je croyais soupirer après la solitude. Il n'en était rien. Quand on m'enferma pour des jours et des jours dans une pièce obscure, sans pain ni eau, je me mis à hurler en martelant les murailles de mes poings. Nul ne vint.

Au bout d'un moment, je sombrai dans la stupeur. Lorsque la porte s'ouvrit — choc violent — je m'assis en m'abritant les yeux. La lampe était une menace. Ma tête palpitait douloureusement.

Puis vint un parfum suave, insidieux, où se mêlaient les odeurs du bois fin se consumant dans l'hiver enneigé, des fleurs écrasées et de l'huile aromatique.

Quelque chose de dur me toucha, cuivre ou bois, mais mobile, comme vivant. Enfin, je soulevai les paupières. Un homme me tenait. Ces choses inhumaines, qui semblaient de pierre ou de métal, étaient ses doigts blancs. Ses yeux bleus me contemplaient, tendres et passionnés.

— Amadeo, dit-il.

L'inconnu, vêtu de velours rouge, était d'une taille splendide. Ses cheveux blonds, séparés par le milieu tels ceux d'un saint, tombaient en vagues luxuriantes sur ses épaules, où ils ornaient sa cape de boucles lustrées. Nulle ride ne déparait son front lisse. Ses hauts sourcils droits, quoique dorés, étaient assez foncés pour lui conférer un air calme et décidé. Ses cils arqués semblaient effleurer les paupières de leurs fils d'or sombre.

Lorsqu'il sourit, ses lèvres furent soudain envahies d'une teinte pâle qui ne rendit que plus visibles leurs formes pleines.

Je le reconnus. Je lui parlai. Jamais je n'avais vu pareils miracles sur aucun autre visage.

Il me regardait avec une immense douceur. Son menton et le tour de sa bouche étaient rasés de si près que je n'y distinguais pas le moindre poil. Son nez, fin et délicat, demeurait d'une largeur assortie à ses autres traits magnétiques.

— Non, mon enfant, déclara-t-il, je ne suis pas le Christ mais un être qui apporte son propre salut. Viens dans mes bras.

— Je me meurs, maître.

En quelle langue m'exprimais-je ? Je ne puis le dire, même aujourd'hui, mais il me comprenait.

— Non, tu ne te meurs pas. Tu te trouves dès maintenant sous ma protection, et peut-être, si les étoiles sont avec nous, si elles nous sont favorables, ne mourras-tu jamais.

— Mais vous êtes le Christ. Je vous reconnais !

Il secoua la tête tout en baissant le regard de la manière la plus humaine qui fût. Ses lèvres généreuses s'écartèrent sur un sourire, lequel ne révéla que de blanches dents humaines. Passant les mains sous mes bras, il me souleva et m'embrassa la gorge. Paralysé de frissons, je fermai les yeux. Ses doigts s'y posèrent.

— Dors, je t'emmène à la maison, me dit-il à l'oreille.

Je m'éveillai dans une immense salle de bains. Aucun Vénitien n'en a jamais eu de pareille, je peux te le dire, aujourd'hui, à cause de tout ce que j'ai vu plus tard, mais que savais-je alors des usages de la ville ? Il habitait un palais, un vrai ; j'en avais déjà vu.

Je me redressai, émergeant de mes couvertures de velours — sa cape rouge, si je ne me trompe. A ma droite se trouvaient un grand lit fermé et, au-delà, le profond bassin ovale du bain proprement dit. L'eau s'y déversait d'une coquille tenue par deux anges, la vapeur s'élevait de sa vaste surface, et dans cette vapeur se tenait mon maître. Sa poitrine blanche était nue, ses mamelons d'un rose tendre ; ses cheveux, repoussés de son haut front lisse, semblaient encore plus épais, d'un blond plus magnifique qu'auparavant.

Il me fit signe d'approcher.

J'avais peur de l'eau, aussi m'agenouillai-je au bord du bassin pour y plonger la main.

Avec une vivacité et une grâce surprenantes, mon sauveur m'attrapa et m'attira dans le bain chaud, m'y enfonçant jusqu'à ce que mes épaules disparussent puis me penchant la tête en arrière.

Je levai à nouveau les yeux vers lui. Le plafond bleu vif était couvert d'anges d'une vie saisissante, aux ailes géantes emplumées de blanc. Jamais je n'avais vu créatures célestes aussi bouclées et éblouissantes. Elles bondissaient, libres de toute contrainte, de toute pompe, exhibant leur humaine beauté dans des membres musclés, des vêtements tourbillonnants, des chevelures virevoltantes. Il y avait quelque chose d'un peu fou dans ces messagers divins robustes, livrés à leurs jeux, ces amusements paradisiaques désordonnés vers lesquels s'élevait la vapeur, qui s'évanouissait dans une lumière dorée.

Je regardai mon maître. Son visage se trouvait juste devant le mien. Embrassez-moi encore, oui, je vous en prie, ces frissons, embrassez… Mais il était de la même race que les anges peints — il était des leurs, et ce lieu une sorte de Paradis païen réservé aux dieux guerriers où tout n'était que vin, fruit et chair. Je n'étais pas à ma place.

Il rejeta la tête en arrière pour laisser échapper un rire retentissant puis leva une main pleine d'eau, qu'il répandit sur ma poitrine. En un éclair, j'aperçus dans sa bouche ouverte quelque chose de terriblement anormal, des crocs semblables à ceux d'un loup qui donnaient une impression de grand danger. Mais, déjà, ils avaient disparu ; seules les lèvres de mon maître se collaient à ma gorge, puis à mon épaule ; seules ses lèvres s'attachaient à mon mamelon, que je ne pensais à couvrir que trop tard.

Je gémis. Tandis que je coulais contre mon compagnon dans l'eau chaude, sa bouche descendit de mon torse à mon ventre. Il aspirait tendrement ma peau, comme pour en tirer le sel et la chaleur. Son front même, qui donnait de petits coups contre mon épaule, m'emplissait de chauds frémissements excités. Je l'entourai de mon bras. Lorsque enfin il parvint à l'instrument du péché, ce dernier tira, telle une arbalète ; le trait, le carreau en jaillit, et je poussai un cri.

Mon maître me laissa reposer un moment contre lui. Il me baigna lentement. Me nettoya le visage avec un doux tissu. M'immergea davantage pour me laver les cheveux.

Puis, quand il m'estima reposé, les baisers reprirent.

Peu avant l'aube, je m'éveillai sur son oreiller. M'asseyant, je le vis enfiler sa cape et se couvrir la tête de sa capuche. La pièce était emplie de garçons, qui n'évoquaient cependant en rien les tristes enseignants émaciés du bordel. Les jeunes gens rassemblés autour du lit étaient beaux, bien nourris, souriants et doux.

Leurs tuniques colorées aux teintes effervescentes, au plissé soigné et à la ceinture serrée leur conféraient une grâce féminine. Tous avaient de longs cheveux luxuriants.

Mon maître se tourna vers moi. Dans une langue que je comprenais, que je connaissais à la perfection, il me dit que j'étais son enfant, son seul enfant, qu'il reviendrait le soir même, et qu'alors, j'aurais découvert un monde nouveau.

— Un monde nouveau ! m'écriai-je. Non, maître, ne me quittez pas. Je ne veux pas du monde. Je vous veux, vous !

— Amadeo… (Appuyé contre le lit, les cheveux à présent secs, bien coiffés, les mains adoucies de poudre, il me parlait toujours le langage secret des confidences.) Je suis à toi pour l'éternité. Laisse ces innocents te nourrir et t'habiller. A dater d'aujourd'hui, tu m'appartiens. Tu appartiens à Marius De Romanus.

Il se tourna vers les autres garçons pour leur donner des ordres dans la langue chantante qui m'était inconnue.

A leur air heureux, on eût cru qu'il leur avait donné des douceurs et de l'or.

— Amadeo, Amadeo, fredonnèrent-ils en se rassemblant autour de moi pour me maintenir et m'empêcher de le suivre.

Quoique leur grec fût bien meilleur et beaucoup plus rapide que le mien, je les comprenais.

Viens, suis-nous, tu es des nôtres, nous serons gentils, tout spécialement gentils avec toi. Ils m'accoutrèrent à la hâte de vêtements de rebut, se disputant au sujet de la tunique, qui n'était pas assez belle, des chausses déteintes, ah, mais ce ne serait que provisoire ! Enfile ces chaussures ; prends cette veste, elle est trop petite pour Riccardo. Une parure de roi.

— Nous t'aimons, me dit Albinus, le lieutenant du brun Riccardo, avec qui il offrait un saisissant contraste par la grâce de sa chevelure blonde et de ses pâles yeux verts.

Je ne parvenais pas vraiment à distinguer entre eux les autres garçons, mais ces deux-là se repéraient facilement.

— Oui, c'est vrai, nous t'aimons, renchérit Riccardo.

Il repoussa de son front ses cheveux de jais et m'adressa un clin d'œil.

Sa peau semblait si lisse, si sombre, comparée à celle de ses compagnons, ses yeux d'un noir si sauvage. Lorsqu'il pressa ma main, je remarquai ses longs doigts fins. Ici, tout le monde possédait de longs, de beaux doigts. Comme les miens, pourtant exceptionnels parmi mes frères. Mais je ne pouvais penser à cela.

Il me vint à l'esprit que, peut-être, par extraordinaire,

moi qui étais si pâle, par qui les ennuis arrivaient, qui avais les doigts fins, j'avais été transporté en esprit au pays des merveilles où était ma place. Mais c'eût été trop fabuleux pour être crédible. J'avais mal à la tête. Je voyais par éclairs silencieux les cavaliers massifs qui m'avaient capturé, la cale puante du bateau où j'avais attendu Constantinople, les hommes émaciés, toujours occupés, qui s'étaient alors chargés de moi.

Seigneur, pourquoi quiconque m'eût-il aimé ? Pourquoi ? Marius De Romanus, pourquoi m'aimez-vous ?

Le maître sourit en agitant la main à la porte. Son capuchon lui entourait le visage, écrin de pourpre à ses pommettes élégantes et ses lèvres arquées.

Mes yeux s'emplirent de larmes.

Une brume blanche tournoya autour de lui tandis que le battant retombait. La nuit s'épuisait. Pourtant, les bougies brûlaient toujours.

Mes compagnons m'entraînèrent dans une vaste salle emplie de peintures, de pigments et de pinceaux posés dans des pots en terre, prêts à l'usage. De grands carrés de tissu — les toiles — attendaient les artistes.

Les garçons ne préparaient pas leurs couleurs avec un jaune d'œuf, à l'ancienne. Ils mêlaient directement les poudres colorées, finement broyées, à des huiles ambrées pour obtenir de gros globules aux teintes vives. Je pris le pinceau qu'on me présentait puis contemplai le tissu blanc sur lequel j'allais peindre.

— Il n'est pas fait de main d'homme, dis-je.

Mais que signifiaient ces mots ? Levant le bras, j'entrepris de le représenter, lui, l'inconnu à la chevelure blonde qui m'avait arraché à l'obscurité et à la détresse. Je plongeai mon pinceau dans des pots de beige, de rose, de blanc, avant de l'abattre sur la toile, dont la résistance m'étonna, mais nulle image n'apparut. Je ne pus en susciter aucune !

— Il n'est pas fait de main d'homme ! répétai-je en lâchant mon outil.

Je me cachai le visage dans les mains.

Lorsque j'eus trouvé mes mots en grec, lorsque je les eus prononcés, plusieurs garçons acquiescèrent, sans pourtant en saisir la signification. Comment eussé-je pu leur expliquer la catastrophe ? Je regardai mes doigts. Qu'était-il advenu de... A cet instant, tout souvenir se consuma ; je devins Amadeo.

— Je ne peux pas. (Je contemplais d'un œil fixe le désordre coloré qui s'étalait sur la toile.) Peut-être pourrais-je, si c'était du bois.

Qu'aurais-je donc pu faire dans ce cas ? Mes compagnons ne comprenaient pas.

L'ange blond aux yeux d'un bleu glacé, mon maître, n'était pas le Seigneur réincarné.

Mais c'était mon Seigneur. Et je ne pouvais faire ce qui devait être fait.

Pour me consoler, pour me distraire, les autres garçons s'emparèrent de leurs pinceaux. Bientôt, à ma grande surprise, des torrents d'images jaillirent des touches rapides qu'ils posaient sur les toiles.

Un visage de jeune homme — les joues, les lèvres, les yeux, oui, une masse de cheveux blond-roux. Mon Dieu, c'était moi... Je ne contemplais pas une peinture mais un miroir. Amadeo. Riccardo se mit en devoir de fignoler l'expression, d'approfondir le regard, d'ensorceler la langue de sorte qu'on m'eût cru sur le point de parler. Qu'était-ce que cette magie éclatante, capable de faire jaillir de nulle part un jouvenceau si naturel, vu sous un angle banal, aux sourcils froncés et à la chevelure emmêlée au-dessus des oreilles ?

Cette silhouette vivante, fluide, abandonnée, me semblait à la fois blasphématoire et magnifique.

Riccardo épela mon nom en grec alors qu'il traçait les lettres qui le composaient, puis il jeta son pinceau.

— Notre maître a en tête une image bien différente, s'écria-t-il en arrachant les dessins.

Les garçons m'entraînèrent ensuite à travers la demeure, le « palazzo », comme ils disaient, m'apprenant le mot avec plaisir.

Le bâtiment tout entier était empli de peintures — sur les murs, les plafonds, sur des toiles et des panneaux rangés les uns contre les autres — tableaux immenses où s'étalaient des ruines, des colonnes brisées et des plantes grimpantes, des montagnes lointaines, mais aussi un flot ininterrompu de gens affairés aux joues roses, aux cheveux luxuriants, aux vêtements magnifiques que le vent, toujours, froissait et malaxait.

Ces œuvres ressemblaient aux grands plats de fruits et de viande que mes compagnons posèrent devant moi — un désordre fou, l'abondance pour l'abondance, un déluge de formes et de couleurs. Elles ressemblaient au vin, trop doux et trop léger.

Elles ressemblaient à la ville que nous dominions, une fois les fenêtres ouvertes, avec ses petits bateaux noirs — des gondoles, même alors — qui filaient au brillant soleil sur les eaux verdâtres, ses habitants aux capes somptueuses, écarlates ou dorées, qui se hâtaient sur les quais.

A peine entassés dans nos propres gondoles, en une véritable troupe, nous nous mîmes à glisser sans un bruit, gracieux et rapides, entre les façades. Chaque demeure, immense, était d'une beauté de cathédrale, avec ses arches étroites au sommet pointu, ses fenêtres en lotus, son revêtement de pierre blanche brillante.

Jusqu'aux plus vieilles bâtisses, aux plus décrépies, peu ornementées mais d'une taille colossale, qui se drapaient de couleurs, un rose si profond qu'il semblait fait de pétales écrasés, un vert si épais qu'il paraissait receler les flots opaques.

Nous gagnâmes la place Saint-Marc, entourée de longues arcades à la régularité inouïe.

Elle m'apparut comme la place centrale du Paradis, tandis que je contemplais la foule innombrable qui fourmillait devant les coupoles dorées de son église.

Les coupoles dorées…

On m'avait conté une très vieille histoire à leur sujet.

Je les avais d'ailleurs vues sur une image obscurcie, n'était-il pas vrai ? Les coupoles sacrées, les coupoles perdues, les coupoles en feu, l'église violée ainsi que je l'avais été moi-même. Ah, les ruines, les ruines avaient disparu, détruites par la soudaine éruption alentour de tout ce qui était vivant et sain ! Comment ce printemps était-il né des cendres de l'hiver ? Comment étais-je mort dans la neige, parmi les foyers fumants, puis ressuscité sous ce soleil caressant ?

Sa lumière à la douce chaleur baignait mendiants et marchands ; elle brillait sur les princes, dont des pages portaient les traînes de velours ornementé, sur les libraires qui protégeaient leurs livres d'auvents écarlates, sur les joueurs de luth se disputant des piécettes.

Boutiques et étals proposaient des marchandises de tout le vaste monde diabolique — une verrerie comme je n'en ai jamais revu, y compris des gobelets de toutes les teintes imaginables et des bibelots luisants, notamment des figurines humaines, animales et autres ; des grains de chapelets joliment tournés, aux merveilleuses couleurs vives ; des dentelles magnifiques, dont les grands dessins gracieux représentaient parfois de véritables clochers ou des maisonnettes d'un blanc de neige, ornées de portes et de fenêtres ; les longues plumes pelucheuses d'oiseaux qui m'étaient inconnus ; des volatiles exotiques, lesquels battaient des ailes en piaillant dans des cages dorées ; les tapis les plus raffinés, les plus artistement travaillés, qui ne me rappelaient que trop la puissance des Turcs et leur capitale, d'où j'arrivais. Mais comment résister à pareils chefs-d'œuvre ? Leur loi interdisait aux Maures de représenter des êtres humains, si bien qu'ils tissaient des fleurs, des arabesques, des ondulations labyrinthiques et autres dessins aux tons hardis avec une précision qui forçait le respect. Il y avait aussi des huiles pour lampes, des cierges, des bougies, de l'encens, de grands étalages où brillaient des joyaux d'une indescriptible beauté, les ouvrages les plus délicats des orfèvres, en or ou en argent, vaisselle et ornements anciens ou récents. Certains magasins n'offraient à la vente que des épices. D'autres regorgeaient de médicaments et de baumes. D'autres encore de statues en bronze, de têtes de lions, de lanternes ou d'armes. Les marchands de vêtements proposaient de la soie venue d'Orient, la laine la plus finement tissée, teinte de couleurs miraculeuses, du coton, du lin, de superbes échantillons de broderie, des rubans à profusion.

Hommes et femmes paraissaient immensément riches. Ils festoyaient avec insouciance, dans les échoppes où on les préparait, de tourtes à la viande toutes chaudes. Ils buvaient un vin rouge lumineux, grignotaient de délicieux petits gâteaux à la crème.

Les libraires vendaient les nouveaux livres imprimés, dont mes compagnons me parlèrent avec ardeur. Ils m'expliquèrent quelle merveilleuse invention était la presse à imprimer, grâce à laquelle on pouvait depuis peu acquérir partout des ouvrages où figuraient non seulement lettres et mots, mais encore images et dessins.

Venise comptait déjà des dizaines de petits imprimeurs et éditeurs, chez qui les presses travaillaient dur à reproduire des œuvres en grec autant qu'en latin ou en langue vulgaire — celle, tellement chantante, que les garçons parlaient entre eux.

Ils me permirent de m'arrêter pour me repaître de ces merveilles, ces machines qui fabriquaient les pages des livres.

Mais Riccardo et ses amis avaient du travail — rassembler pour notre maître gravures et reproductions des peintres allemands, les nouvelles techniques permettant de multiplier les merveilles anciennes de Memling, Van Eyck, ou Jérôme Bosch. Marius était toujours disposé à acheter ce genre de dessins, qui apportaient le Nord dans le Sud. C'était le champion de ces chefs-d'œuvre. Ravi que plus de cent presses emplissent notre ville, il se réjouissait de mettre au rebut ses grossières copies inexactes de Tite-Live et de Virgile pour les remplacer par des textes imprimés corrigés.

Ah, que de choses à apprendre !

Il ne fallait pas non plus oublier mes vêtements, aussi importants que la littérature ou la peinture du monde entier. Les tailleurs devaient suspendre à l'instant toutes leurs occupations pour m'habiller convenablement, en accord avec les petits dessins à la craie tracés par le maître.

Nous allions apporter à des banquiers des lettres de crédit. J'allais avoir de l'argent. Tout le monde allait en avoir. Cela ne m'était jamais arrivé.

Je trouvai l'argent joli — les pièces florentines en métal précieux, les florins allemands, les groschens bohémiens, la curieuse monnaie émise depuis bien longtemps par les dirigeants vénitiens (les doges), les souvenirs exotiques de la Constantinople d'autrefois. Chacun de nous eut droit à un petit sac cliquetant, une « bourse », qu'il accrocha à sa ceinture.

Un de mes compagnons m'acheta une merveille que je contemplai d'un regard fixe. Une montre. Le concept de ce minuscule objet tictaquant tout incrusté de gemmes m'échappait, sans que les innombrables aiguilles pointées vers le ciel m'apprissent rien. Enfin, je compris, avec un choc : sous le filigrane et la peinture, dans le cadre étrange de verre et de pierres précieuses, fonctionnait une horloge minuscule !

Je l'emprisonnai au creux de ma main ; la tête me tournait. Jamais je n'avais vu d'horloge autre qu'imposante, vénérable, montée sur un clocher ou un mur.

— Je porte le temps, à présent, murmurai-je en grec.

— Compte les heures pour moi, Amadeo, me demanda Riccardo.

Je voulais dire que cette découverte prodigieuse avait une signification personnelle. C'était un message que m'envoyait un autre monde, oublié trop vite, avec tous les risques que cela comportait. Le temps n'était plus le temps ; il ne le serait jamais plus. Le jour n'était plus le jour, ni la nuit la nuit. Je ne pouvais formuler cette impression en grec ni en aucune autre langue, ni même dans mes pensées fiévreuses. J'essuyai la sueur à mon front. Je plissai les yeux devant le brillant soleil de l'Italie. Mon regard se riva aux oiseaux qui traversaient le ciel en grands vols, tels de minuscules traits d'encre battant à l'unisson. Il me semble que je murmurai, bêtement :

— Nous sommes au cœur du monde.

— En son centre, oui, dans la plus grande de ses cités ! s'exclama Riccardo, qui me guidait parmi la foule. Nous allons la visiter avant de nous enfermer chez le tailleur, n'en doute pas un instant.

Mais d'abord vint l'heure de s'arrêter chez le marchand de douceurs, de vivre le miracle du chocolat sucré, des concoctions sirupeuses aux noms imprononçables mais au rouge ou au jaune vifs.

Un des garçons me montra dans un petit livre des images des plus effrayantes : hommes et femmes absorbés dans des étreintes charnelles. Des illustrations de l'œuvre de Boccace. Riccardo me dit qu'il me lirait les histoires — elles seraient parfaites pour m'apprendre l'italien — et qu'il me ferait également découvrir Dante.

Boccace et Dante, bien que tous deux Florentins, n'étaient au bout du compte pas si mauvais, ajouta un autre garçon.

Notre maître aimait tous les livres, me déclara-t-on. On ne pouvait mal user de son argent en achetant de quoi lire, cela lui agréait toujours. Bientôt, les professeurs qui venaient au palazzo me rendraient fou avec leurs leçons, les *studia humanitatis* auxquelles nous étions astreints. Elles comprenaient histoire, grammaire, rhétorique, philosophie, auteurs anciens... Tout cela me fut expliqué en paroles étourdissantes qui ne me livreraient leur sens qu'à force de répétitions et de démonstrations durant les jours à venir.

Nous ne pourrions jamais être trop beaux pour notre maître — encore une leçon qu'il me fallait apprendre. Chaînes d'or et d'argent, colliers ornés de médaillons et d'autres babioles, achetés pour moi, furent passés à mon cou. J'avais besoin de bagues, de pierres précieuses, aussi marchandâmes-nous âprement avec les bijoutiers, à la suite de quoi j'arborai une véritable émeraude du nouveau monde et deux anneaux de rubis, incrustés d'inscriptions en argent que j'étais bien incapable de lire.

Je ne me lassais pas de contempler mes mains ainsi embellies. Aujourd'hui encore, quelque cinq cents ans plus tard, je conserve un faible pour les gemmes montées en bagues. Je n'y ai renoncé que durant les siècles de ma pénitence parisienne, alors que j'étais un Enfant des Ténèbres, un va-nu-pieds satanique. Mais nous n'en arriverons que trop tôt à ce cauchemar.

Pour l'heure, j'étais vénitien, enfant de Marius, et je m'amusais avec ses autres enfants ainsi que je le ferais quelques années durant.

Le tailleur.

Tandis qu'on prenait mes mesures, qu'on me chargeait d'épingles et qu'on m'habillait, mes compagnons me racontèrent que nombre de nos plus riches concitoyens rendaient visite à notre maître pour chercher à obtenir la plus petite de ses peintures. Quant à lui, il ne vendait presque rien, sous prétexte qu'il était trop mauvais artiste, mais réalisait parfois un portrait lorsqu'une physionomie l'avait frappé, représentant presque toujours son sujet en personnage mythique — dieu, déesse, ange ou saint. Des noms connus ou inconnus glissaient des lèvres des garçons. Il semblait qu'ici, les échos du sacré fussent balayés par une marée nouvelle.

Les souvenirs ne me secouaient que pour me relâcher. Saints et dieux étaient-ils donc les mêmes ? N'existait-il pas une loi, à laquelle j'eusse dû rester fidèle, décrétant que tout cela n'était qu'habiles mensonges ? Je ne parvenais pas à m'éclaircir les idées au milieu du bonheur — oui, du bonheur — qui m'entourait. Comment ces visages rayonnants et ouverts eussent-ils pu dissimuler la moindre perversité ? Ce n'était pas possible. Pourtant, tout plaisir m'était suspect. Je me sentais égaré lorsque je ne pouvais m'abandonner, emporté lorsque je capitulais, ainsi que je le fis de plus en plus aisément au fil du temps.

Ce jour d'initiation ne fut qu'un parmi les centaines, non, les milliers qui allaient suivre. Je ne sais quand je commençai à comprendre de manière assez précise mes compagnons. Ce moment vint, cependant, et assez vite. Je ne me rappelle pas être resté bien longtemps naïf.

Notre première excursion fut pure magie. Le ciel, au-dessus de nos têtes, avait le bleu parfait du cobalt. Une brise fraîche, saine et humide, soufflait de la mer. Les nuages que j'avais vus si merveilleusement représentés dans les peintures du palazzo galopaient à travers les cieux, premier indice pour moi que les œuvres du maître n'étaient pas mensongères.

Lorsque, par permission spéciale, nous pénétrâmes dans la basilique Saint-Marc, réservée aux doges, sa splendeur me prit à la gorge — une mosaïque d'or brillant en couvrait les murs. Un autre choc violent suivit, quand je me sentis littéralement enseveli sous la lumière et les richesses, environné de silhouettes sombres figées — des saints, je le savais.

Ils ne recelaient pour moi nul mystère, les héros de ces scènes martelées, sévères dans leurs soigneux drapés figés, les mains jointes pour la prière. Je connaissais leurs auréoles, les trous minuscules creusés dans l'or pour qu'il brillât avec plus de magie encore. J'avais conscience du jugement porté par les patriarches qui me fixaient, impassibles, tandis que je me figeais en plein mouvement, incapable d'avancer.

Je m'effondrai sur le sol. Malade.

Il fallut m'emporter de l'église. Le bruit de la piazza s'éleva autour de moi comme si j'avais sombré vers quelque terrible fin. J'eusse voulu dire à mes amis que l'incident était inévitable, qu'ils n'avaient aucun reproche à se faire.

Car ils étaient en émoi. Incapable de m'expliquer, étourdi, suant à profusion, je restais effondré au pied d'une colonne. Ils me déclarèrent, malgré mon hébétude, que cette basilique était un simple élément de la ville. Pourquoi tant m'en effrayer ? Certes, elle était vieille ; certes, elle était de style byzantin ; comme une bonne partie de Venise. « Nos vaisseaux ont commercé des siècles durant avec Byzance. Nous formons un empire maritime. » Je m'efforçai de comprendre.

Dans ma douleur, une seule chose m'apparut clairement : l'église ne représentait nul jugement particulier porté à mon endroit. On m'en avait tiré aussi aisément qu'on m'y avait introduit. Les garçons à la voix douce et aux mains tendres qui m'entouraient, m'offrant du vin frais et des fruits afin que je me remisse, n'en étaient pas frappés de terreur.

Je me retournai. Les quais du port se devinaient tout juste, un peu plus loin. Saisi à la vue des vaisseaux, je m'élançai dans leur direction. Ils étaient à l'ancre sur quatre ou cinq rangs, mais derrière eux se jouait le plus grand des miracles : d'immenses galions à la lourde coque de bois arrondie récoltaient la brise dans leurs voiles et battaient les flots de leurs rames gracieuses afin de prendre la mer.

Les bateaux allaient et venaient, d'énormes barques dangereusement proches les unes des autres entrant et sortant de l'estuaire vénitien tandis que d'autres, non moins belles, non moins inouïes, ancrées, vomissaient un flot de marchandises.

Mes compagnons me menèrent, trébuchant, à l'Arsenal, où la vue des hommes très ordinaires occupés à construire les vaisseaux me réconforta. Avec le temps, je pris l'habitude de traîner là des heures durant, à contempler l'ingénieux processus grâce auquel l'être humain fabriquait des nefs si énormes qu'elles me semblaient condamnées à couler.

Par moments, j'entrevoyais des images de rivières gelées, de barges et de bateaux à fond plat, d'hommes rudes empestant la graisse animale et le cuir rance, mais ces derniers lambeaux déchiquetés du monde hivernal d'où je venais s'effaçaient.

Sans Venise, peut-être l'histoire eût-elle été différente.

Au fil des ans que je passai dans la cité des doges, jamais je ne me lassai de l'Arsenal, du spectacle de la construction navale. Il me suffisait, pour y accéder, de quelques mots aimables et d'une ou deux piécettes. Je contemplais alors avec délice les structures fantastiques qui naissaient des membrures courbes, du bois plié et des mâts aigus. En ce premier jour, on nous fit traverser ce lieu de miracles à la hâte. C'était assez.

Oui, Venise allait extirper de mon esprit, pour un temps au moins, le caillot des tourments d'une existence antérieure, la congestion des vérités que je refusais de regarder en face.

Jamais mon maître n'eût été là sans Venise.

Il n'allait pas s'écouler un mois avant qu'il m'expliquât prosaïquement ce que chaque ville italienne avait à lui offrir. Il aimait écouter les extraordinaires orateurs romains ou voir Michel-Ange, le grand sculpteur, travailler dur dans son atelier florentin.

— Mais l'art vénitien a mille ans, poursuivit-il en levant son pinceau vers l'immense panneau posé devant lui. Venise est en elle-même une œuvre d'art, une métropole de temples domestiques inouïs aussi serrés que les rayons d'une ruche baignée de nectar par une population d'abeilles laborieuses. Vois nos palais. Ils suffiraient à réjouir l'œil.

Au fil du temps, aidé par mes camarades, il m'instruisit de l'histoire de la ville, en insistant sur la nature de la République qui, quoique despotique dans ses décisions et d'une hostilité féroce envers les étrangers, n'en gérait pas moins une cité d'« égaux ». Florence, Milan, Rome — toutes étaient tombées sous le joug de petites élites, de familles ou d'ambitieux isolés, alors que Venise, malgré ses défauts, restait gouvernée par ses sénateurs, ses puissants marchands et son Grand Conseil.

Ce premier jour, je conçus pour elle un amour éternel. A ma grande surprise, elle ne semblait pas abriter la moindre horreur. C'était un foyer chaleureux, même pour ses mendiants, bien vêtus et malins, un centre de prospérité et de passions véhémentes autant que de richesse stupéfiante.

D'ailleurs, le tailleur ne me transformait-il pas en prince, à l'égal de mes nouveaux amis ?

Riccardo ne portait-il pas l'épée ? Je n'étais entouré que de nobles damoiseaux.

— Oublie tout ce qui t'est arrivé jusqu'ici, me dit Riccardo. Le maître est notre seigneur, et nous sommes ses princes, sa cour royale. Tu es riche, à présent, rien ne peut plus t'atteindre.

— Nous ne sommes pas de simples apprentis au sens ordinaire du mot, poursuivit Albinus. Plus tard, nous irons à l'Université de Padoue. Tu verras. On nous enseigne la musique, la danse et les bonnes manières autant que la science et la littérature. Tu auras l'occasion de rencontrer nos prédécesseurs, car ils viennent nous rendre visite. Ce sont des gentilshommes fortunés. Giuliano est à présent un avocat prospère, et un autre garçon médecin à Torcello, une cité-île toute proche.

« Chacun a de quoi vivre en quittant le palazzo, mais le maître réprouve l'oisiveté, comme tous les Vénitiens. Nous serons un jour aussi bien pourvus que les seigneurs paresseux des pays lointains, qui ne font que picorer le monde à la manière d'un repas. »

A la fin de cette première aventure baignée de soleil qui m'introduisait dans le giron de Marius et de sa splendide cité, je fus peigné, rafraîchi puis vêtu des couleurs qu'il choisirait toujours pour moi — le bleu nuit de la courte veste en velours à ceinture, le bleu ciel des chausses, le bleu azur plus clair encore de la tunique, brodée au fil d'or de minuscules fleurs de lys à la française. Une pointe de bordeaux, ici ou là, pour le garnissage et la fourrure ; car, lorsque la brise marine s'enflait, en hiver, le paradis vénitien devenait ce que les Italiens appelaient froid.

A la tombée de la nuit, je caracolai un moment sur le dallage de marbre avec mes compagnons, au son des luths dont jouaient les plus jeunes, accompagnés par la musique fragile du virginal — le premier instrument à clavier que j'eusse jamais vu.

Enfin, les dernières lueurs du crépuscule s'éteignirent en beauté dans le canal, devant les fenêtres ogivales du palazzo. Je me mis à errer par la vaste demeure, où mon reflet m'apparaissait quelquefois au fond des miroirs aussi hauts que les murs, envahis par la pénombre, qui ornaient corridors, salons, alcôves ou autres pièces luxueuses.

Riccardo et moi chantions à l'unisson les mots que je venais d'apprendre. Le grand Etat vénitien s'appelait la Sérénissime République ; les bateaux noirs que j'avais vus sur les canaux, des gondoles ; le vent porteur de folie qui se lèverait bientôt, le sirocco ; les plus hauts dirigeants de cette cité magique, les doges ; le livre que nous étudiions ce soir avec notre professeur était une œuvre de Cicéron ; l'instrument qu'avait saisi Riccardo et dont il pinçait les cordes, un luth ; le grand dais qui surmontait la couche royale de notre maître, un baldaquin — dont on changeait toutes les quinzaines les franges d'or.

J'étais en extase.

On m'avait donné non seulement une épée, mais encore une dague.

Quelle confiance ! Certes, je n'étais qu'un agneau pour mes compagnons, et moi-même je me considérais presque comme tel. Mais nul ne m'avait jamais confié des armes de bronze ou d'acier. Les souvenirs revinrent un instant me jouer des tours. Je savais lancer le javelot de bois ou... Hélas, ils se transformèrent en une bouffée de fumée. Dans l'air environnant persista l'idée que je n'avais pas été promis aux armes mais à un destin immense, qui exigerait de moi tout ce que je pourrais donner. Les armes m'étaient interdites.

Non, plus maintenant. Plus maintenant, plus maintenant, plus maintenant. La mort m'avait avalé pour me recracher ici : au cœur du palais de mon maître, dans un salon orné de scènes de bataille colorées, au plafond peint de cartes, aux fenêtres en verre épais. Je tirai mon épée dans un grand bruit chantant et la pointai vers l'avenir. De ma dague, dont j'examinai d'abord la garde incrustée d'émeraudes et de rubis, je coupai une pomme en deux ; j'eus un petit hoquet.

Les autres se moquèrent, mais gentiment, amicalement.

Bientôt, le maître arriverait. Les plus jeunes d'entre nous, qui n'étaient pas sortis de la journée, passaient de salle en salle d'un pas rapide, la bougie levée vers les torches et les candélabres. Figé sur un seuil, je regardai la lumière jaillir sans un bruit dans une pièce, puis une autre, puis encore une autre.

Un homme de haute taille à la mise discrète apparut, un livre usé à la main. Ses longs cheveux noirs très fins tombaient sur une robe en laine également noire. Malgré la gaieté qui brillait dans ses petits yeux, sa bouche mince, décolorée, s'ornait d'un pli agressif.

Les autres garçons gémirent.

Les grandes fenêtres étroites furent fermées à l'air frais de la nuit.

Plus bas, sur le canal, des hommes chantaient en manœuvrant leurs fines gondoles. Leurs voix résonnantes semblaient éclabousser les murs, délicates, scintillantes, avant de s'éteindre.

Je mangeai la pomme jusqu'au dernier petit fragment juteux. J'avais plus mangé ce jour-là de pain, de fruit, de viande, de douceurs et de bonbons qu'un être humain ne le pouvait. Je n'étais pas humain. J'étais un garçon affamé.

Le professeur claqua des doigts puis prit à sa ceinture une longue badine, qu'il testa sur sa propre jambe.

— Venez, lança-t-il, il est l'heure.

Je levai les yeux à l'instant où le maître apparut.

Mes compagnons, petits ou grands, enfantins ou virils, coururent à lui, l'étreignirent, se cramponnèrent à ses bras tandis qu'il inspectait les peintures exécutées durant la longue journée.

L'enseignant attendit en silence, après s'être respectueusement incliné.

Nous partîmes ensuite par les galeries, tous ensemble, l'homme en noir loin derrière.

Marius tendait les mains. C'était un privilège que de toucher ses doigts blancs et froids, que d'attraper une de ses épaisses manches rouges traînantes.

— Viens, Amadeo. Suis-nous.

Je ne désirais qu'une chose, laquelle arriva bien assez tôt.

Les autres se retirèrent en compagnie de l'employé chargé de leur lire Cicéron. Les mains fermes du maître, aux ongles luisants, me firent pivoter pour me pousser vers ses appartements privés.

Nous y restâmes seuls, derrière les portes de bois peint verrouillées, environnés de braseros parfumés à l'encens, dans la fumée odorante qui s'élevait des lampes de cuivre. Les oreillers moelleux nous accueillirent sur le lit, jardin de soie fleurie peinte et brodée, de satin floral, de chenille luxueuse, de brocard aux dessins complexes. Mon compagnon en tira les rideaux cramoisis, qui tamisaient la lumière. Rouge, rouge, rouge. Sa couleur, me dit-il, comme le bleu serait la mienne.

Il me courtisa dans une langue universelle en me nourrissant d'images :

— Le brun de tes yeux devient d'ambre lorsque le feu y tombe, murmurait-il. Oh, ce lustre, cette noirceur. Ce sont deux miroirs luisants où je me contemple, tandis qu'ils gardent leurs secrets, portes obscures d'une âme profonde.

Je me perdais dans le bleu glacé de son propre regard et le corail luisant et doux de ses lèvres.

Il s'allongea près de moi, m'embrassa, me passa les doigts avec douceur dans les cheveux, sans en tirer la moindre boucle, arracha des frissons à mon cuir chevelu et à mon entrejambe. Ses pouces, si durs et si froids, me caressèrent les joues, la bouche, la mâchoire, rendant ma chair plus sensible. Hautain quoique affamé, il me tourna la tête de droite et de gauche pour planter des ébauches de baisers dans la coquille de mes oreilles.

J'étais trop jeune pour que le plaisir me trempât.

Peut-être ressemblait-il à celui qu'éprouvent les femmes.

Il me semblait que cela n'en finirait jamais. Emprisonné entre les mains de mon maître, incapable de m'en échapper, j'endurais une extase terrible. Je me convulsais, me tordais, saisi encore et encore par une folle jouissance.

Ensuite, il m'apprit d'autres mots de ma nouvelle langue. Le dallage froid et dur était en marbre de Carrare, les rideaux en soie filée, les broderies des oreillers représentaient des poissons, des tortues et des éléphants, la tapisserie du lourd dessus-de-lit un lion.

Tandis que j'écoutais, fasciné, ces explications petites et grandes, il me révéla d'où provenaient les perles cousues sur ma tunique et comment on les avait tirées des huîtres de l'océan. Des jeunes gens avaient plongé dans les profondeurs marines pour rapporter en surface ces précieuses sphères blanches, à l'abri de leur bouche. Les émeraudes étaient extraites de mines creusées sous terre. Les hommes s'entre-tuaient pour elles. Quant aux diamants, ah, regarde celui-là. Il retira un anneau de son doigt puis le passa au mien, qu'il caressa doucement en vérifiant que le bijou m'allait. Les diamants sont la blanche lumière de Dieu. Ils sont purs.

Dieu. Qu'est-ce que Dieu ?! Le choc parcourut tout mon corps. Il me sembla que la scène qui m'entourait allait se faner.

Marius ne me quittait pas du regard en discourant. Par moments, je croyais l'entendre alors que ses lèvres restaient immobiles et qu'il ne produisait pas le moindre son.

Je commençai à m'agiter. Dieu. Ne me laissez pas penser à Dieu. Soyez mon Dieu.

— Donnez-moi votre bouche, murmurai-je. Donnez-moi votre étreinte.

Ma faim le surprit, le ravit.

Il rit tout bas en me répondant par d'autres baisers parfumés qui ne pouvaient me faire de mal. Son souffle chaud se répandit en un flot au doux sifflement sur mon entrejambe.

— Amadeo, Amadeo, Amadeo, dit-il.

— Que signifie ce nom, maître ? demandai-je. Pourquoi me le donner ?

Il me sembla entendre dans ma voix mon ancien moi, mais peut-être était-ce le prince nouveau-né, doré, enveloppé de luxe, qui avait adopté ce ton hardi quoique respectueux.

— Aimé de Dieu, répondit mon compagnon.

Ah, c'était insupportable. Dieu. Je ne pouvais lui échapper. J'étais bouleversé, paniqué.

S'emparant de ma main tendue, Marius plia un de mes doigts pour désigner un minuscule bébé ailé dessiné en perles luisantes sur un coussin usé posé à notre côté.

— Amadeo, répéta-t-il. Aimé du Dieu de l'amour.

La montre qui se trouvait dans mes vêtements, jetés en tas à notre chevet, lui apparut alors. Il la ramassa et la regarda, souriant. Ces merveilles, véritables rançons de rois, restaient rares.

— Tu auras tout ce que tu désireras, affirma-t-il.

— Pourquoi ?

Nouveau rire.

— Pour des boucles cuivrées telles que celles-là, dit-il en me caressant les cheveux. Pour des yeux du brun le plus profond et le plus tendre. Pour une peau aussi blanche que la crème sur le lait matinal. Pour des lèvres impossibles à distinguer des pétales de rose.

Au cœur de la nuit, il me conta des histoires d'Eros et d'Aphrodite ; me narra la fantastique tragédie de Psyché, aimée d'Eros mais à qui il était interdit de le contempler au grand jour.

Je parcourus à son côté des couloirs froids. Ses doigts se refermaient sur mes épaules tandis qu'il me montrait les belles statues de marbre de ses dieux et déesses, des amants, tous — Daphné, aux membres gracieux transformés en branches de laurier, alors qu'Apollon la cherchait avec désespoir ; Leda, impuissante dans l'étreinte du grand cygne.

Il guida mes mains sur les courbes de pierre, les visages polis, sculptés avec précision, les cuisses dures, les fissures glacées des bouches entrouvertes. C'était lui-même une véritable statue vivante, respirante, plus merveilleuse que toutes les autres. Lorsqu'il me soulevait de ses mains puissantes, une grande chaleur émanait de lui, du souffle parfumé qu'il dispensait en soupirs et en murmures.

Au bout d'une semaine, je ne me rappelais pas le moindre mot de ma langue maternelle.

Dans une tempête de qualificatifs, je vis, fasciné, le Grand Conseil de Venise s'avancer sur le débarcadère, tandis qu'on célébrait la grand-messe à l'autel de la basilique Saint-Marc, les vaisseaux fendre les vagues vitreuses de l'Adriatique, les pinceaux plonger dans les couleurs pour les mêler au fond des pots de terre — madère, vermillon, carmin, cerise, ciel, turquoise, vert Guignet, ocre, ombre brûlée, quinacridine, citron, sépia, violet Caput Mortuum — une beauté — et laque épaisse du nom de sang-dragon.

J'excellais à la danse et à l'escrime. Comme Riccardo était mon partenaire préféré, je m'aperçus vite que je valais mes aînés en presque tout. Je surpassais jusqu'à Albinus, qui avait occupé la place avant mon arrivée, bien qu'il ne me témoignât nulle rancœur.

Mes compagnons étaient des frères pour moi.

Ils m'emmenèrent chez une belle courtisane, la mince et souple Bianca Solderini, au charme sans égal, aux boucles onduleuses évoquant les personnages de Botticelli, aux yeux gris en amande, pleine d'un esprit généreux et aimable. J'étais le bienvenu chez elle lorsqu'il me plaisait de m'y présenter, parmi les jeunes hommes et femmes qui lisaient de la poésie pendant des heures, parlaient de guerres étrangères apparemment sans fin ou des peintres à la mode qui se verraient proposer tel ou tel travail.

Bianca s'exprimait d'une petite voix enfantine assortie à son visage de fillette et à son nez minuscule. Sa bouche n'était guère qu'un bouton de rose. Pourtant, c'était une femme intelligente, indomptable, qui chassait froidement les amants possessifs ; il lui plaisait que sa maison fût à toute heure emplie d'animation. Quiconque arborait une robe convenable ou portait l'épée y était admis. Nul ou presque, hormis les maladroits qui cherchaient à s'approprier la maîtresse des lieux, ne s'en voyait fermer les portes.

On y rencontrait souvent des voyageurs français ou allemands.

Tous les visiteurs, Vénitiens ou étrangers venus de lointains pays, s'interrogeaient sur notre maître, Marius le mystérieux. Toutefois, nous avions pour consigne de ne pas répondre aux questions que les curieux nous posaient sur lui. Lorsqu'on nous demandait s'il comptait se marier, s'il accepterait de peindre tel ou tel portrait, s'il serait chez lui tel ou tel jour au cas où telle ou telle personne s'y présenterait, nous nous contentions de sourire.

Il m'arrivait de m'endormir sur le sofa de Bianca, voire sur son lit, l'oreille tendue aux voix assourdies de ses nobles hôtes, les rêves bercés par la musique, toujours douce et apaisante.

De temps à autre, très rarement, le maître venait en personne nous chercher chez elle, Riccardo et moi, créant un petit événement dans la galerie ou le grand salon. Jamais il ne prenait de siège. Il gardait sa cape sur les épaules, capuchon levé, mais il répondait d'un gracieux sourire à toutes les requêtes et offrait parfois à Bianca une miniature la représentant.

Je les vois en cet instant, ces portraits *minuscules* qu'il lui donna au fil des ans, tous incrustés de gemmes.

— Vous capturez si bien la ressemblance, de mémoire, disait la jeune femme en l'embrassant.

Réservé, malgré tout, il la maintenait à l'écart de son torse et de son visage durs et froids, quoiqu'il lui posât sur les joues des baisers dont son véritable contact eût détruit l'illusoire douceur.

Je passais des heures à lire en compagnie du professeur, Leonardo de Padoue, d'une voix parfaitement synchrone avec la sienne. Ainsi découvris-je les structures du latin, puis de l'italien, avant de revenir au grec. Aristote m'agréait autant que Platon, Plutarque, Tite-Live ou Virgile. A vrai dire, je ne comprenais pas grand-chose à tous ces auteurs. J'obéissais au maître, qui préconisait de laisser le savoir s'accumuler dans mon esprit.

Parler sans fin de la création, comme Aristote, me semblait bien vain. Les vies des anciens, que Plutarque racontait avec animation, donnaient d'excellentes histoires, mais les gens de mon époque m'intéressaient davantage. Je préférais somnoler sur le sofa de Bianca plutôt que disputer des mérites de tel ou tel peintre. D'autant que, je le savais, c'était mon maître le meilleur.

Mon univers se composait de vastes salles, de fresques, d'une éclatante lumière parfumée, de défilés de mode. Je m'y m'accoutumai à la perfection, aveugle aux souffrances et à la misère des pauvres de Venise.

Jusqu'aux livres que je lisais qui dépeignaient mon nouveau monde, auquel je m'attachais tant que rien n'eût pu me ramener à celui dont j'étais issu, le royaume douloureux du chaos.

J'appris à jouer de petits airs sur le virginal. A pincer le luth et à chanter d'une voix douce, bien que je m'en tinsse à des ballades mélancoliques. Le maître les aimait beaucoup.

De temps à autre, nous formions une ronde — tous ses enfants réunis — un chœur qui lui présentait ses propres compositions ainsi que, parfois, ses propres danses.

Les après-midi de grande chaleur, nous nous affrontions aux cartes alors que nous eussions dû faire la sieste. Je me glissais dehors, en compagnie de Riccardo, pour aller jouer dans les tavernes. A une ou deux reprises, nous bûmes trop. Le maître mit un terme à nos escapades dès qu'il en eut vent, horrifié d'apprendre que j'étais tombé totalement ivre dans le Grand Canal, dont seul un sauvetage aussi maladroit qu'historique avait réussi à m'arracher. J'eusse pu jurer qu'il pâlit d'abord à cette nouvelle, puis que ses joues s'empourprèrent fugitivement.

Il administra le fouet à Riccardo, ce qui m'emplit de honte. Mon ami supporta la punition en soldat, sans un sanglot ni un commentaire, debout, immobile, devant la grande cheminée de la bibliothèque, le dos tourné tandis que les coups lui pleuvaient sur les jambes. Ensuite, il s'agenouilla afin de baiser l'anneau du maître. Je fis serment de ne plus m'enivrer.

Le lendemain, je m'enivrai quand même, mais j'eus le bon sens de gagner, titubant, la demeure de Bianca, où je me glissai sous son lit pour dormir en toute sécurité. Il n'était pas minuit quand le maître me tira de ma cachette. A mon tour, me dis-je — mais il se contenta de me coucher. Je sombrai dans le sommeil avant même de lui avoir présenté mes excuses. Lorsque je m'éveillai, durant la nuit, il se trouvait à son bureau, écrivant aussi vite qu'il peignait parfois, dans un grand livre qu'il dissimulait toujours avant de quitter le palazzo.

Quand les autres, y compris Riccardo, passaient à dormir les pires après-midi estivales, je louais une gondole. Allongé dans le petit bateau, les yeux au ciel, je me laissais porter sur les canaux puis sur les flots plus turbulents du golfe. Lorsque l'embarcation rebroussait chemin, je baissais les paupières afin d'entendre les moindres bruits émanant des constructions vouées à la sieste, le clapotis des eaux putrides qui léchaient les fondations de bois pourrissant, les cris des mouettes. Ni les moustiques ni l'odeur ne me gênaient.

Une après-midi, au lieu de rentrer prendre mes cours puis travailler, je gagnai une taverne, où j'écoutai des musiciens et des chanteurs. Une autre, je tombai sur une scène formée de tréteaux et de planches, montée devant une église par des comédiens. Nul ne me reprocha mes allées et venues. Rien n'en fut rapporté. On ne me mit pas plus que mes compagnons au défi de prouver mes connaissances.

Il m'arrivait de dormir toute la journée ou jusqu'à ce que ma curiosité fût sollicitée. C'était un immense plaisir que de m'éveiller pour trouver le maître au travail, dans son atelier, montant et descendant sur l'échafaudage grâce auquel il peignait sa plus grande toile, ou juste à côté de moi, en train d'écrire à la table de la chambre.

Il y avait toujours à manger partout, des grappes de raisin luisantes, des melons bien mûrs, ouverts, du pain de froment aromatisé d'huile tout juste pressée. Je grignotais des olives noires, des tranches d'un pâle fromage moelleux, des poireaux du jardin planté sur le toit. Le lait paraissait rafraîchi au sortir des pichets d'argent.

Le maître ne mangeait pas, chacun le savait. Il ne se montrait jamais de jour. Un respect absolu l'entourait, fût-ce en paroles. Il lisait dans l'âme des apprentis. Il y distinguait le bien et le mal, ainsi que la tromperie. Ses enfants étaient de bons enfants. Ils parlaient parfois tout bas des mauvais garçons qui avaient été chassés de la maison presque aussitôt arrivés. Mais nul ne disait jamais du maître la moindre trivialité. Nul ne mentionnait le fait que je dormais dans son lit.

Chaque jour, à midi, tous ses élèves se réunissaient pour un déjeuner véritable de volaille rôtie, d'agneau moelleux, d'épaisses tranches de bœuf juteux.

Trois ou quatre professeurs se trouvaient là à tout moment pour faire la classe aux divers groupes d'apprentis, dont certains travaillaient pendant que d'autres étudiaient.

Il m'était loisible de passer du cours de latin au cours de grec. De feuilleter des sonnets érotiques, dont je déchiffrais ce que je pouvais jusqu'à ce que Riccardo vînt à mon aide, soulignant de rires sa lecture, que les enseignants se voyaient contraints d'attendre.

Dans cette clémence, je prospérais. Comme j'apprenais vite, je parvenais à répondre à toutes les questions négligentes du maître, à qui je posais mes propres questions réfléchies.

Il peignait quatre nuits sur sept, toutes les semaines, le plus souvent de minuit à sa disparition, lorsque l'aube pointait. Dans ces cas-là, rien ne le distrayait de sa tâche.

Une fois grimpé sur l'échafaudage avec une aisance surprenante, un peu à la manière d'un grand singe blanc, indifférent à sa cape pendante, il arrachait son pinceau au garçon chargé de le lui tenir puis se mettait à l'œuvre avec une telle fureur qu'il nous éclaboussait de peinture, nous qui le contemplions, pantois. Son génie faisait naître en quelques heures des paysages entiers, des foules dessinées dans les plus petits détails.

Il fredonnait tout haut en travaillant ; nommait les grands écrivains ou héros dont il réalisait le portrait de mémoire, ou peut-être grâce à son imagination ; attirait notre attention sur les teintes qu'il employait, les lignes qu'il traçait, les trucs grâce auxquels il obtenait une perspective qui plaçait ses sujets enthousiastes, matériels, dans des jardins, des salles, des palais bien réels.

Seul le travail de remplissage était abandonné aux apprentis, qui l'exécutaient dans la matinée — coloration des draperies, des ailes, des grandes surfaces de peau que le maître reprenait plus tard afin de les modeler alors que la peinture en était encore humide, sol luisant des palais d'autres époques qui, après ses touches finales, semblait de marbre véritable fuyant sous les pieds roses potelés des philosophes et des saints.

Ses œuvres nous attiraient tout naturellement, spontanément. Le palazzo renfermait des dizaines de toiles ou de fresques ébauchées, toutes si plcines de vie qu'elles paraissaient des portes ouvertes sur un autre monde.

Gaetano, un des plus jeunes garçons, s'avérait le plus doué. Mais le moindre d'entre nous, sauf moi, valait les apprentis de n'importe quel atelier, y compris celui de Bellini.

Parfois, dans la journée, nous donnions une réception, à la grande joie d'une Bianca jubilante, qui recevait pour Marius. Elle venait jouer la maîtresse de maison en compagnie de ses serviteurs. Les habitants des plus belles demeures de Venise, admiratifs devant les peintures du maître, s'étonnaient de leur force. En les écoutant ces jours-là, je compris qu'il ne vendait presque rien mais emplissait son palazzo de ses propres œuvres et réalisait ses propres versions de presque tous les sujets célèbres, depuis l'école d'Aristote jusqu'à la crucifixion du Christ. Les cheveux bouclés, le teint coloré, le corps musclé — humain : tel était le Christ italien. Il ressemblait à Cupidon ou à Zeus.

Mon incapacité à peindre aussi bien que Riccardo ou les autres apprentis ne me dérangeait pas. La plupart du temps, je me contentais de tenir les pots, de nettoyer les pinceaux, d'effacer d'un coup de chiffon les détails qu'il fallait reprendre. Je ne voulais pas peindre. Mes mains se raidissaient à cette seule pensée, tandis qu'une nausée me montait du ventre.

Je préférais les conversations, les plaisanteries, les suppositions sur les raisons pour lesquelles le maître n'acceptait jamais de commande, alors qu'il recevait chaque jour des lettres l'invitant à concourir pour la réalisation de telle ou telle fresque du palais des doges ou de l'une des milliers d'églises bâties sur l'île.

Je regardais les couleurs s'étendre d'heure en heure. Je respirais les fragrances des vernis, des pigments, des huiles.

De temps à autre, une colère paresseuse m'envahissait, mais mon manque de talent n'en était pas cause.

Mon tourment avait une autre source : l'agitation charnelle que trahissaient les silhouettes peintes, avec leurs joues rouges luisantes, le ciel aux nuages bouillonnants qui les surplombait ou les branches floconneuses des arbres marron foncé.

Cette représentation débridée de la nature me semblait démente. La tête douloureuse, je parcourais alors les quais d'un pas vif, seul, jusqu'à quelque vieille église à l'autel doré orné de saints rigides, minces et sombres, aux yeux étroits : l'héritage de Byzance, tel que je l'avais vu le premier jour dans la basilique Saint-Marc. Mon âme souffrait horriblement devant cette matérialisation des us et coutumes d'autrefois. Je jurais lorsque mes nouveaux amis me retrouvaient ; je restais à genoux, têtu, me refusant à montrer que j'avais conscience de leur présence ; je me couvrais les oreilles pour échapper à leurs rires. Comment pouvaient-il rire dans le saint lieu où des larmes de sang, semblables à des scarabées, tombaient des mains et des pieds pâlis du Christ torturé ?

Parfois, je sombrais dans le sommeil près de ces autels vénérables. J'avais échappé à mes compagnons. J'étais seul, heureux, sur la pierre froide humide. Je m'imaginais entendre clapoter l'eau en dessous.

Une gondole me conduisit un jour jusqu'à Torcello, où je cherchai la grande cathédrale Santa Maria Assunta, célèbre pour ses mosaïques à l'ancienne aussi splendides, disaient d'aucuns, que celles de la basilique. Je me glissai sous ses arcs bas pour contempler l'ancienne iconostase d'or et les mosaïques de l'abside. Très haut, dans la courbure postérieure de cette dernière, se tenait la Vierge à l'Enfant, la Theodokos — celle qui portait Dieu. Son visage austère semblait presque amer. Une larme brillait sur sa joue gauche. Elle tenait dans ses mains le petit Jésus mais aussi un linge, insigne de la Mater Dolorosa.

Ces images avaient beau me glacer l'âme, j'en comprenais le sens. La tête me tournait, la chaleur de l'île et le calme de la cathédrale me pesaient sur l'estomac, mais je restais là à errer autour de l'iconostase, à prier, persuadé que nul ne me trouverait en ce lieu.

A l'approche du crépuscule, je commençai à être vraiment malade. Conscient de ma fièvre, je me blottis cependant dans un angle du monument, réconforté par le froid de la pierre contre mon visage et mes mains. Lorsque je levais la tête, des scènes terrifiantes s'offraient à moi — le Jugement Dernier, les âmes condamnées à l'Enfer. Je mérite de souffrir, pensais-je.

Le maître vint.

Le trajet de retour au palazzo ne me laissa aucun souvenir. Il me sembla qu'en quelques instants seulement, Marius m'avait mis au lit, où les garçons me baignèrent le front avec des linges. Ils me firent boire de l'eau. L'un d'eux dit que j'avais « la fièvre » ; un autre lui intima silence.

Le maître veilla sur mon sommeil, tourmenté de cauchemars que je ne pus ramener avec moi en m'éveillant. A l'approche de l'aube, il m'embrassa et m'étreignit. Jamais je n'avais aimé la froide dureté de son corps comme je l'aimai durant cette maladie. Je l'enveloppai de mes bras, pressai ma joue contre la sienne.

Il me donna une tasse chaude, emplie d'un liquide brûlant et épicé. M'embrassa. Me redonna la tasse. Un feu bienfaisant se répandit dans tout mon corps.

Pourtant, lorsque mon seigneur réapparut, au soir, la fièvre était à nouveau intense. Je rêvais moins que je ne divaguais, mi-endormi, mi-éveillé, à travers de terribles corridors obscurs, incapable de trouver un lieu propre ou chaud. Mes ongles étaient incrustés de crasse. A un moment, je vis une pelle s'activer dans la terre. Terrifié à l'idée d'être enseveli, je me mis à pleurer.

Riccardo, qui me veillait et me tenait la main, m'assura que le crépuscule approchait. Sans le moindre doute, le maître ne tarderait plus.

— Amadeo, dit Marius.

Il me souleva comme si je n'avais vraiment été qu'un petit enfant.

Trop de questions naissaient dans mon esprit. Allais-je mourir ? Où m'emportait-il, à présent ? Car il m'emportait, enveloppé de velours et de fourrures, mais par quels moyens ?

Nous nous trouvions dans une église vénitienne, parmi des peintures de l'époque, toutes fraîches. Des cierges brûlaient. Des hommes priaient. Marius me prit entre ses bras et me dit de regarder l'énorme autel.

Les yeux plissés, douloureux, j'obéis. Là-haut, la Vierge recevait sa couronne de son fils bien-aimé, le Seigneur Jésus Christ.

— Vois comme elle a l'air douce, murmura le maître. Comme son expression est naturelle. Elle est assise ainsi que l'on s'assied dans cette église. Quant aux anges, on croirait des enfants heureux rassemblés autour des colonnes, derrière elle. Leur sourire est d'une telle gentillesse, d'une telle sérénité. C'est cela, le Paradis, Amadeo. Le bien.

Mon regard endormi parcourait la grande peinture.

— Et l'apôtre, là, qui parle tout bas à son voisin. Ce genre de choses arrive souvent durant les cérémonies. Dieu le Père contemple la scène avec satisfaction, tu le vois bien.

Je voulus formuler des questions, protester de l'impossibilité de ce mélange du charnel et du *béatifique*, mais je ne trouvai pas de mots assez éloquents. La nudité des anges, enchanteresse et innocente, je ne pouvais y croire. C'était un mensonge vénitien, un mensonge occidental, soufflé par le Démon en personne.

— Jamais la souffrance ou la cruauté n'ont engendré le bien, poursuivait le maître. Il n'a nul besoin pour croître des privations des petits enfants. L'amour de Dieu donne naissance à la beauté, Amadeo. Regarde ces couleurs ; c'est Dieu qui les a créées.

Bien en sécurité dans ses bras, les pieds pendants, les bras à son cou, je laissai les détails de l'immense fresque envahir mon esprit. Mes yeux se promenèrent encore et encore à travers les petites touches colorées que j'aimais tant.

Je tendis le doigt. Le lion assis, très calme, aux pieds de Marc ; les pages du livre que tenait le saint, animées par les doigts qui les tournaient ; le lion aussi soumis, aussi gentil qu'un chien au coin de la cheminée.

— Voilà le Paradis, Amadeo, reprit Marius. Quoi que le passé ait gravé dans ton âme, laisse-le aller.

Je souris. Puis, enfin, les yeux fixés sur les saints, d'innombrables rangées de saints, je me mis à rire tout bas, comme en confidence, à son oreille.

— Ils parlent tous, ils chuchotent, ils discutent… On dirait les sénateurs vénitiens.

Son rire lent, contenu, répondit au mien.

— Oh, je crois que les sénateurs y mettent plus de décorum, Amadeo. Je ne les ai jamais vus dans une telle liberté. Mais c'est le Paradis, ainsi que je te le disais.

— Regardez, maître. Le saint qui tient une icône, une belle icône. Il faut que je vous raconte…

Je m'interrompis. La fièvre montait, je me couvrais de sueur. Les yeux me brûlaient au point que je n'y voyais plus.

— Je suis dans la steppe, repris-je. Je cours. Je dois la poser dans les arbres.

Comment eût-il pu savoir de quoi je voulais parler ? J'évoquais ma fuite désespérée à travers l'herbe sauvage, survenue bien longtemps auparavant, le souvenir cohérent de mon fardeau sacré, qu'il me fallait déballer puis placer dans un arbre.

— Regardez, l'icône.

Le miel coula en moi, suave et sirupeux. La fontaine en était froide, mais peu m'importait. Je la connaissais bien. Mon corps, agité comme un gobelet, vit se dissoudre dans ses fluides toute amertume, au cœur d'un vortex qui n'y laissa que douceur et chaleur rêveuse.

Lorsque j'ouvris les yeux, je me trouvais dans notre lit. Frais et dispos. La fièvre avait disparu. Je me tournai et m'assis.

Le maître, installé à son bureau, lisait me sembla-t-il ce qu'il venait d'écrire. Ses cheveux blonds étaient retenus dans son cou par une cordelette. Son visage, totalement dévoilé, apparaissait dans toute sa beauté, avec ses pommettes ciselées, son nez mince et droit. Il me regarda. Sa bouche réalisa le miracle d'un sourire.

— Ne traque pas les souvenirs, dit-il — comme si nous avions discuté pendant mon sommeil. Ne les cherche pas dans l'église de Torcello ou les mosaïques de la basilique Saint-Marc. La mémoire de tes souffrances te reviendra au fil du temps.

— J'ai peur de me rappeler, avouai-je.

— Je sais.

— Comment est-ce possible ? Ces choses sont dans mon cœur. Cette douleur est mienne, purement mienne.

J'avais beau regretter mon impudence, elle éclatait de plus en plus souvent.

— Douterais-tu de moi ? demanda Marius.

— Il n'y a pas de limites à vos accomplissements, nous le savons tous sans jamais en parler, de même que vous et moi n'en parlons jamais non plus.

— Alors pourquoi accorder ta confiance à des souvenirs imparfaits au lieu de me l'accorder, à moi ?

Il se leva pour s'approcher du lit.

— Viens, reprit-il. La fièvre est tombée. Suis-moi.

Nous gagnâmes l'une des nombreuses bibliothèques

du palazzo, salles en désordre aux étagères chargées de livres où des manuscrits s'empilaient au hasard. Il n'y travaillait que rarement, pour ne pas dire jamais, mais il y apportait ses trouvailles afin que les garçons les cataloguent et venait y prendre les ouvrages dont il avait besoin. Pour les consulter, il préférait son bureau, dans notre chambre.

Après avoir erré un moment entre les étagères, Marius trouva un gros volume affaissé, à la reliure usée en cuir jauni. Ses doigts blancs lissèrent une grande page de vélin. Il posa pour moi l'ouvrage sur un lutrin en chêne.

Une peinture, fort ancienne.

Une immense église aux coupoles dorées, très belle, magnifique. Des lettres ornementées. Que je connaissais. Pourtant, je ne pouvais amener les mots à mon esprit, à ma bouche.

— Kiev, dit Marius.

Kiev.

Un insupportable sentiment d'horreur me submergea.

— Des ruines, lâchai-je avant de pouvoir me retenir. Carbonisées. Cet endroit-là n'existe pas. Il n'y subsiste rien de vivant, contrairement à Venise. Tout n'y est que débris, froid, crasse et désespoir. Oui, c'est le mot juste.

La tête me tournait. Il existait, me semblait-il, une route par laquelle échapper à cette désolation, mais c'était un chemin glacé, obscur, dont les tours et les détours menaient à un monde de nuit éternelle où la terre brute imprégnait de son odeur les mains, la peau, les vêtements.

Je me rejetai en arrière et m'enfuis.

Traversai tout le palazzo.

Dégringolai les escaliers, me ruai dans les salles sombres du rez-de-chaussée qui donnaient sur le canal.

A mon retour, le maître lisait, comme toujours, seul dans la chambre. Son livre favori, ces derniers temps,

De la consolation de la philosophie, un ouvrage de Boèce. Il leva vers moi des yeux patients.

Je restai immobile, perdu dans mes douloureux souvenirs.

Ils m'échappaient sans trêve. Soit. Ils filaient au néant telles les feuilles mortes qui descendaient parfois en tourbillonnant le long des murs tachés de vert, arrachées par le vent aux petits jardins des toitures.

— Je ne veux pas, dis-je.

Il n'existait qu'un seigneur. Mon maître.

— Un jour, tout te reviendra, lorsque tu auras la force d'en faire usage, affirma-t-il. (Il referma son livre.) Mais pour l'heure, laisse-moi te réconforter.

Oh, oui, je n'étais que trop prêt à cela.

III

Ah, que les journées me paraissaient donc longues, sans lui. Au crépuscule, je serrais les poings tandis qu'on allumait les bougies. Certaines nuits, il ne se montrait pas. Les apprentis assuraient qu'il était parti pour un voyage de la plus haute importance. La vie devait suivre son cours comme s'il avait été là.

Je dormais dans son lit désert sans que nul ne protestât. Je fouillais la demeure à la recherche de la moindre trace personnelle qu'il y avait laissée. Des questions me hantaient. Je craignais qu'il ne revînt pas.

Mais il revenait.

Lorsqu'il montait l'escalier, je me jetais dans ses bras. Il m'attrapait, m'étreignait, m'embrassait puis, alors seulement, me laissait avec douceur reposer contre sa poitrine de pierre. Mon poids ne lui était rien, bien que je parusse devenir de jour en jour plus grand et plus lourd.

Jamais je ne serais autre que le garçon de dix-sept ans que tu as devant toi, mais comment un homme aussi mince parvenait-il à me soulever avec une telle aisance ? Je n'ai rien d'un freluquet, je n'en ai jamais rien eu. L'enfant que je suis est plein de force.

Ce que je préférais — quand je devais le partager avec les autres — c'étaient les lectures qu'il nous faisait.

Entouré de candélabres, il lisait d'une voix basse,

expressive, *La Divine Comédie* de Dante, *Le Décaméron* de Boccace, *Le Roman de la Rose* ou les poèmes de François Villon — en français. Il nous fallait comprendre les langues nouvelles aussi bien que le grec ou le latin, déclarait-il, car la littérature ne resterait pas confinée aux classiques.

Nous écoutions, assis en cercle, silencieux, sur des coussins ou sur le dallage nu. Certains se tenaient debout tout près de lui. D'autres s'accroupissaient.

Parfois, Riccardo jouait du luth et nous chantait les mélodies que lui enseignait son professeur, voire les airs paillards, plus sauvages, récoltés dans les rues. Il célébrait l'amour d'un ton mélancolique qui nous tirait des larmes, tandis que Marius le regardait avec tendresse.

Je n'en éprouvais nulle jalousie. Moi seul partageais la couche du maître.

De temps à autre, il faisait asseoir Riccardo à la porte de notre chambre afin qu'il jouât pour nous. Mon seigneur ouvrait ma tunique, qu'il déchirait même quelquefois pour s'amuser, comme s'il ne s'était agi que d'un vieux vêtement.

Je m'enfonçais sous lui dans le satin ouatiné ; j'écartais les jambes pour laisser mes genoux le caresser, engourdi, frémissant de l'effleurement de ses doigts contre ma bouche.

Une nuit, je reposais, à demi endormi. L'air se teintait de rose et de doré. Il faisait chaud. Les lèvres de Marius se posèrent sur les miennes, entre lesquelles sa langue froide se glissa tel un serpent. Un liquide suivit, nectar riche et brûlant, potion si exquise que je la sentis rouler à travers tout mon corps jusqu'aux extrémités de mes doigts tendus. Elle descendit dans ma poitrine puis les recoins les plus intimes de mon être. Je brûlais.

— Maître, murmurai-je, qu'est-ce que cette magie, plus douce encore que les baisers ?

Il posa la tête sur l'oreiller. Se détourna.

— Donnez-m'en encore, demandai-je.

Ce qu'il fit, mais aux instants de son choix, goutte à goutte, ou dans les larmes rouges qu'il me laissait lécher à ses yeux.

Je crois qu'il s'écoula une année entière avant que je ne revinsse à la maison, un soir, les joues rosies par l'air hivernal, vêtu en l'honneur de Marius d'un bleu nuit magnifique, assorti à mes chausses bleu ciel, et des chaussures frangées d'or les plus coûteuses que j'eusse trouvées. Oui, une année, avant que je ne rentre ce soir-là pour jeter mon livre dans un angle de la chambre avec un grand geste de mondain blasé. Je posai les mains sur les hanches et le fixai, lui qui, assis dans son fauteuil à haut dossier arrondi, contemplait les flammes du brasero vers lequel il tendait les doigts.

— Allons, fanfaronnai-je, la tête rejetée en arrière, véritable homme du monde, Vénitien sophistiqué, prince des marchés régnant sur une cour de marchands, érudit à la cervelle encombrée de lectures.

« Un grand mystère vous entoure, vous le savez. Il est temps de tout me dire. »

— Quoi donc ? demanda-t-il, non sans obligeance.

— Pourquoi ne… pourquoi n'éprouvez-vous aucune sensation ? Pourquoi me portez-vous comme une simple poupée ? Pourquoi ne… ?

Il s'empourpra, ce que je n'avais jamais observé ; ses yeux étincelèrent, s'étrécirent puis s'ouvrirent en grand, emplis de larmes rougeâtres.

— Vous me faites peur, maître, murmurai-je.

— Quelles sensations voudrais-tu me voir éprouver, Amadeo ? s'enquit-il.

— Vous êtes un ange, une statue, répondis-je, assagi et tremblant. Vous vous amusez de moi, votre jouet, qui ressens tout. (Je me rapprochai. Touchai sa chemise, cherchai à la délacer.) Laissez-moi…

Il me saisit la main. Me prit les doigts et les porta à ses lèvres, les glissa dans sa bouche, les caressa de sa langue. Ses yeux se levèrent vers moi.

Plus qu'assez, disaient-ils. J'en ressens plus qu'assez.

— Je vous donnerais n'importe quoi, implorai-je en posant la main sur son entrejambe.

Ah, quelle merveilleuse dureté — ce qui n'avait rien d'inhabituel, mais je voulais l'entraîner plus loin. Il fallait qu'il me fît confiance.

— Amadeo, dit-il.

Avec sa force stupéfiante, il m'emporta jusqu'au lit. On n'eût vraiment pu dire qu'il s'était levé de son fauteuil. Un moment, nous nous trouvions à son bureau ; celui d'après, nous nous abattions sur les oreillers familiers. Je clignai des yeux. Il me semblait que les rideaux se refermaient sur nous sans qu'il les touchât — un tour que me jouait la brise entrant par les fenêtres ouvertes. Oui, écoute les voix qui montent du canal. Elles grimpent aux murs de Venise, la cité des palais.

— Amadeo, répéta Marius, les lèvres sur ma gorge, comme elles s'y étaient appuyées un millier de fois.

Seulement, cette fois-ci, je sentis une piqûre aiguë, aussitôt disparue. Un fil cousu à mon cœur se tendit brusquement. Je n'étais plus soudain que la chose entre mes jambes, rien d'autre. La bouche de mon maître se colla à moi. Le fil vibra encore et encore.

Je rêvai. Il me semble qu'un autre lieu m'apparut. Que les révélations du sommeil, qui me fuyaient au réveil, s'imposèrent à moi. Que je parcourus la route des éclatantes fantaisies dont l'exploration ne m'était permise qu'endormi.

Voilà ce que je veux de toi.

— Vous l'aurez, assurai-je, les mots propulsés dans le présent quasi oublié tandis que je flottais au creux des songes.

Marius tremblait, tressaillait, frissonnait, tirait sur les fils intérieurs qui accéléraient les battements de mon cœur au point que je criais presque ; il aimait cela, il se raidissait, se tordait contre moi ; ses doigts frémissaient et s'agitaient. Buvez, buvez, buvez.

Enfin, s'arrachant à moi, il s'allongea sur le côté.

Je souriais, les yeux clos, conscient de ma bouche, de

l'infime trace de nectar encore posée sur ma lèvre inférieure. Je l'y cueillis de la langue. Je rêvai.

Le souffle de Marius me paraissait lent et triste. Il frissonnait toujours. Sa main me trouva, mal assurée.

— Ah, dis-je en lui embrassant l'épaule, heureux.

— Je t'ai fait mal !

— Non, non, pas du tout, mon doux maître. C'est moi qui vous ai fait mal ! Vous êtes à moi, maintenant !

— Tu joues avec le feu, Amadeo.

— N'est-ce pas ce que vous désirez, maître ? N'avez-vous pas aimé ? Vous avez pris mon sang, vous voilà mon esclave !

Il se mit à rire.

— C'est donc là ta manière de voir les choses ?

— Hmm. Aimez-moi. Quelle importance ? demandai-je.

— N'en parle pas aux autres.

Il n'y avait dans ces paroles ni peur, ni honte, ni faiblesse.

Je me haussai sur les coudes pour le contempler, tandis que son profil se détournait de moi.

— Que feraient-ils ?

— Rien. C'est ce qu'ils penseraient et éprouveraient qui compte. Ces sentiments n'ont pas leur place, je n'ai pas le loisir de m'en occuper. (Il me regarda.) Montre-toi sage et généreux, Amadeo.

Je restai un long moment silencieux, à le fixer. Puis, peu à peu, je compris que j'avais peur. Il me sembla un instant que mon angoisse allait occulter la chaleur du présent, la lumière radieuse qui gonflait les rideaux, les surfaces polies du visage ivoirin de Marius, à la suave splendeur, la douceur de son sourire. Enfin, une préoccupation plus grave, d'un ordre supérieur, la domina.

— Vous n'êtes pas mon esclave, n'est-ce pas ? murmurai-je.

— Si, répondit-il, redevenu presque rieur. Je le suis, puisque tu veux le savoir.

— Que s'est-il passé, qu'avez-vous fait, qu'était-ce que... ?

Il me posa un doigt sur les lèvres.

— Crois-tu que je sois semblable aux autres hommes ? interrogea-t-il.

— Non.

La peur s'éleva dans ce seul mot, s'extirpa de la plaie. Je m'efforçai de me contenir, mais avant de pouvoir m'en empêcher, j'étreignais Marius, je cherchais à enfouir le visage dans son cou. Sa chair était trop dure pour permettre pareille chose, mais il me berça et m'embrassa le sommet du crâne, me rassembla les cheveux sur la nuque, me pressa les pouces contre les joues.

— Un jour, tu partiras, déclara-t-il. Tu quitteras le palazzo. Tu emporteras de l'or et tout le savoir que j'aurai réussi à te transmettre. Tu emporteras ta grâce et tous les arts que tu auras maîtrisés, ceux du peintre, du musicien capable de jouer à la demande n'importe quel air — tu y parviens déjà —, du danseur le plus exquis. Armé de tous ces talents, tu te lanceras à la recherche des trésors après lesquels tu soupires...

— Je ne soupire après rien d'autre que vous.

— ... et lorsque tu repenseras à ce que nous vivons aujourd'hui, lorsque, dans un demi-sommeil, la nuit, tu te souviendras de moi, les yeux fermés, la tête sur l'oreiller, les moments que nous passons ensemble te paraîtront corrompus et de la plus grande étrangeté. Ils te sembleront émaner de la sorcellerie ou de la folie ; notre chambre douillette deviendra pour toi le théâtre oublié de sombres secrets, et peut-être en souffriras-tu.

— Je ne m'en irai pas.

— Rappelle-toi alors que nous nous aimions. Que tu t'es bel et bien trouvé dans une école d'amour, où tu as soigné tes blessures, réappris à parler, oui, et même à chanter, où tu es né d'un enfant brisé comme s'il n'avait été qu'une coquille d'œuf et toi un ange, t'élevant de lui sur des ailes de plus en plus grandes, de plus en plus fortes.

— Et si je ne pars pas de ma propre volonté ? Me jetterez-vous d'une fenêtre, que je sois obligé de voler pour ne pas tomber ? Fermerez-vous tous les volets derrière moi ? Vous feriez bien, parce que j'y frapperai encore et encore jusqu'à mourir sur place. Je n'aurai jamais d'ailes pour m'emporter loin de vous.

Il m'examina une éternité durant. Quant à moi, c'était la première fois que je me gorgeais ainsi à loisir de son regard, que je promenais si longtemps sur sa bouche mes doigts inquisiteurs.

Enfin, il se leva en me maintenant couché avec douceur. Ses lèvres, toujours d'une nuance pastel, comme les pétales intérieurs des roses à peine teintées, foncèrent lentement. Un flot rouge luisant courut entre elles puis tout au long des lignes gracieuses qui les composaient, les colorant à la perfection, ainsi que l'eût fait du vin, mais ce fluide était si brillant que sa bouche étincelait ; lorsqu'elle s'ouvrit, le carmin en jaillit telle une langue démesurée.

Ma tête se souleva, et je capturai le jet de ma propre bouche.

Le monde s'échappa de dessous moi. Je tanguai, planai. Mes yeux s'ouvrirent sans rien voir tandis que les lèvres de Marius se refermaient sur les miennes.

— Je meurs, maître ! murmurai-je.

Mon corps s'agitait, à la recherche d'un endroit solide dans le néant de ce rêve d'ivresse. Le plaisir me ballottait, ma chair bouillonnait, mes membres raidis flottaient, mon être tout entier émanait de Marius, de ses lèvres à travers mes lèvres ; je n'étais que son souffle et sa vie.

Puis vint la piqûre, la pointe plus fine et plus aiguë que je ne l'eusse cru possible qui me perçait l'âme. Je me tordis, comme embroché. Ah, il y avait là de quoi apprendre aux dieux de l'amour ce qu'était l'amour. De quoi me délivrer, si j'y survivais.

Aveugle, tremblant, j'étais uni à Marius. Ses mains me couvrirent la bouche ; alors seulement, tandis qu'il les étouffait, je pris conscience de mes cris.

Je passai la main à son cou pour presser plus fort encore son visage contre ma gorge.

— Oui, oui, oui !

À mon réveil, il faisait jour.

Le maître était parti depuis longtemps, selon sa coutume infaillible. J'étais seul. Les autres apprentis ne viendraient que plus tard.

Je me levai pour gagner la haute fenêtre étroite comme on en voyait partout à Venise, car elles maintenaient à l'extérieur la chaleur torride de l'été et les vents froids de l'Adriatique lorsque, inévitablement, ils arrivaient.

Une fois les panneaux de verre épais déverrouillés, je regardai, ainsi que je l'avais souvent fait, les bâtiments sur lesquels donnait mon cocon.

Une banale servante secouait un chiffon d'un balcon éloigné, qui dominait ma chambre depuis l'autre côté du canal. Son visage m'apparut livide, grouillant, comme couvert de minuscules insectes, de fourmis déchaînées. Elle ne le savait pas ! Appuyé au rebord de la fenêtre, je l'examinai avec plus d'attention. C'était juste la vie en elle, le travail de la chair, qui donnait cette impression ; le masque de ses traits semblait s'agiter.

Mais ses mains étaient hideuses, gonflées et noueuses, leur moindre ligne incrustée de poussière.

Je secouai la tête. La malheureuse se tenait trop loin pour que je visse tout cela.

Dans une autre partie du palazzo, les apprentis discutaient. Il était temps de se mettre au travail. De se lever, même chez le seigneur de la nuit, qui jamais ne vérifiait quoi que ce fût de jour. Ils étaient trop loin pour que je les entendisse.

Et le rideau, taillé dans le tissu préféré du maître. Au toucher, on eût dit de la fourrure, non du velours. J'en distinguais la fibre la plus minuscule ! Je le laissai retomber pour me lancer à la recherche d'un miroir.

La demeure en contenait des dizaines, grandes glaces ornementées au cadre travaillé, souvent décoré de petits chérubins. Je m'arrêtai devant celui de l'antichambre, l'alcôve abritée par des portes déformées mais admirablement peintes où j'enfermais mes vêtements.

La lumière de la fenêtre s'attachait à moi, mais je ne vis pas une masse de corruption bouillonnante comme en regardant la servante. Mon visage, aussi lisse que celui d'un bébé, était d'une extrême pâleur.

— Je le veux ! murmurai-je — car je savais.

— Non, répondit Marius.

Quand il revint, cette nuit-là, je divaguai, fis les cent pas, le poursuivis de mes cris.

Les longues explications, les discours sur la sorcellerie ou la science qui lui eussent cependant été faciles, tout cela me fut épargné. Il se contenta de me dire que j'étais encore un enfant ; que je devais savourer ce qui me serait arraché à jamais.

Je pleurai. Je ne voulais plus travailler, peindre, étudier, ni faire quoi que ce fût d'autre.

— Le monde a perdu sa saveur pour un moment, déclara le maître, patient, mais tu seras surpris.

— De quoi ?

— Du point auquel tu le pleureras quand il te sera réellement retiré, quand tu seras parfait et immuable, comme moi, quand des échecs nouveaux, plus saisissants, supplanteront avec éclat toutes tes erreurs humaines. Ne me demande pas cela, plus jamais.

J'eusse aimé mourir, alors, roulé en boule, sombre et furieux, trop amer pour parler.

Mais il n'en avait pas terminé.

— Ne dis rien, Amadeo, poursuivit-il d'une voix emplie d'inquiétude. C'est inutile. Je te donnerai ce que tu veux bien assez tôt, lorsque je penserai le moment venu.

Sur ce, je courus à lui tel un enfant, me jetai à son

cou, posai sur sa joue glacée, malgré son sourire d'ironique dédain, un millier de baisers.

Enfin, ses mains se firent d'acier. Il n'y aurait pas de jeu de sang, cette nuit-là. Les études m'attendaient. Les leçons que j'avais méprisées de jour.

Quant à lui, il devait s'occuper de ses apprentis, de ses diverses tâches, de la toile gigantesque à laquelle il travaillait. Je me pliai à sa volonté.

Mais, bien avant l'aube, il changea. Les autres étaient depuis longtemps couchés. Je tournais les pages de mon livre, obéissant, lorsque son œil fixe, animal, me frappa. Il me regardait de son fauteuil comme si quelque rapace était entré en lui, chassant toutes ses facultés de civilisé pour l'abandonner ainsi, affamé, les yeux vitreux, la bouche rougissante, tandis que le sang luisant trouvait sa myriade de petits chemins sur la bordure soyeuse de ses lèvres.

La bête enivrée se leva et s'approcha avec des mouvements au rythme si étranger qu'une terreur glacée me frappa au cœur.

Ses doigts s'animèrent, se refermèrent, me firent signe.

Je courus à lui. Il me souleva à deux mains, toujours aussi doux, afin de loger le visage dans mon cou. De la plante des pieds au cuir chevelu en passant par les bras, le dos, la nuque, je sentis son étreinte.

Où me jeta-t-il, je ne sais. Sur notre lit, ou sur quelques coussins rassemblés à la hâte dans un salon plus proche ?

— Donnez-m'en, demandai-je d'un ton endormi — et lorsque le nectar se répandit dans ma bouche, je perdis connaissance.

IV

Marius décida que je fréquenterais les bordels afin d'apprendre ce qu'était un accouplement normal — pas les simples jeux que nous pratiquions entre apprentis.

Venise en comptait bon nombre, fort bien gérés et voués au plaisir dans les cadres les plus luxueux. Les Vénitiens tenaient pour acquis que les jouissances dispensées en ces lieux étaient aux yeux du Christ péchés véniels, aussi les jeunes gens à la mode les fréquentaient-ils sans se cacher.

J'en connaissais un où officiaient des femmes particulièrement exquises et expertes, de grandes beautés plantureuses venues d'Europe du Nord, aux yeux pâles, à la chevelure parfois presque blanche à force de blondeur, réputées différentes des Italiennes, plus petites, que je voyais chaque jour. Cette différence n'avait guère d'importance en ce qui me concernait, me semble-t-il, car j'avais été ébloui dès mon arrivée par la beauté des jeunes Italiens des deux sexes. Les Vénitiennes au cou de cygne, avec leurs surprenantes robes rembourrées et leurs profusions de voiles translucides, étaient pour moi quasi irrésistibles. Toutefois, le bordel hébergeait des pensionnaires très diverses. Le jeu consistait à en chevaucher le plus possible.

Mon maître m'y mena, paya une fortune en ducats et

avertit l'enchanteresse aux seins lourds régnant là qu'il reviendrait me chercher au bout de quelques jours.

Des jours !

Pâle de jalousie, brûlant de curiosité, je le regardai prendre congé — aristocratique, comme à l'accoutumée. Il grimpa dans sa gondole puis m'adressa un clin d'œil d'intelligence tandis que le bateau l'emportait.

Je passai au bout du compte trois jours dans la demeure des plus belles jeunes femmes disponibles de Venise, à paresser le matin, à comparer peau olivâtre et peau de blonde, à examiner en détail, avec complaisance, les poils des régions inférieures de toutes ces beautés, ce qui me permit de distinguer les plus soyeux de ceux aux boucles serrées, un peu rudes.

Les petites subtilités du plaisir me furent révélées. Il était par exemple fort agréable, au moment voulu, de se faire mordre les mamelons (en douceur : ces filles n'étaient pas des vampires) ou tirer tendrement les poils des aisselles (je n'en avais guère). On me badigeonna les parties intimes de miel doré que vinrent lécher des anges rieurs.

Je découvris bien sûr d'autres tours moins répandus, y compris des actes de bestialité — des crimes, au sens strict du terme, quoiqu'ils ne fussent en ces lieux qu'ornements variés de somptueux festins fort appétissants. Tout était fait avec grâce. Des bains brûlants à la vapeur parfumée m'étaient fréquemment proposés, dans de grands cuveaux de bois où des fleurs flottaient sur une eau rosée. Je m'y allongeais parfois à la merci d'une nuée de femmes aux voix douces qui roucoulaient autour de moi tels des oiseaux sur les toits, tout en me léchant à la manière de chatons et en me bouclant les cheveux de leurs doigts.

J'étais le petit Ganymède de Zeus, un ange tombé des peintures les plus licencieuses de Botticelli (dont beaucoup se trouvaient d'ailleurs dans ce bordel, sauvées du Bûcher des Vanités érigé à Florence par le sévère réformateur Savonarole, lequel avait poussé Botticelli à...

brûler ses très belles œuvres, rien de moins !), un chérubin échappé au plafond d'une cathédrale, un prince vénitien (ce qui, techniquement, n'existait pas dans la République), livré par ses ennemis aux mains de ces femmes afin qu'elles l'épuisent de désir.

Ce désir qui m'échauffait. S'il fallait rester humain pour le reste de ses jours, quel plaisir que de s'ébattre parmi les coussins turcs, en compagnie de nymphes telles que la plupart des hommes n'en contemplaient jamais hors des forêts magiques de leurs rêves. Chaque douce fente duveteuse était une enveloppe neuve à mon esprit gambadant.

Le vin était délicieux, la cuisine merveilleuse — avec des plats d'Arabie sucrés mais aussi épicés — à la fois plus extravagante et plus exotique que ce qui nous était servi dans la demeure du maître.

(Lorsque je le lui dis, il engagea quatre nouveaux chefs.)

Je n'étais pas éveillé, semble-t-il, quand il vint me chercher. Il m'emporta à sa manière mystérieuse et infaillible, si bien que je repris conscience dans son lit.

A l'instant où mes yeux s'ouvrirent, je sus que je ne voulais que lui. Il apparut même que les festins charnels des derniers jours ne m'avaient que plus affamé, plus enflammé, plus décidé à voir si son corps blanc enchanté répondrait aux tendres tours que j'avais appris. Lorsque enfin il passa derrière les rideaux, je me jetai sur lui, ouvris sa chemise et lui suçai les mamelons, pour découvrir qu'en dépit de leur blancheur et de leur dureté inquiétantes, ils restaient doux, liés de manière aussi intime que naturelle à la source de son désir.

Allongé, gracieux et calme, il me laissa jouer avec lui comme mes enseignantes avaient joué avec moi. A l'instant où il me donna le baiser de sang, le moindre souvenir de contact humain s'effaça de mon esprit, tandis que je reposais, une fois de plus, impuissant entre ses bras. De toute évidence, notre monde n'était pas seulement celui de la chair mais d'un ensorcellement mutuel, devant lequel cédaient les lois de la nature.

La deuxième nuit, alors que le matin approchait, je me lançai à sa recherche. Il peignait, seul, dans l'atelier, les apprentis dispersés ayant succombé au sommeil tels les apôtres infidèles de Gethsémani.

Mes questions ne suffirent pas à l'interrompre. Debout derrière lui, je l'emprisonnai de mes bras puis, hissé sur la pointe des pieds, lui chuchotai tout bas :

— Maître, dites-moi, il faut me le dire, comment avez-vous obtenu le sang magique qui coule en vous ?

J'eus beau lui mordiller le lobe des oreilles et lui passer la main dans les cheveux, il continua à peindre.

— Etes-vous né ainsi ? Ai-je vraiment tort de penser que vous avez été transformé…

— Arrête, Amadeo, murmura-t-il, sans cesser de manier le pinceau.

Il travaillait avec fureur au visage barbu, surmonté d'une maigre chevelure, de l'Aristote âgé présent sur sa grande toile, *L'Académie*.

— La solitude ne vous pèse-t-elle pas ? Ne vous donne-t-elle jamais envie de vous confier à quelqu'un, n'importe qui, de vous faire un ami du même tempérament à qui ouvrir ensuite votre âme ? Un semblable capable de vous comprendre ?

Il pivota, surpris, pour une fois, par mes questions.

— Et toi, petit ange trop gâté, tu te crois capable d'être cet ami ? demanda-t-il d'une voix basse qui conservait sa douceur. Tu es un innocent, et tu le seras toute ta vie. Ton cœur le veut ainsi. Lorsque la vérité ne correspond pas à la foi profonde, ravageuse, qui fait pour toujours de toi un moinillon, tu la rejettes…

Je reculai, plus furieux contre lui que je ne l'avais jamais été.

— Ce n'est pas vrai ! protestai-je. Je suis déjà un homme, malgré mon corps d'enfant, vous le savez bien. Qui d'autre rêve de ce que vous êtes et de l'alchimie de vos pouvoirs ? J'aimerais vous tirer une pleine tasse de sang pour l'étudier ainsi qu'un médecin, afin de déterminer sa composition et en quoi il diffère du liquide qui coule dans mes veines ! Je suis votre élève, c'est vrai, votre apprenti, mais cela ne m'oblige-t-il pas à être un homme ? Quand donc toléreriez-vous l'innocence ? Lorsque nous couchons ensemble ? Je suis un homme.

Il éclata d'un rire stupéfait. Quel plaisir de le voir aussi surpris !

— Dites-moi votre secret, maître. (Je passai les bras à son cou et posai la tête sur son épaule.) A-t-il existé une mère aussi blanche et puissante que vous, une Mère de Dieu, pour vous porter dans son ventre céleste ?

Il dénoua mon étreinte puis m'écarta afin de m'embrasser. Sa bouche insistante, éveillant en moi une peur fugace, alla se poser sur ma gorge, où elle me suça la peau jusqu'à m'imprégner d'une douce faiblesse, jusqu'à me faire souhaiter de tout mon cœur devenir ce qu'il voulait que je fusse.

— De lune et d'étoiles, voilà de quoi je suis fait. De la même blancheur souveraine dont se composent l'innocence et les nuages. Mais nulle mère ne m'a donné naissance, tu le sais déjà ; j'ai été un homme, autrefois, un homme vieillissant. Regarde… (Marius me leva la tête à deux mains pour m'obliger à étudier ses traits.) Les rides de l'âge qui m'ont alors marqué ont laissé leurs traces là, au coin de mes yeux.

— Ce n'est rien, beau sire, murmurai-je, désireux de le consoler si cette imperfection le chagrinait.

Il brillait de tout son éclat, de toute sa douceur polie. Les plus simples expressions éclataient sur son visage dans une chaleur lumineuse.

Imagine une statue de glace, aussi parfaite que la Galatée de Pygmalion, jetée dans les flammes où elle bouillonnerait, fondrait, tout en restant miraculeusement intacte… Eh bien, tel était mon maître quand des émotions humaines le pénétraient, comme en cet instant.

Il m'écrasa les bras, ce que je trouvai délicieux, et m'embrassa derechef.

— Petit homme, petit d'homme, elfe que tu es, murmura-t-il, veux-tu rester ainsi à jamais ? N'as-tu pas partagé ma couche assez souvent pour savoir ce que je puis ou ne puis pas savourer ?

L'heure qui précéda son départ, il fut mien, soumis à ma volonté.

Pourtant, la nuit suivante, il m'envoya dans une maison de plaisir clandestine plus somptueuse encore que la précédente, où on ne réservait aux passions d'autrui que des garçons.

Le style oriental dans lequel elle était décorée mêlait, je pense, le luxe de l'Egypte à celui de Babylone. Ses petites cellules de treillis, dont les colonnades de cuivre incrustées de lapis-lazuli supportaient les draperies saumon tendues au plafond, renfermaient des couches au bois doré ornées de glands, au matelas en duvet couvert de damas. L'encens alourdissait l'air ; la lumière voilée avait quelque chose d'apaisant.

Les pensionnaires, jeunes gens bien nourris, nubiles, à la peau douce et aux membres ronds, y erraient dans le plus simple appareil. Emplis d'ardeur, endurants, ils apportaient dans nos jeux leurs propres désirs mâles.

Mon âme, tel un pendule, oscillait entre le vigoureux plaisir de la conquête et la reddition délicieuse à des corps et des volontés plus puissants que les miens, des mains plus fortes, qui me ballottaient tendrement.

Prisonnier de deux amants chevronnés, je fus transpercé et sucé, vidé et manipulé, jusqu'à sombrer dans un sommeil plus profond que je n'en avais jamais connu sans la magie du maître.

Mon séjour ne faisait pourtant que commencer.

Je m'éveillais parfois de ma torpeur d'ivrogne entouré d'êtres qui ne paraissaient ni mâles ni femelles. Seuls deux d'entre eux étaient de véritables eunuques, coupés avec tant d'habileté qu'ils brandissaient aussi haut que n'importe quel jeune homme leurs armes fidèles. Les autres avaient tout simplement du goût pour le maquillage. Leurs yeux soulignés de noir et ombrés de pourpre, leurs cils recourbés et vernis, leur donnaient un air de réserve pénétrante. Leurs lèvres rougies, plus âpres, plus exigeantes que celles des femmes, appuyaient les baisers comme si l'élément masculin qui avait doté ces jeunes gens de muscles et d'organes durs avait aussi conféré la virilité à leur bouche. Ils avaient des sourires d'anges. Des anneaux précieux leur ornaient les mamelons. Leurs poils pubiens étaient poudrés d'or.

Je n'émis pas la moindre protestation lorsqu'ils me submergèrent. Aucune extrémité n'était à craindre, si bien que je me laissai attacher au lit par les poignets et les chevilles afin que mes geôliers fussent mieux à même d'exercer leurs talents. Ils n'éveillaient en moi nulle peur en me crucifiant de plaisir. Leurs doigts insistants me caressaient les paupières pour m'empêcher de fermer les yeux, me contraindre à regarder. Ils promenaient sur mes membres des brosses au poil épais et doux. Me frottaient d'huile par tout le corps. Me suçaient sans trêve, comme si la sève de feu que je leur abandonnais était un nectar, jusqu'à ce que je crie vainement que je ne pouvais leur en donner davantage. Ils tenaient le compte de mes « petites morts », avec lequel ils me taquinaient gaiement. Enfin, tourné et retourné, menotté, ligoté, je tombai dans un sommeil extatique.

Lorsque je m'éveillai, je n'avais plus ni notion du temps ni souci. L'épaisse fumée d'une pipe s'élevait à mes narines. J'en saisis le tuyau et me mis à le téter, savourant l'odeur sombre familière du chanvre indien.

Quatre nuits s'écoulèrent ainsi.

A nouveau, je fus délivré.

Cette fois, je repris conscience la tête lourde, tout juste couvert d'une fine chemise de soie crème en lambeaux. Je reposais sur une couche apportée du bordel même, mais dans l'atelier de mon maître. Ce dernier, assis non loin de là, peignait de toute évidence mon portrait sur un petit chevalet, dont il ne levait les yeux que pour me jeter de rapides regards.

Je lui demandai l'heure et le jour. Il ne répondit pas.

— Vous êtes donc fâché que cela m'ait plu ? m'enquis-je.

— Je t'ai dit de ne pas bouger.

Je me rallongeai, glacé, douloureux, soudain ; solitaire, peut-être, désireux tel un enfant de me blottir dans ses bras.

Le matin arriva, et il me quitta sans un mot. La peinture m'apparut comme un éclatant chef-d'œuvre d'obscénité. Je reposais, endormi, au bord d'une rivière, sorte de faune sur lequel veillait un grand berger — le maître en personne, vêtu d'une robe de prêtre. Les bois épais alentour étaient fort bien représentés, avec des troncs d'arbres qui perdaient leur écorce, des bouquets de feuilles poussiéreuses. Le cours d'eau semblait devoir mouiller qui le toucherait, tant il paraissait réel. Quant à moi, la bouche entrouverte, l'air naïf, j'étais plongé dans un profond sommeil, le front troublé par des rêves agités.

Furieux, je jetai la toile à terre, bien décidé à gâter la peinture.

Pourquoi ne m'avait-il rien dit ? Pourquoi me contraignait-il à des leçons qui nous éloignaient l'un de l'autre ? Pourquoi se fâchait-il contre moi, qui n'avais fait que lui obéir ? Peut-être s'était-il servi des bordels pour mettre mon innocence à l'épreuve ; peut-être m'avait-il menti en me conseillant de profiter de leurs plaisirs.

Je m'assis au bureau, saisis la plume de Marius et griffonnai un message.

> Vous êtes le maître. Vous devriez tout savoir. La domination de qui ne sait commander est insupportable. Indiquez clairement le chemin, berger, ou posez votre houlette.

A vrai dire, arraché au plaisir, à la boisson, à la distorsion des sens, je ne désirais que sa présence, ses conseils, sa gentillesse. Je voulais l'entendre réaffirmer que j'étais sien.

Mais il était parti.

Je sillonnai la ville tout le jour durant, m'arrêtant dans les tavernes pour boire et manier les cartes, fascinant délibérément les jolies filles, gibier facile, afin qu'elles restent à mon côté tandis que je tentais ma chance à des jeux variés.

Puis, quand vint la nuit, je me laissai séduire — aheum — par un Anglais ivre, un noble à la peau claire semée de taches de rousseur qui descendait de très vieilles familles françaises et anglaises. Le comte de Harlech — tel était le titre que lui avait valu son ascendance britannique — parcourait l'Italie afin d'en admirer les merveilles, grisé par ses délices, dont la sodomie en pays étranger.

Naturellement, il me trouva beau. Tout le monde n'en pensait-il pas autant ? Lui-même n'était pas mal du tout. Jusqu'à ses taches de son qui avaient un certain charme, surtout assorties de ses cheveux d'un cuivre étincelant.

Il m'entraîna dans ses appartements, au cœur d'un beau palazzo encombré, où il me fit l'amour. A cause de son innocence et de sa maladresse, l'expérience ne me déplut pas. Ses yeux bleu clair, tout ronds, étaient pure merveille, ses bras incroyablement épais et musclés ; sa barbe rousse soignée s'ornait d'une délicieuse pointe émoussée.

Il écrivit en mon honneur des poèmes latins et français qu'il me récita de la manière la plus charmante. Au bout d'une heure ou deux, fatigué de jouer les soudards, il m'avoua son désir d'être couvert, que je satisfis avec plaisir. Par la suite, nous nous en tînmes à cela — j'incarnai le soldat conquérant, et lui la victime sur le champ de bataille. Je le battis même parfois sans brutalité avec une ceinture de cuir, nous mettant dans tous nos états, avant de le prendre.

De temps à autre, il m'implorait de lui révéler qui j'étais réellement, afin de pouvoir ensuite me retrouver. Je me gardais bien de répondre.

Nous passâmes trois nuits ensemble. Il me parla des mystérieuses Iles britanniques ; je lui lus de la poésie italienne et lui jouai de la mandoline en chantant les douces chansons d'amour parvenues à ma connaissance.

Lord Harlech m'apprit aussi bon nombre de mots anglais, d'une grossièreté digne des bas quartiers, et résolut de m'emmener en son pays. Il lui fallait reprendre ses esprits, disait-il ; retourner à ses devoirs, à ses terres, à son épouse — une Ecossaise détestable, adultère et méchante, fille d'un assassin — et à son innocent enfançon, dont il ne pouvait qu'être le géniteur car le bébé possédait les mêmes boucles flamboyantes que lui.

Il me logerait à Londres, dans la splendide maison qu'il y possédait, présent de Sa Majesté le roi Henri VII. Il ne lui était plus possible de vivre sans moi ; les Harlech, de père en fils, ne renonçaient jamais ; aussi ne me restait-il rien d'autre à faire que de me soumettre à son désir. Si je descendais de quelque noble formidable, il était temps de le lui avouer, afin qu'il se chargeât de l'obstacle. N'éprouvais-je pas, par bonheur, une haine filiale intense ? Son propre père était une canaille, comme tous les Harlech depuis Edouard le Confesseur. Nous nous échapperions de Venise cette nuit même.

— Vous ne connaissez ni Venise, ni ceux qui la gouvernent, répondis-je gentiment. Réfléchissez-y. Vous vous feriez réduire en pièces dans la tentative.

Je m'apercevais enfin qu'il était encore jeune. Les hommes plus âgés que moi me semblaient tous vieux, si bien que je n'y avais pas songé, mais il ne pouvait avoir plus de vingt-cinq ans. Il était aussi complètement fou.

Bondissant sur le lit, faisant voler ses cheveux de

cuivre embroussaillés, il tira sa dague, un formidable stylet italien, et regarda mon visage levé vers lui.

— Je tuerai pour toi, déclara-t-il sur le ton de la confidence, quoique avec fierté, dans le dialecte vénitien. (Il plongea le poignard dans l'oreiller, dont le duvet se répandit alentour.) Je te tuerai, toi, s'il le faut.

Les plumes s'élevèrent vers lui.

— Et qu'y gagnerez-vous ? demandai-je.

Un craquement retentit derrière lui. La certitude m'envahit que quelqu'un se tenait à la fenêtre, derrière les volets de bois, bien que la chambre fût située deux étages au-dessus du Grand Canal. Je le lui dis. Il me crut.

— Je descends d'une famille de véritables bêtes sauvages, mentis-je. D'assassins qui vous suivront jusqu'au bout de la Terre si vous cherchez à m'emmener ; ils abattront vos châteaux, pierre par pierre, ils vous couperont en deux, ils vous trancheront la langue et les parties, les emballeront dans du velours et les expédieront à votre roi. A présent, calmez-vous.

— Impertinent petit démon. Tu as l'air d'un ange, et tu pérores comme un voyou de ta douce voix chantante.

— C'est tout moi, affirmai-je gaiement.

Je me levai puis m'habillai à la hâte, le priant de ne pas me tuer sur l'heure car je reviendrais le plus vite possible, puisque je ne désirais nulle autre compagnie que la sienne. Un baiser rapide, et je me précipitai vers la porte.

Immobile sur le lit, la dague au poing, des plumes dans sa chevelure flamboyante, sur les épaules et dans la barbe, lord Harlech avait bel et bien l'air dangereux.

Je ne savais plus combien de nuits j'avais passées à l'extérieur.

Pas une église n'était ouverte. Pas une présence ne me tentait.

Il faisait sombre et froid. Le couvre-feu avait sonné. Certes, l'hiver vénitien me paraissait doux, après les étendues enneigées de mon enfance, mais celui-là n'en restait pas moins oppressant, gorgé d'eau. Le vent de la mer avait beau purifier la cité, elle se montrait inhospitalière, avec son calme surnaturel. Le ciel infini s'évanouissait dans des brumes épaisses. Le froid montait des pierres mêmes comme de blocs de glace.

Je m'assis dans un escalier qui descendait jusqu'au canal, indifférent à son humidité cruelle, et éclatai en sanglots. Qu'avais-je retenu des derniers jours ?

Je me sentais très sophistiqué, en raison de mon éducation, mais elle ne m'apportait nulle chaleur, nul réconfort. La solitude me pesait plus encore que le sentiment de culpabilité et l'impression d'être damné.

Elle semblait d'ailleurs les remplacer, ce qui m'effrayait, car j'étais affreusement seul. Assis là, les yeux fixés sur la petite portion de ciel noir visible au-dessus des toits, sur les quelques étoiles qui y dérivaient, je compris qu'il serait terrible pour moi de perdre à la fois et mon maître et mon sentiment de culpabilité. Je serais rejeté en un désert où nul ne se soucierait de m'aimer ni de me condamner, perdu dans un monde d'errances où je n'aurais pour compagnons que des humains des deux sexes — le comte de Harlech avec sa dague, voire ma bien-aimée Bianca.

Ce fut chez elle que je me rendis. Je me glissai sous son lit, comme par le passé, et refusai d'en sortir.

La jeune femme recevait tout un groupe d'Anglais, dont, par chance, mon amant à la chevelure de cuivre ne faisait pas partie.

Sans doute s'agitait-il encore parmi les plumes. Ma foi, pensai-je, si le charmant lord Harlech se montre, il évitera de se ridiculiser devant ses compatriotes en se donnant en spectacle. Bianca s'avança vers moi, adorable dans sa robe de soie violette, une fortune en perles éclatantes au cou. Elle s'agenouilla pour rapprocher le visage du mien.

— Que t'arrive-t-il, Amadeo ?

Jamais je ne lui avais demandé de m'accorder ses faveurs. A ma connaissance, nul n'agissait ainsi. Pourtant, dans ma frénésie d'adolescent, rien ne me sembla plus approprié que de lui faire violence.

Je m'extirpai de dessous le lit pour aller fermer les portes de sa chambre, afin d'échapper au bruit de ses invités.

Lorsque je me retournai, elle me regardait, agenouillée à terre, ses sourcils dorés froncés, sa bouche à la douceur de pêche entrouverte en une expression de vague surprise qui me parut enchanteresse. J'avais envie de la broyer avec passion, sans trop de brutalité, bien sûr, persuadé qu'elle recouvrerait ensuite son intégrité, ainsi qu'un beau vase brisé capable de se reconstituer à partir des éclats et particules les plus infimes pour retrouver sa beauté, animée d'un éclat plus subtil encore.

Je l'attrapai par les bras, la soulevai et la jetai sur sa couche. Quel spectacle que cette merveille à caissons, dans laquelle, pour ce qu'en savaient les hommes, Bianca dormait seule ! La tête du lit s'ornait de grands cygnes dorés, des colonnes supportaient le cadre de son baldaquin, sur lequel s'ébattaient des nymphes, et des rideaux transparents en fil d'or l'enveloppaient. Il n'avait rien d'hivernal, non plus que celui de mon maître, avec son velours rouge.

Sans lui lâcher les poignets, je me penchai sur Bianca et l'embrassai, enfiévré par ses beaux yeux observateurs qui me contemplaient d'un air froid. Puis je lui soulevai les bras pour rassembler ses deux mains dans une des miennes, afin d'être à même de déchirer sa belle robe. Ce que je fis méthodiquement, de manière à en arracher tous les petits boutons de nacre. Sa ceinture s'ouvrit, révélant des dentelles et un corset ravissants, que je brisai telle une coquille.

La poitrine de la jeune femme, petite et moelleuse, eût été beaucoup trop délicate pour le bordel, où la volupté avait été à l'ordre du jour. Mon intention n'en était pas moins de la violenter. Je roucoulai contre Bianca, je lui fredonnai un lambeau de chanson, puis, comme elle soupirait, je m'abattis sur son corps. Une main toujours fermée autour de ses poignets, je lui suçai âprement les mamelons, passant très vite de l'un à l'autre, avant de me redresser pour lui gifler les seins, joueur, jusqu'à ce qu'ils devinssent tout roses.

Le visage empourpré, elle conservait son petit froncement de sourcils, aux plis presque incongrus sur son front blanc et lisse.

Ses yeux évoquaient deux opales. Elle cligna des paupières, lentement, quasi endormie, semblait-il, mais n'eut pas un tressaillement.

Je terminai mon œuvre sur ses fragiles vêtements, déchirant sa jupe autour des liens qui la maintenaient fermée. Lorsque j'en écartai le tissu, je découvris Bianca, telle que je l'avais supposée : magnifiquement, hautainement nue. Je n'avais pas la moindre idée des obstacles qu'on pouvait rencontrer sous les jupons d'une honnête femme. Là, je ne trouvai que le petit nid blond des poils pubiens, duveteux sous l'arrondi léger du ventre délicat, et une humidité nacrée entre les cuisses.

Je compris aussitôt que la belle m'accordait ses faveurs, puisqu'elle n'était nullement en mon pouvoir. Affolé par cette brillance sur sa peau, je plongeai en elle, surpris de son étroitesse mais aussi de la manière dont elle se déroba — car j'en usai fort mal avec elle et lui infligeai une pointe de douleur.

Je la besognai rudement, ravi de la rougeur qui lui montait au visage, tout mon poids reposant sur un seul bras, me refusant à lui lâcher les poignets. Elle s'agita, se tordit. Ses tresses blondes échappèrent à sa coiffe de perles et de rubans tandis qu'elle devenait moite, rose et luisante, telle la courbure interne d'un grand coquillage.

Enfin, je ne pus me contenir plus longtemps. Il me sembla qu'elle laissait elle-même échapper à mon signal son ultime soupir : je me répandis alors qu'elle fermait les yeux, virait au rouge sang des agonisants, secouait la tête dans sa frénésie puis devenait toute molle.

Roulant sur le lit, je me couvris le visage des bras, comme pour échapper à des coups.

Des coups qui s'abattirent en effet, fort, sur mes bras, accompagnés d'un rire léger. Trois fois rien. Je feignis des larmes de honte.

— Regarde ce que tu as fait de ma belle robe, espèce d'affreux petit satyre, de conquistador cachottier ! D'ignoble enfant précoce !

Le poids de Bianca déserta le lit. Je l'entendis s'habiller en chantant.

— Que va en penser ton maître, Amadeo ? reprit-elle.

J'écartai les bras afin de chercher sa voix. Bianca se vêtait derrière un écran de bois peint, cadeau parisien, si mes souvenirs étaient bons, d'un de ses poètes français préférés. Bientôt, elle réapparut, aussi splendidement adornée qu'auparavant, dans une robe d'un vert pâle printanier brodée de fleurs sauvages. On eût dit un véritable jardin des délices, avec les minuscules fleurettes jaunes et roses, au fil luxueux, dessinées à la perfection sur son corsage et ses longues jupes de taffetas.

— Oui, dis-moi, que va penser ton maître en apprenant que son jeune amant est un véritable dieu sylvestre ?

— Son amant ? répétai-je, surpris.

Elle s'assit pour recoiffer ses cheveux ébouriffés avec des manières d'une grande noblesse. Son visage, nullement maquillé, n'avait pas été marqué par nos jeux ; sa chevelure, superbe capeline d'or onduleux, surmontait un haut front lisse.

— C'est Botticelli qui t'a créée, murmurai-je.

Je le lui disais souvent, car elle ressemblait fort aux beautés peintes par l'artiste. D'ailleurs, mon avis était unanimement partagé. Les admirateurs de la jeune femme lui apportaient parfois de petites copies des œuvres du célèbre Florentin.

Je songeai à cela ; je songeai à Venise, à l'univers où je vivais, à cette courtisane qui acceptait des peintures chastes quoique lascives à la manière d'une sainte.

Un vague écho me revint de mots qu'on m'avait adressés bien longtemps auparavant, alors que, agenouillé devant un antique chef-d'œuvre patiné, je me croyais au pinacle : mon pinceau ne devait représenter que « le monde de Dieu » ; rien d'autre.

Nul tumulte ne m'agitait, juste des courants mêlés, tandis que je regardais Bianca tresser à nouveau ses cheveux, y mêlant de belles enfilades de perles et des rubans vert pâle, brodés des mêmes jolies petites fleurs qui ornaient sa robe. Ses seins rosissaient, à demi ensevelis dans l'étreinte de son corsage, que j'eusse volontiers déchiré derechef.

— Dis-moi, ravissante Bianca, pourquoi penses-tu que nous sommes amants ?

— Tout le monde le sait, murmura-t-elle. Tu es son favori. Tu as peur de l'avoir mis en colère ?

— Si seulement j'y parvenais. (Je m'assis.) Tu ne le connais pas. Rien ne le pousse à lever la main sur moi. Rien ne lui fait ne serait-ce que hausser la voix. Il m'a envoyé apprendre toutes choses, découvrir tout ce que peut découvrir un homme.

Elle hocha la tête, souriante.

— Alors tu es venu te cacher sous mon lit.

— J'étais triste.

— Je n'en doute pas. Bon, dors, à présent. Lorsque je reviendrai, si tu es encore là, je te tiendrai chaud. Mais est-il besoin de te dire, mon turbulent ami, que tu ne prononceras jamais le moindre mot négligent sur ce qui s'est passé ici ? Es-tu si jeune qu'il faille t'en avertir ?

Elle se pencha pour m'embrasser.

— Non, ma beauté, il n'en est pas besoin. Je ne lui en parlerai même pas à *lui*.

Elle rassembla les perles brisées et les rubans froissés, restes de mon attaque. Lissa le couvre-pied. Ravissant cygne humain qui égalait les cygnes dorés ornant son navire de lit.

— Ton maître saura, affirma-t-elle. C'est un grand magicien.

— Il te fait peur ? En général, je veux dire, pas à cause de moi.

— Non. Pourquoi en aurais-je peur ? Mieux vaut ne pas le fâcher, l'offenser, s'immiscer dans sa solitude ou se dresser contre lui, chacun le sait, mais il ne s'agit pas de peur. Pourquoi pleures-tu, Amadeo ? Qu'y a-t-il ?

— Je ne sais pas.

— Alors je vais te le dire. Il est devenu ton monde comme seul peut le devenir un tel être, mais tu as quitté ce monde, et tu t'en languis. Un homme pareil représente tout pour toi, forcément ; sa voix est celle de la sagesse, l'aune à laquelle tu mesures toute chose. Rien ne compte, hors ce cercle, parce que ce qui échappe à son regard ne lui est rien. Aussi n'as-tu pas d'autre choix que de fuir les déserts extérieurs pour retourner à lui. Il faut rentrer chez toi.

Elle se retira en fermant les portes. Je m'endormis, décidé à ne pas rentrer chez moi.

Le lendemain matin, je pris le petit déjeuner puis passai toute la journée en sa compagnie. Notre intimité m'avait donné d'elle une image radieuse. La jeune femme avait beau parler de mon maître, je n'avais d'yeux que pour elle, dans ces appartements imprégnés de son parfum, emplis de toutes ses affaires personnelles.

Jamais je n'oublierai Bianca. Jamais.

Je lui racontai, comme on peut le faire avec une courtisane, tout ce qui s'était passé dans les bordels où j'étais allé. Peut-être n'en gardai-je les détails en mémoire que grâce à ce récit. J'usai de mots délicats, certes, mais je racontai. J'expliquai que Marius, afin que j'apprisse, m'avait mené en personne dans ces magnifiques académies.

— Tout cela est bel et bon, Amadeo, mais tu ne peux t'attarder ici. Les maisons où tu as séjourné t'ont offert le plaisir d'une nombreuse compagnie. Peut-être ma seule présence auprès de toi n'aura-t-elle pas l'heur de lui plaire.

Je ne voulais pas m'en aller. Pourtant, quand vint la nuit, quand la demeure s'emplit de poètes anglais et français, quand débutèrent la musique puis la danse, je me refusai à partager Bianca avec un monde adorateur.

Je la regardai un moment, confusément conscient de l'avoir eue à moi dans son intimité comme aucun de ces hommes, de ces admirateurs, ne l'avait eue ou ne l'aurait, mais cela ne me fut d'aucune consolation.

Je voulais quelque chose de mon maître, quelque chose d'abrupt, de décisif. Fou de ce désir, qui se révélait soudain à moi avec force, je gagnai une taverne, où je puisai dans le vin un courage vindicatif, puis je rentrai à la maison d'un pas mal assuré.

Je me sentais audacieux, intraitable, d'une extrême indépendance ; n'étais-je pas resté bien longtemps loin de Marius et de ses mystères ?

Je le trouvai peignant avec fureur au sommet de l'échafaudage. Il ne se retourna pas à mon entrée, concentré, pensai-je, sur les traits des philosophes grecs. Sans doute réalisait-il l'alchimie grâce à laquelle des expressions pleines de vie jaillissaient de son pinceau, révélées plutôt qu'appliquées sur les visages, semblait-il.

Sa tunique grise tachée tombait jusqu'à ses pieds. Tous les braseros de la demeure paraissaient entassés dans l'atelier pour lui donner la lumière qu'il réclamait.

Les apprentis s'effrayaient de la rapidité avec laquelle il couvrait la toile.

Je compris très vite en m'avançant, titubant, dans la pièce qu'il ne peignait pas *L'Académie*.

Il me peignait, moi — jeune homme bien de mon siècle avec mes longues boucles familières, vêtu de manière discrète comme si j'avais quitté le monde des tons éclatants, agenouillé, l'air innocent, les mains jointes, en prière. Autour de moi se pressaient des anges aussi beaux, à l'air aussi doux que d'ordinaire, mais qu'il avait dotés d'ailes noires.

De grandes ailes aux plumes d'encre. Hideuses, et d'autant plus que je contemplais l'œuvre plus longtemps. Presque achevées. L'adolescent aux cheveux auburn semblait réel, les yeux levés vers le ciel, nullement provocateur, les anges avides mais tristes.

Malgré son horreur, rien dans cette scène n'égalait le spectacle du maître en plein travail : main et pinceau volaient à travers la toile, brossaient ciel, nuages, fronton brisé, aile, soleil.

Les apprentis se serraient les uns contre les autres, persuadés de contempler un fou ou un sorcier. Comment savoir ? Pourquoi se dévoilait-il avec une telle insouciance à ces âmes paisibles ?

Pourquoi étalait-il son secret, démontrant qu'il n'était pas plus humain que les créatures ailées nées de son pinceau ? Pour quelles raisons le seigneur avait-il ainsi perdu patience ?

Soudain, il jeta avec rage un pot de peinture dans l'angle le plus éloigné de la pièce, défigurant les murs d'une éclaboussure vert foncé. Des jurons et des plaintes lui échappèrent, dans une langue qu'aucun d'entre nous ne comprenait.

D'autres pots suivirent — grands arcs de couleurs vives jaillissant de l'échafaudage — puis ce fut aux pinceaux de voler à travers l'atelier.

— Allez-vous-en, allez vous coucher, je ne veux plus vous voir, innocents que vous êtes. Allez. Allez.

Les apprentis prirent leurs jambes à leur cou. Riccardo rassembla les plus jeunes, puis ils sortirent en courant.

Marius s'assit là-haut, les jambes pendantes, sans presque me regarder, alors que je me tenais en dessous de lui. On eût dit qu'il ignorait qui j'étais.

— Maître, appelai-je, descendez.

Des taches de peinture collaient par endroits ses cheveux emmêlés. Ma présence ne le surprenait pas ; ma voix ne le faisait pas sursauter. Mon arrivée ne lui avait pas échappé car rien ne lui échappait jamais. Il entendait ce qui se disait au loin. Connaissait les pensées des gens qui l'entouraient. La magie l'emplissait, et lorsque je buvais à sa source, la tête me tournait.

— Laissez-moi vous coiffer, repris-je, insolent et conscient de l'être.

Sa tunique sale, tachée, lui avait servi plus d'une fois à essuyer son pinceau.

Une de ses sandales tomba en claquant sur le marbre. Je la ramassai.

— Descendez, maître. Quoi que j'aie pu dire pour vous causer de la peine, je ne le répéterai pas.

Aucune réponse.

Soudain, toute ma fureur remonta en moi, ma solitude lorsque j'avais été séparé de lui des jours entiers, sur son ordre. A présent que je rentrais à la maison, il restait là à me regarder tel un sauvage, sans un mot. Je ne tolérerais pas cet air lointain, cette indifférence. Il admettrait que j'étais cause de sa colère. Il parlerait.

J'avais envie de pleurer.

L'angoisse se grava sur ses traits. Incapable d'en soutenir la vue, d'admettre qu'il souffrait comme moi ou les autres apprentis, je sentis tout mon être se révolter.

— Vous êtes égoïste de terroriser ainsi vos compagnons, seigneur et maître ! déclarai-je.

Sans m'accorder un regard, il disparut dans un grand bruissement d'air. Ses pas précipités retentirent à travers les salles désertes.

Il s'était déplacé plus vite qu'aucun être humain n'eût pu le faire. J'eus beau me précipiter dans son sillage, les portes de la chambre claquèrent, leur verrou joua, avant que ma main n'en atteignît la poignée.

— Laissez-moi entrer, maître, m'écriai-je. Je n'y suis allé que parce que vous l'avez voulu.

Je tournai et virai. Impossible de défoncer les portes. Mes coups de poing et de pied n'y suffisaient pas.

— C'est vous qui m'avez envoyé au bordel. Qui m'avez jeté dans des errances condamnables.

Enfin, gémissant, sanglotant, je m'assis le dos aux battants. Il attendit que j'interrompe mon vacarme pour intervenir.

— Va dormir, Amadeo, lança-t-il alors. Tu n'es pas responsable de mes colères.

Inimaginable. Mensonge ! Je me sentais furieux, vexé, mais aussi douloureux et glacé ! Il régnait dans la demeure tout entière un froid diabolique.

— Alors laissez-moi l'être de votre calme et de votre sérénité ! Ouvrez cette satanée porte.

— Va te coucher avec les autres, reprit-il d'une voix douce. Là est ta place. Tu les aimes. Ils sont de ta race. Ne cherche pas la compagnie des monstres.

— Est-ce là ce que vous êtes, maître ? demandai-je, méprisant et exaspéré. Vous qui peignez comme Bellini ou Mantegna, qui déchiffrez tous les alphabets et parlez toutes les langues, qui êtes plein d'un amour inépuisable et d'autant de patience. Un monstre, vraiment ! Vous qui nous avez donné un toit et nous nourrissez chaque jour tels des dieux ! Quel monstre, en effet !

Il ne répondit pas.

Plus furieux encore, je descendis au rez-de-chaussée, où je m'emparai d'une grande hache de bataille accrochée au mur. Ce n'était qu'une des nombreuses armes qui ornaient le palazzo et auxquelles j'avais à peine prêté attention auparavant. Eh bien, il était temps qu'elles servissent. Assez de froideur. C'en était trop. Beaucoup trop.

Aussitôt l'escalier remonté, j'abattis la hache sur la double porte. La lame traversa le bois fragile, réduisant en miettes le panneau peint, transperçant la laque ancienne, les jolies roses jaunes et rouges. Je la dégageai pour assener un deuxième coup.

Cette fois, la serrure céda. J'en frappai du pied le cadre brisé, qui tomba à terre.

La stupeur la plus parfaite marquait les trait de Marius, assis à son vaste bureau de chêne foncé, les yeux fixés sur moi, les mains serrées autour des têtes de lion ornant les accoudoirs. Derrière lui se dressait le lit massif au riche baldaquin rouge frangé d'or.

— Comment oses-tu !

En un instant, il se dressa devant moi, m'arracha la hache et la jeta au loin avec une telle aisance qu'elle alla s'écraser contre le mur du fond. Puis, me soulevant, il me lança sur le lit. La couche tout entière frémit, et le baldaquin, et les draperies. Nul homme n'eût pu me projeter à cette distance. Lui si. J'atterris sur les oreillers, bras et jambes en l'air.

— Monstre méprisable ! m'exclamai-je.

Appuyé sur un coude, le genou fléchi, je le fixai d'un air menaçant.

Il me tournait le dos, prêt à fermer les portes intérieures de l'appartement qui, jusqu'alors ouvertes, n'avaient pas souffert. Son geste resta en suspens ; il pivota. Une expression joueuse se peignit sur ses traits.

— Nous avons bien mauvais caractère sous nos airs angéliques, dit-il avec douceur.

— Si je suis un ange, ripostai-je, m'écartant du bord du lit, dessinez-moi avec des ailes noires.

— Tu oses abattre ma porte. (Il croisa les bras.) Ai-je besoin de te dire que je ne tolérerai pareille chose ni de toi, ni de personne ?

Il me fixait, les sourcils levés.

— Vous me torturez, affirmai-je.

— Ah, vraiment. Comment, et depuis quand ?

J'avais envie de hurler. De dire : « Je n'aime que vous. »

Au lieu de quoi je dis :

— Je vous déteste.

Il ne put se retenir de rire. Puis il baissa la tête, les doigts repliés sous le menton, sans me quitter du regard.

Enfin, tendant le bras, il claqua des doigts.

Un froufroutement me parvint des autres pièces. Je m'assis, stupéfait.

La longue badine du professeur arriva en glissant à terre, comme poussée par le vent, elle se tordit, se retourna, s'éleva pour retomber dans la main du maître. Derrière lui, les portes intérieures se fermèrent, le verrou glissa dans son logement avec un claquement métallique sonore.

Je reculai sur le lit.

— Te fouetter va être un véritable plaisir, déclara Marius, un doux sourire aux lèvres, le regard presque innocent. Tu n'auras qu'à ajouter cette correction à tes autres expériences humaines, comme tes jeux avec ton noble anglais.

— Allez-y. Je vous déteste. Je suis un homme, et vous refusez de le reconnaître.

L'air supérieur, gentil mais nullement amusé, il s'approcha de moi, m'attrapa par la tête et me jeta face contre le couvre-lit.

— Démon ! m'exclamai-je.

— Maître, rectifia-t-il, très calme.

Son genou vint se loger au bas de mon dos, puis la badine s'abattit sur mes cuisses. Je ne portais rien d'autre que les fines chausses à la dernière mode : j'eusse aussi bien pu être nu.

Un cri de douleur m'échappa, mais je serrai les mâchoires. Lorsque les coups suivants me cinglèrent les jambes, je ravalai mes plaintes, furieux de m'entendre lâcher parfois un gémissement involontaire.

La baguette s'acharna sur mes cuisses, avant de descendre peu à peu. Fou de rage, je luttais pour me redresser, poussant en vain des deux mains contre les couvertures. Le moindre mouvement m'était impossible. Marius m'épinglait du genou tout en me battant sans une hésitation.

Soudain, plus rebelle que jamais, je décidai de jouer de la correction. Que je fusse damné si je restais là, à pleurer, alors que les larmes me montaient aux yeux. Les paupières fermement closes, les dents serrées, je décrétai que chaque coup était la divine couleur rouge, que j'en aimais le plus léger, que la douleur brûlante, déchirante qui suivait était rouge, et la chaleur qui enflait ensuite dorée, très douce.

— Ah, quel délice ! dis-je.

— C'est un marché de dupes, mon enfant !

Après cet avertissement, Marius frappa plus vite, plus fort. Préserver mes charmantes visions me fut impossible. J'avais mal, très mal.

— Je ne suis pas un enfant ! criai-je.

L'humidité de mes jambes me révéla que je saignais.

— Vous voulez me marquer, maître ?

— Rien de pire qu'un saint déchu qui se transforme en horrible démon !

Des coups, encore. Je saignais de plus d'une plaie, je le sentais. Sans doute serais-je meurtri de partout, incapable de marcher.

— Je ne sais pas ce que vous voulez dire ! Arrêtez !

A ma grande surprise, il obtempéra. Je sanglotai un long moment, le visage enfoui dans un bras replié. Mes jambes me brûlaient comme si la badine avait poursuivi son office, comme si la correction ne s'était pas interrompue. Je priais que la douleur s'affaiblît jusqu'à redevenir chaleur, agréable fourmillement, ainsi qu'elle l'avait été au tout début. Pour l'heure, elle était atroce. Je détestais souffrir !

Soudain, le maître fut sur moi. Ses cheveux me caressèrent les cuisses avec douceur. Ses doigts empoignèrent mes chausses déchirées, me les arrachèrent, libérèrent en un éclair mes jambes, qui se retrouvèrent nues. Sa main se glissa sous ma tunique pour me débarrasser des restes de tissu.

La douleur palpitante enfla puis reflua quelque peu. L'air me semblait frais sur mes meurtrissures. Lorsque les doigts de Marius les effleurèrent, un plaisir si terrible déferla sur moi que je ne pus retenir un gémissement.

— Défonceras-tu encore ma porte ?

— Jamais, murmurai-je.

— Me défieras-tu encore de quelque manière que ce soit ?

— Jamais, d'aucune manière.

— Qu'as-tu à ajouter ?

— Je vous aime.

— Bien sûr.

— Je vous assure.

Je reniflai.

La caresse de ses doigts sur ma chair à vif était insupportablement délicieuse. N'osant lever la tête, je pressai la joue contre la broderie râpeuse du couvre-lit, contre l'imposante image du lion, je repris mon souffle puis laissai couler mes larmes. Un grand calme m'avait envahi ; le plaisir me dérobait le contrôle de mes membres, et je fermai les yeux.

Lorsque les lèvres du maître se posèrent sur une des meurtrissures, je crus mourir. J'allais gagner le Paradis — du moins un Paradis plus élevé encore, plus délicieux que ce paradis vénitien. Mon sexe s'emplit de vie, d'une force reconnaissante, désespérée et isolée.

Un sang brûlant se répandit sur la plaie. La langue légèrement râpeuse de Marius la toucha, la lécha, la pressa. L'inévitable fourmillement qui s'imposa alors alluma un brasier derrière mes paupières closes, un incendie rugissant sur l'horizon mythique de la nuit où baignait mon esprit aveugle.

Le maître passa à la meurtrissure suivante. Filet de sang, caresse de la langue — l'affreuse douleur disparut, remplacée par une langueur palpitante. Tandis que mon aimé se consacrait à une autre plaie encore, je songeai : c'est insupportable, je vais mourir.

Il progressa très vite, de meurtrissure en meurtrissure, offrant à chacune son baiser magique et la caresse de sa langue. Quant à moi, je tremblais de tout mon corps, gémissant.

— Quelle punition ! lâchai-je soudain dans un hoquet.

Terrible réplique, dont je regrettai aussitôt l'effronterie.

Déjà, la main de Marius tombait sur mes reins avec un claquement sauvage.

— Ce n'est pas ce que je voulais dire, protestai-je. Enfin, je ne voulais pas me montrer ingrat. Je suis désolé !

Une autre tape suivit, aussi forte que la première.

— Ayez pitié ! m'écriai-je. Je ne sais plus où j'en suis !

La main se posa à l'endroit précis qu'elle venait de frapper. Oh, mon maître allait me rouer de coups, à présent.

Mais il se contenta de pincer gentiment la peau intacte, juste échauffée, comme mes jambes au début de la correction.

Ses lèvres caressèrent à nouveau mon mollet, puis vint le sang, puis sa langue. Le plaisir envahissait tout mon corps. Impuissant, je laissai l'air s'échapper d'entre mes lèvres en un chapelet de soupirs.

— Maître, maître, maître, je vous aime.

— Oui, bon, ça n'a rien d'inhabituel, murmura-t-il, sans interrompre ses baisers ni cesser de lécher le sang. (Je me tordis sous le poids de sa main.) La question, Amadeo, c'est pourquoi est-ce que je t'aime, moi ? Pourquoi ? Pourquoi a-t-il fallu que je me rende dans ce bordel puant afin de t'espionner ? Je suis fort de nature… quelle que soit ma nature…

Il embrassa avec avidité une large meurtrissure de ma cuisse, il la suça, en avala le sang puis y fit couler le sien. Le plaisir me traversait de secousses ininterrompues. Je n'y voyais pas, alors qu'il me semblait bien à présent avoir les yeux ouverts. Mais j'eus beau chercher à m'en assurer, je ne distinguai rien de plus, juste une brume dorée.

— Je t'aime. Je t'aime vraiment, reprit Marius, mais pourquoi ? Je vois en toi un esprit vif, certes ; la beauté, certes ; et les reliques carbonisées d'un saint !

— Je ne sais ce que vous voulez dire, maître. Je n'ai jamais été un saint, je ne prétends pas l'être. Je suis un malheureux irrespectueux et ingrat. Ah, je vous adore. C'est si bon d'être là, impuissant, à votre merci.

— Arrête de te moquer de moi.

— Je ne me moque pas. Je veux juste dire la vérité. Je suis fou de la vérité, fou de… Fou de vous.

— Non, je ne pense pas que tu veuilles te moquer. Tu es sincère. Tu ne vois pas à quel point c'est absurde.

Sa tâche s'achevait. Dans mon esprit embrumé, mes jambes avaient perdu leur forme d'autrefois. Je ne pouvais que rester allongé là, tout vibrant de ses baisers. Il me posa la tête sur les hanches, sur la peau chaude qu'il avait frappée, puis me glissa la main sous le corps pour me toucher les parties les plus intimes.

Mon organe durcit dans son étreinte, raidi par le sang bouillant qu'il m'avait infusé mais surtout par le jeune mâle, en moi, qui avait si souvent mêlé douleur et plaisir suivant la volonté de son maître.

De plus en plus dur, je me cabrai, me soulevai et me rabaissai sous sa tête et ses épaules, tandis qu'il me tenait d'une main ferme, puis des spasmes d'une violence insurpassée firent jaillir entre ses doigts glissants un flot abondant.

Je me hissai sur les coudes pour regarder Marius. Il s'était assis et contemplait la semence d'un blanc nacré qui lui collait à la peau.

— Mon Dieu, était-ce là ce que vous vouliez ? demandai-je. Cette viscosité ?

Il me fixa avec angoisse — oui, angoisse.

— Cela ne signifie-t-il pas que le jour est venu ? continuai-je.

Son visage trahissait une telle souffrance que je ne pus me résoudre à l'interroger davantage.

Somnolent, aveugle, je le sentis me retourner, m'arracher veste et tunique. Il me souleva, puis vint l'assaut de sa piqûre à mon cou. Une douleur brutale s'aggloméra autour de mon cœur, avant de s'adoucir à l'instant où la crainte m'envahissait. Enfin, je coulai dans le creux parfumé de la couche, contre la poitrine de Marius, au chaud sous les couvertures qu'il avait tirées sur nous. Là, je m'endormis.

Il faisait toujours une nuit d'encre lorsque j'ouvris les yeux. J'avais appris de lui à sentir approcher le matin, mais ce dernier n'était pas encore près d'arriver.

Je cherchai mon maître du regard. Il se tenait au pied du lit, vêtu de son plus beau velours rouge, une veste à crevés sur une lourde tunique au col montant. Sa cape était bordée d'hermine.

Sa chevelure bien coiffée, à peine huilée, à l'artistique brillance signe de l'homme civilisé, lui dégageait le front puis lui tombait en boucles précieuses sur les épaules. Il avait l'air triste.

— Que se passe-t-il, maître ?

— Je dois m'absenter pour quelques nuits. Non, ce n'est pas que je sois fâché contre toi, Amadeo, mais ce voyage est inévitable. J'aurais dû l'entreprendre depuis longtemps.

— Non, maître, pas maintenant, je vous en prie. Je regrette. Mais pas maintenant, je vous en supplie ! Que vais-je…

— Je vais voir Ceux Qu'il Faut Garder, mon enfant. Je n'ai pas le choix.

Je restai un instant muet, cherchant à comprendre le concept que recouvraient ses mots. Il les avait prononcés d'une voix basse, presque à contrecœur.

— Qu'est-ce que c'est, maître ?

— Une nuit, peut-être, je t'emmènerai. Je demanderai la permission…

La phrase resta en suspens.

— De quoi, maître ? Quand avez-vous eu besoin d'une quelconque permission pour faire ce que vous vouliez ?

Je n'avais voulu être que simple et franc, mais je me rendais compte à présent de l'impertinence de la question.

— Ce n'est rien, Amadeo. Je demande de temps à

autre la permission à mes aînés, voilà tout. A qui d'autre ?

Il s'assit à mon côté, l'air fatigué, se pencha sur moi pour m'embrasser les lèvres.

— Des aînés, seigneur ? Vous voulez dire que Ceux Qu'il Faut Garder... ce sont des créatures de votre sorte ?

— Sois gentil avec Riccardo et avec les autres. Ils te vouent un véritable culte, au point qu'ils ont passé toute ton absence à te pleurer. Quand je leur ai dit que tu revenais à la maison, ils ne m'ont même pas vraiment cru. Et puis Riccardo t'a vu en compagnie de ton Anglais. Il a eu très, très peur que je ne te réduise en pièces mais aussi que ce monsieur ne te tue. Ton amant s'est acquis une certaine réputation, à force de sortir son poignard dans toutes les tavernes. Faut-il vraiment que tu t'acoquines avec de banals meurtriers ? Tu disposes ici d'un être qui n'a pas son pareil pour prendre la vie. Ensuite, lorsque tu es allé chez Bianca, tes amis n'ont pas osé me le dire. Ils ont bâti des images bizarres dans leur esprit pour éviter que je ne déchiffre leurs pensées. Ils plient si facilement face à mes pouvoirs.

— Ils vous aiment, seigneur. Grâce à Dieu, vous m'avez pardonné mes égarements. Je ferai ce que vous voudrez.

— En ce cas, bonne nuit.

Il se leva.

— Combien de nuits, maître ?

— Quatre, tout au plus, lança-t-il par-dessus son épaule en se dirigeant vers la porte, haute silhouette élégante dans sa cape.

— Maître.

— Oui.

— J'essaierai de me conduire en véritable saint, mais si jamais j'échoue, me fouetterez-vous encore, s'il vous plaît ?

A l'instant où la colère se peignit sur ses traits, je

regrettai mes paroles. Quelle force me poussait donc à proférer pareilles horreurs ?

— Ne prétends pas que tu ne voulais pas le dire ! ordonna-t-il, lisant les mots dans mon esprit avant que je ne les prononce.

— Non. C'est juste que je déteste vous voir partir. Je pensais que peut-être, si je vous provoquais, vous resteriez.

— Eh bien non. Et ne me provoque pas. Par principe, évite ce genre de conduite.

Il franchit la porte, puis, changeant d'avis, revint sur ses pas. Lorsqu'il s'approcha du lit, je m'attendis au pire. Il allait me corriger, mais il ne serait plus là ensuite pour embrasser mes meurtrissures.

Il n'en fut rien.

— En mon absence, Amadeo, *réfléchis-y*, dit-il.

Cela me calma. Sa seule attitude me poussa à méditer avant de reprendre la parole.

— A tout, seigneur ? demandai-je.

— Oui. (Il vint m'embrasser.) Serais-tu tel à jamais ? L'adolescent que tu es à présent ?

— Oui, maître ! A jamais, avec vous !

J'eusse volontiers ajouté qu'un homme n'en eût pas fait plus, mais cela me sembla peu sage. Qui plus était, il ne l'eût pas cru.

Sa main se posa sur ma tête avec tendresse, repoussant mes cheveux en arrière.

— Deux ans durant, je t'ai regardé grandir. Tu as atteint ta taille adulte, mais tu es petit, tu as un visage d'enfant, et malgré ta bonne santé, tu n'es pas aussi robuste que tu le deviendras sans doute.

Trop captivé pour l'interrompre, j'attendis, bien qu'il marquât une pause.

Il soupira, les yeux perdus au loin, semblant chercher ses mots.

— Pendant ton périple, ton Anglais t'a menacé de sa

dague, mais tu n'as pas eu peur. T'en souviens-tu ? Il n'y a pas deux jours de cela.

— Oui, seigneur, j'ai été stupide.

— Tu aurais très bien pu mourir, à ce moment-là. (Il leva les sourcils.) Vraiment.

— Je vous en prie, maître, dévoilez-moi les mystères qui vous entourent. Dites-moi comment vous avez gagné vos pouvoirs. Confiez-moi vos secrets. Faites que je reste à jamais près de vous. Je ne puis me fier à mon jugement en la matière, aussi je m'en remets au vôtre.

— Tu t'en remets à moi, en effet, à condition que je te donne ce que tu réclames.

— N'est-ce pas s'en remettre à vous que de s'abandonner à votre volonté, à votre force ? Et oui, je le veux, je veux devenir votre semblable. Est-ce là votre promesse ? Est-ce ce que vous me laissez entendre ? Qu'il vous est possible de faire de moi votre pareil, en m'emplissant du sang qui coule dans vos veines et qui me réduit en esclavage ? J'en ai parfois conscience, je sais que cela vous est possible, mais je me demande si ma certitude émane de la vôtre parce que vous vous languissez de me transformer.

— Ah !

Il porta ses mains à son visage comme si je lui avais souverainement déplu.

— Lorsque je vous offense, maître, frappez-moi, battez-moi, faites de moi ce qu'il vous plaît, mais ne vous détournez pas de moi, suppliai-je. Ne vous cachez pas les yeux afin d'éviter de me voir, car je ne puis vivre sans votre regard. Expliquez-moi. Ecartez ce qui nous sépare ; si ce n'est que l'ignorance, dissipez-la.

— J'y viendrai, j'y viendrai. Tu es intelligent et trompeur, Amadeo. Tu serais un très bon fou de Dieu, comme on t'a dit il y a bien longtemps que devait l'être un saint.

— Je ne vous suis plus, seigneur. Je ne suis pas un saint. Un fou, oui, parce que je pense que la folie est une forme de sagesse et que je sais combien vous prisez la sagesse.

— Je veux dire que tu as l'air limpide, mais que de ta limpidité émane un entendement aigu. Je suis seul, ah, certes, bien seul, et j'aimerais du moins partager mes chagrins. Mais qui infligerait pareil fardeau à un enfant tel que toi ? Quel âge crois-tu que j'aie ? Estime-le avec ta simplicité.

— Vous n'en avez pas, seigneur. Vous ne mangez ni ne buvez ni ne changez au fil du temps. Vous n'avez nul besoin de vous laver. Votre être lisse est imperméable à tout ce que renferme la nature. Nous le savons bien. Vous êtes entier et parfait.

Il secoua la tête, désespéré par des paroles que je voulais consolatrices.

— Déjà, murmura-t-il.

— Quoi donc, maître ? Qu'y a-t-il ?

— Il y a que je t'ai amené à moi, Amadeo, car dès cet instant… (Il s'interrompit, les sourcils froncés, l'air si doux et si perplexe que j'en eus mal.) Mais tout cela n'est qu'illusions égoïstes. Je pourrais t'emporter avec un tas d'or et te déposer dans une cité lointaine où…

— Tuez-moi, seigneur. Tuez-moi plutôt, ou veillez à ce que votre cité soit au-delà des bornes du monde connu, parce que je reviendrai ! Je dépenserai vos ducats jusqu'au dernier pour revenir ici frapper à votre porte.

Il semblait désespéré, plus humain que jamais, douloureux et tremblant, le regard perdu dans les profondeurs du gouffre obscur qui nous séparait.

Je me cramponnai à ses épaules et l'embrassai. Notre intimité sortait plus forte, plus virile, de l'action brutale que j'avais menée quelques heures plus tôt.

— Non, protesta-t-il, le temps me manque pour pareilles consolations. Je dois partir. Le devoir m'appelle. Des voix sans âge, un fardeau que je porte depuis une éternité. Dieu, que je suis las !

— N'y allez pas cette nuit. Et au matin, emmenez-moi, maître, laissez-moi vous suivre où vous fuyez le soleil. Car c'est le soleil que vous fuyez, n'est-ce pas, vous qui peignez l'azur céleste et la lumière de Phoebus avec des couleurs plus brillantes que ceux qui les contemplent ? Vous ne les voyez jamais…

— Arrête, supplia-t-il, m'emprisonnant la main entre ses doigts. Cesse de m'embrasser et de raisonner. Obéis-moi.

Il inspira à fond puis, pour la première fois depuis que je le connaissais, tira un mouchoir de sa veste afin d'éponger l'humidité qui perlait à son front et à sa lèvre. Le tissu se teinta d'un rouge léger, qu'il regarda un instant.

— Avant de partir, je veux te montrer quelque chose, reprit-il. Habille-toi vite. Attends, je vais t'aider.

En quelques minutes à peine, j'étais vêtu de pied en cap pour affronter la rude nuit hivernale. Marius m'enveloppa les épaules d'une cape, me tendit des gants fourrés de petit-gris puis me posa sur la tête un chapeau de velours — le tout noir. Des bottes en cuir de même couleur, qu'il n'avait jamais voulu me voir porter auparavant, vinrent compléter ma tenue. Grand amateur de chevilles, il n'aimait pas les chaussures hautes, quoiqu'il ne fût pas opposé à ce que ses apprentis en arborent le jour, hors de sa vue.

Sa détresse et son agitation se lisaient si bien sur ses traits, en dépit de sa pâleur marmoréenne, que je ne pus m'empêcher de l'enlacer puis de l'embrasser, dans le seul but de lui écarter les lèvres, de sentir sa bouche se coller à la mienne.

Je fermai les yeux. Sa main me couvrit le visage, les paupières.

Un grand bruit s'éleva autour de moi — claquement des portes, éparpillement des battants en miettes que j'avais défoncés, envol de draperies bouillonnantes, tout cela à la fois, me sembla-t-il.

L'air froid de la nuit m'enveloppa. Lorsque Marius me reposa, toujours aveuglé, je compris que je me tenais sur un quai. L'eau d'un canal, toute proche, clapotait sans trêve, agitée par le vent de l'hiver qui poussait la mer dans la cité ; un bateau heurtait encore et encore le bord de la chaussée.

La main du maître glissa de mes paupières, et j'ouvris les yeux.

Nous nous trouvions bien loin du palazzo, ce qui me déconcerta sans me surprendre vraiment. Marius, me laissant à présent savoir qu'il était capable de prodiges, venait de nous transporter sur un petit ponton, au bord d'un canal étroit des bas quartiers. Jamais je ne m'étais aventuré dans le voisinage, où vivaient les ouvriers.

Seuls m'apparaissaient l'arrière des maisons aux fenêtres revêtues d'acier, la saleté et le laisser-aller. Une odeur fétide montait des ordures qui flottaient sur les eaux profondes, agitées par le vent.

Le maître pivota pour m'écarter du canal. Un moment, je fus incapable de voir, puis sa main blanche flotta devant mes yeux. Je distinguai son doigt, tendu en direction d'un homme endormi dans une longue gondole pourrissante, hissée sur des planches. Le miséreux s'agita, rejeta sa couverture. Sa silhouette massive se dressa, tandis qu'il grommelait des insultes à l'encontre de ceux qui osaient le déranger malgré l'heure tardive.

Je cherchai ma dague. Un éclair brilla dans son poing. La pâle main de Marius, aussi luisante que le quartz, ne fit sembla-t-il que lui effleurer le poignet, mais le couteau monta haut dans les airs avant de rouler sur la pierre. L'inconnu, ébahi, chargea avec une fureur maladroite pour renverser l'adversaire.

Ce dernier l'attrapa sans la moindre difficulté, tel un énorme ballot de laine puant. Le visage du maître m'était bien visible. Sa bouche s'ouvrit, révélant deux minuscules dents aiguës, véritables petites dagues qu'il planta dans la gorge de sa victime. Elle laissa échapper un cri très bref, puis le gros corps crasseux s'immobilisa.

Surpris, fasciné, je regardai Marius fermer ses beaux yeux aux cils dorés, comme argentés par l'obscurité. Un son bas, humide, me parvint, tout juste perceptible mais horriblement évocateur — un bruit d'écoulement. Et qu'y aurait-il eu pour s'écouler, hormis le sang de l'inconnu ? Le maître se serrait de plus belle contre lui. Ses longs doigts blancs tiraient le fluide vital à sa proie, tandis qu'il poussait de grands soupirs de plaisir. Il buvait. Impossible de s'y tromper. Ses petits mouvements de tête trahissaient même le buveur impatient d'aspirer plus vite la dernière gorgée. Le miséreux, qui semblait à présent frêle et malléable, tressaillit tout entier, en une sorte d'ultime convulsion, avant de se figer.

Marius se redressa et se passa la langue sur les lèvres. Pas une goutte ne s'y attardait, mais le sang n'en était pas moins visible. En lui. Son visage coloré flamboyait. Lorsqu'il se tourna vers moi, je fus frappé par la vive rougeur de ses joues, par la brillance rubis de ses lèvres.

— Voilà d'où vient le pouvoir, Amadeo.

Il poussa le corps vers moi. Les vêtements sales du malheureux m'effleurèrent tout entier, puis, alors que sa lourde tête retombait en arrière, Marius le rapprocha encore afin de m'obliger à contempler son visage grossier, sans expression. Je regardais un homme jeune, barbu, dépourvu de vie autant que de beauté.

Sous ses paupières molles, inertes, apparaissaient deux croissants blancs. Une salive grasse pendait de ses dents jaunes pourries, de sa bouche décolorée que n'agitait plus le moindre souffle.

Je restais sans voix. Peur, dégoût, rien de tout cela n'entrait en jeu. J'étais tout bonnement stupéfait. Une seule pensée me venait, si vraiment il m'en venait : c'est merveilleux.

Dans une soudaine crise de ce qui ressemblait à de la colère, le maître jeta le cadavre de côté, en direction du canal, où il tomba avec un bruit mat de bulles et d'éclaboussures.

Marius se saisit de moi, et les fenêtres dégringolèrent dans mon sillage : nous nous élevions au-dessus des toits. Un cri manqua m'échapper, mais les mains de mon compagnon se rivèrent à ma bouche. Il se déplaçait si vite qu'on l'eût cru propulsé, lancé dans les airs.

Nous nous retournâmes — du moins me le sembla-t-il — puis mes yeux s'ouvrirent sur un décor familier. De longs rideaux dorés, un instant soulevés, retombaient lentement. Il faisait chaud. Les contours luisants d'un cygne d'or se devinaient tout juste dans l'ombre.

Les appartements de Bianca, son sanctuaire personnel, sa propre chambre.

— Maître! m'exclamai-je, horrifié de m'être ainsi introduit chez elle sans un mot d'avertissement.

Par les portes fermées filtrait un rai de lumière qui se posait sur le parquet, l'épais tapis persan, les plumes des cygnes gravés dans le bois de lit.

Des pas rapides émergèrent d'un nuage de voix : Bianca venait, seule, s'enquérir du bruit.

Lorsqu'elle poussa les battants, un vent froid s'engouffra dans la chambre par la fenêtre ouverte. La jeune femme, imperméable à la peur, referma les portes malgré le courant d'air, puis elle tendit la main avec une précision sans faille afin de monter la mèche d'une lampe toute proche. La flamme grandit. Bianca fixait mon maître bien que, sans le moindre doute, elle m'eût vu également.

Elle-même m'apparut telle que je l'avais quittée quelques heures — une éternité — plus tôt, vêtue de velours doré et de soie, une tresse repliée derrière la tête, pesant sur les boucles volumineuses qui ornaient ses épaules et son dos de leur splendeur onduleuse.

Son petit visage était empli d'une inquiétude interrogative.

— Marius, dit-elle. Est-il possible, seigneur, que vous vous introduisiez ainsi dans mes appartements privés ? Par la fenêtre, et avec Amadeo ? Qu'est-ce que cela ? De la jalousie ?

— Non, je suis venu chercher une confession, répondit mon maître. (Sa voix tremblait. Il s'approcha d'elle en me tirant par la main, tel un enfant, puis tendit un long doigt accusateur.) Dis-lui, cher ange, dis-lui ce que dissimule ton fabuleux visage.

— J'ignore de quoi vous voulez parler, Marius, mais la colère me vient. Je vous ordonne de quitter ma maison. Que dis-tu de cet outrage, Amadeo ?

— Je ne sais pas, Bianca, murmurai-je.

La peur m'étreignait. Jamais je n'avais entendu trembler la voix de mon maître, ni personne s'adresser à lui avec une telle familiarité.

— Allez-vous-en, Marius. A l'instant. Je parle à l'homme d'honneur qui est en vous.

— Ah, et comment s'en est allé ton ami Marcellus le Florentin, que tu as attiré jusqu'ici par de belles paroles et à qui tu as versé assez de poison pour tuer une vingtaine d'hommes ?

Les traits de ma demoiselle se crispèrent sans pourtant devenir vraiment durs. Elle semblait une princesse de porcelaine, tandis qu'elle jaugeait mon maître furieux, frémissant.

— Quelle importance cela peut-il bien avoir pour vous, seigneur ? s'enquit-elle. Etes-vous devenu le Grand Conseil ou le Conseil des Dix ? Traînez-moi devant les tribunaux si vous l'osez, sorcier hypocrite ! Prouvez que vos accusations sont fondées.

Il émanait d'elle, avec son cou tendu et son menton levé, une grande impression de dignité mais aussi de sensibilité.

— Meurtrière, déclara-t-il. Je vois à présent, dans la cellule de ton esprit solitaire, une douzaine de confessions, une douzaine d'actes importuns, une douzaine de crimes…

— Vous ne pouvez me juger ! Magicien, peut-être, mais ange, certes non. Pas vous, Marius, avec vos apprentis.

Il la tira vers lui. Sa bouche s'ouvrit, ses dents blanches assassines apparurent.

— Non, maître, non ! (M'arrachant à sa main amollie,

oubliée, je me jetai sur lui, j'écrasai mon corps entre le sien et celui de Bianca, je le bourrai de coups de poing.) Vous n'avez pas le droit. Je me fiche de ce qu'elle a fait. Que vous importe ! Pourquoi l'appelez-vous meurtrière ? Elle ! Que vous arrive-t-il ?

La jeune femme tomba en arrière contre sa couche, sur laquelle elle parvint à grimper, les jambes fléchies. Elle recula dans l'ombre.

— Vous êtes le Prince des Enfers en personne, murmura-t-elle. Un monstre. Je l'ai vu. Il ne me laissera pas vivre, Amadeo.

— Laissez-la vivre, seigneur, ou je mourrai avec elle ! m'exclamai-je. Vous vous en servez comme d'une leçon. Je refuse de la voir mourir.

Mon maître, misérable, égaré, me repoussa, m'assurant cependant sur mes pieds afin de m'éviter une chute, puis s'approcha de la couche, non pour traquer Bianca mais pour s'asseoir auprès d'elle. Elle recula plus encore contre la tête du lit, la main levée en un geste futile vers la draperie dorée comme si cela avait pu la sauver.

La jeune femme semblait minuscule, livide ; ses yeux bleus étincelants restaient grands ouverts sur un regard fixe.

— Nous sommes deux tueurs, Bianca, murmura Marius.

Il tendit le bras.

Je m'élançai, mais il m'arrêta d'une main négligente, tout en écartant de l'autre, avec douceur, les petites boucles qui retombaient en désordre sur le front de la courtisane. Ses doigts s'y attardèrent, tels ceux d'un prêtre donnant sa bénédiction.

— Je l'ai fait contrainte et forcée, seigneur, déclarat-elle. Après tout, ai-je jamais eu le choix ? (Quelle bravoure, quelle force — on eût cru de l'acier recouvert de l'argent le plus pur.) Une fois les ordres reçus, puis-je hésiter, alors que je sais ce qui doit s'accomplir et au nom de qui ? Il s'est montré fort habile. Le breuvage a mis des jours à tuer ses victimes, loin de mes appartements douillets.

— Attire ton oppresseur ici, enfant, et empoisonne-le à la place des malheureux qu'il te désigne.

— Oui, bravo, ajoutai-je très vite. Tue celui qui t'a ainsi compromise.

Elle sembla en vérité considérer la question puis s'en amuser.

— Et ses gardes, sa famille ? Ils m'étrangleraient pour haute trahison.

— Je le tuerai à ta place, ma douce, décida Marius. Et tu ne me devras rien en échange, pas de crime, juste le tendre oubli de l'appétit que tu as vu en moi cette nuit.

Pour la première fois, le courage de Bianca parut vaciller. Ses yeux s'emplirent de ravissantes larmes claires, une lassitude quasi imperceptible se révéla en elle, et elle baissa la tête.

— Vous savez de qui il s'agit et où il loge. Il se trouve à Venise en ce moment.

— C'est un homme mort, belle dame, affirma mon maître.

Je lui glissai le bras autour du cou, je l'embrassai sur le front. Il la regardait toujours.

— Viens, chérubin, poursuivit-il, sans la quitter des yeux. Allons débarrasser le monde de ce Florentin, de ce banquier qui se sert de Bianca afin d'écarter les propriétaires des fonds qui lui ont été confiés en secret.

Ce savoir surprit notre hôtesse, mais elle eut une fois de plus un doux sourire d'intelligence. Que de grâce, et dépourvue d'orgueil comme d'amertume. Les horreurs étaient bien vite oubliées.

Marius me serra fort contre lui. Sa main libre plongea dans sa veste, dont il tira une grosse perle en forme de poire qui paraissait sans prix. La jeune femme ne l'accepta qu'avec hésitation, la regardant tomber dans sa main paresseusement ouverte.

— Laisse-moi t'embrasser, princesse, demanda-t-il.

A ma grande surprise, elle le lui permit, et il la couvrit de baisers d'une légèreté de plumes. Les ravissants sourcils dorés de Bianca se froncèrent, ses yeux devinrent aveugles, son corps s'amollit. Elle se renversa sur ses oreillers puis s'endormit très vite.

Lorsque nous nous retirâmes, il me sembla entendre les volets se refermer derrière nous. La nuit était humide et noire. La tête pressée contre l'épaule de Marius, je n'eusse pu regarder en l'air ni remuer, même si je l'avais voulu.

— Merci de ne pas l'avoir tuée, mon seigneur bienaimé, murmurai-je.

— C'est plus qu'un esprit pratique, répondit-il, c'est une femme intacte. Elle est aussi innocente et rusée qu'une reine ou une duchesse.

— Où allons-nous, à présent ?

— Nous y sommes, Amadeo. Sur le toit. Regarde. Tu entends le vacarme, en dessous ?

Des tambourins, des flûtes et des luths.

— Ainsi donc, ils mourront en festoyant, reprit mon maître, pensif.

Il se tenait au bord du toit, les mains posées sur la balustrade de pierre. Le vent soulevait sa cape derrière lui, tandis qu'il contemplait les étoiles.

— Je veux voir, annonçai-je.

Il ferma les yeux comme si je l'avais frappé.

— Ne croyez pas que je sois indifférent, seigneur, poursuivis-je, ou blasé, habitué à la brutalité et à la cruauté. Je ne suis qu'un fou, un fou de Dieu. Nous ne posons pas de questions, si mes souvenirs sont bons. Nous rions, nous acceptons, nous faisons de la vie une fête.

— Très bien, accompagne-moi. Ils sont là en nombre, ces rusés Florentins. Ah, que j'ai donc faim ! J'ai jeûné en prévision d'une telle nuit.

V

Peut-être les mortels éprouvent-ils la même chose lorsqu'ils chassent les grands habitants des jungles et des forêts.

Quant à moi, alors que nous descendions l'escalier menant du toit à la salle de banquet de ce palazzo tout récent, très ornementé, je me sentais férocement excité. Des hommes allaient mourir. Assassinés. Des hommes mauvais, qui avaient nui à la belle Bianca, allaient périr sans que mon maître tout-puissant courût le moindre risque, sans que la moindre personne connue ou aimée courût le moindre risque.

Une armée de mercenaires n'eût pas été moins compatissante que moi. Lorsqu'ils assaillaient les Turcs, les Vénitiens pensaient peut-être à leurs ennemis avec moins d'indifférence.

J'étais ensorcelé ; déjà, l'odeur du sang me montait aux narines — symboliquement. Je voulais le voir couler. De toute manière, je n'aimais pas les Florentins, je ne comprenais certes pas les banquiers, et j'étais plus que désireux d'obtenir une vengeance rapide, non seulement des hommes qui avaient soumis Bianca à leur volonté, mais encore de ceux qui l'avaient mise sur le chemin de mon maître assoiffé.

Ainsi soit-il.

Nous pénétrâmes dans une salle de banquet impressionnante, où un groupe de quelque six hommes se gobergeait d'un splendide souper de porc rôti. Des tapisseries flamandes toutes neuves, représentant de magnifiques scènes de chasse avec dames et seigneurs, chevaux et chiens, pendaient à de grandes barres de fer par toute la pièce, y compris devant les fenêtres, et tombaient en plis lourds jusqu'au sol.

Là s'étendait une mosaïque de marbre multicolore, dont les paons étaient parachevés de pierres précieuses serties dans leurs grandes queues en éventail.

A la table, fort large, trois hommes assis les uns à côté des autres bavaient littéralement devant des piles d'assiettes dorées emplies de restes gluants — poissons, gibier à plume et cochon rôti. La malheureuse créature gonflée, dont ne subsistait que la tête, mordait ignominieusement l'inévitable pomme comme pour exprimer un dernier vœu.

Les trois autres Florentins — tous jeunes, pas trop mal de leur personne et athlétiques, à en juger par leurs jambes musclées — dansaient en un cercle artistique au centre duquel se rejoignaient leurs mains. Quelques garçons jouaient pour eux la musique au rythme martelé qui s'entendait du toit.

Les convives, s'ils s'étaient tous plus ou moins salis durant le festin, n'en arboraient pas moins la longue chevelure épaisse à la mode, des tuniques et des chausses en soie très travaillées. La pièce n'était pas chauffée, mais ils n'en avaient cure avec leurs vestes en velours doublées d'hermine poudrée, de petit-gris ou de renard argenté.

Celui qui versait le vin du pichet dans les gobelets paraissait bien incapable de remplir son office. Quant aux danseurs, quoiqu'ils eussent à exécuter des figures de cour, ils chahutaient et se bousculaient en un pastiche délibéré des pas qu'ils connaissaient tous.

Je vis aussitôt qu'on avait renvoyé les serviteurs et renversé plus d'un gobelet. Malgré le froid hivernal, de minuscules moucherons s'étaient massés sur les carcasses luisantes, à demi dépouillées de leur viande, et sur les piles de fruits humides.

Une brume dorée planait dans la pièce, fumée du tabac dont les Florentins bourraient toutes sortes de pipes. L'arrière-plan des tapisseries, d'un bleu profond, rendait la scène chaleureuse. Les riches vêtements multicolores des jeunes musiciens et des dîneurs ressortaient brillamment contre les tentures.

A vrai dire, lorsque nous pénétrâmes dans la chaleur enfumée de la salle, son atmosphère me grisa. Quand mon maître me fit signe de prendre place à un bout de la table, j'obéis par faiblesse, quoique la seule idée de toucher le marbre du meuble me répugnât — sans parler des divers plats et assiettes.

Les gais lurons rugissants et rougeauds ne nous virent même pas. Le vacarme de la musique, qui accablait les sens, suffisait à nous rendre invisibles. D'ailleurs, nos hôtes étaient bien trop ivres pour s'apercevoir de notre présence, fût-ce dans un silence total. Après avoir planté un baiser sur ma joue, mon maître gagna le centre de la table, laissé libre sans doute par un des danseurs, enjamba le banc capitonné et s'assit.

Alors seulement, ses deux voisins, qui disputaient en hurlant d'un sujet quelconque, remarquèrent ce resplendissant invité vêtu d'écarlate.

Son capuchon, rejeté en arrière, dévoilait une chevelure merveilleusement coiffée sur toute sa prodigieuse longueur. On eût dit le Christ durant la Cène, avec son nez mince, ses douces lèvres pleines, ses cheveux bien partagés par le milieu, à la masse imposante qu'animait l'humidité nocturne.

Il regarda l'un après l'autre ses voisins puis, à ma grande surprise, tandis que je l'observais du bout de la table, s'immisça dans leur dialogue. Ils discutaient des atrocités qui s'étaient abattues sur les Vénitiens restés à Constantinople lorsque le sultan Mehmed II, un jeune homme de vingt et un ans, avait conquis la cité.

De toute évidence, ils n'étaient pas d'accord sur la

manière dont les Turcs étaient venus à bout des défenses de la ville. L'un affirmait que si les navires vénitiens n'avaient pas fui Constantinople avant la fin, elle eût pu être sauvée.

Aucune chance, protestait l'autre, un rouquin robuste aux yeux quasi dorés. Une beauté ! S'il s'agissait là du bandit qui avait corrompu Bianca, je la comprenais. Entre sa barbe et sa moustache rousses se dessinait un arc de Cupidon luxuriant. Sa mâchoire trahissait la puissance des marbres surhumains de Michel-Ange.

— Les canons turcs ont bombardé les murailles quarante-huit jours durant, affirma-t-il à son compagnon, si bien qu'ils ont fini par les percer. Que pouvait-il arriver d'autre ? Avez-vous jamais vu pareilles armes ?

Son interlocuteur, un très bel homme aux cheveux sombres, à la peau olivâtre, aux joues rondes resserrées sur un petit nez et aux grands yeux noirs veloutés, riposta, furieux, que les Vénitiens s'étaient conduits en lâches, que leur flotte eût été capable de vaincre jusqu'aux canons si seulement elle s'était montrée.

— Constantinople a été abandonnée ! s'exclama-t-il, secouant du poing la vaisselle posée devant lui. Venise et Gênes lui ont retiré leur soutien. En ce jour horrible, elles ont laissé s'effondrer le plus grand empire du monde.

— Non pas, intervint mon maître avec calme, les sourcils levés, la tête penchée de côté. (Ses yeux passaient lentement de l'un à l'autre des interlocuteurs.) Bien des Vénitiens courageux ont volé au secours des assiégés. Je pense avec raison que même si notre flotte tout entière s'était déplacée, les Turcs n'auraient pas renoncé. Prendre Constantinople était le rêve du jeune sultan. Jamais il n'aurait battu en retraite.

Voilà qui s'avérait passionnant. J'étais tout prêt à écouter un cours d'histoire. Décidé à mieux voir et entendre, je bondis sur mes pieds pour contourner la table, m'emparant d'une chaise légère à pieds croisés et siège de cuir afin de me procurer un point de vue imprenable sur tous les convives. Je la posai à un angle qui me permettait aussi de contempler les danseurs, lesquels offraient malgré leur maladresse un spectacle haut en couleurs, ne fût-ce que grâce à leurs larges manches décorées qui volaient autour d'eux et au claquement de leurs chaussures incrustées de pierres précieuses sur la mosaïque.

Le rouquin rejeta en arrière sa longue crinière aux boucles lourdes. Encouragé par les propos de Marius, il lui lança un regard de sauvage adoration.

— Oui, oui, voilà quelqu'un qui sait comment les choses se sont passées. (Il se tourna vers son contradicteur.) Vous en avez menti, imbécile. Les Génois se sont battus avec courage jusqu'à la fin. Le pape avait envoyé trois vaisseaux ; ils ont forcé le blocus du port en passant juste à côté du maléfique château du sultan : Rumeli Hisar. Giovanni Longo les commandait. Imaginez-vous pareille bravoure ?

— Très franchement, non ! répondit le brun en se penchant devant mon maître comme s'il n'avait été qu'une statue.

— C'était de la bravoure pure et simple, renchérit Marius d'un ton léger. Pourquoi raconter des absurdités auxquelles vous ne croyez même pas ? Vous savez très bien ce qui est arrivé à ceux de nos bateaux que le sultan avait arraisonnés, voyons.

— C'est vrai, parlons-en. Seriez-vous entré dans le port, vous ? demanda le rouquin. Vous vous rappelez ce qu'ils avaient fait aux navires vénitiens capturés six mois plus tôt ? Ils en avaient décapité tous les occupants.

— Sauf le commandant suprême ! cria un des danseurs, la tête tournée pour se joindre à la conversation sans cependant perdre le rythme. Lui, ils l'avaient empalé. C'était Antonio Rizzo, un des plus nobles hommes qui aient jamais vu le jour.

Il continua ses évolutions après un geste cavalier,

méprisant, par-dessus l'épaule. Puis, alors qu'il pivotait, il glissa et manqua tomber. Ses amis le rattrapèrent.

Le brun installé à table secoua la tête.

— S'il y avait eu une flotte entière…, commença-t-il. Mais vous autres, Florentins et Vénitiens, vous êtes tous les mêmes. Des menteurs qui évitent de se compromettre.

Mon maître le fixa d'un air amusé.

— Ne riez pas de moi, reprit l'autre. Vous êtes vénitien ; je vous ai vu des milliers de fois avec ce garçon !

Sa main se tendit dans ma direction. Je regardai Marius, qui se contenta de sourire. Puis il murmura à mon adresse, d'une voix aussi distincte que s'il s'était trouvé juste à côté de moi :

— Les morts ont parlé, Amadeo.

Le brun saisit son gobelet pour se le vider dans la bouche mais répandit la moitié du vin sur sa barbiche.

— Une ville entière d'ignobles comploteurs ! poursuivit-il. Ils ne savent faire qu'une chose, emprunter à fort taux d'intérêt, alors qu'ils dépensent tout ce qu'ils possèdent en vêtements de luxe.

— Vous pouvez critiquer, riposta le rouquin. Vous avez l'air d'un paon. Je devrais vous couper la queue. Retournez à Constantinople, puisque vous êtes si sûr qu'elle aurait pu être sauvée.

— Vous aussi, vous êtes un de ces damnés Vénitiens, maintenant.

— Je suis un banquier ; un homme de lourdes responsabilités. J'admire ceux qui prospèrent.

Il s'empara de son propre gobelet mais, au lieu d'en boire le contenu, le jeta au visage du brun.

Marius ne se soucia pas de s'écarter, si bien qu'une partie du vin l'atteignit sans le moindre doute. Son regard passa de l'une à l'autre des faces suantes et rubicondes qui l'encadraient.

— Giovanni Longo, l'un des plus courageux Génois qui aient jamais commandé un bateau, est resté dans la ville durant tout le siège, s'écria le rouquin. Ça, c'est du courage. Je miserais mon argent sur un homme pareil.

— Je ne vois pas pourquoi, intervint derechef un danseur — toujours le même. (Il s'écarta du cercle assez longtemps pour ajouter :) Il a perdu la bataille, et de plus, votre père avait eu le bon sens de ne miser sur personne.

— Je ne vous permets pas ! A Giovanni Longo et aux Génois qui ont combattu à ses côtés. (Le beau banquier saisit le pichet, qu'il faillit renverser, répandit du vin sur son gobelet et sur la table, puis en avala une longue gorgée.) A mon pèrc, aussi, que Dieu ait pitié de son âme immortelle. J'ai tué ses ennemis, et jc tuerai ceux qui font de l'ignorance un passe-temps.

Se tournant vers mon maître, il lui enfonça le coude dans les vêtements avant de poursuivre :

— Votre compagnon est une beauté. Ne vous pressez pas. Réfléchissez. Combien ?

Marius éclata d'un rire plus doux et plus naturel que je ne lui en avais jamais entendu.

— Proposez-moi quelque chose, n'importe quoi, que je puisse désirer, répondit-il en me jetant un furtif regard brillant.

On eût dit que tous les hommes présents me jaugeaient. Pourtant — comprends-moi bien — ce n'étaient pas des amateurs de garçons ; juste des Italiens de leur époque qui, s'ils faisaient des enfants ainsi qu'on le leur demandait et débauchaient les femmes à la première occasion, n'en appréciaient pas moins un bel adolescent charnu, comme les hommes d'aujourd'hui apprécient un toast doré surmonté de crème aigre et du meilleur caviar.

Je ne pus retenir un sourire. Tuez-les, pensai-je, massacrez-les. Je me sentais séduisant, voire beau. Allez, messieurs, dites-moi que j'évoque Mercure chassant les nuages dans *Le Printemps* de Botticelli. Mais le rouquin, qui me fixait d'un air espiègle, déclara :

— Ah, c'est le *David* de Verrocchio, le modèle de la statue en chair et en os. N'essayez pas de prétendre le contraire. Il est immortel, oh oui, je le vois bien, immortel. Il ne mourra pas.

Mon admirateur leva à nouveau son gobelet puis, après avoir tâté sa tunique au niveau de la poitrine, tira de l'hermine poudrée qui ornait sa veste un grand médaillon en or incrusté d'une énorme plaque de diamant. Arrachant la chaîne de son cou, il tendit fièrement le bijou à mon maître qui, l'air fasciné, le regarda tournoyer devant lui.

— Pour nous tous, dit le brun en me jetant un regard dur.

Il y eut des rires.

Des cris, venus des danseurs :

— Oui, et pour moi.

— Rien du tout, à moins que je ne passe en deuxième.

— Voilà de quoi passer le premier, avant vous, même.

Cette dernière réplique s'adressait au rouquin. Celui qui la prononçait jeta à Marius un anneau dont la pierre pourpre luisante m'était inconnue.

— Un saphir, commenta mon maître dans un murmure. (Il m'adressa un coup d'œil de défi.) Acquiesces-tu, Amadeo ?

Un des danseurs, un blond d'un peu moins haute taille que ses compagnons, affligé d'une petite bosse sur l'épaule gauche, brisa le cercle afin de s'avancer vers moi. Il retira toutes ses bagues, comme il eût ôté des gants, et les lança, cliquetantes, à mes pieds.

— Que ton sourire me soit doux, jeune dieu, me dit-il, haletant, le col de velours trempé.

Il vacilla, faillit culbuter mais parvint à faire de sa maladresse un jeu, en pivotant lourdement pour entrer derechef dans la danse.

La musique palpitait de plus belle, à croire que les

musiciens la pensaient propre à noyer l'ivresse même de leurs maîtres.

— Qui se soucie du siège de Constantinople ? demanda le mien.

— Dites-moi ce qu'il est advenu de Giovanni Longo, demandai-je d'une petite voix.

Tous les yeux étaient fixés sur moi.

— C'est au siège de... d'Amadeo, non ?... Oui, d'Amadeo, que je pense ! s'écria le blond.

— Bientôt, messire, répondis-je. Pour l'heure, apprenez-moi un peu d'histoire.

— Petit démon, intervint le brun. Tu ne ramasses même pas ses bagues.

— Mes doigts en sont couverts, protestai-je poliment — ce qui était pure vérité.

Le rouquin reprit aussitôt la bataille.

— Giovanni Longo est resté quarante jours sous le bombardement. Il s'est battu toute la nuit, lorsque les Turcs ont pratiqué une brèche dans les murailles. Rien ne lui faisait peur. On ne l'a emporté à l'abri que parce qu'il avait été blessé.

— Et les canons, messire ? interrogeai-je. Etaient-ils vraiment si gros ?

— Vous y étiez, sans doute ! cria le brun au rouquin, avant que ce dernier pût me répondre.

— Mon père y était ! Et il a vécu pour le raconter. Il se trouvait sur le dernier vaisseau à quitter le port, avec des Vénitiens ; aussi, mesurez vos paroles, messire, ne parlez en mal ni de lui ni de ses compagnons. Les citoyens cherchaient un abri, puisque la bataille était perdue...

— Ils désertaient, voulez-vous dire.

— Ils s'enfuyaient, après la victoire turque, en emmenant des réfugiés. Vous traitez mon père de pleutre ? La politesse vous est aussi étrangère que l'art de la guerre, mais vous êtes trop bête pour que je me batte avec vous, et trop ivre.

— Amen, intervint mon maître.

— Racontez-lui, Marius De Romanus. (Le banquier avala une longue gorgée de vin.) Décrivez-lui le massacre puis ce qui a suivi. Expliquez-lui comment Giovanni Longo s'est battu sur les murailles jusqu'au moment où il a été touché à la poitrine. (Puis, pour le brun :) Ecoutez, espèce d'idiot sans cervelle ! Nul n'en sait plus là-dessus que Marius De Romanus. Les sorciers sont habiles, c'est ma putain qui le dit. Je bois à Bianca Solderini.

Il vida son gobelet.

— Votre putain, messire ? m'enquis-je. Vous parlez donc ainsi d'une telle femme, et en présence d'ivrognes irrespectueux ?

Nul ne me prêta attention, ni lui, qui avait recommencé à boire, ni les autres.

Le blond tituba jusqu'à moi.

— Ils sont trop saouls pour penser à toi, charmant garçon, mais tel n'est pas mon cas.

— Vous trébuchez en dansant, messire. Ne trébuchez pas en me courtisant.

— Sale petit morveux…

Sur ce, il perdit l'équilibre. Je bondis de ma chaise, sur laquelle il glissa avant de tomber à terre.

Sa mésaventure fit pousser aux autres de grands éclats de rire, et les deux danseurs restants renoncèrent à leurs figures.

— Giovanni Longo était un brave, affirma mon maître, qui avait suivi la scène. (Son regard froid se reposa sur le rouquin.) Ils l'étaient tous, mais rien n'aurait pu sauver Byzance. Son heure était venue. L'époque des empereurs et des mauvais hommes était révolue. Dans l'holocauste qui a suivi, tant de choses ont été perdues à jamais. Les bibliothèques ont brûlé par centaines. D'innombrables textes sacrés, emplis d'impondérables mystères, sont partis en fumée.

Je battis en retraite devant mon soupirant ivre, qui roula sur le sol.

— Roquet pouilleux ! s'écria-t-il, étendu de tout son long. Prête-moi la main, c'est un ordre.

— Il me semble cependant que vous en voulez davantage, messire, répondis-je.

— Et je l'aurai !

Mais il glissa et retomba avec un gémissement misérable.

Un des hommes installés à table — séduisant quoique plus âgé que les autres, avec son épaisse chevelure grise ondulée et ses rides seyantes, jusque-là très occupé à dévorer en silence un morceau de mouton rôti bien gras — me regarda par-dessus sa viande, avant de jeter un coup d'œil au blond qui se tordait à terre en s'efforçant de se relever.

— Hmm. Goliath a donc chu, petit David, s'amusa-t-il. Mais surveille ta langue, nous ne sommes pas tous des géants stupides. Et ne gaspille pas tes pierres.

Je lui rendis son sourire.

— Vous êtes aussi maladroit en paroles que votre ami en actes, messire. Quant à mes pierres, comme vous les appelez, elles resteront où elles sont, dans leur bourse, en attendant que vous trébuchiez à votre tour.

— Vous avez bien dit les bibliothèques, messire ? demanda le rouquin à Marius sans prêter attention à rien d'autre. Les livres ont brûlé dans la chute de la plus grande cité du monde ?

— Oui, ce monsieur pense aux livres, ironisa le brun. Au lieu de surveiller son jeune ami. C'en est fait de lui, Marius De Romanus, la danse a changé. Il ne faut pas se moquer de ses aînés.

Les deux danseurs restants s'approchaient de moi, aussi saouls que celui qui venait de tomber. Lorsqu'ils voulurent me caresser, ils se métamorphosèrent de concert en une bête à quatre mains, au souffle puissant, oppressé et odorant.

— Tu t'amuses de notre ami qui a roulé à terre ?

demanda l'un d'eux, prêt à me glisser le genou entre les jambes.

Je battis en retraite, échappant au coup de justesse.

— C'était ce que je pouvais faire de plus gentil, ripostai-je, puisque l'adoration qu'il me vouait était cause de sa chute. De grâce, messires, ne vous plongez pas dans pareilles dévotions. Je n'ai pas la moindre envie de répondre à vos prières.

Mon maître s'était dressé.

— Il suffit, déclara-t-il d'une voix claire et froide, qui se réverbéra contre les tapisseries.

Elle avait quelque chose de glaçant.

— Vraiment ! fit le brun en levant les yeux vers lui. Marius De Romanus, c'est ça ? J'ai entendu parler de vous. Vous ne me faites pas peur.

— Tant mieux pour vous, murmura mon maître, souriant.

Il posa la main sur la tête de l'homme, qui se pencha vivement en arrière afin de lui échapper et tomba presque du banc. Sa peur était bien visible, à présent.

Les danseurs interrompus jaugèrent Marius du regard — serait-il facile à écraser ou non ?

L'un d'eux se retourna vers moi.

— Tu peux prier, par l'Enfer ! menaça-t-il.

— Prenez garde à mon maître, messire. Vous le fatiguez, et une fois fatigué, il a un caractère détestable.

J'écartai prestement le bras qu'il voulait attraper puis reculai encore, pour ne m'arrêter que parmi les musiciens, enveloppé d'un nuage sonore protecteur.

La panique gagnait ces jeunes gens, certes, mais ils n'en jouaient que plus vite, indifférents à la sueur qui leur emperlait le front.

— Chers, très chers amis, leur dis-je, cet air est fort plaisant, mais interprétez-nous plutôt un requiem, je vous en prie.

Ils me jetèrent pour toute réponse des coups d'œil désespérés. Le tambourin battait, la flûte sifflait sa mélodie sinueuse, la pièce vrombissait au rythme des cordes des luths.

Le blond allongé sur la mosaïque appela à l'aide, car il ne parvenait décidément pas à se relever. Ses deux compagnons allèrent lui prêter main-forte, bien que l'un d'eux me surveillât avec attention.

Mon maître baissa les yeux vers le fanfaron qui le défiait, le souleva brusquement du banc d'une seule main puis approcha les lèvres de sa gorge. Pendu à son poing, l'homme se figea tel un tendre petit mammifère dans la gueule d'un fauve. Il me sembla presque entendre le sang s'écouler de lui en une seule énorme gorgée, tandis que les cheveux de Marius retombaient, frémissants, pour dissimuler son fatal repas.

Très vite, il relâcha sa proie. Seul le rouquin l'avait vu faire, et, dans son ivresse, il semblait incapable d'en tirer une conclusion. De fait, il leva un sourcil interrogateur puis porta à ses lèvres son gobelet sale, avant de se lécher les doigts de la main droite, un à un, comme un chat se nettoie la patte. Mon maître laissa tomber sa victime aux cheveux noirs face contre la table, en plein dans une assiette de fruits.

— Ivrogne stupide, lança le banquier. Personne ne se bat pour l'honneur, le courage ou la morale.

— Peu de gens, en tout cas, acquiesça Marius en baissant la tête vers lui.

— Les Turcs ont coupé le monde en deux, poursuivit l'autre, toujours tourné vers le cadavre, qui lui rendait sans doute bêtement son regard depuis l'assiette brisée.

Je n'en distinguais pas le visage, mais le fait qu'il fût mort m'excitait prodigieusement.

— Venez, à présent, monsieur, appela mon maître. Venez, vous qui avez donné tant de bagues à mon enfant.

— C'est votre fils, messire ? s'écria le bossu blond, enfin remis sur ses pieds. (Il repoussa ses amis puis pivota pour répondre à l'appel.) Je serai meilleur père que vous ne l'avez jamais été.

Soudain, sans le moindre bruit, Marius apparut de notre côté de la table. Ses vêtements retombèrent aussitôt en place, comme s'il n'avait fait qu'un simple pas. Le rouquin ne sembla même pas s'en apercevoir.

— Skanderbeg. Je porte un toast au grand Skanderbeg. (On eût dit qu'il parlait tout seul, à présent.) Voilà bien longtemps qu'il n'est plus, mais donnez-moi cinq Skanderbeg et je lance une nouvelle croisade pour reprendre la cité aux Turcs.

— Qui n'en ferait autant, avec cinq Skanderbeg ? répondit de sa place l'homme qui s'acharnait toujours sur son morceau de viande. (Il s'essuya la bouche du poignet.) Mais il n'existe pas un général tel que lui, il n'en a jamais existé, excepté lui-même. Qu'arrive-t-il à Ludovico ? Eh, espèce d'idiot !

Il se leva.

Mon maître avait passé un bras autour du blond, qui cherchait à le repousser, consterné de le découvrir inébranlable. Alors que ses compagnons s'efforçaient de libérer le prisonnier, par des bousculades et des coups d'épaule, Marius dispensa une nouvelle fois son baiser fatal. Levant le menton de l'homme, il fondit droit sur la grosse artère de sa gorge, le fit tournoyer et parut le vider de son sang en une seule longue aspiration. Puis, vif comme l'éclair, il lui ferma les yeux de deux doigts blancs avant de le laisser glisser à terre.

— A votre tour de mourir, mes bons messieurs, lança-t-il aux partenaires du mort, qui battaient à présent en retraite.

L'un d'eux tira son épée.

— Ne sois pas idiot ! s'exclama son compagnon. Tu es saoul. Tu ne peux pas…

— Non, en effet, acquiesça mon maître avec un léger soupir.

Ses lèvres étaient plus roses que jamais. Le sang qu'il avait bu apparaissait aussi à ses joues. Jusqu'à ses yeux qui brillaient davantage, d'un éclat plus vif.

Refermant la main sur la lame, il en brisa le métal

d'une simple pression du pouce, si bien que son adversaire se retrouva avec un tronçon d'arme à la main.

— Comment osez-vous ! s'écria-t-il.

— Comment avez-vous fait serait plus approprié ! psalmodia le rouquin, de la table. Cassée net, hein ? Qu'est-ce que c'est que cet acier ?

Le mangeur de viande éclata d'un rire sonore, la tête rejetée en arrière, puis détacha un lambeau de chair de son os de mouton.

Marius tendit la main pour arracher au temps et à l'espace le porteur de l'épée brisée, dont il dénuda la veine tout en lui brisant la nuque dans un grand craquement.

De toute évidence, les trois autres l'entendirent — celui qui mangeait, le rouquin et le dernier des trois danseurs, méfiant.

Son tour était venu de subir l'étreinte de mon maître, lequel lui saisit le visage à deux mains, tel un amant, et but derechef, lui ouvrant la gorge, si bien que je distinguai le sang un fugitif instant, véritable déluge que Marius recouvrit aussitôt de sa bouche.

Les veines de sa main battaient. J'attendis, fiévreux, qu'il relevât la tête. Il le fit très vite, plus encore qu'avec sa victime précédente, l'air rêveur, le visage empourpré. Il semblait aussi humain que les Florentins, aussi ivre de sa boisson bien particulière qu'eux de leur simple vin.

Ses boucles blondes vagabondes étaient collées à son front par la sueur — une mince pellicule de sang.

La musique s'interrompit brusquement.

Non à cause du déchaînement de violence, mais de la vision de mon maître qui laissait tomber à terre sa dernière proie, simple sac où flottaient les os.

— Requiem, répétai-je. Leurs fantômes vous en remercieront, mes bons messieurs.

— C'est ça ou partir, ajouta Marius en se rapprochant des musiciens.

— Je dis : partons, murmura un des joueurs de luth.

Aussitôt, ils se précipitèrent tous vers les portes où, dans leur hâte, ils tirèrent tant et plus sur le loquet, jurant et braillant.

Mon maître alla rassembler les bagues dispersées autour de la chaise sur laquelle je m'étais assis un moment plus tôt.

— N'oubliez pas votre salaire, jeunes gens, appela-t-il.

Malgré leur peur impuissante et couinante, ils se retournèrent vers les anneaux qu'il leur jetait.

Chacun — bêtement, avidement, honteusement — attrapa l'unique bijou qui arrivait dans sa direction.

Alors les portes s'ouvrirent, claquèrent contre les murs.

Les musiciens s'engouffrèrent dans le couloir, raclant presque l'encadrement au passage, et elles se refermèrent.

— Pas mal ! commenta le mangeur en posant enfin son os, sur lequel ne subsistait pas la moindre viande. Comment faites-vous, Marius De Romanus ? J'ai entendu dire que vous étiez un puissant magicien. Je me demande pourquoi le Grand Conseil ne vous accuse pas de sorcellerie. A cause de votre immense fortune, j'imagine ?

Je contemplais mon maître. Jamais je ne l'avais trouvé aussi beau que rosi par ce sang nouveau. J'avais envie de le toucher. De me jeter dans ses bras. Ses yeux se posèrent sur moi, ivres et doux.

Mais il mit fin à ce regard séducteur pour s'avancer vers la table, la contourner d'un pas normal et s'immobiliser à côté de l'aîné des convives.

Ce dernier leva la tête vers lui puis jeta un coup d'œil au rouquin.

— C'est idiot, reprit-il. Sans doute la sorcellerie est-elle parfaitement légale à Venise, aussi longtemps que ceux qui la pratiquent paient leurs impôts. Confiez votre argent à Martino, Marius De Romanus.

— Mais c'est bien ce que je fais, répondit l'interpellé. J'y gagne d'ailleurs un bénéfice coquet. (Il se rassit entre le premier cadavre et le banquier, que son retour parut combler.) Revenons à la chute des empires, Martino. Pourquoi votre père se trouvait-il avec les Génois ?

Le rouquin, enflammé par la discussion, déclara non sans fierté que son père, représentant de la banque familiale à Constantinople, avait fini par mourir des blessures subies en ce dernier jour terrible.

— Il avait tout vu, continua-t-il. Le massacre des femmes et des enfants. Les prêtres arrachés aux autels de Sainte-Sophie. Il connaissait le secret.

— Le secret ! se moqua son aîné.

Il glissa le long du banc, repoussant d'un grand geste du bras le mort, qui tomba à terre.

— Espèce de salopard sans cœur, protesta Martino. Vous avez entendu comment son crâne a craqué ? Ne traitez pas mes invités de cette manière, si vous tenez à la vie.

Je me rapprochai de la table.

— Oui, viens par ici, joli garçon, poursuivit-il, me fixant de ses yeux dorés étincelants. Assieds-toi là, en face de moi. Dieu du ciel, regardez Francisco. Je jurerais avoir entendu craquer son crâne.

— Il est mort, dit doucement Marius. Tout va bien, pour l'instant, ne vous inquiétez pas.

Son visage, toujours plus éclatant du sang qu'il avait absorbé, était à présent entièrement coloré, radieux. Ses cheveux paraissaient plus beaux encore contre sa peau rosée. Quant à ses yeux, le minuscule réseau de vaisseaux sanguins qu'ils abritaient n'ôtait rien à leur surnaturelle beauté lustrée.

— Ah, très bien, parfait, ils sont morts, répéta le rouquin avec un haussement d'épaules. Oui, comme je vous le disais, et écoutez-moi bien, parce que je sais de quoi je parle, les prêtres, les prêtres ont pris le calice et les hosties consacrées puis se sont réfugiés dans une cachette de la basilique. Mon père l'a vu de ses yeux. Je connais le secret.

— Ses yeux, ses yeux, intervint son aîné. Votre père devait être un paon pour avoir autant d'yeux.

— Taisez-vous, ou je vous coupe la gorge. Regardez ce que vous avez fait à Francesco en le jetant par terre. Seigneur ! (Martino exécuta le signe de la croix d'une main quelque peu paresseuse.) Il saigne de la tête.

Mon maître se retourna, se pencha, se redressa les doigts couverts de sang. Il s'en lécha un.

— Mort, annonça-t-il, mais bien chaud et bien épais.

Il eut un lent sourire.

Le rouquin était aussi fasciné qu'un enfant à un spectacle de marionnettes.

Marius, toujours souriant, lui tendit sa main sanglante, la paume vers le haut, comme pour dire : « Vous voulez goûter ? »

L'autre, l'attrapant par le poignet, lui lécha le pouce et l'index.

— Hmm, délicieux, déclara-t-il. Tous mes amis sont du meilleur sang.

— A qui le dites-vous, acquiesça mon maître.

Je ne pouvais détacher les yeux de son visage changeant. Il me semblait à présent que ses joues s'assombrissaient, à moins que ce ne fût juste l'effet produit par leur arrondi, lorsqu'il souriait. Ses lèvres étaient rosées.

— Et je n'ai pas fini, Amadeo, murmura-t-il. Je ne fais que commencer.

— Il n'a rien, voyons, affirma le plus âgé des convives. (Inquiet, il examina son compagnon de table tombé à terre. L'avait-il tué ?) Ce n'est qu'une petite coupure au cuir chevelu, voilà tout. N'est-il pas vrai ?

— Si, acquiesça Marius, une petite coupure. Et quel est ce secret, cher ami ?

Le dos tourné à l'homme grisonnant, il témoignait beaucoup plus d'intérêt au banquier, ainsi qu'il l'avait fait tout du long.

— Oui, s'il vous plaît, renchéris-je. Quel est le secret ? Que les prêtres ont pris la fuite ?

— Mais non, gamin, ne sois pas idiot. (Martino me regardait depuis l'autre côté de la table. Quelle beauté puissante ! Bianca l'avait-elle aimé ? Elle n'en avait soufflé mot.) Le secret, le secret. Si tu n'y crois pas, alors tu ne croiras à rien, ni au sacré ni à quoi que ce soit d'autre.

Il leva son gobelet. Vide. Je m'emparai du pichet pour lui servir du vin rouge sombre au délicieux parfum. La pensée d'y goûter me vint, mais elle m'emplit d'une véritable répulsion.

— Sottise, murmura mon maître. Bois à leur fin. Allez. Il reste un gobelet propre.

— Oui, c'est vrai, pardonne-moi, reprit le rouquin. Je ne t'ai pas même offert un peu de vin. Seigneur ! Quand je pense que je n'ai mis dans la balance en face de toi qu'un simple diamant, alors que je soupire après ton amour.

Il s'empara du dernier gobelet, luxueux bibelot en argent incrusté de gemmes minuscules, dont je découvris alors qu'il faisait partie, comme les autres, d'un service gravé de petites silhouettes délicates et orné de pierres brillantes. Martino le posa devant moi d'un geste brusque, me prit le pichet, me servit puis poussa le vin dans ma direction.

Mon écœurement était tel que je craignis un instant de vomir sur la mosaïque. Je relevai les yeux vers le banquier, vers son charmant visage tout proche et ses beaux cheveux roux éclatants. Il m'adressa un sourire enfantin qui découvrit de petites dents parfaites, d'une blancheur nacrée, puis parut tomber en adoration devant moi et partir à la dérive, en silence.

— Prends et bois, ordonna mon maître. Tu as choisi une route dangereuse, Amadeo. Tire de ce vin la connaissance et la force.

— Vous ne vous moquez pas de moi, messire, n'est-ce pas ? demandai-je, sans pourtant quitter des yeux le Florentin.

— Je t'aime comme je t'ai toujours aimé, affirma Marius. Si mes paroles te semblent receler un sous-entendu, c'est que le sang humain me rend plus rude. Il en est toujours ainsi. Dans la faim seule réside la pureté éthérée.

— Et vous m'écartez sans arrêt de la pénitence pour me tourner vers les plaisirs des sens.

Martino et moi nous regardions droit dans les yeux, mais la réponse de Marius ne m'échappa nullement.

— Tuer est une pénitence, Amadeo, voilà le problème. Massacrer sans raison, pas « pour l'honneur, le courage ou la morale », comme l'a dit notre ami ici présent.

— Oui ! s'exclama notre « ami », se tournant vers lui puis revenant à moi. Bois !

Il poussa de nouveau dans ma direction le vin qu'il m'avait servi.

— Quand nous en aurons terminé, Amadeo, rassemble ces gobelets et rapporte-les à la maison, qu'il me reste un trophée symbole de mon échec et de ma défaite. Ils ne font qu'un, et ils te serviront de leçon. La chose ne m'apparaît que rarement aussi claire qu'en cet instant.

Le rouquin, très occupé à me séduire, se pencha en avant pour presser le gobelet contre mes lèvres.

— Tu grandiras jusqu'à être roi, jeune David, t'en souviens-tu ? Ah, je t'adorerais sur l'heure, petit homme aux joues douces, et je te supplierais de m'accorder ne serait-ce qu'un psaume de ta harpe, si tu me le donnais de ton plein gré.

— Exauceras-tu le dernier vœu d'un mourant ? demanda mon maître tout bas.

— J'ai bien peur qu'il ne soit mort ! déclara le convive plus âgé d'une voix désagréablement forte. Regardez,

Martino, on dirait que je l'ai tué ; sa tête saigne comme une tomate, nom de Dieu. Mais regardez donc !

— Oh, fermez-la avec ça ! riposta l'interpellé sans détourner les yeux des miens. Exauce le dernier vœu d'un mourant, jeune David. Nous sommes tous en train de mourir, d'amour pour toi en ce qui me concerne. Ne veux-tu pas en faire autant, juste un peu, entre mes bras ? Il ne tient qu'à nous de jouer à ce petit jeu. Vous apprécierez, Marius De Romanus. Vous verrez que je le chevaucherai et le caresserai au même rythme parfait. Sa sculpture de chair se transformera sous vos yeux en fontaine, lorsque ce que je déverserai en lui rejaillira de lui dans ma main.

Il plia légèrement les doigts, comme s'il y avait déjà serré mon membre. Ses yeux ne me quittaient pas. Enfin, dans un lent murmure, il ajouta :

— Je suis trop mol pour exécuter ma sculpture. Laisse-moi boire à ta source. Pitié pour les assoiffés.

Arrachant le gobelet à sa main vacillante, j'avalai le vin d'un trait. Mon corps se raidit. Je crus que le liquide allait remonter, rejaillir de ma bouche, mais je le contraignis à descendre.

— Quelle horreur, déclarai-je en levant les yeux vers mon maître. C'est détestable.

— Sottise, répondit-il, sans presque remuer les lèvres. La beauté est partout autour de nous.

— Que je sois pendu s'il n'est pas mort, reprit l'homme aux cheveux gris. (Il donna un coup de pied au corps de Francisco, allongé à terre.) Je m'en vais, Martino.

— Restez, messire, appela Marius. Je veux vous souhaiter la bonne nuit.

Sa main s'abattit sur le poignet de sa proie juste avant qu'il ne lui bondît à la gorge, mais de quoi cela eut-il l'air pour Martino, qui n'y accorda qu'un coup d'œil imprécis avant de continuer sa cour ? Il emplit derechef mon gobelet.

Un gémissement échappa à son compagnon de beuverie, ou était-ce à Marius ?

Je restais pétrifié. Quand mon maître se détourna de sa victime, un sang plus abondant encore bouillonnait en lui, mais j'eusse donné le monde entier pour qu'il fût à nouveau mon dieu de marbre blanc, mon père de pierre taillée allongé dans notre lit.

Le rouquin se leva et se pencha au-dessus de la table afin de poser sur les miennes ses lèvres moites.

— Je meurs d'amour pour toi, jeune homme ! dit-il.

— Non, tu meurs pour rien, riposta Marius.

— Pas lui, seigneur, je vous en prie ! m'écriai-je.

Je partis en arrière, perdant presque l'équilibre sur le banc. Le bras de mon maître s'était interposé entre Martino et moi ; sa main lui couvrait l'épaule.

— Quel est le secret, messire ? m'exclamai-je, frénétique. Le secret de la basilique Sainte-Sophie, celui auquel il faut croire ?

Le banquier était totalement égaré, mais il croyait son ivresse responsable de l'incohérence des événements. Son regard s'abaissa vers le bras qui lui barrait la poitrine ; sa tête se tourna même en direction des doigts refermés sur son épaule. Puis il fixa le visage de Marius, et je l'imitai.

Mon maître était humain, totalement. Il ne subsistait plus en lui la moindre trace du dieu de pierre indestructible. Ses yeux et son visage mijotaient dans le sang, ses joues étaient aussi rouges que celles d'un homme venant de courir, ses lèvres vermillon ; lorsqu'il les lécha, sa langue m'apparut rubis. Il sourit à Martino, le dernier des convives, le seul toujours en vie.

Ce dernier détourna le regard, le posa sur moi. Aussitôt, il se radoucit, son inquiétude disparut.

— Durant le siège, expliqua-t-il avec respect, alors que les Turcs ravageaient l'église, certains prêtres ont quitté l'autel de Sainte-Sophie en emportant le calice et le Saint Sacrement, le Corps et le Sang du Christ. Aujourd'hui encore, ils se dissimulent dans les salles secrètes de la basilique. A l'instant précis où nous redeviendrons maîtres de la cité, de la grande église, où nous chasserons les infidèles de notre capitale, ces prêtres, ces mêmes prêtres, réapparaîtront. Ils sortiront de leur cachette et graviront les marches de l'autel pour reprendre la messe au point exact où ils ont été contraints de l'interrompre.

— Ah, soupirai-je, émerveillé. (Avant d'ajouter doucement :) C'est un secret digne de sauver une vie, n'est-ce pas, maître ?

— Non, répondit Marius. Je connaissais l'histoire, et cet homme a fait de notre Bianca une putain.

— Bianca ? Une meurtrière, dix fois et plus, messire, mais pas une putain. Ce n'est pas si simple, protesta Martino, qui s'efforçait de suivre notre conversation, d'en estimer la portée.

Il examina mon compagnon, comme si cet homme échauffé, au teint fleuri par la passion, lui avait semblé des plus séduisants. Et, ma foi, il l'était.

— Mais vous lui avez enseigné l'art subtil du meurtre, riposta Marius d'une voix presque tendre, massant d'une main l'épaule de Martino tout en lui glissant l'autre dans le dos.

Son front s'inclina jusqu'à toucher la tempe du Florentin.

— Hmm. (Le banquier se secoua.) J'ai trop bu. Je ne lui ai rien enseigné de tel.

— Oh si. Et vous l'avez poussée à tuer pour des sommes tellement mesquines.

— En quoi cela nous concerne-t-il, maître ?

— Mon fils s'oublie, poursuivit Marius, les yeux toujours rivés à Martino. Il oublie que je suis dans l'obligation de vous éliminer pour le compte de notre gente dame, entraînée par vos manigances dans de sombres intrigues répugnantes.

— Elle m'a rendu service, acquiesça Martino. Laissez-moi avoir le garçon !

— Pardon ?

— Vous voulez me tuer. Faites-le. Mais laissez-moi avoir le garçon. Un baiser, messire, je n'en demande pas plus. Un baiser, c'est le monde entier. Je suis trop ivre pour quoi que ce soit d'autre !

— Je vous en prie, maître, c'est insupportable, protestai-je.

— Crois-tu que l'éternité le soit moins, mon enfant ? Ne sais-tu pas que tel est le don que je compte te faire ? Quelle puissance, hors celle de Dieu, pourrait bien me briser ?

Marius me jeta un regard sauvage, qui me sembla cependant plus artificiel que réellement empli d'émotion.

— J'ai appris ma leçon, répondis-je. L'idée de le voir mourir m'est odieuse, c'est tout.

— Eh oui, ainsi donc tu as appris. Embrasse mon fils s'il te le permet, Martino, mais attention : aie soin d'y mettre de la douceur.

Ce fut moi, cette fois, qui me penchai au-dessus de la table pour poser un baiser sur la joue du banquier. Il tourna la tête afin de capturer ma bouche de la sienne — avide, empuantie par le vin mais d'une chaleur électrique fort plaisante.

Soudain, les larmes me montèrent aux yeux. Les paupières closes, je m'ouvris à la langue de Martino, que je sentis frémir en moi. Puis ses lèvres se figèrent, comme transformées en métal contre les miennes, incapables de se refermer.

Mon maître s'était emparé du Florentin, de sa gorge, son baiser s'était figé, et je pleurais. Ma main chercha à tâtons l'endroit exact où s'étaient enfoncées les dents cruelles, trouva la bouche soyeuse de Marius, les crocs solides qu'elle recouvrait, la chair tendre qu'ils mordaient.

Je rouvris les yeux en m'écartant. Mon pauvre Martino, condamné, soupira, gémit, referma la bouche et

160

s'affaissa en arrière dans les bras de son assassin, les paupières lourdes.

Il tourna lentement la tête vers lui.

— Pour Bianca..., dit-il d'une petite voix rauque d'homme ivre.

— Pour Bianca, répétai-je.

J'étouffai un sanglot de la main.

Mon maître se redressa, lissa vers l'arrière les cheveux emmêlés et humides de sa victime.

— Pour Bianca, lui dit-il à l'oreille.

— Jamais... jamais je n'aurais dû la laisser vivre.

Telles furent les dernières paroles de Martino, prononcées dans un soupir.

Sa tête tomba en avant sur le bras de Marius.

Ce dernier lui embrassa le crâne puis le laissa glisser sur la table.

— Charmant jusqu'à la fin, commenta-t-il. Un véritable poète, au plus profond de l'âme.

Je me levai, repoussant le banc, puis gagnai le centre de la pièce. Les larmes m'étouffaient. Je tirai un mouchoir de ma veste, mais à l'instant où j'allais m'essuyer les yeux, je titubai en arrière sur le corps du bossu et manquai tomber. Un cri m'échappa, terriblement faible, ignominieux.

Je m'écartai du malheureux et de ses compagnons jusqu'à sentir dans mon dos les lourdes tapisseries rêches, à l'odeur de poussière et de tissu.

— Voilà donc ce que vous vouliez de moi, sanglotai-je — oui, je sanglotai vraiment. Que je déteste cela, que je pleure sur eux, que je me batte pour eux, que je demande leur grâce.

Mon maître restait assis à table, Christ de la Cène aux cheveux bien peignés, aux joues rutilantes, aux mains roses posées l'une sur l'autre, aux yeux brûlants, noyés, fixés sur moi.

— Pleures-en au moins un ! dit-il. (Sa voix s'emplit

de colère.) Est-ce trop demander ? Qu'une mort parmi tant d'autres soit regrettée ?

Il se leva, tremblant de rage, me sembla-t-il.

Je pressai le mouchoir contre mon visage.

— Un miséreux anonyme qui fait son lit d'un bateau de fortune ne nous tire pas une larme, n'est-ce pas ? Nous ne voudrions pas voir souffrir notre charmante Bianca parce que nous avons joué les Adonis dans son lit ! Et quant à ceux-là, nous n'en pleurons qu'un, le plus mauvais, sans l'ombre d'un doute, parce qu'il nous a flattés !

— Je le connaissais, murmurai-je. Je veux dire, en si peu de temps, j'ai fait sa connaissance et...

— Et tu les aurais laissés s'enfuir, sans plus les distinguer que les brins d'une botte de foin ! (Il désigna les tapisseries ornées de la chasse aristocratique.) Pose donc des yeux d'homme sur ce que je te montre.

Soudain, la pièce s'obscurcit, les flammes des bougies vacillèrent. J'eus un hoquet, mais ce n'était que lui, venu se dresser juste devant moi pour me regarder de toute sa hauteur, créature fiévreuse, rougissante, dont je percevais la chaleur comme si le moindre de ses pores avait émis un souffle tiède.

— Maître, m'écriai-je, ravalant mes sanglots, êtes-vous satisfait, oui ou non, de ce que vous m'avez enseigné ? Etes-vous satisfait de ce que j'ai appris ? Ne vous jouez pas de moi ! Je ne suis pas votre marionnette, non, je m'y refuse ! Alors que voudriez-vous que je sois ? En quoi vous ai-je fâché ? (Je frissonnais de tout mon corps. Les larmes ruisselaient véritablement de mes yeux.) Je serai fort pour vous, mais je... je le connaissais.

— Pourquoi ? Parce qu'il t'a embrassé ?

Il se pencha, m'attrapa par les cheveux et me tira vers lui.

— Marius, pour l'amour de Dieu !

Sa bouche se posa sur la mienne. Comme celle de Martino. Aussi humaine, aussi chaude. Sa langue se

162

glissa entre mes lèvres, imprégnée non de sang, mais d'une passion virile. Ses doigts me brûlaient la joue.

Je m'écartai. Il me laissa aller.

— Ah, murmurai-je, que me revienne mon dieu de glace et de blancheur. (Je posai le visage contre sa poitrine, et, pour la première fois, les battements de son cœur frappèrent mon oreille. Jamais encore un pouls ne m'était parvenu de la chapelle de pierre qu'était son corps.) Que me revienne mon professeur dénué de passions. Je ne sais ce que vous voulez.

— Oh, mon aimé, soupira-t-il. Mon amour. (Alors vint la pluie diabolique de ses baisers. Je n'y sentais plus une imitation de la passion humaine mais bien son affection à lui, douce comme un pétale de fleur, qui posait sur mon visage et mes cheveux une infinité de tributs.) Oh, Amadeo, mon bel enfant.

— Aimez-moi, aimez-moi, aimez-moi, chuchotai-je. Emportez-moi dans votre monde. Je vous appartiens.

Il me tint contre lui, immobile. Je m'assoupis à demi sur ses épaules.

Une petite brise se leva, mais elle n'anima nullement les lourdes tapisseries sur lesquels seigneurs et gentes dames erraient à travers des forêts éternellement vertes, parmi des chiens qui donnaient de la voix et des oiseaux qui chantaient à jamais.

Enfin, Marius me lâcha et recula.

Il s'éloigna de moi, voûté, la tête basse.

Puis, d'un geste paresseux, il me fit signe de le suivre. Mais il quitta trop vite la vaste pièce.

Je dégringolai les escaliers de pierre qui menaient au rez-de-chaussée. Lorsque je l'atteignis, la porte d'entrée était ouverte. Le vent froid emporta mes larmes. Il emporta la chaleur malsaine de la salle. Je courus, courus le long des quais, sur les ponts, à la suite de mon maître qui se dirigeait vers la place Saint-Marc.

En arrivant au débarcadère, je découvris Marius, promeneur de haute taille en cape et capuchon rouges, qui dépassait l'église pour se diriger vers le port. Je m'élançai derrière lui. L'air marin glacial me gifla avec force, et je me sentis doublement nettoyé.

— Maître, appelai-je, ne m'abandonnez pas.

La bourrasque emporta mes mots, mais il ne les en entendit pas moins.

Il s'immobilisa, comme si réellement je l'avais arrêté, se retourna et attendit que je le rejoigne pour prendre ma main tendue.

— Je vais vous réciter ma leçon, annonçai-je. Jugez de mes progrès. (Je repris mon souffle en hâte, avant de continuer :) Je vous ai vu boire à la gorge de mauvais hommes, qu'en votre cœur vous aviez déclarés coupables de quelque crime affreux. Je vous ai vu festoyer ainsi que le veut votre nature ; je vous ai vu vous approprier le sang dont vous avez besoin pour vivre. Autour de vous s'étend le monde du mal, une jungle dont les habitants, de véritables animaux, vous offrent cependant un sang aussi suave et riche que celui des innocents. Je vois tout cela. Vous vouliez me le faire voir, et je le vois.

Il resta impassible, à m'examiner. Déjà, la fièvre brûlante qui l'avait possédé semblait se dissiper. La lumière des torches lointaines brûlant sous les arcades illuminait son visage, aussi dur qu'à l'ordinaire et pâlissant. Le bois des bateaux craquait, dans le port. Des murmures et des cris lointains nous parvenaient, émanant, peut-être, de ceux qui ne connaissaient pas le sommeil.

Je levai les yeux vers le ciel, anxieux. Si j'y découvrais la clarté fatale, Marius partirait.

— En buvant ainsi, maître, le sang des méchants et de plus faible que moi, deviendrai-je comme vous ?

Il secoua la tête.

— Bien des hommes ont bu le sang de leurs frères, Amadeo. (Sa voix, lente et calme, prouvait que la raison lui était revenue, en même temps que les bonnes manières et une apparence d'âme.) Aimerais-tu rester près de moi, être mon élève et mon aimé ?

— Oui, maître, pour toujours et à jamais, ou aussi longtemps que la nature nous le permettra.

— Oh, je ne divague pas. Nous sommes immortels. Un seul ennemi est capable de nous détruire — le feu qui brûle dans cette torche, là-bas, ou au cœur du soleil levant. Il est doux de songer que lorsque enfin nous sommes las de ce monde, il nous reste le soleil.

— Je vous appartiens, maître.

Je l'étreignis et m'efforçai de le faire plier sous mes baisers. Il les accepta, souriant, mais resta figé.

Pourtant, quand j'interrompis mes caresses pour fermer le poing, comme décidé à le frapper — ce dont j'aurais été bien incapable —, il faiblit quelque peu, à ma grande surprise.

Il pivota, m'emprisonna dans son étreinte puissante quoique prudente — toujours.

— Je ne puis vivre sans toi, Amadeo, lâcha-t-il avec désespoir, d'une voix étranglée. Je voulais te montrer le mal, non une distraction. Le prix monstrueux que je paie mon immortalité. Mais ce faisant, je l'ai vu, moi aussi. Mes yeux en ont été blessés, je suis fatigué et je souffre.

Il posa sa tête contre la mienne et se serra étroitement contre moi.

— Faites de moi ce qu'il vous plaira, messire, répondis-je. Faites-moi souffrir et attendre, si tel est votre bon plaisir. Je suis votre fou. Je vous appartiens.

Enfin, il me lâcha et m'embrassa d'un air grave.

— Quatre nuits, mon enfant. (Il s'écarta, porta ses doigts à ses lèvres puis posa sur ma bouche ce dernier baiser. Il partait.) Je vais remplir un très ancien devoir. Quatre nuits. A bientôt.

Je me retrouvai seul dans le froid de l'aube, sous le ciel pâlissant. Il eût été vain de le chercher.

Saisi d'un immense découragement, je parcourus les ruelles, empruntai les petits ponts, m'aventurai dans les profondeurs de la cité qui s'éveillait, en quête de je ne savais quoi.

Lorsque je m'aperçus que j'avais regagné la maison des Florentins assassinés, je n'en fus guère surpris. Ce qui me surprit, en revanche, ce fut d'en découvrir la porte toujours ouverte, comme si un serviteur allait apparaître sur l'heure.

Pourtant, nul n'apparut.

Lentement, le ciel mûrit jusqu'à devenir d'un blanc laiteux, puis d'un bleu très pâle. La brume rampait au-dessus des canaux. Je franchis le pont qui menait au seuil du palazzo, dont je remontai les escaliers.

Une clarté poudreuse filtrait par les volets à lattes disjointes. Je gagnai la salle de banquet, où les bougies brûlaient encore, où flottait une odeur lourde de tabac, de cire et de viande épicée.

Les cadavres gisaient là, comme mon maître les avait laissés, un peu cireux à présent, proies des mouches et des moucherons.

Tout était silencieux, hormis pour le bourdonnement des insectes.

Le vin répandu sur la table y avait séché par flaques. Les corps ne présentaient aucune des terribles marques de la mort.

Je me sentais de nouveau mal, à en trembler, et j'inspirai à fond pour ne pas vomir. Alors je compris pourquoi j'étais venu.

A l'époque, les hommes portaient sur leur veste une courte cape, qui y était parfois accrochée — tu le sais sans doute. Il m'en fallait une, aussi arrachai-je la sienne au bossu, qui gisait presque face contre terre. Elle était d'un jaune canari éclatant, bordée de renard blanc et doublée d'une soie lourde. J'y fis des nœuds afin de la transformer en un sac profond, puis je m'activai à rassembler les gobelets, dont je jetais le contenu avant de les placer dans mon sac.

Bientôt, les fonds de vin eurent taché de rouge le

tissu, que j'avais aussi maculé de gras en le posant sur la table.

Ma tâche achevée, je m'immobilisai pour vérifier que pas une pièce du service ne m'avait échappé. Elles se trouvaient toutes dans mon sac. J'examinai les morts — mon Martino endormi, avec ses cheveux de feu, la joue contre le marbre nu, dans une flaque de vin, et Francisco, dont la tête laissait suinter un liquide foncé.

Les mouches bourdonnaient autour de ce sang comme autour de la graisse répandue près des restes du cochon rôti. Un bataillon de petits scarabées noirs, des insectes très répandus à Venise, car ils sont portés par les flots, progressait sur la table en direction du visage de Martino.

Une lumière douce, chaleureuse, passait par la porte ouverte. Le matin était là.

Après un regard circulaire, qui imprima à jamais dans mon esprit les détails de la scène, je sortis pour rentrer chez moi.

A mon arrivée, les apprentis s'activaient. Déjà, un vieux charpentier était là, réparant la porte que j'avais défoncée à la hache.

Une servante encore tout endormie, qui venait d'arriver, saisit sans un mot le gros sac de gobelets cliquetants que je lui tendais.

Quelque chose se serra en moi, une nausée me prit, l'impression soudaine que j'allais exploser. Mon corps me semblait trop petit, trop imparfait pour receler ce que je savais et ressentais. La tête m'élançait. Je voulais m'allonger, mais pas avant d'avoir vu Riccardo. Je devais les trouver, lui et les apprentis les plus âgés.

Il le fallait.

J'errai à travers la demeure jusqu'à les découvrir, rassemblés pour une leçon, en compagnie du jeune homme qui ne venait qu'une ou deux fois par mois de Padoue nous enseigner les rudiments du droit. Riccardo, me voyant à la porte, me fit signe de garder le silence. Le professeur parlait.

Du reste, je n'avais rien à dire. Je me contentai de m'appuyer au battant pour regarder mes amis. Je les aimais. Oui, je les aimais. J'eusse donné ma vie pour eux ! Empli de cette certitude et d'un terrible soulagement, je me mis à pleurer.

Lorsque je me détournai, Riccardo se glissa à ma suite hors de la salle de cours.

— Que se passe-t-il, Amadeo ? demanda-t-il.

Ma propre souffrance m'affolait. L'image des convives massacrés ne me quittait pas. Je me tournai vers lui et le serrai dans mes bras, réconforté par sa chaleur et son moelleux humains, étrangers à la chair dure de Marius. Je l'assurai que j'étais prêt à mourir pour lui, pour n'importe lequel des apprentis, ainsi que pour le maître.

— Mais pourquoi ? Que se passe-t-il ? Que signifie pareil serment en cet instant ? interrogea-t-il.

Je me rendis dans la chambre de Marius, où je m'allongeai et tentai de dormir.

En fin d'après-midi, lorsque je m'éveillai, les portes de bois étaient closes. Je me levai, m'approchai du bureau. A ma grande surprise, le livre du maître s'y trouvait, celui qu'il dissimulait toujours en s'en allant.

Il n'était pas question d'en tourner le moindre feuillet, mais le volume reposait ouvert, si bien qu'une page manuscrite s'offrait aux regards, rédigée en latin. Un latin qui me parut étrange, difficile, quoique les derniers mots fussent fort clairs :

Comment une telle beauté peut-elle dissimuler un cœur si meurtri et si dur ? Pourquoi ne puis-je m'empêcher de l'aimer ; pourquoi, dans ma lassitude, ne puis-je que m'appuyer à sa force irrésistible autant qu'indomptable ? N'est-il pas l'esprit funèbre et desséché d'un vieillard sous un masque d'enfant ?

Un étrange fourmillement me parcourut le cuir chevelu et les bras.

Etais-je bien tel ? Un cœur meurtri et dur ! L'esprit funèbre et desséché d'un vieillard sous un masque d'enfant ! Ah, je ne pouvais le nier ; je ne pouvais crier au mensonge. Pourtant, la description semblait terriblement blessante, cruelle. Non, pas cruelle ; impitoyable — et exacte. De quel droit eussé-je demandé quoi que ce fût d'autre ?

Je me mis à pleurer.

Allongé sur le lit, à mon habitude, je secouai les plus moelleux oreillers pour former un nid à mon bras gauche replié et à ma tête.

Quatre nuits. Comment les supporter ? Que voulait Marius de moi ? Que j'aille à tout ce que je connaissais et aimais afin de faire mes adieux de jeune mortel. Voilà ce qu'il m'eût ordonné. Voilà ce à quoi j'allais m'employer.

Le destin ne m'accorda que quelques heures.

Je fus tiré du sommeil par Riccardo, qui me mit une lettre cachetée sous le nez.

— De qui est-ce ? interrogeai-je d'une voix endormie.

Je m'assis, glissai les pouces sous le rabat de papier et brisai le sceau.

— Lis, tu me le diras. Le message a été apporté par quatre hommes. Quatre. Ça doit être sacrément important.

— Oui, acquiesçai-je en dépliant la feuille. Surtout pour te faire peur à ce point.

Il resta là, les bras croisés.

Je lus :

> Très cher ami,
> Ne sors pas. Ne quitte ta demeure sous aucun prétexte et interdis-en la porte. Ton fou d'Anglais, le comte de Harlech, a découvert qui tu étais en se montrant de l'indiscrétion la plus éhontée et, dans sa démence, jure de t'emmener en Angleterre ou de t'abandonner déchiqueté à la

porte de ton maître. Avoue tout à Marius. Sa force seule peut te sauver. Envoie-moi aussi un mot de ta main, sans quoi je perdrai également l'esprit, tant je m'inquiète de toi et des histoires horribles qu'on colporte ce matin sur le moindre canal et la plus petite piazza.

Ta dévouée Bianca

— Damnation, commentai-je en repliant la lettre. Marius est parti pour quatre nuits, et vois ce qui arrive. Vais-je devoir me terrer tout ce temps sous notre toit ?

— Tu ferais bien, répondit Riccardo.

— Alors tu connais toute l'histoire.

— Bianca me l'a racontée. L'Anglais, qui avait suivi ta trace jusque chez elle et avait entendu dire que tu y passais tout ton temps, aurait réduit ses appartements en miettes si ses invités ne s'étaient ligués afin de l'arrêter.

— Mais pourquoi ne l'ont-ils pas tué, au nom du ciel ? demandai-je, écœuré.

Il semblait aussi compatissant qu'inquiet.

— Peut-être pensent-ils que le maître s'en chargera, puisque c'est à toi que l'enragé en a. Comment peux-tu être sûr que Marius compte rester au loin quatre nuits ? Quand a-t-il jamais dit pareille chose ? Il va, il vient, il n'avertit personne.

— Hmm, ne discute pas, répondis-je d'un ton patient. Il ne viendra pas de quatre nuits, et il est hors de question que je reste enfermé ici pendant que lord Harlech remue la boue.

— Cela vaudrait mieux pour toi ! Cet Anglais s'est fait connaître par l'épée, Amadeo. Il a loué les services d'un maître escrimeur. C'est la terreur des tavernes. Tu le savais quand tu t'es acoquiné avec lui. Réfléchis avant d'agir ! Il s'est rendu célèbre par tout ce qui est condamnable et sans rien faire de ce qui est louable.

— Accompagne-moi, alors. Tu n'auras qu'à détourner son attention pendant que je me chargerai de lui.

170

— Non. Tu te débrouilles bien à l'épée, c'est vrai, mais tu ne l'emporteras pas sur un homme qui pratiquait l'escrime avant même ta naissance.

Je me renversai sur les oreillers. Que faire ? Je brûlais de me jeter dans le vaste monde, de poser sur toute chose un regard autre, transformé par le sentiment aigu de la signification vitale que recelaient mes derniers jours parmi les vivants, et voilà ce qui arrivait ! Qui plus était, l'Anglais, à peine bon pour quelques nuits d'un plaisir tapageur, exprimait sans le moindre doute son mécontentement de manière à être entendu de la cité tout entière.

Si amère que fût la constatation, il semblait que je fusse condamné à rester chez moi. Nul n'y pouvait rien changer. J'avais grande envie de tuer lord Harlech de ma propre dague, de ma propre épée, je pensais même avoir une bonne chance d'y parvenir, mais qu'était cette aventure mesquine comparée à ce qui m'attendait au retour de mon maître ?

A vrai dire, j'avais déjà renoncé au monde vulgaire, aux petits comptes à régler. Rien ne me pousserait à commettre une gaffe stupide, à mettre en péril l'étrange destinée vers laquelle j'avançais.

— Très bien, acquiesçai-je. Mais Bianca est-elle à l'abri ?

— Oui. Elle a plus d'admirateurs que ne peut en admettre sa demeure, et elle a levé ses troupes pour t'appuyer contre cet homme. Maintenant, sois raisonnable, écris lui un petit mot de remerciement et promets-moi, à moi aussi, de ne pas sortir.

Je me levai, gagnai le bureau du maître et m'emparai de sa plume.

Un vacarme terrible m'arrêta, suivi d'une série de cris perçants qui résonnèrent à travers tout le palazzo, puis de bruits de course. Riccardo, aussitôt attentif, porta la main à la poignée de son épée.

Je rassemblai mes propres armes, tirant ma fine rapière mais aussi ma dague.

— Seigneur Jésus, ce n'est pas possible, il n'a pas pu entrer.

Un hurlement affreux noya tous les autres.

Le plus jeune des apprentis, Giuseppe, apparut à la porte, le visage d'un blanc lumineux, les yeux énormes, tout ronds.

— Par l'Enfer, que se passe-t-il ? demanda Riccardo en l'attrapant.

— Il est blessé. Regarde, il saigne ! m'exclamai-je.

— Amadeo, Amadeo !

Mon nom sonna haut et fort dans l'escalier de marbre. La voix de l'Anglais.

La douleur plia en deux le petit garçon. La plaie, au creux de l'estomac, était des plus cruelles.

— Ferme les portes ! cria Riccardo, hors de lui.

— Comment le pourrais-je, protestai-je, alors que les autres risquent de se trouver sur son chemin ?

Je me précipitai dans le grand salon puis la galerie, la pièce principale de la demeure.

Un autre apprenti, Jacope, tombé à genoux, cherchait à se redresser. Son sang coulait sur la pierre.

— Oh, quelle injustice ; quel massacre d'innocents ! m'exclamai-je. Montrez-vous, lord Harlech. La mort vous attend.

Riccardo m'appela, dans mon dos. De toute évidence, Giuseppe était mort.

Je m'élançai vers l'escalier.

— Je suis là, comte ! Venez donc, lâche que vous êtes, brute, assassin d'enfants ! Le carcan que vous méritez est tout prêt pour votre cou !

Mon ami me fit brutalement pivoter.

— Attends, Amadeo, murmura-t-il. Je viens avec toi.

Sa lame chanta lorsqu'il la tira. Il m'était bien supérieur à l'épée, mais ce combat était mien.

L'intrus avait atteint l'autre extrémité de la galerie. Moi qui avais espéré affronter un adversaire ivre à tomber, je jouais de malchance. Il m'apparut aussitôt que, si lord Harlech avait rêvé de m'enlever par la force, tel n'était plus le cas ; après avoir tué deux enfants, il savait que la concupiscence l'avait mené à son dernier combat. L'ennemi ne serait pas réellement handicapé par l'amour.

— Seigneur Jésus, aidez-nous ! murmura Riccardo.

— Lord Harlech ! m'écriai-je. Comment osez-vous saccager la demeure de mon maître !

M'écartant de mon ami afin que nous fussions tous deux libres de nos mouvements, je lui fis signe de s'éloigner de l'escalier. Je soupesai ma rapière. Trop légère. Quel dommage que je ne m'y fusse pas davantage exercé.

L'Anglais s'approcha, plus grand que je ne m'en étais jamais aperçu, doté d'une allonge qui lui donnerait un avantage considérable. Sa cape flottait derrière lui, au-dessus de ses lourdes bottes, tandis qu'il brandissait sa propre rapière ; sa longue dague italienne était prête à servir, elle aussi. Du moins ne disposait-il pas d'une véritable épée.

Bien que la vaste pièce le diminuât quelque peu, il n'en restait pas moins d'une stature imposante, avec son épaisse chevelure de cuivre éclatant. Malgré ses yeux bleus noyés de sang, sa démarche était aussi assurée que son regard assassin. Des larmes amères lui avaient mouillé les joues.

— Amadeo ! appela-t-il en s'avançant. Tu m'as arraché le cœur de la poitrine alors que je vivais et respirais encore, puis tu l'as emporté ! Cette nuit, nous coucherons ensemble en Enfer.

VI

La galerie, le grand vestibule haut de plafond, était l'endroit idéal où mourir. Rien ne déparait les magnifiques mosaïques qu'on y foulait, avec leurs cercles de marbre colorés et leurs gais dessins de fleurs onduleuses ou de minuscules oiseaux sauvages.

Nous disposions du champ de bataille tout entier, sans le moindre meuble encombrant pour nous empêcher de nous entre-tuer.

Je marchai sur l'intrus avant de réfléchir que je n'étais pas encore très bon escrimeur, que je n'avais jamais montré de réelles dispositions pour cet art et que je n'avais pas la plus petite idée de ce que mon maître eût voulu me voir faire en ces circonstances, de ce qu'il m'eût conseillé s'il se fût trouvé là.

Les quelques passes audacieuses que j'exécutai en direction de lord Harlech rencontrèrent des parades d'une telle aisance que j'eusse dû perdre courage. Mais à l'instant même où j'envisageais de reprendre mon souffle, voire de m'enfuir, il plongea avec sa dague, m'entaillant le bras droit. La blessure, douloureuse, me rendit fou de rage.

Je réitérai mes efforts, tant et si bien que je parvins cette fois, par pure chance, à atteindre l'adversaire à la gorge. Ce n'était guère qu'une égratignure, mais qui se mit à saigner d'abondance sur sa tunique. Il se montra aussi furieux que moi d'avoir été touché.

— Petit démon, ragea-t-il. Satané monstre. Tu n'as suscité mon adoration que pour m'attirer et me repousser à ton gré. Tu m'avais promis de revenir !

En fait, son feu roulant verbal se prolongea tout au long du combat. On eût dit qu'il en avait besoin, un peu comme un soldat des agaceries d'un tambour ou d'un fifre.

Une volée de coups d'estoc me contraignit à reculer. Je trébuchai, perdis l'équilibre et tombai, mais je parvins à me redresser en profitant de ma position basse pour décocher un coup de pointe bien près du scrotum. Lord Harlech sursauta. Conscient à présent que prolonger l'échange ne ferait pas pencher la balance en ma faveur, je me ruai sur lui.

Il esquiva, moqueur, et sa dague m'atteignit une nouvelle fois, au visage.

— Porc ! grognai-je, incapable de me contenir.

Je ne m'étais pas su d'une telle vanité. Mon visage, rien de moins. Balafré. Je sentais le sang en jaillir, comme toujours des blessures à la tête. Oubliant les règles du duel, battant les airs de mon épée en une succession de cercles féroces, je me jetai derechef sur l'adversaire. Puis, tandis qu'il parait frénétiquement de droite et de gauche, je feintai, et ma dague trouva son ventre. Je la tirai vers le haut jusqu'à être arrêté par l'épaisse ceinture en cuir incrustée d'or qu'arborait le comte.

Sur ce, je reculai, car il cherchait à me transpercer de ses deux armes à la fois. Enfin, il les lâcha pour porter les mains à la plaie dégoulinante — la réaction habituelle, dans ces cas-là.

Puis il tomba à genoux.

— Achève-le ! me cria Riccardo, qui attendait à l'écart, déjà homme d'honneur. Tue-le sur l'heure, Amadeo, ou je m'en charge. Pense à ce qu'il a fait sous ce toit.

Je levai mon épée.

L'Anglais saisit soudain la sienne de sa main sanglante afin de la brandir dans ma direction, bien qu'il grognât et se tordît de douleur. Puis, d'un seul mouvement, il se releva et se jeta sur moi. Je bondis en arrière. Mon assaillant retomba à genoux, nauséeux, frissonnant. Lâchant sa rapière, il chercha à nouveau son ventre ouvert. La mort ne le prenait pas, mais il ne pouvait continuer à se battre.

— Seigneur, dit Riccardo.

Il tira sa dague, mais de toute évidence, poignarder un homme désarmé était au-dessus de ses forces.

Le blessé s'effondra sur le côté, plia les jambes en grimaçant, posa la tête sur le sol, l'air grave, prit une longue inspiration. Il luttait contre une terrible souffrance et la certitude de mourir bientôt.

Riccardo alla lui appuyer la pointe de son épée contre la joue.

— Il agonise, intervins-je. Laisse-le s'éteindre.

Pourtant, lord Harlech respirait toujours.

J'avais envie de le tuer, vraiment, mais il m'était impossible d'achever quelqu'un qui reposait devant moi avec une telle placidité, un tel courage.

Ses yeux s'emplirent de sagesse et de poésie.

— Ainsi se termine mon histoire, dit-il, d'une si petite voix que Riccardo ne l'entendit peut-être même pas.

— En effet, acquiesçai-je. Terminez-la noblement.

— Il a tué deux enfants, Amadeo ! protesta Riccardo.

— Ramassez votre dague, lord Harlech ! ordonnai-je. (Je rapprochai l'arme de lui d'un coup de pied puis la pressai contre sa main.) Ramassez-la.

Le liquide poisseux qui me ruisselait sur le visage et dans le cou me chatouillait de manière insupportable. J'avais plus envie de nettoyer mes propres blessures que de m'occuper du mourant.

Ce dernier s'allongea sur le dos. Le sang lui coulait

de la bouche et des entrailles. Son visage moite luisait, son souffle devenait laborieux. Il paraissait à nouveau très jeune, comme lorsqu'il m'avait menacé, garçon monté en graine à la tignasse de boucles flamboyantes.

— Pense à moi, quand tu te mettras à transpirer, Amadeo, reprit-il de la même petite voix, rauque, à présent. Quand tu t'apercevras que ta vie à toi aussi est terminée.

— Poignarde-le, me conseilla Riccardo dans un murmure. Avec une blessure pareille, il risque de mettre deux jours à mourir.

— Alors que toi, ajouta l'Anglais, haletant, tu n'auras pas deux jours, avec les plaies empoisonnées que je t'ai infligées. Tu ne sens rien, aux yeux ? Ils ne te brûlent pas, Amadeo ? Le poison se mêle au sang avant de s'attaquer aux yeux, en premier lieu. Tu n'as pas la tête qui tourne ?

— Sale bâtard, s'indigna Riccardo.

Il frappa l'agonisant à travers sa tunique, une fois, puis deux, puis trois. Lord Harlech grimaça. Ses paupières battirent, une dernière gorgée de sang jaillit de sa bouche. Il était mort.

— Du poison ? murmurai-je. Sur la lame ? (D'instinct, je palpai mon bras blessé. Toutefois, la plaie de mon visage était plus profonde.) Ne touche ni son épée ni sa dague. Du poison !

— Il mentait, intervint mon ami. Viens, laisse-moi nettoyer tout cela. Il n'y a pas de temps à perdre.

Il chercha à m'entraîner hors de la pièce.

— Qu'allons-nous faire de lui, Riccardo ? Que pouvons-nous faire ! Nous sommes seuls, sans le maître, avec trois cadavres dans la maison, peut-être plus.

Je n'avais pas fini de parler que j'entendis des pas aux deux extrémités de la vaste salle. Les petits garçons sortaient de leurs cachettes. Avec eux arrivait un des professeurs, qui avait dû les garder à l'abri.

J'éprouvais à leur égard des sentiments mitigés, mais ce n'étaient que des enfants. Quant à leur enseignant, un érudit sans défense, il n'avait pas d'arme. Les apprentis plus âgés étaient tous sortis ce matin-là, comme de coutume. Ce fut du moins ce que je voulus croire.

— Allons, il faut trouver un endroit décent où allonger ces malheureux, décidai-je. Ne touchez pas aux armes. (Je fis signe aux enfants d'approcher.) Venez, nous allons porter celui-là dans la meilleure chambre. Jacope et Giuseppe aussi.

Les petits garçons s'activèrent pour obéir. Certains se mirent à pleurer.

— Aidez-nous, voyons ! lançai-je au professeur. Faites attention aux lames, elles sont empoisonnées. (Il me fixa avec égarement.) Je suis sérieux. Elles sont empoisonnées.

— Tu saignes de partout, Amadeo ! s'écria-t-il d'une voix aiguë, pris de panique. Comment ça, des lames empoisonnées ? Seigneur Dieu, ayez pitié de nous !

— Ah, ça suffit ! le rabrouai-je.

Mais, incapable d'en supporter davantage, je me ruai dans la chambre du maître pour m'occuper de mes blessures, pendant que Riccardo prenait en charge le déplacement des corps.

Dans ma hâte, je renversai au fond de la cuvette le pichet d'eau tout entier, puis je saisis une serviette afin d'étancher le sang qui me ruisselait sur le cou et sous la chemise. Répugnant, grognais-je. Répugnant. La tête me tournait. Je faillis tomber. Cramponné au bord de la table de toilette, je m'ordonnai de ne pas me laisser jouer par lord Harlech. Riccardo avait raison. L'Anglais avait inventé un mensonge ! Empoisonner son épée, vraiment !

Pourtant, alors que je me racontais cette histoire, je baissai les yeux. Pour la première fois, l'égratignure que la rapière du mort m'avait infligée à la main droite m'apparut. Elle enflait comme si la piqûre avait été l'œuvre d'un insecte venimeux.

Je me palpai le visage et le bras. Les blessures gonflaient, sous-tendues par de grosses boursouflures. Un nouveau vertige me prit. Je suais à grosses gouttes, qui tombaient droit dans la cuvette dont l'eau rougie évoquait du vin.

— Oh, mon Dieu. Il l'a fait, le démon, balbutiai-je.

Lorsque je pivotai, la pièce tout entière s'inclina, et je me mis à flotter. Je vacillai.

Quelqu'un me rattrapa, sans que je visse de qui il s'agissait. Je voulus prononcer le nom de Riccardo, mais ma langue resta inerte dans ma bouche.

Sons et couleurs se mêlèrent en un flou brûlant, palpitant. Puis, avec une clarté étonnante, je distinguai au-dessus de ma tête le baldaquin brodé du lit. Riccardo se dressait devant moi.

Il s'adressa à moi d'une voix pressante, presque désespérée, inintelligible au point qu'il semblait parler une langue étrangère, mélodieuse et douce mais dont je ne connaissais pas un mot.

— J'ai chaud, dis-je. Je brûle. C'est insupportable. Il me faut de l'eau. Mets-moi dans la baignoire du maître.

Sans paraître m'entendre, il répéta encore et encore ce qui était de toute évidence une supplique. Sa main se posa sur mon front, bouillante, vraiment bouillante. Je l'implorai de ne pas me toucher, mais il ne m'entendit pas, ni moi non plus ! Je ne parlais même pas. Je voulais le faire, mais ma langue était trop lourde, trop gonflée. *Tu vas t'empoisonner*, avais-je envie de m'écrier. Impossible.

Je fermai les yeux. Dieu merci, la somnolence me prit. Une mer infinie s'offrit à moi, les eaux du Lido, très belles avec leurs petites crêtes scintillantes au soleil de midi. Cette immensité me portait, peut-être dans une petite barque, peut-être pas : bien que je ne sentisse pas le liquide proprement dit, rien ne paraissait s'interposer entre mon corps et les vagues berceuses, lentes, imposantes et souples, qui me soulevaient puis me rabaissaient. Au loin, une vaste cité luisait sur la grève. Je pensai d'abord qu'il s'agissait de Torcello, voire de Venise, que j'avais pivoté je ne savais comment pour voguer à présent vers le rivage. Puis je m'aperçus qu'elle était beaucoup plus grande que Venise, avec ses hautes tours miroitantes et pointues, qu'on eût crues de verre étincelant. Ah, qu'elle était belle !

— Est-ce là que je vais ? interrogeai-je.

Les vagues semblèrent alors se replier au-dessus de moi, non en une masse liquide qui allait me suffoquer mais en une couverture douillette de lumière pesante. J'ouvris les yeux. Le taffetas rouge du baldaquin m'apparut ; la frange d'or cousue aux rideaux du lit ; Bianca Solderini. Elle tenait un linge à la main.

— Il n'y avait pas assez de poison pour te tuer, me dit-elle. Tout juste de quoi te rendre malade. Maintenant, écoute-moi bien, Amadeo : tu dois prendre chacune de tes inspirations avec détermination, en concentrant toute ta volonté pour combattre le mal. Demande à l'air même de te donner de la force et aie confiance. Voilà, très bien, respire lentement, profondément, oui, parfait, et tu vas voir que le poison te sortira par tous les pores. Il ne faut pas y croire, ni avoir peur.

— Le maître saura, intervint Riccardo, l'air épuisé et malheureux. (Ses lèvres tremblaient, ses yeux étaient emplis de larmes.) D'une manière ou d'une autre. Il sait tout. Il interrompra son voyage. Il rentrera.

— Lave-lui le visage, ordonna Bianca avec calme. Et tiens-toi tranquille.

Quel courage !

Ma langue consentit à remuer, cette fois, mais impossible de former des mots. Je voulais demander à mes amis de m'avertir dès que le soleil se coucherait, car alors, et alors seulement, le maître viendrait peut-être. Il y avait une chance, il le fallait. Alors, et alors seulement, il apparaîtrait peut-être.

Je détournai la tête. Le linge me brûlait.

— Doucement, reprit Bianca. Calmement. Inspire à fond, Amadeo, oui, très bien, et n'aie pas peur.

De longues heures s'écoulèrent tandis que je gisais

là, planant à la limite de la conscience, heureux que la voix de mes compagnons ne fût pas tranchante, que leur contact ne fût pas terrible, mais je transpirais affreusement et je désespérais de jamais éprouver une sensation de fraîcheur.

A un moment, je m'agitai, je tentai de me lever, avec pour seul résultat de me sentir affreusement nauséeux, près de vomir. Quel ne fut pas mon soulagement lorsque je m'aperçus que mes amis m'avaient rallongé.

— Prends-moi les mains, me dit Bianca.

Elle referma sur les miens ses petits doigts brûlants, comme tout ce qui m'entourait, comme l'Enfer — mais j'étais trop malade pour penser à l'Enfer, pour penser à rien hormis à me vider de mes viscères mêmes dans la cuvette et à chercher un coin de drap frais. Ah, ouvrez les fenêtres, ouvrez-les ; peu m'importe l'hiver, ouvrez !

Risquer la mort ne me paraissait guère qu'une simple contrariété. Une seule chose comptait : me sentir mieux. Ni mon âme ni l'au-delà ne me préoccupaient le moins du monde.

Puis, soudain, tout changea.

Je m'élevai, comme soulevé de la couche par la tête, traversai le baldaquin rouge puis le plafond de la chambre. Lorsque je baissai les yeux, je me découvris avec stupeur allongé dans le lit, que rien ne me dissimulait.

Je me trouvai plus beau que je ne l'avais jamais imaginé. Comprends-moi bien : il s'agissait d'une simple constatation dénuée de passion. Je n'exultais pas à la vue de mon physique. Je me disais juste : Quel admirable jeune homme ! Dieu a répandu sur lui ses bontés. Regarde ses longues mains délicates, posées à ses côtés, et l'auburn profond de ses cheveux. J'avais été ce damoiseau sans en avoir conscience, sans y songer, non plus qu'à l'effet que je produisais sur ceux qui me voyaient traverser la vie. Je ne croyais pas à leurs flatteries. Je n'éprouvais que mépris pour leur passion. Le maître lui-même m'avait semblé faible, épris d'illusions, à cause du désir que je lui inspirais. A présent, cependant, je comprenais que les autres eussent été en quelque sorte transportés. Le bel agonisant qu'on pleurait par toute la vaste chambre paraissait incarner la pureté, la jeunesse prête à affronter la vie.

Toutefois, l'agitation qui régnait dans la pièce me surprenait. Pourquoi ces sanglots ? Sur le seuil se tenait un prêtre, que je connaissais pour l'avoir vu dans l'église voisine. Les apprentis se querellaient avec lui, redoutant de le laisser approcher la couche, de crainte qu'il me fît peur. Imbroglio bien inutile. Riccardo n'eût pas dû se tordre les mains. Bianca n'eût pas dû s'acharner avec son chiffon mouillé, ses encouragements, tendres mais évidemment désespérés.

Pauvre enfant ! pensai-je. Peut-être eusses-tu éprouvé un peu plus de compassion si tu avais su combien tu étais beau ; peut-être aussi te fusses-tu senti un peu plus fort, un peu plus capable d'arriver à quelque chose par toi-même, au lieu de jouer sournoisement de ceux qui t'entouraient parce que tu manquais de confiance en toi et ignorais qui tu étais.

Mon erreur m'apparaissait clairement, mais je m'en allais ! L'aspiration qui m'avait soulevé du jeune corps gracieux étendu sur le lit m'emportait à présent vers un tunnel de vent sauvage, rugissant.

L'air tournoyait autour de moi, m'enfermant dans un boyau étroit où je distinguais d'autres créatures impuissantes, elles aussi piégées, ballottées par la furie constante du maelström. Des yeux me regardaient ; des bouches s'ouvraient, peut-être sur des cris de détresse. Le vent m'entraînait de plus en plus haut, mais je n'éprouvais nulle peur, juste un sentiment de fatalité. Il n'y avait rien que je pusse faire.

Voilà quelle a été ton erreur, lorsque tu étais encore là en bas, me surpris-je à penser. Toutefois, vu les circonstances, tu ne peux vraiment rien.

A l'instant précis où j'en arrivais à cette conclusion,

j'atteignis l'extrémité du tunnel, qui s'évapora. Je me tenais au bord de la mer étincelante.

Ses vagues ne m'atteignaient pas, mais je la connaissais.

— Ah, c'est donc là, dis-je tout haut. Je suis sur le rivage ! Et voilà les tours de verre.

Levant les yeux, je découvris la cité, au loin, derrière des collines d'un vert profond. Un chemin y menait, encadré de superbes fleurs épanouies. Jamais je n'avais vu pareilles plantes, pareilles formes et dispositions des pétales, et jamais, jamais de toute ma vie, je n'avais contemplé pareilles couleurs. La règle artistique n'avait pas de mots pour les désigner. Je ne pouvais y appliquer aucune des quelques pâles étiquettes inadéquates dont je disposais.

Que les peintres de Venise eussent donc été surpris ! Ces teintes eussent transformé notre travail, enflammé nos œuvres, si seulement nous les avions découvertes dans quelque source qui se pût écraser pour donner un pigment à mélanger aux huiles. Mais à quoi bon ? Il n'était plus besoin de peindre. La beauté de la couleur était là tout entière, dans ce monde révélé. Au creux des fleurs ; au sein de l'herbe mélangée ; au cœur des cieux infinis qui s'étendaient au-dessus de moi et de la lointaine cité éblouissante, elle-même vibrante de cette harmonie colorée, ville miroitante et floue dont les tours semblaient faites d'une florissante et miraculeuse énergie plutôt que d'un vulgaire matériau terrestre.

Une immense gratitude s'empara de moi, à laquelle tout mon être s'abandonna.

— Je vois, à présent, Seigneur, repris-je. Je vois, et je comprends.

En effet, les implications de cette beauté variée, toujours plus parfaite, de ce monde radieux et palpitant, n'avaient pas de secret pour moi. Cet univers était si lourd de signification que la moindre question y trouvait sa réponse, le moindre problème sa solution.

— Oui, répétai-je encore et encore.

Je hochai la tête, me semble-t-il, puis l'absurdité d'exprimer quoi que ce fût par des paroles me frappa.

Il émanait de la splendeur environnante une force qui me baignait comme l'air, le vent ou l'eau, sans rien être de tout cela. Je la sentais plus ténue, plus pénétrante ; et, bien que son étreinte fût d'une puissance inouïe, elle restait invisible, dénuée de pression ainsi que de forme palpable. C'était l'amour. Oui, l'amour, qui dans sa plénitude donnait une signification à tout ce que j'avais jamais connu, car chaque déception, chaque douleur, chaque égarement, chaque caresse, chaque baiser n'étaient que l'ombre de cette acceptation, de cette bonté sublimes : les blessures m'avaient appris ce qui me manquait, tandis que les joies m'avaient permis d'entrapercevoir ce que pouvait être l'amour.

Sa force donnait à mon existence un sens dont rien de ce que j'avais vécu n'était exclu. Tandis que je m'en émerveillais, que j'acceptais pleinement la révélation, sans fébrilité ni interrogation, un processus miraculeux se mit en branle. Ma vie vint à moi sous la forme des êtres que j'avais connus.

Je la contemplai depuis mes tout premiers instants jusqu'à celui qui m'avait conduit en ce lieu. Elle n'avait rien de très remarquable ; il ne s'y trouvait pour changer mon cœur ni grand secret, ni retournement de situation, ni événement signifiant. Au contraire, c'était l'enchaînement banal, naturel d'une myriade de minuscules incidents qui impliquaient les autres âmes avec lesquelles j'avais été en contact ; je découvrais quelles souffrances j'avais infligées, comment j'avais apporté le réconfort, où avaient mené mes actions les plus futiles. La salle de banquet des Florentins réapparut et, de retour parmi eux, je ressentis la solitude maladroite qui avait accompagné leur chute dans la mort, la tristesse avec laquelle leur âme avait lutté pour la vie.

Le visage de mon maître me resta invisible. Je n'appris pas qui il était. Je ne perçai pas son cœur à jour.

Je ne découvris ni ce que mon amour représentait pour lui, ni ce que le sien représentait pour moi. Mais peu importait. En fait, je ne m'aperçus que plus tard de son absence, en m'efforçant de me remémorer tout cela. Sur l'instant, une seule chose comptait : je comprenais ce que signifiait l'amour qu'on ressent pour son semblable et pour la vie elle-même. Ce qu'avaient signifié mes peintures ; non les œuvres vénitiennes vibrantes, d'un rubis sanglant, mais les tableaux de l'antique style byzantin qui avaient autrefois coulé de mon pinceau avec un naturel si parfait. Je découvrais que j'avais créé des merveilles, je voyais quel effet elles avaient produit... Il me semblait qu'un flot d'innombrables informations se répandait en moi. Il y en avait bel et bien une telle masse, et si aisée à comprendre, qu'un bonheur intense m'envahissait.

La connaissance ressemblait à l'amour et à la beauté ; en fait, je le réalisais avec une joie triomphante, ils ne faisaient qu'un.

« Bien sûr, songeai-je. Comment est-il possible de ne pas s'en rendre compte ! C'est tellement simple. »

Si j'avais possédé un corps doté d'yeux, j'eusse pleuré, mais les larmes m'eussent été douces. Les choses étant ce qu'elles étaient, mon âme triompha des petits riens débilitants. Je restai de marbre. Bientôt, la connaissance, les faits, les centaines de minuscules détails accumulés, gouttelettes transparentes d'un fluide magique qui traversait mon enveloppe, m'emplissait puis s'évaporait pour céder la place à la grande pluie de vérité — tout cela s'évanouit.

Au loin se dressait la cité de verre, couronnée du ciel bleu de la mi-journée pourtant empli de toutes les étoiles connues.

Je me mis en route. Je me mis même en route avec une telle impétuosité, une telle détermination, qu'il fallut trois personnes pour me retenir.

Je m'immobilisai. Surpris. Ces hommes ne m'étaient pas inconnus. C'étaient des prêtres, de vieux prêtres de ma patrie morts bien avant que je n'éprouve l'appel de ma vocation. J'en étais certain. Ni leur nom ni les circonstances de leur décès n'offraient pour moi le moindre mystère. A vrai dire, on les avait pris comme saints patrons dans ma ville, ainsi que dans le grand monastère des catacombes où j'avais vécu.

— Pourquoi m'arrêter ? demandai-je. Où est mon père ? En ce pays, n'est-ce pas ?

A peine avais-je posé la question que mon géniteur m'apparut, tel qu'il avait toujours été. Un homme de haute taille, vêtu de cuir pour la chasse, à l'imposante barbe grisonnante et aux longs cheveux auburn très épais, de la même couleur que les miens, en broussaille. Le vent froid lui avait rosi les joues. Sa lèvre inférieure, visible entre son épaisse moustache et sa barbe, était rose et humide, ainsi que dans mon souvenir. Ses yeux avaient conservé leur bleu de porcelaine lumineux. Il me fit signe, du large mouvement insouciant qui lui était habituel, puis sourit. On l'eût dit prêt à partir pour la steppe sauvage, malgré les conseils et les avertissements, sans la moindre crainte que Mongols ou Tartares fondissent sur lui. Après tout, il avait son grand arc, celui dont, seul, il parvenait à tendre la corde — héros mythique des immensités herbues ; il avait ses flèches aiguisées, et l'épée imposante grâce à laquelle il pouvait d'un seul coup décapiter un homme.

— Père, demandai-je, pourquoi m'empêchent-ils d'avancer ?

Il me fixa d'un air absent. Son sourire disparut, son visage perdit toute expression puis, à ma grande tristesse, à ma terrible et bouleversante tristesse, il disparut. Il cessa d'être.

Les prêtres aux longues barbes grises et aux robes noires me parlèrent en doux murmures compatissants :

— Il n'est pas temps pour toi de nous rejoindre, Andrei.

Une détresse sans fond m'envahit, une douleur telle que je ne pouvais formuler le moindre mot de protestation. D'ailleurs, aucune protestation n'eût eu la moindre importance, je le sentais. Un des religieux me prit la main.

— Non, dit-il. Arrête de te conduire ainsi. Demande.

Ses lèvres ne remuaient pas lorsqu'il parlait ; ce n'était pas nécessaire. Je l'entendais parfaitement, et je savais qu'il ne me voulait aucun mal. Il en était incapable.

— Pourquoi ne puis-je rester ? questionnai-je. Pourquoi ne pas m'accepter, alors que je vous en prie et que je suis venu de si loin ?

— Pense à tout ce que tu as vu. Tu connais la réponse.

Et force me fut d'admettre qu'à un instant, je la connaissais en effet. Elle était à la fois très simple et très complexe, liée à ce que j'avais appris.

— Tu ne peux emporter ce savoir, déclara le prêtre. Tu vas oublier le détail de ce qui t'a été révélé, mais rappelle-toi la leçon dans son ensemble : ton amour pour autrui et l'amour d'autrui pour toi, l'accroissement de l'amour dans le monde qui t'entoure, voilà l'important.

Quelle certitude immense, merveilleuse ! Elle n'avait rien d'un simple cliché : c'était une vérité si imposante, si subtile et pourtant si entière que toutes les difficultés du monde mortel s'effondreraient devant elle.

Je retrouvai aussitôt mon corps. Je redevins l'adolescent à la chevelure auburn qui agonisait dans son lit. Les mains et les pieds me picotaient. Lorsque je me tordis, une douleur affreuse me brûla le dos. J'étais en feu, en nage, je me convulsais, comme auparavant, les lèvres craquelées, à présent, la langue traversée de coupures et de cloques.

— De l'eau, implorai-je. De l'eau, par pitié.

Un doux sanglot s'éleva de ceux qui m'entouraient, mêlé de rires et d'exclamations incrédules.

Ils m'avaient cru mort, et j'étais vivant. J'ouvris les yeux. Je regardai Bianca.

— Je ne vais pas mourir, annonçai-je.

— Qu'y a-t-il, Amadeo ? s'enquit-elle, se penchant pour approcher l'oreille de mes lèvres.

— Il n'est pas temps, poursuivis-je.

On m'apporta du vin blanc frais, agrémenté de miel et de citron, que je bus à longues gorgées, assis.

— Encore, réclamai-je d'une voix faible — mais le sommeil s'emparait de moi.

Alors que je retombais sur les oreillers, Bianca m'essuya de son chiffon le front et les paupières. Quelle délicieuse compassion, et quelle grandeur que de me donner ce petit réconfort qui m'était le monde entier ! Le monde entier. Le monde entier.

J'avais oublié ce que j'avais vu de l'autre côté ! Mes yeux s'ouvrirent brusquement. Retrouve-le, pensai-je avec désespoir. Toutefois, je me rappelais le prêtre aussi bien que si je lui avais parlé à l'instant dans la pièce voisine. D'après lui, je ne pouvais me souvenir. Et il y avait plus, infiniment plus, des choses telles que seul mon maître parviendrait à les comprendre.

Je refermai les yeux. Je dormis. Les rêves me fuyaient, car j'étais malade, fiévreux ; mais à ma façon, malgré la conscience diaphane que je gardais du lit moite et brûlant, de l'air lourd qu'emprisonnait le baldaquin, des paroles brouillées des apprentis et de la douce obstination de Bianca, je dormis. Les heures passaient, je le savais. Peu à peu, un certain réconfort me fut accordé, dans la mesure où je m'habituai à la sueur qui me couvrait la peau, à la soif qui me brûlait la gorge. Je restai allongé sans la moindre protestation, somnolent, dans l'attente de mon maître.

Que de choses j'avais à lui dire ! Il saurait, pour la cité de verre ! Je lui expliquerais qui j'avais été autrefois… Hélas, les souvenirs m'échappaient. Un peintre, certes, mais de quel genre, pourquoi, comment me nommais-je ? Andrei ? Quand m'avait-on appelé ainsi ?

VII

Lentement, en surimpression à la conscience que je conservais de mon lit de douleur et de la chambre humide, tomba le voile sombre du Paradis. Les étoiles s'étendaient à l'infini dans toutes les directions, sentinelles splendides qui illuminaient les tours luisantes de la cité de verre. Dans mon demi-sommeil, à présent favorisé par la plus sereine, la plus heureuse des illusions, j'écoutais le chant des astres.

Chacun, de la position qui lui avait été attribuée parmi les constellations du vide, émettait un son précieux, miroitant, comme si des cordes avaient résonné dans son orbe enflammé et, grâce à ses girations éclatantes, s'étaient fait entendre à travers tout l'univers.

Jamais de tels sons n'avaient frappé mes oreilles terrestres. Mais les comparaisons sont impuissantes à évoquer cette symphonie aérienne, transparente, cette harmonieuse célébration.

> Ah, Seigneur, si Vous étiez musique, voilà quelle serait Votre voix, et nulle mésentente ne pourrait jamais prévaloir contre Vous. Votre organe nettoierait le monde de toute dissonance, car Il exprime dans leur entier Vos desseins complexes et merveilleux. Toute trivialité disparaîtrait, ensevelie sous cette éclatante perfection.

Telle était ma prière, venue du fond de mon cœur en une langue ancienne, très facile et familière, tandis que je reposais, somnolent.

Restez près de moi, astres sublimes, suppliai-je. Faites que jamais je ne cherche à pénétrer cette fusion du son et de la lumière, mais que je me contente de m'y abandonner totalement, sans me poser la moindre question.

Les étoiles grandirent, se firent immenses dans leur froide et majestueuse clarté, si bien que la nuit disparut lentement pour céder la place à une splendide illumination diffuse, sans limites.

Je souris. Un sourire que mes doigts allèrent explorer à tâtons sur mes lèvres. Alors que la lumière devenait plus éclatante et plus proche encore, véritable océan de clarté, une fraîcheur bienfaisante descendit sur mes membres.

— Ne disparaissez pas, ne partez pas, ne me quittez pas.

Mon murmure n'était qu'une lamentable petite chose. Je pressai la tête dans l'oreiller.

Mais l'heure n'était plus à cet insurpassable éclat, qui s'effaçait pour laisser le banal scintillement des bougies frémir contre mes paupières mi-closes. Je n'avais plus devant les yeux que la pénombre satinée de la chambre, emplie d'objets tout simples comme le rosaire déployé contre ma main droite, avec ses perles de rubis et sa croix d'or, ou le livre de prières ouvert à ma gauche, dont les pages ondulaient doucement dans la brise imperceptible qui ridait le taffetas tendu au-dessus de ma tête.

Qu'elles paraissaient belles, les choses très ordinaires dont se composait ce moment de silence élastique. Où donc étaient passés ma belle infirmière au cou de cygne et mes camarades en pleurs ? La nuit les avait-elle épuisés puis conduits à leur couche, afin que je pusse chérir en solitaire ces instants de calme éveil ?

Des centaines de souvenirs colorés se pressaient dans mon esprit serein.

J'ouvris les yeux. La chambre était déserte, hormis pour une personne, assise sur le lit à mon côté, qui me fixait d'un regard à la fois rêveur, lointain et d'un bleu glacé, bien plus pâle qu'un ciel d'été, empli d'une lumière quasi facettée et d'une indolence indifférente.

Marius, les mains dans son giron, évoquait un étranger qui eût considéré une scène dont la grandeur ciselée n'eût pu être touchée. La gravité peinte sur ses traits paraissait y être fixée à jamais.

— Impitoyable ! murmurai-je.

— Non, oh, non, répondit-il, les lèvres immobiles. Mais raconte-moi encore ton histoire. Décris-moi la cité de verre.

— Ah, oui, nous en avons déjà parlé, n'est-ce pas ? Les prêtres m'ont dit que je devais revenir ici. Il y avait les peintures anciennes, très anciennes, que je trouvais tellement belles. Elles n'étaient pas faites de main d'homme, voyez-vous, mais nées du pouvoir qui m'avait investi, qui me traversait, si bien que je n'avais qu'à attraper mon pinceau : la Vierge et les saints attendaient juste que je les découvre.

— Ne rejette pas le moule où a été coulée ton enfance. (Là encore, ses lèvres ne trahirent d'aucune manière la voix que j'entendais distinctement, une voix qui frappait mon oreille comme n'importe quelle voix humaine, portée par son ton, son timbre à lui.) Car les formes changent : la raison d'aujourd'hui est la superstition de demain. Les rets imposés autrefois trahissent une volonté sublime, une inlassable pureté. Mais parle-moi encore de la cité magique.

Je soupirai.

— Vous avez déjà vu du verre en fusion. Au moment où on le sort de la fournaise, ce n'est qu'une masse luisante d'une chaleur monstrueuse accrochée à une tige en métal, une chose informe, dégoulinante, que l'artiste façonne et étire à l'aide de sa baguette, à moins qu'il ne l'emplisse de son souffle pour former un réceptacle d'un arrondi parfait. Eh bien, le verre de la cité semblait sorti tout droit des entrailles humides de la Terre mère. C'était un torrent en fusion vomi jusqu'aux nuages et dont les jaillissements énormes avaient donné naissance aux innombrables tours de la ville — non à de pâles imitations des créations humaines, mais à des perfections telles que les forces brûlantes de la Terre les avaient tout naturellement voulues, dotées de couleurs inimaginables. Qui habitait pareil lieu ? La cité semblait lointaine, quoique facile à atteindre. Il eût suffi d'une courte promenade à travers des collines délicieuses, couvertes d'une souple herbe verte et de fleurs palpitantes aux mêmes teintes fantastiques que les tours. C'était une apparition impossible, une calme tempête.

Je levai les yeux vers Marius, car mon regard s'était perdu au loin, dans ma vision.

— Dites-moi ce que cela signifie, demandai-je. Où se trouve cette ville, et pourquoi ai-je été autorisé à la voir ?

Il poussa un soupir attristé en regardant à son tour au loin, avant de revenir à moi, l'air aussi distant et impitoyable qu'un instant plus tôt. Toutefois, je distinguais à présent le sang épais qui courait sous sa peau, un sang qui, comme les nuits précédentes, avait été soutiré, empli de chaleur humaine, à des veines humaines, et qui avait sans le moindre doute constitué son repas le soir même.

— Ne m'accorderez-vous pas un sourire en me faisant vos adieux ? m'enquis-je. Si vous ne ressentez rien d'autre qu'une amère froideur et comptez me laisser périr de cette fièvre envahissante ? Je suis malade à mourir, vous le savez. La nausée me torture, la tête me fait mal, toutes les articulations me lancent, les coupures me brûlent la peau de leur poison. Pourquoi restez-vous si lointain alors que vous êtes ici ? Pourquoi êtes-vous revenu vous asseoir à mon chevet si votre cœur est de glace ?

— Mon cœur est empli d'amour ainsi qu'il l'a toujours été lorsque je pose les yeux sur toi — mon enfant, mon fils, mon tendre obstiné. Il en est tout gonflé, il l'emprisonne en moi, et peut-être devrait-il le garder captif afin de te laisser mourir, car tu vas en effet mourir. Qui sait si tes prêtres ne t'emporteront pas, alors ? Comment pourraient-ils s'y refuser, puisqu'il n'y aura pas pour toi de retour possible ?

— Et s'il existait plusieurs mondes ? Si, lors de ma deuxième chute, je me retrouvais sur un autre rivage ? Si le soufre s'élevait de terre, au lieu de la beauté qui m'a tout d'abord été révélée ? J'ai mal. Les larmes me brûlent. Je ne me souviens pas, j'ai trop perdu. Il me semble avoir souvent répété ces mêmes mots. Je ne me souviens pas !

Je tendis le bras. Marius ne bougea pas. Ma main alourdie tomba sur le livre de prières oublié, aux pages en vélin épais.

— Comment votre amour est-il mort ? insistai-je. Qu'ai-je fait pour le tuer ? Attirer ici l'homme qui a abattu mes frères ? Mourir et voir des merveilles ? Répondez-moi.

— Je t'aime toujours. Je t'aimerai tout au long de mes nuits et de mes jours somnolents. Ton visage est une gemme qui m'a été donnée et que je n'oublierai pas, dussé-je la perdre sottement. Son éclat me torturera à jamais. Réfléchis encore, Amadeo, ouvre ton esprit et laisse-moi voir la perle de ce qui t'a été enseigné.

— Vous le pouvez donc, maître ? Vous comprenez que l'amour, l'amour seul, a une telle importance et que le monde en est fait ? Les brins d'herbe, les feuilles des arbres, les doigts de la main qui se tend vers vous ? L'amour. Mais qui acceptera une chose aussi simple, aussi essentielle, alors que l'homme a inventé des croyances et des philosophies d'une habileté et d'une complexité labyrinthique si séduisantes ? L'amour. J'en ai entendu la voix. Je l'ai vu. N'étaient-ce que les illusions d'un esprit fiévreux, en proie à la peur de la mort ?

— Peut-être. (Les traits de Marius restaient figés, sans expression. Ses yeux étrécis ne pouvaient que se détourner de ce qu'ils voyaient.) Oh, oui, tu vas mourir, je vais te laisser mourir, car je pense qu'il n'existe pour toi qu'un seul rivage, sur lequel tu retrouveras tes prêtres et ta cité.

— Mon heure n'est pas venue, et une misérable journée n'y saurait rien changer. Vous pouvez bien réduire en miettes la montre tictaquante. Par l'incarnation vivante de l'âme, mon heure n'est pas venue, ils me l'ont dit. La destinée gravée dans ma main de nouveau-né ne sera ni si vite accomplie, ni si facilement mise en échec.

— Il m'est possible de la contrebalancer, mon enfant. (Cette fois, ses lèvres avaient remué. Le corail à la douce pâleur de son visage se fit plus éclatant, ses yeux s'agrandirent, tandis qu'il baissait sa garde. Je retrouvais le maître que je connaissais et chérissais.) Je n'aurais aucun mal à te priver de tes dernières forces.

Il se pencha vers moi au point que je distinguai les minuscules bigarrures de ses pupilles, les étoiles éclatantes recouvertes par ses iris qui s'assombrissaient. Ses lèvres, ornées à merveille de toutes les fines lignes des lèvres humaines, étaient aussi roses que si un baiser humain y avait attendu.

— Il me serait facile de boire une dernière fois ton sang d'enfant, d'absorber une ultime coupe de la fraîcheur que j'aime tant. Je ne tiendrais plus entre mes bras qu'un cadavre, doté de tant d'attraits qu'il arracherait des larmes à tous ceux qui le verraient, un corps qui me serait indifférent. Tu serais parti, voilà tout ce que je saurais, mais j'aurais au moins cette certitude.

— Cherchez-vous à me torturer, maître ? Si je ne peux pas aller là-bas, je veux rester avec vous !

Sa lèvre s'anima d'un véritable désespoir. Il avait l'air d'un homme, rien que d'un homme, le sang de la fatigue et de la tristesse au coin des yeux. La main qu'il tendit vers mes cheveux tremblait.

Je l'attrapai telle une haute branche d'arbre qui se fût balancée au-dessus de moi. J'en rassemblai les doigts contre mes lèvres comme des feuilles afin de les embrasser puis, tournant la tête, je les posai sur ma joue blessée. La coupure empoisonnée palpitait sous leur caresse. Pourtant, les frissons qui les secouaient m'étaient encore plus perceptibles.

Je clignai les yeux.

— Combien de morts y a-t-il eu cette nuit pour vous nourrir ? murmurai-je. Comment pareille chose est-elle possible, alors que l'amour constitue la matière même du monde ? Vous êtes trop beau pour être ignoré. Je suis perdu. Je ne comprends pas. Mais si je continuais à vivre en simple mortel, parviendrais-je à oublier ?

— Tu ne vivras pas, Amadeo, dit Marius avec tristesse. Ce n'est pas possible ! (Sa voix se brisa.) Le poison est entré trop profond en toi, il s'est répandu trop loin, trop largement. Quelques filets de mon sang n'en viendraient pas à bout. (Son visage n'était qu'angoisse.) Je ne puis te sauver, mon enfant. Ferme les yeux. Accepte mon baiser d'adieu. Les habitants du lointain rivage n'ont aucune amitié pour moi, mais ils ne sauraient refuser ce qui meurt d'une mort si naturelle.

— Non, maître ! Je ne puis essayer seul. Ils m'ont renvoyé, et vous êtes là, vous deviez y être. Comment auraient-ils pu ne pas le savoir ?

— Ils ne s'en souciaient pas, Amadeo. Les gardiens des morts sont d'une grande indifférence. Ils parlent d'amour, mais pas de nos longs siècles d'ignorance brouillonne. Quelles sont ces étoiles qui chantent magnifiquement, alors que le monde se languit dans la dissonance ? J'aimerais que tu leur forces la main. (Sa voix faillit se briser de chagrin.) Quel droit ont-ils de m'imposer le fardeau de ton destin ?

Un petit rire, faible et triste, lui échappa.

La fièvre me domina. Une grande vague nauséeuse m'engloutit. Si je bougeais ou parlais, de terribles spasmes me secoueraient, alors que je n'avais rien à rendre. Plutôt mourir.

— Je savais que vous soumettriez la situation à vos puissantes facultés d'analyse, repris-je enfin, m'efforçant de contenir tout sourire amer ou sarcastique pour chercher la simple vérité. (Mon souffle était devenu si laborieux qu'il me semblait que j'arrêterais de respirer sans la moindre difficulté. Les sévères encouragements de Bianca me revinrent à l'esprit.) Il n'existe nulle horreur en ce monde qui ne connaisse au bout du compte la rédemption.

— Sans doute, mais pour certains, quel est le prix du salut ? insista-t-il. Comment tes prêtres osent-ils m'enrôler afin de remplir leurs obscurs dessins ! Je prie qu'ils n'aient été qu'illusions. Ne me parle pas davantage de leur merveilleuse lumière. N'y pense même pas.

— Non ? Et qui suis-je censé réconforter en faisant le vide dans mon esprit ? Qui est en train de mourir, ici ?

Il secoua la tête.

— Allez, messire, poursuivis-je, tirez-vous des yeux des larmes de sang. Quelle mort espérez-vous, quant à vous, puisque à vous non plus, il n'est — paraît-il — pas impossible de mourir ? Expliquez-le-moi, si du moins il reste assez de temps avant que toute la lumière que j'aurai jamais connue ne s'éteigne pour moi et que la terre n'avale le joyau incarné auquel vous avez trouvé un défaut.

— Je ne t'ai pas trouvé de défaut, murmura-t-il.

— Voyons, dites-moi, où irez-vous ? Réconfortez-moi encore un peu, je vous prie. Combien de minutes me reste-t-il ?

— Je l'ignore.

Il se détourna, la tête basse. Jamais je ne l'avais vu aussi désespéré.

— Montrez-moi votre main, demandai-je d'une voix faible. J'ai rencontré dans l'ombre des tavernes vénitiennes des sorcières qui m'ont appris à lire les lignes de la main. Je vais vous dire quand vous mourrez sans doute. Donnez-la-moi.

J'y voyais à peine. Une brume était descendue sur toute chose. Pourtant, je pensais ce que je disais.

— Tu arrives trop tard, m'avertit Marius. Je n'ai plus de telles lignes. (Il me tendit sa paume.) Le temps a effacé chez moi ce que les hommes appellent la destinée. Je n'en ai pas.

— Quel dommage que vous soyez venu. (Je me détournai de lui, au creux du lin frais et propre de l'oreiller.) Voulez-vous bien me laisser, à présent, mon professeur chéri ? Je préférerais voir un prêtre ainsi que mon ancienne infirmière, si vous ne l'avez pas renvoyée chez elle. Je vous ai aimé de tout mon cœur, mais je ne veux pas mourir en votre supérieure compagnie.

Je vis à travers la brume sa haute silhouette s'avancer. Ses mains en coupe étreignirent mon visage, le tournèrent vers lui. Ses yeux bleus brillaient, flammes hivernales indistinctes mais féroces.

— Très bien, bel enfant. Le moment est venu. Veux-tu m'accompagner, devenir mon semblable ?

Sa voix était sonore et apaisante, quoique emplie de souffrance.

— Oui, je veux rester avec vous pour l'éternité.

— Veux-tu prospérer grâce au sang du criminel, comme je le fais moi-même, et conserver le secret jusqu'à la fin du monde, si besoin est ?

— Je le veux.

— Apprendras-tu de moi toutes les leçons que je puis te donner ?

— Oui.

Lorsqu'il me souleva du lit, je m'effondrai contre lui. La tête me tournait, si douloureuse que je laissai échapper un léger cri.

— Un instant, pas plus, mon amour, mon jeune et tendre amour, me dit-il à l'oreille.

Il alla me plonger dans l'eau chaude de la baignoire,

où il m'arracha doucement mes vêtements après m'avoir posé avec les plus grandes précautions la tête sur le rebord carrelé. Mes bras flottaient, le liquide me léchait les épaules.

Marius me lava en me versant de ses mains de l'eau d'abord sur le visage, puis par tout le corps. Le bout de ses doigts durs et satinés courait sur mes traits.

— Tu n'as pas encore le moindre poil de barbe, alors que tu possèdes plus bas tous les attributs de l'homme et qu'il va te falloir t'élever au-dessus des plaisirs que tu as tant aimés.

— Je le ferai, murmurai-je.

Une brûlure terrible me cingla la joue. La coupure était énorme. Je voulus la toucher, mais il m'en empêcha. Ce n'était que son sang tombant dans la plaie suppurante. La chair me picotait, me brûlait, mais je la sentais se refermer. Mon maître procéda de même avec la blessure de mon bras puis l'égratignure de ma main. Les yeux clos, je m'abandonnai à l'étrange extase paralysante qu'il suscitait en moi.

Sa main se posa à nouveau sur mon corps, glissa sur ma poitrine, dépassa mes parties intimes pour me parcourir une jambe, puis l'autre, à la recherche sans doute de la plus petite imperfection, de la plus minuscule coupure. Une fois de plus, les frissons palpitants du plaisir me traversèrent.

Marius me souleva hors de l'eau, m'enveloppa chaudement, puis vint le choc de l'air en mouvement : il m'emportait si vite qu'aucun œil inquisiteur n'eût pu le voir. Mes pieds nus se posèrent sur le marbre, dont le froid saisissant me fut agréable dans ma fièvre.

Nous avions gagné l'atelier, où, le dos tourné à l'œuvre sur laquelle Marius avait travaillé quelques nuits plus tôt seulement, nous nous tenions face à une autre peinture magistrale d'une taille immense : sous un soleil brillant et un ciel bleu de cobalt, se dressait un grand bouquet d'arbres, au sein duquel couraient deux silhouettes fouettées par le vent.

Daphné — les bras tendus vers le ciel se changeant en branches de laurier déjà chargées de feuilles, les pieds transformés en racines cherchant sous elle la terre d'un brun riche ; Apollon, à sa poursuite — beau, désespéré, dieu aux cheveux d'or et aux muscles élégants arrivant trop tard pour suspendre la fuite frénétique de la jeune femme, la métamorphose magique fatale grâce à laquelle elle échappait à son étreinte.

— Regarde les nuages indifférents, me chuchota Marius à l'oreille.

Il montrait du doigt les grands rais de soleil, qu'il avait peints avec plus de talent que ceux qui les contemplaient tous les jours.

Suivirent alors les mots que je confiai à Lestat, il y a bien longtemps, en lui racontant mon histoire, des mots qu'il tira miséricordieusement des quelques images de cette époque que je parvins à lui transmettre.

La voix de Marius résonne encore à mon oreille, lorsque je répète les dernières paroles que j'entendis jamais en tant que mortel :

— Plus jamais tu ne verras d'autre soleil, mais tu auras des milliers de nuits pour voir la lumière comme aucun homme ne l'a vue, et pour arracher aux étoiles lointaines, tel Prométhée, l'éternelle clarté qui illuminera toute chose.

Quant à moi, qui avais contemplé le merveilleux éclat céleste dans le royaume dont on m'avait chassé, je ne souhaitais plus à présent qu'une chose : que mon maître l'éclipsât à jamais.

VIII

Les appartements privés de Marius se composaient d'une suite aux murs couverts de copies parfaites d'œuvres des peintres mortels qu'il admirait tant — Giotto, Fra Angelico, Bellini.

Nous nous trouvions dans la salle où trônait la reproduction de la grande peinture exécutée par Benozzo Gozzoli pour la chapelle des Médicis, à Florence : *Le Cortège des Rois mages*.

Gozzoli avait matérialisé sa vision un demi-siècle plus tôt en la drapant sur trois murs de la petite église.

Mon maître, grâce à sa mémoire et à son talent surnaturels, l'avait déployée sur un seul côté d'une immense galerie.

Elle nous dominait, aussi parfaite que l'originale, avec ses hordes de jeunes Florentins superbement vêtus, dont le moindre visage ivoirin était une étude de l'innocence. Leur troupe aux montures splendides suivait l'exquise silhouette de Laurent de Médicis en personne, damoiseau coiffé de douces boucles blond-brun qui lui arrivaient aux épaules, les joues blanches animées d'une rougeur charnelle. L'air très calme, trônant tel un roi sur un cheval blanc couvert d'un caparaçon magnifique, il paraissait contempler avec indifférence quiconque regardait la peinture, dans sa veste en tissu d'or fourrée ornée de longues manches à crevés. Pas un détail de l'œuvre n'était inférieur aux autres. Jusqu'aux brides et au harnachement des bêtes faits de velours et d'or travaillé, assortis à la tunique de Laurent et à ses hautes bottes rouges.

Pourtant, la fresque enchantait surtout par les visages des jeunes gens ainsi que des quelques vieillards qui composaient l'immense procession, tous dotés de petites bouches sereines et d'yeux dont le regard dérivait de côté, comme si un coup d'œil direct eût brisé le sortilège. Leur cortège sans fin, en route pour Bethléem, laissait derrière lui montagnes et châteaux.

Des dizaines de candélabres d'argent à branches multiples, allumés à des hauteurs diverses des deux côtés de la pièce, illuminaient ce chef-d'œuvre. Les imposantes bougies blanches faites de la cire la plus pure produisaient une lumière luxuriante. Loin au-dessus de nous, un enchevêtrement tempétueux de nuages peints entourait un ovale de saints flottant dans les airs, liés par leurs mains tendues, fixant sur nous un regard heureux, bienveillant.

Nul meuble ne cachait le marbre de Carrare rosé du sol, qu'un motif de vigne au vert feuillage divisait en grands carrés. Pour le reste, il était uni, d'un lustre profond, doux comme la soie sous les pieds nus.

Je contemplai avec la fascination issue d'un cerveau enfiévré cette galerie aux surfaces magnifiques. *Le Cortège des Rois mages*, qui couvrait tout le mur de droite, paraissait émettre une pléthore de sons bien réels quoique étouffés… le crissement léger des sabots, les multiples pas des marcheurs qui suivaient les cavaliers, le bruissement des buissons aux fleurs rouges qu'ils avaient dépassés, jusqu'aux cris lointains des chasseurs, accompagnés de leurs chiens élancés, qui sillonnaient les sentiers des montagnes, à l'arrière-plan.

Mon maître se tenait au centre exact de la galerie. Dépouillé de son habituel velours rouge, il ne portait qu'une robe de tissu doré, dont les longues manches évasées tombaient jusqu'à ses poignets et dont le bas frôlait ses pieds nus.

Ses cheveux, qui lui composaient une auréole brillante, roulaient en douceur jusqu'à ses épaules.

Ma propre robe était tout aussi fine et simple.

— Viens, Amadeo, appela-t-il.

J'étais faible, altéré, tout juste capable de me tenir debout. Il le savait, cependant : nulle excuse ne semblait recevable. J'avançai à pas hésitants, lentement, vers ses bras tendus.

Ses mains se glissèrent derrière mon crâne.

Il retroussa les lèvres. Une impression de terrible, d'effrayante irrévocabilité m'engloutit.

— Tu vas mourir pour m'accompagner dans la vie éternelle, me murmura-t-il à l'oreille. Ne laisse pas une seconde la peur te posséder. Je protégerai ton cœur de mes mains.

Ses dents me blessèrent en profondeur, cruelles, avec la précision de dagues jumelles. Mon cœur me battait aux oreilles. Mes entrailles mêmes se contractaient, tandis que mon estomac se nouait douloureusement. Pourtant, un plaisir sauvage déferlait dans mes veines, se ruait vers les plaies de mon cou. Le sang courait à mon maître, à sa soif, à ma mort inévitable.

Jusqu'à mes mains qui restaient pétrifiées par une sensation vibrante. A vrai dire, il me semblait soudain ne plus être qu'une marionnette composée de simples circuits, tous éclatants, en cet instant où un son bas mais net, contrôlé, me révélait que Marius buvait ma vie. Le bruit de son cœur, lent, régulier, un battement à l'écho profond, m'emplissait les oreilles.

La douleur qui me taraudait les intestins, transmuée par une subtile alchimie, devenait plaisir ; je ne pesais plus rien, je n'avais plus aucune notion de la position que j'occupais dans l'espace. Le pouls de Marius était en moi. Mes mains trouvèrent ses longues boucles satinées mais ne s'en saisirent pas. Je flottais, porté par les

202

seules pulsations de son cœur sur le courant rapide, exaltant de mon sang.

— Je meurs, murmurai-je.

Pareille extase ne pouvait se prolonger.

Soudain, le monde mourut.

Je me tenais, seul, sur un littoral venteux et désolé.

C'était la contrée que j'avais visitée un peu plus tôt, mais comme elle avait changé, privée de son brillant soleil et de ses innombrables fleurs. Les prêtres étaient là, vêtus de robes sombres poussiéreuses qui empestaient la terre. Je les connaissais ; je les connaissais même bien. Par leur nom. Leurs étroites faces barbues, leurs rares cheveux gras, leurs chapeaux de feutre ne me surprenaient pas, non plus que la crasse incrustée sous leurs ongles ou la faim que trahissaient leurs yeux luisants, enfoncés dans leurs orbites.

Ils me firent signe d'avancer.

Ah, oui, je retournais où était ma place. Nous grimpâmes de plus en plus haut, jusqu'au cap sur lequel se dressait la cité de verre lointaine, déserte, abandonnée.

L'énergie en fusion qui avait illuminé les innombrables tours translucides était morte — coupée à la source. Il ne restait rien des couleurs éclatantes, hormis un résidu de teintes ternes sous l'immensité unie d'un ciel désespérément gris. Quelle tristesse de voir cette ville privée de son feu magique.

Un véritable chœur s'en élevait, le tintement étouffé du verre, mais nulle musique n'y vibrait, juste un désespoir à la trouble lumière.

— Avance, Andrei, m'ordonna un des prêtres.

Sa main souillée de petites parcelles de terre compressée se posa sur la mienne, la tira — assez fort pour me faire mal. Je baissai les yeux. Mes doigts étaient maigres, blafards, mes articulations luisantes, comme si la chair s'en était déjà détachée.

Ma peau se fendillait, desséchée et lâche, ainsi que celle de mes compagnons.

Devant nous coulait le fleuve, où filaient de gros

blocs de glace et des enchevêtrements de bois flotté noirci. La crue avait couvert les basses terres environnantes d'un lac boueux. Après avoir traversé les eaux douloureusement froides, nous poursuivîmes notre route, les trois prêtres me servant de guides. Devant nous se dressaient les coupoles autrefois dorées de Kiev, les dômes de la cathédrale Sainte-Sophie, après les massacres et les incendies horribles perpétrés par les Mongols. Les barbares avaient détruit notre cité ainsi que toutes ses richesses, tous ses habitants, tous ses pécheurs attachés au monde matériel.

— Viens, Andrei.

Ce seuil m'était familier. Il ouvrait sur le monastère des Grottes, dont les catacombes n'étaient éclairées que par de rares bougies. L'odeur de la terre nous engloutit, y compris la puanteur de la sueur séchée et de la chair malade.

Entre mes mains reposait le manche en bois grossier d'une petite pelle. Je plongeai l'outil dans la terre. Je fendis la muraille friable jusqu'à ce que mes yeux tombent non sur un cadavre, mais sur un rêveur au visage couvert de poussière brune.

— Toujours en vie, mon frère ? murmurai-je au religieux, dont seule la tête apparaissait.

— Toujours en vie, frère Andrei. Ne me dispense que de quoi me soutenir, répondirent ses lèvres craquelées. (Les paupières blanches ne se levèrent pas.) Je n'en veux pas davantage, afin que Notre Seigneur Jésus-Christ, notre Sauveur, décide de l'instant où je rentrerai chez moi.

— Quel courage, mon frère.

Je portai une cruche d'eau à sa bouche, qui se tacha de boue pendant qu'il buvait. Sa tête retomba dans la terre meuble.

— Et toi, mon enfant, demanda-t-il à travers sa respiration laborieuse, se détournant à peine de la cruche offerte, quand auras-tu la force de choisir parmi nous ta cellule de terre, ta tombe, afin d'y attendre la venue du Christ ?

— Bientôt, mon frère, je l'espère.

Je reculai, la pelle levée.

Alors que je creusais dans la cellule suivante, une puanteur terrible, sur laquelle on ne pouvait se méprendre, ne tarda pas à m'assaillir. Le prêtre qui se tenait à mon côté arrêta ma main.

— Notre bon frère Joseph est à présent avec Notre Seigneur. Très bien, découvre son visage, que nous constations de visu qu'il est mort en paix.

La puanteur s'épaissit. Seuls les cadavres humains empestent autant, l'odeur des tombes abandonnées, des charrettes arrivant des quartiers où l'épidémie est à son comble. La peur d'être malade me vint, mais je continuai à creuser jusqu'à ce qu'enfin apparût la tête du défunt. Un crâne chauve enchâssé dans sa peau rétrécie.

Derrière moi, les moines priaient.

— Referme, Andrei.

— Quand trouveras-tu le courage, mon frère ? Dieu seul le sait...

— Quel courage ?

Cette voix tonitruante m'était familière, de même que l'homme aux larges épaules qui s'avançait d'un pas rapide dans les catacombes, reconnaissable entre tous avec sa barbe et ses cheveux auburn, son justaucorps en cuir et les armes qui pendaient à sa ceinture.

— Voilà donc ce que vous faites de mon fils, le peintre d'icônes !

Il m'attrapa par l'épaule, comme il l'avait fait des milliers de fois, d'une énorme patte qui m'avait à l'occasion battu assez fort pour me priver de conscience.

— Lâchez-moi, voyons, espèce d'âne bâté, murmurai-je. Nous sommes dans la maison de Dieu.

Il me tira vers lui, si bien que je tombai à genoux. Le tissu noir de ma robe se déchira dans le dos.

— Arrêtez, père, et allez-vous-en, insistai-je.

— Enterrer un garçon qui peint comme un ange !

— Taisez-vous, frère Ivan. Il appartient à Dieu de décider de notre avenir.

Les moines se lancèrent à notre poursuite, tandis que l'intrus me traînait jusqu'à la salle de travail. Des icônes y pendaient du plafond par rangées, couvrant tout un mur. Mon père me projeta sur la chaise installée à la grande et lourde table puis souleva le chandelier de fer, garni d'une bougie dont la flamme vacilla, afin d'allumer les cierges environnants.

L'illumination transforma en brasier sa barbe imposante. De longs poils gris jaillissaient de ses gros sourcils diaboliques, coiffés vers le haut.

— Vous vous conduisez comme l'idiot du village, père, murmurai-je. C'est miracle que je ne sois pas moi-même un pauvre demeuré.

— Silence, Andrei. Personne ici ne t'a appris la politesse, à ce que je vois. Tu as besoin d'une bonne correction. (Le coup de poing qu'il m'assena sur le côté du crâne m'engourdit l'oreille.) Je pensais t'avoir assez battu avant de t'amener au monastère, mais visiblement, je me trompais.

Il me frappa derechef.

— Sacrilège ! s'écria le moine debout devant moi. Ce garçon appartient à Dieu.

— Il appartient à une meute de fous, oui. (Mon père sortit un paquet de son manteau avant d'ajouter, méprisant :) Vos œufs, mes frères ! (Il écarta l'enveloppe de cuir souple.) Peins, Andrei. Peins, afin de rappeler à ces déments que Dieu Lui-même t'a accordé le don.

— Et en vérité, Dieu Lui-même commande à son pinceau, s'écria notre aîné à tous, dont les cheveux gris poisseux étaient avec le temps devenus si gras qu'ils viraient au noir.

Il se fraya un passage entre ma chaise et mon père.

Ce dernier posa sur la table tous les œufs sauf un. Penché vers un petit bol en terre, il brisa la coquille du dernier, dont il recueillit le jaune avec soin. Le blanc se répandit sur ses vêtements de cuir sans qu'il y prît garde.

— Tiens, Andrei, là, le jaune pur.

Il soupira, jeta la coquille brisée à terre puis s'empara d'un pichet afin de verser un peu d'eau dans le pot.

— Mélange, prépare tes couleurs et travaille. Rappelle à ces…

— Il travaille lorsque Dieu le lui ordonne, intervint le doyen, et lorsque Dieu lui ordonnera de s'enfouir dans la terre, de mener une existence de reclus, alors il le fera.

— Pas question, riposta mon père. Le prince Michel en personne m'a demandé une icône de la Vierge. Peins, Andrei ! Fais-moi trois tableaux, que je donne au prince celui qu'il m'a réclamé et que j'emporte les autres au lointain château de son frère, Fédor, ainsi qu'il m'en a prié.

— Le château a été détruit, répondis-je avec mépris. Fédor et ses hommes ont été massacrés par les tribus sauvages. Vous ne trouverez rien, là-bas, dans la steppe, rien que des pierres. Vous le savez aussi bien que moi. Nos chevaux nous ont portés assez loin pour que nous le voyions de nos yeux.

— Si le prince le veut, nous irons, s'obstina-t-il. Nous poserons l'icône dans l'arbre le plus proche de l'endroit où son frère a trouvé la mort.

— Vanité, protesta le doyen. Folie.

D'autres moines arrivaient. Un brouhaha de cris s'élevait.

— Parlons net et laissons de côté la poésie ! s'exclama mon père. Il faut que ce garçon peigne. Prépare tes couleurs, Andrei. Dis tes prières, mais attelle-toi à l'ouvrage.

— Vous me faites honte. Je vous méprise. C'est une humiliation que d'être votre enfant. Je ne le suis pas. Je m'y refuse. Fermez votre bouche répugnante, ou je ne peindrai pas.

— Ah, le charmant bambin, tout sucre et tout miel.

Les abeilles qui lui ont laissé ce cadeau lui ont également abandonné leur dard.

Il me frappa à nouveau. Un vertige me prit, cette fois, mais je m'obstinai à ne pas porter les mains à la tête. L'oreille me lançait.

— Vous pouvez être fier de vous, Ivan l'Idiot ! repris-je. Comment voulez-vous que je peigne, alors que je n'y vois même pas ni ne suis capable de me tenir droit sur ma chaise ?

Les moines criaient, tout occupés de leur querelle.

Lorsque je me fus assez éclairci la vue pour distinguer la courte rangée de pots en terre prêts à accueillir le jaune d'œuf allongé d'eau, j'entrepris de réaliser les mélanges. Mieux valait travailler pour les chasser tous de mon esprit. Le rire satisfait de mon père me parvint.

— C'est ça, montre-leur. Montre-leur ce qu'ils veulent enterrer vivant dans la boue.

— Pour l'amour de Dieu, dit le doyen.

— Pour l'amour d'imbéciles. Il ne vous suffit pas d'avoir parmi vous un grand peintre, il vous faudrait un saint.

— Vous ignorez la nature de votre fils. C'était Dieu qui vous guidait lorsque vous nous l'avez amené.

— C'était l'intérêt.

Des halètements stupéfaits s'élevèrent de la foule des religieux.

— Vous mentez, dis-je très bas. Vous savez bien que c'était l'orgueil.

— Oui, l'orgueil, acquiesça le visiteur. Je suis fier que mon enfant parvienne à peindre comme un maître les traits du Christ ou de Sa sainte mère ! Et vous, à qui je confie ce génie, vous êtes trop ignares pour reconnaître son talent.

Je me mis à écraser les pigments dont j'avais besoin : une douce poudre brun-rouge, que je mélangeai longuement avec le jaune d'œuf et l'eau pour en briser le plus petit grain, jusqu'à obtenir une mixture parfaitement lisse, unie et claire, puis du jaune et du rouge.

La querelle se poursuivait au-dessus de ma tête. Mon père leva le poing sur le doyen sans que je me soucie de regarder. Il n'oserait pas. Dans son désespoir, il me donna à la jambe un coup de pied qui me noua les muscles d'une crampe, mais je restai silencieux, absorbé par la confection des peintures.

Un des moines, qui s'était installé à ma gauche, poussa devant moi un panneau de bois propre, badigeonné de blanc et apprêté, en état de recevoir la sainte image.

Enfin, je baissai la tête et fis le signe de la croix à notre manière, en me touchant d'abord l'épaule droite au lieu de la gauche.

— Seigneur Dieu, donnez-moi le pouvoir, donnez-moi la vision, guidez ma main comme seul peut le faire Votre amour !

Aussitôt ces mots prononcés, je me retrouvai le pinceau entre les doigts sans me rappeler l'avoir saisi. Il se mit à courir sur le bois, traçant l'ovale du visage de la Vierge, les lignes tombantes de Ses épaules, le contour de Ses mains jointes.

A présent, les halètements qui s'élevaient étaient les tributs payés à ma peinture. Mon père se mit à rire, rayonnant de satisfaction.

— Ah, mon Andrei, mon petit génie divin, vilainement ingrat, à la langue acérée et moqueuse.

— Merci, père, murmurai-je sur un ton mordant, du fond de ma concentration, presque de ma transe, alors que je regardais moi-même avec émerveillement naître le tableau.

Ici, les cheveux, plaqués au cuir chevelu, divisés par le milieu. Nul besoin d'un instrument pour dessiner une auréole parfaitement ronde.

Les moines tenaient à ma disposition un chiffon propre et des pinceaux nettoyés. J'en saisis un, destiné au rouge que je mêlai de blanc jusqu'à obtenir la couleur de la chair.

— C'est un véritable miracle !

— Justement, frère Ivan, déclara le doyen entre ses dents serrées. C'est un miracle, et Andrei obéira à la volonté de Dieu.

— Il ne s'enterrera pas ici, maudit vieillard, pas tant que je vivrai. Il va m'accompagner dans la steppe.

J'éclatai de rire.

— Ma place est ici, père, affirmai-je avec un sourire sarcastique.

— C'est le plus doué de la famille, et il va m'accompagner dans la steppe, répéta le visiteur aux religieux, dont les protestations s'élevaient tout autour de nous.

— Pourquoi mettre une larme dans l'œil de la sainte Mère de Dieu, frère Andrei ?

— C'est Dieu qui l'y a mise.

— N'est-elle pas la Mère de douleur ? Oh, regardez les plis de sa cape ! Ils sont si beaux.

— Et regardez le Christ ! s'exclama mon père, lui aussi empli de révérence. Pauvre petit bébé divin, qui va bientôt mourir crucifié ! (Pour une fois, sa voix était contenue, presque douce.) Quel don, Andrei. Mais regardez, regardez les yeux de l'enfant, et sa petite main, le gras de son pouce.

— La lumière du Christ est parvenue jusqu'à vous, frère Ivan, déclara le doyen. Elle éclaire même les imbéciles violents de votre sorte.

Les moines faisaient cercle autour de moi. Mon père me tendit une poignée de petites gemmes scintillantes.

— Pour les auréoles, Andrei. Dépêche-toi, nous devons partir, le prince Michel l'a ordonné.

— Folie, vous dis-je !

Tous les religieux se mirent à parler en même temps. Il pivota pour les menacer du poing.

Levant les yeux, je m'emparai d'un autre panneau de bois. La sueur me mouillait le front, mais je poursuivis mon travail.

Les trois icônes étaient terminées.

Je me sentais heureux, purement et simplement heureux. Qu'il était doux de se rouler dans la chaleur de ce bonheur, d'en avoir une telle conscience. J'avais beau n'en rien dire, je savais que le miracle n'avait été possible que grâce à mon père, l'homme gai, aux joues rouges, aux larges épaules et au visage éclatant, à qui rien ne pouvait résister et que j'étais censé haïr.

La Mère éplorée tenait le mouchoir destiné à essuyer ses larmes et le Christ en personne. Epuisé, les yeux troubles, je m'appuyai à mon dossier. Il régnait un froid insupportable. Ah, un feu, même des plus maigre, eût été le bienvenu. Des crampes me tenaillaient la main gauche ; seule la droite restait alerte, préservée par le rythme auquel j'avais peint. Je me fusse volontiers sucé les doigts de l'autre, mais ce n'eût pas été correct, pas ici, en cet instant, alors que toute l'assistance roucoulait autour des icônes.

— C'est un chef-d'œuvre. Dieu y a participé.

Une terrible impression de perte m'envahit : j'étais bien loin de ce moment, du monastère des Grottes auquel j'avais voué mon existence, des religieux, mes frères, de mon père stupide, si orgueilleux malgré son ignorance.

Les larmes me montèrent aux yeux.

— Mon fils, dit-il, me serrant fièrement l'épaule.

Il était beau à sa manière, très fort, imperméable à la peur. C'était un prince parmi ses chiens, ses chevaux et ses suivants — dont j'avais fait partie.

— Laissez-moi tranquille, espèce de gros bœuf stupide.

Je lui souris afin d'aggraver l'insulte, mais il se mit à rire, trop heureux, trop content de moi pour céder à la provocation.

— Regardez ce qu'a peint mon fils.

Un empâtement révélateur s'était glissé dans sa voix. Il allait se mettre à pleurer, alors qu'il n'avait pas bu.

— Ces icônes n'ont pas été faites de main d'homme, affirma le doyen.

— Non, bien sûr ! tonna son interlocuteur, moqueur. Elles sortent juste de celles de mon fils, Andrei, voilà tout.

— Veux-tu placer toi-même les gemmes dans les auréoles, frère Andrei, ou désires-tu que je m'en charge ? me demanda à l'oreille une voix soyeuse.

Déjà, c'était fait — la pâte appliquée, les pierres incrustées, dont cinq dans l'icône du Christ. Le pinceau avait réintégré ma main afin de lisser la chevelure brune de Notre Seigneur, divisée par le milieu et ramenée derrière les oreilles pour n'apparaître qu'en partie autour du cou. Le stylet se matérialisa entre mes doigts, il épaissit et fonça les lettres noires du livre que le Sauveur tenait, ouvert, de la main gauche. Le Seigneur notre Dieu nous regardait, sérieux, voire sévère, depuis Son panneau, Sa bouche rouge bien droite sous les cornes de Sa moustache brune.

— Venez, le prince est là, il veut nous voir.

Au-dehors, il neigeait par bourrasques cruelles. Les religieux m'aidèrent à enfiler mon gilet en peau, ma veste en mouton, puis bouclèrent ma ceinture. Je retrouvai avec plaisir l'odeur du cuir et le froid extérieur. Mon père avait apporté mon épée, une arme lourde, ancienne, gagnée bien longtemps auparavant durant ses combats contre les chevaliers Teutoniques, très loin à l'est. Les gemmes incrustées dans la garde en avaient certes été arrachées, mais c'était toujours une très bonne épée.

Une silhouette à cheval se dessinait à travers la brume neigeuse : le prince Michel en personne, avec sa toque de fourrure, sa cape et ses gants fourrés, le grand seigneur qui régnait sur Kiev pour le compte des conquérants catholiques romains, dont nous rejetions la foi alors qu'ils nous laissaient conserver la nôtre. Il était magnifiquement vêtu, de velours étranger et d'or, étonnante silhouette bien faite pour les cours lituaniennes, sur lesquelles on racontait des histoires fantastiques. Comment pouvait-il supporter Kiev, la cité en ruine ?

Son cheval se cabra. Mon père s'élança pour en attraper les rênes et menaça la bête ainsi qu'il me menaçait.

L'icône destinée au prince Fédor, enveloppée de laine épaisse, m'avait été confiée.

Je portai la main à la garde de mon épée.

— Non, Ivan, vous ne l'entraînerez pas dans cette mission impie ! s'écria le doyen. Prince, votre Excellence, puissant seigneur, empêchez cet homme sans foi d'emmener notre Andrei !

A travers la neige, le visage du souverain m'apparaissait carré, puissant, avec sa barbe et ses sourcils gris, ses grands yeux d'un bleu dur.

— Laissez-le partir, répondit-il. Ce garçon chasse avec Ivan depuis ses quatre ans. Jamais personne n'a aussi luxueusement fourni ma table, ni la vôtre.

Le cheval recula en dansant. Mon père tira sur les rênes, tandis que le prince chassait d'un souffle les flocons posés sur ses lèvres.

Nos montures furent avancées. Un puissant étalon et un hongre plus petit, qui m'avait appartenu avant mon entrée au monastère.

— Je reviendrai, dis-je au vieillard. Accordez-moi votre bénédiction, je vous en prie. Que puis-je contre ce modèle de douceur, d'affabilité et d'infinie piété qu'est mon géniteur, alors que le prince Michel en personne donne ses ordres ?

— Oh, ferme-la, lança mon père. Tu crois que j'ai envie d'entendre ce genre de choses jusqu'au château du prince Fédor ?

— Vous l'entendrez jusqu'en Enfer ! riposta le doyen. Vous conduisez à la mort mon meilleur novice.

— Novice, novice dans un terrier ! Vous prenez les mains qui ont peint des merveilles…

— C'est Dieu qui les a peintes, coupai-je dans un murmure acide. Vous le savez très bien. Aurez-vous l'obligeance d'arrêter cette exhibition de votre impiété et de votre esprit belliqueux ?

J'étais monté à cheval. L'icône, enveloppée de laine, reposait contre ma poitrine.

— Je ne crois pas à la mort de mon frère ! déclara le souverain, s'efforçant de maîtriser son cheval afin de l'amener à côté de celui de mon père. Peut-être les voyageurs ont-ils vu une autre ruine, quelque vieux…

— Il ne reste pas un être vivant dans la steppe, interrompit le doyen, suppliant. N'emmenez pas Andrei, prince. Ne l'emmenez pas, je vous en prie.

Il se mit à courir près de ma monture.

— Tu ne trouveras rien, là-bas, Andrei, que l'herbe sauvage et les bois. Place l'icône dans un arbre, suivant la volonté de Dieu, afin que les Tartares, en la trouvant, sachent qu'Il est tout-puissant. Laisse-la à l'intention des païens, et reviens.

La neige tombait si dru que je ne distinguais plus ses traits.

Je levai les yeux vers les dômes nus de la cathédrale, privés de leur dorure, restes de gloire byzantine négligés des avides envahisseurs mongols qui prélevaient à présent leur tribut par l'intermédiaire de notre prince catholique. Que ma patrie était donc sinistre, désolée. Je fermai les paupières, soupirant après la cellule boueuse des catacombes, après l'odeur de la terre, après les rêves de Dieu et de Sa bonté qui me berceraient, lorsque je serais enseveli.

Reviens-moi, Amadeo. Ne laisse pas ton cœur s'arrêter !

Je pivotai.

— Qui m'appelle ?

L'épais voile blanc des flocons se déchira pour révéler la cité de verre, au loin, noire et scintillante, comme chauffée par la fournaise infernale. La fumée qui s'en élevait allait grossir les nuées menaçantes d'un ciel de plus en plus sombre. Je partis en direction de la ville.

— Andrei !

La voix de mon père, derrière moi.

Reviens-moi, Amadeo. Ne laisse pas ton cœur s'arrêter !

Tandis que je luttais pour maîtriser ma monture, l'icône me chut des bras. Le tissu qui l'enveloppait s'était relâché. Nous continuâmes notre route, encore et encore, le panneau de bois tombant derrière nous, dégringolant la colline, tournoyant, rebondissant d'un coin sur un autre, tombant, tombant, le chiffon de laine s'en écartant. Le radieux visage du Christ apparut.

Des bras puissants m'attrapèrent, me soulevèrent comme pour m'arracher à un tourbillon.

— Lâchez-moi ! protestai-je.

Je regardai en arrière. Sur la terre gelée se détachait l'icône, les yeux fixes, interrogateurs de Jésus.

Des doigts fermes pressaient les deux côtés de mon visage. Mes paupières battirent puis s'ouvrirent. Tout n'était que chaleur et lumière. Juste devant moi, le visage familier de mon maître me dominait. Ses yeux bleus étaient injectés de sang.

— Bois, Amadeo, m'ordonna-t-il. Bois à mon cou.

Ma tête tomba contre sa gorge. Une fontaine rouge bouillonnante jaillissait de sa veine, s'écoulait en un torrent épais sur le col de sa robe dorée. J'emprisonnai cette source entre mes lèvres, j'en lapai le liquide.

Un cri m'échappa tandis que le sang m'enflammait.

— Aspire, Amadeo. De toutes tes forces !

Le flot m'emplit la bouche, qui se colla à la chair blanche soyeuse afin de ne pas en laisser échapper une goutte. J'avalai goulûment. Une vision floue me montra en un éclair mon père chevauchant à travers la steppe, silhouette puissante vêtue de cuir, l'épée attachée à la ceinture, les jambes pliées, les bottes usées, craquelées, fermement engagées dans les étriers. Il partait vers la gauche, s'élevant et s'abaissant avec grâce au rythme des longues enjambées de sa blanche monture.

— Très bien, abandonne-moi, espèce de lâche, d'insolent, de misérable ! (Il regardait droit devant lui.) J'ai prié, Andrei, prié que tu ne restes pas dans leurs répugnantes catacombes, leurs cellules de terre obscures. Voilà donc la réponse que reçoivent mes prières ! Va retrouver Dieu, Andrei, vas-y, vas-y !

Le visage de Marius, attentif et beau, semblait une flamme blanche découpée sur la clarté dorée vacillante des innombrables bougies.

Je gisais sur le sol. Mon corps vibrait de la musique du sang. Lorsque je me remis sur mes pieds, la tête me tourna.

— Maître.

Il se tenait à l'autre extrémité de la pièce, les pieds nus calmement posés sur le marbre rosé, les bras tendus.

— Viens, Amadeo. Viens te reposer.

Je m'efforçai de lui obéir. Les couleurs faisaient rage autour de moi.

— Quelle vérité ! On les jurerait vivants ! m'exclamai-je en remarquant le cortège des Rois mages plongés dans leur quête.

— Viens, Amadeo.

— Je suis trop faible, maître. Je vais m'évanouir et mourir dans cette glorieuse lumière.

Je fis un pas, puis un deuxième, bien que cela me semblât impossible. Posant un pied devant l'autre, je me rapprochai peu à peu de Marius. Puis je trébuchai.

— A quatre pattes, alors, s'il le faut. Viens.

Enfin, je me cramponnai à sa robe. Il me fallait escalader cette hauteur immense si je voulais le Don. Je levai la main pour attraper mon maître au creux du bras puis me hisser vers lui, pressé contre le tissu d'or, raidissant les jambes jusqu'à me tenir debout. Une fois de plus, je l'étreignis ; une fois de plus, je trouvai la source. Je bus.

Un flot précieux dégringola dans mes entrailles, se répandit dans mes jambes et mes bras. J'étais un Titan. J'écrasais Marius de tout mon poids.

— Encore, murmurai-je.

Son sang coulait sur mes lèvres, ruisselait dans ma gorge.

Ce fut comme si ses froides mains de marbre s'étaient emparées de mon cœur. Ce dernier lutta, battit plus fort ; ses valves s'ouvrirent et se refermèrent ; le sang l'envahit avec un bruit humide, suscita sifflements et claquements dans les parties où il se répandit, où il fut utilisé, tandis que l'organe devenait de plus en plus gros et vigoureux, que les veines voisines se faisaient semblables à des tuyaux métalliques indestructibles où circulait un fluide surpuissant.

Je gisais sur le sol. Mon maître se tenait au loin, les mains ouvertes, tendues.

— Lève-toi, Amadeo. Viens, viens dans mes bras prendre ton dû.

Je pleurai. Je sanglotai. Mes larmes étaient rouges ; mes mains aussi.

— Aidez-moi, maître.

— C'est ce que je fais. Il faut que tu viennes le prendre toi-même.

Je me retrouvai sur mes pieds, empli d'une force nouvelle, comme si toutes les limitations humaines s'étaient relâchées, comme s'il s'était agi d'entraves de corde ou de métal à présent tombées. Je me jetai sur Marius, écartant son col pour mieux trouver sa blessure.

— Inflige-moi une nouvelle plaie, Amadeo.

Je mordis sa chair, la transperçai, et le sang jaillit sur mes lèvres. J'y collai la bouche.

— Répandez-vous en moi.

Mes yeux se fermèrent. Je vis la steppe sauvage, l'herbe qui se courbait au vent, le ciel bleu. Mon père chevauchait toujours, suivi de sa petite troupe. En faisais-je partie ?

— J'ai prié que tu t'échappes ! s'écria-t-il en riant, et tu t'es échappé. Maudit Andrei, avec ta langue acérée et tes mains de magicien. Maudit gamin, avec ta grande gueule.

Il riait, riait tout en continuant sa route. L'herbe se penchait, s'aplatissait devant lui.

— Regardez, père ! voulus-je crier, afin de lui montrer les ruines du château.

Mais le sang m'emplissait la bouche. Les moines avaient raison. La forteresse du prince Fédor avait été détruite, et le prince lui-même n'était plus depuis bien longtemps. Soudain, le cheval de mon père se cabra devant le premier tas de pierres couvert de vigne vierge.

Je sentis avec un choc le marbre sous mon corps, merveilleusement chaud. J'étais allongé, les deux mains sur le sol. Je me soulevai. Les entrelacs de veines rosées étaient d'une telle densité, d'une telle épaisseur, d'une telle beauté qu'on eût cru plonger le regard dans de l'eau, figée pour donner la plus belle des pierres. J'eusse volontiers passé l'éternité à en contempler les profondeurs.

— Lève-toi, Amadeo, encore une fois.

Ah, qu'il me fut facile d'accomplir cette ascension, de saisir le bras, puis l'épaule de Marius. Je le blessai au cou. Je bus. Le sang se répandit en moi, dessinant une fois de plus dans un choc ma silhouette tout entière contre la nuit de mon esprit. Je vis le corps de jeune homme qui était mien, bras et jambes, le corps avec lequel j'aspirais la chaleur et la lumière environnantes, tel un énorme organe de la vue, de l'ouïe, du souffle, aux multiples pores. Je respirais par des millions de bouches minuscules quoique puissantes.

Le sang me remplit à ras bord.

Enfin, je me tins devant mon maître. Sur ses traits se devinait une imperceptible lassitude ; dans ses prunelles une ombre de douleur. Pour la première fois, je discernai les véritables rides de son ancienne humanité, les douces pattes d'oie qui marquaient le coin de ses yeux sereins.

Les plis de sa robe scintillaient, car la lumière voyageait sur le tissu au moindre mouvement. Il tendit le doigt vers *Le Cortège des Rois mages*.

— A présent, ton âme et ta forme physique sont liées à jamais. Tes sens vampiriques, la vue, le toucher, l'odorat, le goût, vont te permettre d'explorer le monde entier. Ce n'est pas en t'en détournant pour t'enfermer dans une cellule souterraine obscure, mais en ouvrant les bras à sa beauté illimitée, que tu découvriras la splendeur absolue de la création divine et les miracles qu'un Dieu indulgent permet aux hommes de réaliser.

La multitude vêtue de soie du cortège paraissait bouger. Une fois de plus, j'entendis les sabots marteler la terre meuble, les pieds bottés s'agiter. Une fois de plus, je vis les chiens bondir au loin à flanc de montagne, les buissons vaciller sous la pression de la foule qui les écartait, les pétales s'envoler des fleurs. Des animaux fabuleux gambadaient dans les bois épais. Le fier prince Laurent de Médicis, à califourchon sur sa monture, tourna la tête pour me regarder exactement comme l'avait fait mon père. Le monde derrière lui s'étendait à l'infini, avec ses blancs à-pics rocheux, ses chasseurs aux chevaux bruns, ses chiens joueurs.

— C'est fini, maître, dis-je.

Et ma voix, en réponse à tout ce que je voyais, était extraordinairement pleine et sonore.

— Quoi donc, mon enfant ?

— La Russie, le monde des terres sauvages, des terribles cellules obscures au cœur moite de notre mère la Terre.

Je tournai sur moi-même. Une fumée s'élevait de la forêt de bougies, dont la cire rampait sur l'argent ciselé des chandeliers puis tombait par gouttes jusqu'au sol luisant, immaculé — le sol qui était un océan, si transparent soudain, si soyeux, dominé par l'azur infini le plus doux. Dans ce ciel flottaient des nuages peints dont semblait émaner la brume, tiède brouillard d'été où se mêlaient la terre et l'eau.

Une fois de plus, je contemplai la peinture. Je m'en approchai pour y appuyer les mains, levant les yeux vers les blancs châteaux perchés sur les collines, les arbres bien entretenus, la sublime contrée sauvage qui attendait, patiente, la promenade paresseuse de mon regard à la clarté cristalline.

— Tout cela ! murmurai-je.

Il n'existait pas de mots pour décrire les profondes nuances d'or et de brun dont se composait la barbe du Roi mage exotique, les ombres jouant sur la tête du cheval blanc ou le visage de l'homme au cheveu rare qui le menait, la grâce des chameaux au cou arqué, l'écrasement des fleurs luxuriantes sous les pieds silencieux.

— Je la vois de tout mon être, soupirai-je.

Les yeux clos, je me pressai contre la fresque, dont je me rappelais le moindre détail. Le dôme de mon esprit devint la galerie même, avec le grand mur coloré, peint de ma main.

— Je la vois sans la moindre omission, repris-je.

Le bras de mon maître m'entoura la poitrine. Un baiser se posa sur mes cheveux.

— Et la cité de verre, la vois-tu encore ? me demanda-t-il.

— Je la recrée ! m'exclamai-je.

Je laissai ma tête rouler sur son torse puis relevai les paupières, afin de prendre dans la peinture tumultueuse qui se trouvait devant moi les couleurs exactes dont je voulais construire en imagination la métropole de verre bouillonnant, jusqu'à ce que ses tours percent le ciel.

— Elle est là. La voyez-vous ?

Je la décrivis en un torrent de paroles enchevêtrées et rieuses, avec ses flèches bleues, vertes ou jaunes qui étincelaient et semblaient onduler, dans la lumière céleste.

— La voyez-vous ? répétai-je.

— Non, mais toi, si, répondit Marius. C'est plus qu'assez.

En ce matin nocturne, nous nous vêtîmes dans la pénombre de notre chambre.

Rien ne m'était difficile ; aucun objet ne possédait son poids ou sa résistance d'autrefois. Il me suffisait de faire courir mes doigts le long de mon pourpoint pour le boutonner.

Le maître et moi nous précipitâmes dans les escaliers, qui disparurent littéralement sous nos pas, puis au cœur de la nuit.

Escalader les murs limoneux d'un palazzo me fut facile ; ancrer les orteils l'un après l'autre dans les creux de la pierre, me tenir en équilibre sur un pied de fougère et une vrille de vigne vierge en attrapant la grille d'une fenêtre puis en la descellant d'une traction, rien de tout cela n'offrit la moindre difficulté. Je laissai le lourd quadrillage de métal tomber dans l'eau scintillante. Ce fut un plaisir que de le regarder couler, de contempler les éclaboussures soulevées par sa masse qui sombrait, de voir jouer l'éclat des torches dans les flots.

— Je sombre, moi aussi.

— Viens.

A notre entrée, un homme se leva de son bureau. Une écharpe de laine protégeait sa gorge du froid. Sa robe bleu foncé s'ornait de rayures dorées brodées de perles. Il était riche ; banquier ; ami du Florentin, dont la disparition ne lui tirait pas une larme. Penché sur des pages de vélin au parfum d'encre noire, il calculait au contraire les inévitables gains qui découlaient du meurtre de ses partenaires, par la lame ou le poison, semblait-il, dans une salle de banquet privée.

Devinait-il à présent que ces assassinats étaient l'œuvre de l'homme en cape rouge et de l'adolescent aux cheveux auburn qui s'introduisaient par la fenêtre au troisième étage de son palazzo, en cette glaciale nuit d'hiver ?

Je l'enlaçai comme s'il avait été l'amour de ma jeune vie, puis déroulai l'écharpe entourant l'artère où j'allais me nourrir.

Il m'implora d'arrêter, de fixer mon prix. Le maître, d'une parfaite immobilité, ne regardait que moi tandis que l'inconnu me suppliait sans entamer mon indifférence, tout occupé que j'étais à chercher la grosse veine palpitante, irrésistible, de sa gorge.

— Votre vie, messire, voilà ce qu'il me faut, murmurai-je. Les voleurs ont un sang capiteux, ne croyez-vous pas ?

— Ah, enfant, s'écria-t-il, toute détermination réduite à néant. La justice divine revêt-elle vraiment une forme aussi inattendue ?

Acre, piquant, doté d'une odeur étrangement puissante — voilà comment je trouvai le sang humain. Parfumé par le vin qu'avait bu le banquier et les épices de sa nourriture, il me parut presque pourpre à la clarté des lampes, lorsqu'il me coula sur les doigts avant que je ne pusse les lécher.

A la première gorgée, je sentis s'arrêter le cœur de l'homme.

— Doucement, Amadeo, murmura Marius.

Je relâchai mon étreinte, et les battements reprirent.

— Voilà, bois lentement, très lentement, en laissant le cœur t'envoyer le sang, oui, parfait, et attention à tes doigts, ne fais pas souffrir plus qu'il n'est besoin ce malheureux, car il souffre puisqu'il connaît la pire destinée possible : se savoir en train de mourir.

Nous avancions ensemble le long du quai étroit. Je n'avais plus besoin de veiller à mon équilibre, malgré mon regard perdu dans les profondeurs des eaux clapotantes, animées par la grâce des multiples canaux tapissés de pierre qui les reliaient à la mer. La mousse verte humide des pavés m'attirait les doigts.

Nous nous immobilisâmes sur une petite piazza déserte, devant les portes d'une église, pour l'heure fermées. Toutes les fenêtres étaient obstruées, tous les battants verrouillés. Le couvre-feu. Le calme.

— Encore une fois, bel enfant, pour que tu sois fort, me dit Marius, avant de me percer de ses crocs assassins tandis que ses mains me retenaient prisonnier.

222

— Me tromperiez-vous, maître ? Me tueriez-vous ? murmurai-je, impuissant.

Quelque surnaturel effort que je fournisse, je ne parvenais pas à me libérer de son étreinte.

Il me tira le sang en un raz de marée qui me laissa les bras mous et tremblants, les pieds tressautants comme à un pendu. Je luttai pour ne pas perdre conscience. Je cherchai à repousser Marius, mais le flot continua à sortir de moi, de toutes mes fibres, pour plonger en lui.

— A présent, Amadeo, prends-le encore une fois, toi aussi.

Il m'assena à la poitrine un coup précis qui faillit me renverser. J'étais si faible que je tombai en avant, me rattrapant au dernier moment à sa cape. Cela me permit de me redresser et de lui passer le bras autour du cou. Il fit un pas en arrière, très droit, afin de me compliquer les choses, mais j'étais trop décidé — il m'avait trop provoqué — pour ne pas savoir répéter ses leçons.

— Très bien, mon doux maître, dis-je en lui déchirant la peau. Je vous tiens, et je vous tirerai la dernière goutte, à moins que vous ne soyez rapide, très rapide.

Alors seulement je réalisai ! Moi aussi, je possédais de petits crocs !

Il se mit à rire tout bas, et mon plaisir s'en trouva aiguisé — que celui dont je me nourrissais rît sous mes crocs tout neufs.

Alors que je cherchais de toutes mes forces à lui arracher le cœur de la poitrine, j'eus conscience de son cri, puis de sa surprise amusée. J'aspirai son sang un long moment, avalant dans un vilain bruit rauque.

— Criez encore ! murmurai-je sans cesser de boire avec avidité. (Mes dents, mes dents plus longues, plus aiguës, devenues crocs conçus pour pareille boucherie, agrandissaient la plaie.) Allons, messire, demandez grâce !

Son rire m'était doux.

Je le saignais à longues gorgées, heureux et fier de son hilarité impuissante, du fait qu'il était tombé à genoux sur la place, immobilisé dans mon étreinte, qu'il lui fallait lever le bras pour m'écarter.

— Je ne peux en prendre davantage ! déclarai-je en m'allongeant sur le sol.

Le ciel gelé, d'un noir d'encre, était troué de blanches étoiles scintillantes. Je le contemplai, délicieusement conscient de la pierre sous mon corps, dure à mon dos et à ma tête. Peu m'importaient à présent la saleté, l'humidité, les risques de maladie. Peu m'importaient les créatures nocturnes rampantes, les réflexions des gens qui guettaient à leur fenêtre, l'heure tardive. Regardez-moi, étoiles. Regardez-moi, ainsi que je vous regarde.

Les yeux minuscules du ciel, silencieux et brillants.

Alors vint la mort. Une douleur foudroyante naquit dans mon estomac, se communiqua à mes entrailles.

— Tout ce qu'il reste en toi de mortel va te quitter, m'avertit le maître. N'aie pas peur.

— Plus de musique ? murmurai-je.

Je roulai sur le sol afin de le prendre dans mes bras, lui qui reposait à mon côté, la tête sur le coude. Il m'attira à lui.

— Veux-tu que je te chante une berceuse ? me demanda-t-il avec douceur.

Je m'écartai. Un liquide nauséabond s'écoulait à présent de moi. La honte instinctive que j'en ressentais s'évanouit cependant peu à peu. Marius me souleva, aussi aisément qu'à l'ordinaire, et me pressa le visage contre sa gorge. Une bourrasque m'enveloppa.

Puis ce furent des eaux froides, tandis que la houle caractéristique de l'Adriatique me ballottait. Les flots salés, délicieux, ne recelaient nulle menace. J'y tournai et tournoyai avant de chercher à me repérer, car j'étais seul. Je me trouvais au large, près du Lido. Lorsque je regardai en direction de l'île principale, je distinguai, à travers le grand rassemblement des bateaux à l'ancre, les torches flamboyantes qui éclairaient le palais des doges. La vision était surnaturellement claire.

Les voix mêlées du port obscur me parvenaient comme si j'avais nagé parmi les navires.

Quel remarquable pouvoir que celui qui me permettait de les entendre, d'en isoler une pour épier ses marmonnements matinaux puis de passer à une deuxième afin de laisser d'autres paroles me pénétrer.

Je flottai ainsi sous les cieux jusqu'à ce que toute douleur m'eût quitté. Lorsque je me sentis nettoyé, je me refusai à rester seul plus longtemps. Je roulai sur moi-même puis me mis à nager sans effort vers le port, dissimulé sous la surface dès que je me rapprochai des bateaux.

Quelle ne fut pas ma stupeur en m'apercevant que j'y voyais sous l'eau ! Il s'y trouvait assez de vie pour que mes yeux vampiriques discernent les énormes ancres logées dans le fond boueux de la lagune ou le ventre incurvé des galères. Un monde sous-marin complet que j'eusse volontiers exploré, mais la voix de Marius me parvint — non sa voix télépathique, comme je dirais de nos jours, mais sa voix audible. Il m'appelait tout bas, me demandant de regagner la piazza où il m'attendait.

Je me dépouillai de mes vêtements puants et sortis de l'eau, nu, puis me hâtai vers lui dans la nuit glaciale, ravi que le froid lui-même eût si peu d'importance. Lorsque je vis le maître, j'ouvris les bras, souriant.

Il tenait une cape de fourrure, qu'il déploya pour me recevoir, m'en frottant les cheveux afin de les sécher puis l'enroulant autour de moi.

— Tu découvres ta liberté toute neuve. Tes pieds nus ne redoutent plus le froid terrible de la pierre. Si tu te coupes, ta peau est si solide qu'elle guérit aussitôt. Nulle petite bête rampante de la nuit ne te répugne. Aucune ne peut te faire le moindre mal. Pas plus que la maladie. (Il me couvrit de baisers.) Le sang le plus pestilentiel te nourrit, purifié par ton corps surnaturel. Tu es une créature puissante, et au fond de toi… dans la poitrine sur laquelle je pose la main, bat un cœur humain.

— Vraiment, maître ? demandai-je, ragaillardi et joueur. Pourquoi reste-t-il si humain ?

— Me trouves-tu inhumain, Amadeo ? Ou cruel ?

Mes cheveux, qui avaient rejeté l'eau, étaient presque secs. Nous quittions la place, bras dessus, bras dessous, moi enveloppé de la lourde cape en fourrure.

Comme je ne répondais pas, Marius s'arrêta pour m'enlacer derechef et se remettre à m'embrasser avec avidité.

— Vous m'aimez, dis-je, tel que je suis à présent plus encore qu'auparavant.

— Oh, oui, acquiesça-t-il. (Il me serra brusquement puis couvrit ma gorge de baisers, mes épaules, avant de passer à ma poitrine.) Je ne risque plus de te blesser, maintenant, de souffler ta vie dans une étreinte involontaire. Tu es mien, tu participes de ma chair et de mon sang.

Il s'interrompit. Les larmes coulaient sur ses joues, et il ne voulait pas que je les visse. Lorsque je cherchai à saisir son visage de mes mains impertinentes, il se détourna.

— Je vous aime, maître, dis-je.

— Sois attentif, ordonna-t-il en m'écartant, visiblement agacé par sa propre émotion. (Il montra le ciel.) Tu sauras toujours quand vient le matin, si tu es attentif. Perçois-tu son approche ? Entends-tu chanter les oiseaux ? Il en existe de par le monde entier qui chantent juste avant l'aube.

Une pensée me vint, terrible : le chant des oiseaux m'avait manqué, dans les profondeurs du monastère des Grottes. Je l'avais trop aimé lorsque je chassais avec mon père dans la steppe, chevauchant de bosquet en bosquet. Nous n'étions jamais restés bien longtemps à Kiev, parmi les misérables taudis du bord du fleuve, entre ces excursions interdites au cœur des contrées sauvages dont tant d'hommes ne revenaient pas.

Mais c'était le passé. Autour de moi s'étendait la Sérénissime République et la tendre Italie tout entière. Mon maître était là, et la magie voluptueuse de la transformation.

— Voilà pourquoi je me suis enfoncé dans la steppe, murmurai-je. Voilà pourquoi, en ce dernier jour, il est venu me tirer du monastère.

Marius me fixa avec tristesse.

— Je l'espère, acquiesça-t-il. Ce que je connais de ton passé, je l'ai lu dans ton esprit lorsqu'il m'était ouvert, mais il m'est fermé, à présent, parce que j'ai fait de toi un vampire, de même que j'en suis un. Il nous est à jamais impossible de connaître l'esprit de l'autre. Nous sommes trop proches, le sang que nous partageons nous assourdit de son rugissement dès que nous cherchons à nous parler en silence. Ainsi ai-je renoncé pour toujours aux terribles images de ce monastère souterrain qui brillent d'un si vif éclat parmi tes pensées, quoique toujours dans la souffrance, presque le désespoir.

— Oui, le désespoir, mais tout cela s'en est allé telles les pages arrachées d'un livre puis jetées au vent.

Il repartit d'un pas vif. Au lieu de rentrer chez nous, nous suivîmes à travers les bas quartiers un chemin que je ne connaissais pas.

— Nous gagnons notre berceau, qui est notre crypte, annonça-t-il. Notre lit, qui est notre tombeau.

Nous pénétrâmes dans un vieux palazzo délabré, occupé par quelques miséreux endormis, qui ne me plut pas. Marius m'avait élevé dans le luxe. Mais, bientôt, nous atteignîmes une cave — ce qui semblait pourtant impossible au sein de la fétide, de l'humide Venise. Nous descendîmes des escaliers de pierre, franchîmes d'épaisses portes de bronze que de simples hommes n'eussent pu ouvrir, jusqu'à trouver dans un noir d'encre la dernière pièce.

— Voilà un tour qu'une nuit tu seras capable de réaliser, toi aussi, murmura Marius.

Des craquements désordonnés frappèrent mon oreille, suivis d'une petite explosion. Une grande torche brûlait dans sa main, allumée par son seul esprit.

— Chaque décennie te rendra plus fort, puis chaque siècle, et tu t'apercevras plus d'une fois au cours de ta longue vie que tes pouvoirs ont accompli une avancée magique. Teste-les avec prudence, dissimule-les, uses-en intelligemment. N'en refuse aucun, car c'est aussi stupide que de refuser sa force lorsqu'on est homme.

J'acquiesçai, fasciné par la flamme. Jamais encore je n'avais vu de telles couleurs dans le feu. Il ne m'inspirait nulle aversion, bien que je susse que rien d'autre ne pouvait me détruire. Marius ne me l'avait-il pas affirmé ?

Il fit un geste. Je devais examiner les lieux.

Quelle pièce magnifique. Toute pavée d'or ! Le plafond même en était d'or. Deux sarcophages de pierre attendaient en son centre, gravés d'une silhouette dessinée à l'ancienne mode, sévère, trop solennelle pour être réaliste. Je m'aperçus de plus près qu'il s'agissait d'un chevalier portant heaume, longue tunique et grande épée au côté, les mains gantées jointes pour la prière, les yeux clos dans un sommeil éternel. Chaque cercueil avait été doré, couvert d'une feuille d'argent puis incrusté d'innombrables gemmes minuscules. La ceinture des chevaliers s'ornait d'améthystes, le col de leur tunique de saphirs, le fourreau de leur arme de topazes.

— Pareille fortune ne tenterait-elle pas les voleurs ? demandai-je. A attendre ainsi sous une demeure en ruine ?

Marius éclata de rire.

— Tu veux déjà m'enseigner la prudence ? s'amusa-t-il. Petit insolent ! Nul voleur ne peut s'introduire ici. Tu ne t'es pas rendu compte de ta propre force, lorsque tu as ouvert les portes. Regarde le verrou que j'ai tiré derrière nous, puisque tu es si inquiet. Et voyons si tu parviens à soulever le couvercle de ce sarcophage. Vas-y. Vérifions si tu es aussi fort qu'impertinent.

— Je ne voulais pas vous manquer de respect, protestai-je. Dieu merci, vous gardez le sourire.

Je soulevai le couvercle puis en poussai l'extrémité

inférieure de côté. Il me semblait ne rien peser, alors qu'il était de lourde pierre.

— Ah, je vois, avouai-je, piteux.

J'adressai à Marius un sourire radieux, innocent.

— Installe-toi dans ton berceau, mon enfant, dit-il. N'aie pas peur, en attendant le lever du soleil. Lorsqu'il arrivera, tu dormiras à poings fermés.

— Ne puis-je dormir avec vous ?

— Non, allonge-toi dans le lit que je t'ai préparé il y a bien longtemps. Là est ta place. La mienne, bien étroite, se trouve juste à côté, et elle n'est pas assez grande pour deux. Mais tu m'appartiens, à présent, Amadeo, tu m'appartiens. Accorde-moi une dernière moisson de doux baisers, oh oui, si doux…

— Ne me laissez jamais vous fâcher, maître. Ne me laissez jamais…

— Non, Amadeo. Défie-moi, remets-moi en question, sois mon élève effronté et ingrat.

L'air un peu triste, il me repoussa gentiment et me montra le cercueil. Le satin damassé luisait de toute sa pourpre.

— Ainsi donc je repose là, si jeune, murmurai-je.

Une ombre de douleur passa sur son visage à ces mots, que je regrettai aussitôt. J'eusse voulu dire quelque chose pour les effacer, mais il me fit signe de m'installer.

Ah, quel froid terrible, au diable les coussins, et quelle dureté. Je remis le couvercle en place au-dessus de moi puis restai immobile, l'oreille tendue au bruit de la torche qu'on éteignait, au grincement de la pierre sur la pierre lorsque Marius ouvrit son propre sarcophage.

Sa voix me parvint :

— Bonne nuit, mon jeune amour, mon enfant bien-aimé, mon fils, disait-elle.

Je laissai mon corps s'amollir. Cette simple détente me parut délicieuse. Tout m'était neuf.

Loin, très loin, dans le pays où j'étais né, les moines chantaient au cœur du monastère des Grottes.

Somnolent, je réfléchis à tout ce que je m'étais remémoré. J'étais retourné chez moi, à Kiev. J'avais fait de mes souvenirs un tableau m'ayant enseigné tout ce qu'ils pouvaient m'apprendre. Je consacrai mes derniers moments de conscience nocturne à leur dire adieu pour toujours, à prendre congé de mes anciennes croyances et restrictions.

Je revis *Le Cortège des Rois mages* dans sa splendeur éclatante, sur le mur de la galerie, avec sa foule que j'étudierais à mon aise une fois le soleil couché. Il me semblait, dans mon âme sauvage et passionnée, dans mon cœur vampirique tout neuf, que les Rois n'étaient pas seulement venus célébrer la naissance du Christ mais aussi ma propre renaissance.

IX

Si j'avais pensé que ma transformation mettrait fin à la tutelle de Marius ou à mon apprentissage, j'avais eu grand tort. Je n'eus pas aussitôt la liberté de me vautrer dans les joies de mes nouveaux pouvoirs.

La nuit qui suivit ma métamorphose, mon éducation commença pour de bon. Il fallait à présent m'armer non pour une vie temporaire, mais pour l'éternité.

Le maître me révéla que sa création en tant que vampire remontait à près de quinze cents ans et qu'on trouvait des êtres de notre sorte par le monde entier. Dissimulés, méfiants, pour la plupart misérablement solitaires, les errants de la nuit, ainsi qu'il les appelait, étaient souvent bien mal préparés à l'immortalité. Ils ne faisaient de leur existence qu'une longue suite de tristes catastrophes, jusqu'à ce que le désespoir les consumât, les poussant à s'immoler dans un affreux brasier ou à la lumière du soleil.

Quant aux plus âgés qui, comme lui, avaient résisté au passage des empires et des époques, c'étaient en majorité des misanthropes. Ils cherchaient une cité où obtenir sur les mortels l'autorité suprême puis la débarrassaient des jeunes vampires désireux de partager leur territoire, même si cela signifiait qu'il leur fallait détruire des frères de race.

Marius régnait en maître incontesté sur Venise, sa

réserve de chasse, l'arène privée où il présidait aux jeux qu'il considérait comme importants pour lui à ce moment de sa vie.

— Tout ce qui est disparaîtra, disait-il, sauf toi. Ecoute-moi bien, car mes leçons sont avant tout des cours de survie ; les fioritures viendront plus tard.

La règle de base était que nous tuions les « malfaisants », et eux seulement. Cette loi avait été imposée aux buveurs de sang dans les siècles brumeux des temps anciens. Aux jours du paganisme, une religion incertaine avait grandi autour d'eux, puisqu'ils avaient alors été révérés comme ceux par lesquels la justice s'exerçait sur les mauvaises gens.

— Nous ne devons plus laisser pareille superstition s'emparer de nous et de nos pouvoirs. Nous ne sommes pas infaillibles. Dieu ne nous a donné nulle loi. Nous parcourons la Terre tels les grands félins leurs jungles immenses, et nous n'avons pas plus de droits sur nos proies que n'importe quelle autre créature décidée à survivre.

« Mais tuer des innocents te conduira immanquablement à la folie. Crois-moi, pour conserver la paix de l'esprit, ne te nourris que des malfaisants, apprends à les aimer dans toute leur bassesse et leur dégénérescence, instruis-toi des visions de leur méchanceté qui t'empliront fatalement le cœur et l'âme au moment de la mise à mort.

« Attaque-toi à l'innocent, et tôt ou tard, tu te sentiras coupable, ce qui te mènera à l'impuissance puis enfin au désespoir. Tu peux te croire trop froid, trop impitoyable pour cela. Tu peux te sentir supérieur aux êtres humains et excuser tes excès de prédateur en affirmant que tu cherches juste le sang nécessaire à ta vie. Mais au bout du compte, cela ne te vaudra rien.

« Tu finiras par admettre que tu es moins monstre qu'humain, que tout ce qu'il y a en toi de noble provient de ton humanité, qu'une nature exaltée fait attacher plus de valeur encore à l'humain. La pitié te viendra pour tes victimes, même les plus irrécupérables. Tu éprouveras envers les hommes un amour si désespéré que, certaines nuits, la faim te semblera préférable à un repas de sang. »

Je le croyais de tout mon cœur. Très vite, je me mis à explorer en sa compagnie les bas-fonds obscurs de Venise, le monde sauvage des tavernes et du vice que jamais le mystérieux « apprenti » de Marius De Romanus, avec ses vêtements de velours, n'avait réellement vu. Certes, je connaissais des tripots, des courtisanes à la mode telles que notre Bianca bien-aimée, mais je n'avais aucune véritable expérience des voleurs et des criminels dont je me nourrissais à présent.

Ce qu'avait voulu dire le maître en affirmant que je devais prendre goût à la méchanceté et n'en pas changer devint bientôt évident. Chaque meurtre rendait plus intenses les visions que m'envoyaient mes victimes. Très vite, de brillantes couleurs m'apparurent au moment de la mise à mort. Je les voyais même parfois danser autour de ma proie alors que je me préparais à fondre sur elle. Certains hommes marchaient enveloppés d'une ombre rougeâtre, d'autres émettaient une lumière orange incendiaire. La colère des plus vils et des plus tenaces se trahissait souvent par une aura d'un jaune aveuglant, qui me brûlait autant lorsque je les attaquais que plus tard, pendant que je les vidais de leur sang.

Je fus au début un tueur effroyablement violent et impulsif. Une fois déposé par Marius dans un repaire d'assassins, je me mettais au travail avec une fureur maladroite, tirant ma proie de la taverne ou du bouge, l'acculant sur le quai puis lui déchirant la gorge à la manière d'un chien sauvage. Mon avidité était telle que je lui brisais souvent le cœur en buvant. A peine l'organe arrêté, à peine l'homme mort, plus rien ne pousse le sang vers le vampire, ce qui amoindrit son plaisir.

Mais le maître, malgré ses grands discours sur les vertus des humains et son insistance obstinée quant à notre responsabilité, ne m'en apprit pas moins à tuer en finesse.

— Bois lentement, disait-il.

Nous marchions sur les quais étroits, lorsqu'il y en avait. Nous voguions en gondole, notre oreille surnaturelle tendue vers des conversations qui semblaient s'adresser à nous.

— La plupart du temps, où qu'elle se trouve, il est inutile d'aller chercher ta proie. Attends à l'extérieur, déchiffre ses pensées, jette ton hameçon en silence. Si tu lis dans l'esprit d'un homme, tu peux être quasi certain qu'il reçoit ton message. Tu es à même de le leurrer sans un mot, d'exercer sur lui une irrésistible attraction. Il te suffit ensuite de le prendre lorsqu'il vient à toi.

« Il n'est jamais nécessaire de le faire souffrir ou de répandre son sang. Etreins ta victime, aimè-la si tu veux. Prends le temps de la caresser puis enfonce tes crocs en elle avec précaution. Nourris-toi alors le plus lentement possible. Ainsi, son cœur te mènera au bout de ton repas.

« Quant aux visions et aux couleurs dont tu me parles, essaie d'en tirer une leçon. Que l'agonisant t'apprenne ce qu'il peut de la vie. Si des images de sa longue existence défilent devant toi, observe-les, ou plutôt, savoure-les. Aspire-les sans hâte, ainsi que son sang. Laisse les couleurs te pénétrer, l'expérience tout entière t'inonder. Sois à la fois actif et totalement passif. Fais l'amour à ta victime. Et tends toujours l'oreille pour saisir le moment où son cœur cesse en effet de battre. Tu éprouveras une sensation indéniablement orgiastique, mais qu'il est possible de manquer.

« Ensuite, débarrasse-toi du corps, ou assure-toi que tu as léché la gorge afin d'en effacer toute trace de piqûre. Une seule goutte de ton sang sur le bout de ta langue en viendra à bout. A Venise, les cadavres sont monnaie courante. Inutile de te donner tant de mal. Mais si nous allons chasser dans les villages des environs, il nous faudra souvent enterrer nos victimes. »

J'écoutais ces cours avec avidité. Chasser en compagnie de Marius était un plaisir grandiose. Je compris très vite qu'il s'était montré bien maladroit, lors des meurtres dont j'avais été témoin avant ma transformation. Il avait voulu me voir éprouver de la pitié pour ses proies, me soulever d'horreur, me montrer la mort comme abominable. Son intention ne m'avait pas échappé, je pense l'avoir clairement montré dans cette histoire, mais ma jeunesse, ma dévotion à son égard et les violences qui m'avaient été infligées au cours de ma brève existence m'avaient empêché de réagir ainsi qu'il l'espérait.

Quoi qu'il en fût, il se révélait à présent un tueur beaucoup plus habile. Nous prenions souvent ensemble la même victime, à la gorge de laquelle je m'abreuvais tandis qu'il buvait à son poignet. Parfois, il se plaisait à tenir l'homme bien serré pendant que je le vidais de son sang.

Comme j'étais nouveau-né, chaque nuit me découvrait altéré. Je pouvais en passer trois ou quatre sans tuer, certes, et il m'arrivait de le faire, mais lorsque débutait ma cinquième nuit de privation — l'expérience fut menée — j'étais trop faible pour quitter mon sarcophage. Ce qui signifiait que, lorsque je serais livré à moi-même, si cela arrivait, il me faudrait tuer toutes les quatre nuits au moins.

Mes premiers mois furent une véritable orgie. Chaque meurtre me semblait plus excitant, plus délicieux, que le précédent. La seule vue d'une gorge dévoilée pouvait déchaîner en moi une telle frénésie que je me transformais en bête, incapable de parler ou de se dominer. Dès que j'ouvrais les yeux dans la froide obscurité de la pierre, je voyais de la chair humaine. Je la sentais contre mes paumes. Je la voulais. La nuit ne comportait pour moi aucun événement tant que je n'avais pas posé ma main puissante sur celui qui serait sacrifié à mon besoin.

Après la mise à mort, de délicieuses palpitations me

traversaient un long moment, tandis que le sang chaud, odorant, se répandait dans le moindre recoin de mon corps, qu'il me faisait monter sa sublime chaleur au visage.

Cela seul suffisait à m'absorber totalement, balbutiant comme je l'étais.

Mais Marius n'entendait pas me laisser me rouler dans le sang, jeune prédateur emporté dont la seule pensée était de se gorger nuit après nuit.

— Il faut te mettre à apprendre sérieusement l'histoire, la philosophie et le droit, me disait-il. Tu n'es plus destiné à l'Université de Padoue, à présent, mais à durer.

Aussi, nos missions secrètes accomplies, la chaleur du palazzo retrouvée, me forçait-il à me plonger dans mes livres. Il voulait de toute manière mettre une certaine distance entre les autres apprentis, y compris Riccardo, et moi, de crainte qu'ils ne se missent à soupçonner ma métamorphose.

En fait, d'après lui, ils « savaient » que j'avais été transformé, qu'ils s'en rendissent compte ou non. Leur corps savait que je n'étais plus humain, bien que leur esprit pût mettre un moment à l'accepter.

— Ne sois avec eux que courtoisie et amour, qu'indulgence, toujours, mais garde tes distances, me conseilla-t-il une nuit. Lorsqu'ils comprendront que l'impensable s'est produit, tu leur auras prouvé que tu n'es pas devenu leur ennemi, que tu es resté Amadeo, leur camarade bien-aimé, et que malgré le changement survenu en toi, tu n'as en rien changé à leur égard.

Je le compris très bien. Ma tendresse pour Riccardo, pour tous les apprentis, s'en trouva augmentée.

— Mais ne vous impatientent-ils jamais, maître ? demandai-je. Leur esprit est si lent, leur corps si maladroit. Je les aime, certes, mais vous les voyez sans doute sous une lumière moins flatteuse que moi.

— Ils vont mourir, Amadeo, répondit-il d'une voix douce, le visage empreint de tristesse.

Je le sentis aussitôt de tout mon être, ainsi que j'éprouvais à présent les moindres sentiments : ils me submergeaient tel un torrent et délivraient dans l'instant leur enseignement.

Ils vont mourir, oui, et moi, je suis immortel.

Après cette conversation, je ne pus que me montrer patient avec les apprentis. A vrai dire, je me plus à les observer, à les étudier sans jamais le leur laisser voir, jouissant du spectacle dans le plus petit détail comme s'ils avaient été très exotiques parce que... parce qu'ils allaient mourir.

Je ne puis tout décrire. Exposer ce qui me fut révélé durant ces quelques mois seulement m'est impossible. Et ce que j'appris alors fut ensuite approfondi.

Partout, je voyais des processus ; l'odeur de la corruption s'imposait à moi, mais le mystère de la croissance m'était lui aussi apparent, la magie de ce qui fleurissait et mûrissait. Tout processus, qu'il menât à la maturité ou à la tombe, me ravissait, me transportait, excepté, je dois le dire, la désintégration de l'esprit humain.

L'étude du droit et de l'art de gouverner me posait davantage de problèmes. Bien que je lusse infiniment plus vite et que ma compréhension de la syntaxe fût quasi instantanée, il m'en coûtait de me pencher sur des sujets tels que l'histoire du droit romain des temps anciens ou le code d'une épaisseur imposante de l'empereur Justinien, le *Corpus Juris Civilis*, que le maître considérait comme un des plus beaux recueils de lois jamais écrits.

— Le monde est en constante amélioration, m'expliquait-il. La civilisation devient de siècle en siècle plus éprise de justice. Les hommes ordinaires progressent à grands pas vers le partage des richesses qui étaient autrefois l'apanage des puissants. Quant aux arts, la moindre augmentation des libertés les rend toujours plus imaginatifs, plus inventifs, plus beaux.

Pareils discours ne m'étaient compréhensibles qu'en

théorie. Les lois n'éveillaient en moi ni confiance ni intérêt. En fait, dans l'abstrait, les idées de Marius m'inspiraient le mépris le plus parfait. Je ne le méprisais pas, lui, mais je ressentais un dédain sous-jacent si total pour tout ce qui était droit et institutions légales ou gouvernementales que j'en ignorais moi-même les raisons.

Le maître assurait que tel n'était pas son cas.

— Le pays dont tu es originaire est plongé dans la nuit et la sauvagerie, disait-il. J'aimerais pouvoir te ramener deux siècles en arrière, aux années qui ont précédé le raid de Bàtù, le petit-fils de Gengis Khan, sur Kiev la magnifique, à l'époque où les coupoles de la cathédrale Sainte-Sophie étaient bel et bien dorées, où ses fidèles était emplis d'ingéniosité et d'espoir.

— J'ai entendu parler *ad nauseam* de cette gloire passée, répondais-je avec calme, peu désireux de le fâcher. On m'a bourré d'histoires des temps anciens, lorsque j'étais enfant. J'écoutais ces âneries assis près du feu, frissonnant, dans notre misérable maison de bois, à quelques mètres du fleuve. Des rats y vivaient aussi. Il n'y avait là rien de beau, hormis les icônes et les chansons de mon père. Tout n'était que dépravation, et nous parlons, vous le savez bien, de contrées immenses. Il faut se rendre en Russie pour se faire une idée de son immensité, il faut y aller et voyager comme mon père et moi dans les forêts glaciales du Nord, jusqu'à Moscou ou Novgorod. (Je m'interrompis.) Je ne veux plus penser à cela. En Italie, on ne peut seulement imaginer de supporter pareil endroit.

— L'évolution du droit et du gouvernement diffère suivant les peuples et les pays. J'ai choisi Venise, je te l'ai dit il y a bien longtemps, parce que c'est une grande République, dont les citoyens sont liés à notre mère la Terre du simple fait que ce sont des marchands, des négociants. J'aime Florence car sa plus grande famille, les Médicis, se compose de banquiers, pas de fainéants titrés qui se moquent de tout effort au nom de ce qu'ils considèrent comme leur droit de naissance par la volonté de Dieu. Les grandes villes d'Italie existent grâce à des gens qui travaillent, qui créent, qui agissent, raison pour laquelle on y trouve plus de compréhension qu'ailleurs à l'égard des autres systèmes et infiniment plus de possibilités pour les hommes et femmes de toutes les conditions.

Ces longues explications me décourageaient. Tout cela m'indifférait.

— Le monde t'appartient, à présent, Amadeo, insistait le maître. Il faut te pencher sur les grands mouvements de l'histoire. Un jour, ce qui se passe sur cette Terre finira par te peser, et tu t'apercevras, comme tous les immortels, qu'il t'est impossible de fermer ton cœur au monde. Qu'il te l'est même encore plus impossible qu'aux autres.

— Vraiment ? demandais-je avec un peu d'humeur. Je suis pourtant capable de fermer les yeux. Que m'importe qu'un homme soit banquier ou marchand ? Que m'importe si la cité où je vis construit sa propre flotte marchande ? Je peux passer l'éternité à contempler les peintures du palazzo. Je n'ai pas encore vu tous les détails du *Cortège des Rois mages*, et il y en a tant d'autres. Sans parler de toutes celles qu'on trouve à travers la ville…

Il secouait la tête.

— Etudier l'art te mènera à étudier l'humanité, étudier l'humanité te conduira à célébrer le monde ou à pleurer sur lui.

Je ne le croyais pas, mais il ne m'était pas permis de changer de curriculum. J'apprenais ainsi qu'on m'en donnait l'ordre.

A vrai dire, le maître possédait de nombreux pouvoirs qui me faisaient défaut mais que, d'après lui, je développerais avec le temps. Il lui était possible d'allumer un feu par la force de l'esprit, quoique seulement dans des conditions optimales — ce qui signifie qu'il parvenait à enflammer une torche déjà enduite de poix. Il escaladait sans effort les murs des maisons, ne s'appuyant qu'à peine aux rebords des fenêtres, se propulsant vers le haut avec des gestes d'une vivacité pleine de grâce. Il nageait sous l'eau à la profondeur de son choix.

Bien sûr, sa vision et son ouïe vampiriques étaient de loin plus aiguisées, plus puissantes que les miennes. Alors que les voix s'imposaient à moi, il pouvait en outre leur fermer ses oreilles. Il me fallait apprendre à l'imiter, et j'y travaillai désespérément, car Venise ne me semblait plus par moments qu'une cacophonie de conversations et de prières.

Toutefois, le plus grand pouvoir dont il disposât et qui me fît défaut, était celui grâce auquel il s'élevait dans les airs puis couvrait d'immenses distances aussi vite que le vent. Il m'en avait fait plus d'une fois la démonstration, mais presque toujours, en me soulevant et en m'emportant, il m'avait contraint à me couvrir le visage ou à baisser la tête afin que je ne visse ni où il allait ni comment.

Quant aux raisons de ses réticences, elles m'échappaient totalement. Enfin, une nuit, alors qu'il refusait de nous transporter comme par magie jusqu'au Lido, où se déroulait une cérémonie nocturne comprenant feux d'artifice et bateaux éclairés aux flambeaux, je l'interrogeai avec insistance.

— C'est un pouvoir effrayant, m'expliqua-t-il d'un ton froid. Se trouver ainsi détaché de la Terre est angoissant. Au début, cela ne va pas sans maladresses ni catastrophes. Au fur et à mesure qu'on acquiert du doigté, qu'on apprend à s'élever en douceur dans la haute atmosphère, l'expérience devient glaçante non seulement pour le corps, mais aussi pour l'âme. Elle a quelque chose de surnaturel, même pour des créatures telles que nous. (Je voyais bien que cette pensée le blessait. Il secoua la tête.) C'est le seul don qui paraisse réellement inhumain. Je ne puis apprendre des hommes à en user au mieux. Ils me servent de professeurs en ce qui concerne mes autres pouvoirs, leur cœur est mon école, mais il n'en va pas de même avec celui-là. Je deviens le magicien ; le sorcier ou le chaman. Il est assez fascinant pour réduire en esclavage celui qui l'utilise.

— Comment cela ? m'enquis-je.

Marius hésita. Il n'avait aucune envie d'évoquer le sujet. Enfin, une légère impatience le saisit.

— Par moments, tes questions me mettent au supplice, Amadeo. Tu demandes si ma tutelle t'est due. Il n'en est rien, tu peux me croire.

— Vous m'avez créé, maître, et vous exigez de moi obéissance. Pourquoi lirais-je *Historia calamitatum*, d'Abélard, ou les écrits de Duns Scotus, de l'Université d'Oxford, si vous ne m'y obligiez pas ?

Je m'interrompis, saisi du souvenir de mon père, auquel je lançais sans arrêt paroles acides, ripostes et insultes.

— Expliquez-moi, je vous en prie, repris-je, découragé.

Il eut un geste comme pour dire : « Tu crois vraiment que c'est si simple ? » mais accepta cependant.

— Très bien. Voilà de quoi il retourne. Je suis capable de m'élever très haut et de me déplacer très vite. Il ne m'est que rarement possible de pénétrer dans les nuages, qui restent en général au-dessus de moi, mais je peux voyager avec une telle vélocité que le monde entier devient flou. Lorsque je regagne la terre ferme, je me retrouve dans des contrées étrangères. Toute magique qu'elle soit, c'est chose profondément troublante, dérangeante, je te l'assure. Je me sens parfois égaré, étourdi, incertain de mes buts et de ma volonté de vivre. Les transitions sont trop rapides ; peut-être est-ce cela. Je n'en ai jamais parlé à quiconque, et voilà que je t'en parle, à toi qui es un enfant, incapable de comprendre ne serait-ce qu'en partie.

En effet, je ne comprenais pas.

Très peu de temps après, pourtant, ce fut Marius qui décida d'un voyage plus long que nous n'en avions jamais entrepris. Notre périple ne dura que quelques heures, mais à ma grande surprise, entre le coucher du soleil et le début de soirée, nous gagnâmes la lointaine cité de Florence.

Là, dans un monde fort différent de celui des Vénitiens, en me promenant d'un pas tranquille parmi des Italiens d'une race complètement autre, à travers des églises et des palais d'un style bien particulier, je compris pour la première fois ce qu'il avait voulu dire.

Ne t'y trompe pas, j'étais déjà allé à Florence, en tant qu'apprenti mortel de Marius, accompagné d'autres élèves. Mais ce bref aperçu n'était rien auprès de ce que je vis comme vampire. Je possédais à présent les instruments de mesure d'un dieu mineur.

Pourtant, il faisait nuit. Le couvre-feu avait sonné. Les pierres de Florence, sombres et ternes, évoquaient un peu une forteresse ; ses rues, privées des rubans d'eau luminescents qui éclairaient les nôtres, paraissaient étroites et sinistres ; ses palais n'offraient pas les extravagantes ornementations mauresques des monuments vénitiens, aux fantastiques façades polies. Comme dans la plupart des villes italiennes, ils étaient repliés sur leur splendeur. Florence n'en restait pas moins truffée, emplie de merveilles.

Après tout, c'était la capitale de celui qu'on avait appelé Laurent le Magnifique, l'homme dont la fascinante silhouette dominait la grande fresque exécutée par Marius, cette copie que j'avais admirée la nuit de ma renaissance ténébreuse — Laurent, qui n'était mort que quelques années auparavant.

Une agitation illégale régnait dans la cité, malgré l'heure tardive. Des groupes de Florentins des deux sexes traînaient par les rues aux pavés durs, et une sinistre impression de nervosité flottait autour de la piazza della Signoria, une des places les plus importantes.

Une exécution avait eu lieu dans la journée, ce qu'on ne pouvait qualifier de rare à Florence ni, d'ailleurs, à Venise. Une crémation. L'odeur du bois et de la chair brûlée s'attardait encore, bien que les restes du bûcher eussent été nettoyés avant la nuit.

Ce genre de choses m'inspirait un dégoût instinctif que tout le monde ne partageait pas, il faut bien le dire. Je m'avançai vers le théâtre des événements avec prudence, craignant que mes sens exaltés ne me révèlent quelque horrible trace de cruauté qui me bouleverserait.

Marius avait toujours conseillé à ses apprentis, en tant qu'adolescents, de ne pas « prendre plaisir » à pareils spectacles mais de se mettre en esprit à la place des victimes, pour tirer le plus grand enseignement possible de ce qu'ils avaient devant les yeux.

Comme l'histoire a dû te l'enseigner, la foule se montrait souvent turbulente et cruelle lors des exécutions, se moquant des malheureux qu'on allait mettre à mort — parfois, me semble-t-il, par peur. Quant à nous, les élèves de Marius, nous trouvions bien difficile d'accompagner de nos pensées les criminels qu'on pendait ou qu'on brûlait. En un mot, ce genre de rituels n'offrait plus pour nous aucun attrait.

Bien sûr, ils se déroulaient en général de jour, si bien que le maître n'y avait jamais assisté en notre compagnie.

A présent, tandis qu'il s'avançait sur la piazza della Signoria, je constatai que la cendre fine encore en suspension dans l'air et la puanteur lui déplaisaient.

Je notai aussi combien il était facile, aux silhouettes rapides drapées de tissu foncé que nous étions, de se glisser parmi les Florentins.

Nos pas étaient presque silencieux. Le don vampirique nous permettait de nous déplacer dans la plus grande discrétion, d'échapper très vite, avec une grâce instinctive, à l'attention soudaine qu'un mortel nous accordait parfois.

— C'est comme si nous étions invisibles, dis-je à Marius. Comme si rien ne pouvait nous atteindre, parce que notre place n'est pas réellement ici et que nous ne tarderons pas à partir.

Je levai les yeux vers les remparts sinistres qui bordaient la place.

— Oui, mais nous ne sommes pas invisibles, souviens-t'en, murmura-t-il.

— Qui est mort ici, aujourd'hui ? La peur et le chagrin règnent en maîtres. Ecoutez. Il y a des heureux, mais aussi des pleureurs.

Il ne répondit pas.

— De quoi s'agit-il ? insistai-je au bout d'un moment, mal à l'aise. Ce ne peut être une banale exécution. La cité est trop en alerte, trop agitée.

— C'était leur grand réformateur, Savonarole, me révéla enfin Marius. Il a été pendu aujourd'hui, puis brûlé. Dieu merci, il était mort avant que les flammes ne s'allument.

— Vous avez pitié de Savonarole ? demandai-je, stupéfait.

Le religieux, un grand réformateur d'après certains, avait été vilipendé par toutes mes connaissances. En condamnant le moindre plaisir des sens, il avait nié la validité de l'école à laquelle mon maître estimait possible de tout apprendre.

— J'ai pitié de tous les hommes, affirma-t-il.

Il me fit signe de le suivre dans une rue adjacente, et nous nous éloignâmes de la sinistre place.

— Même de celui-là, qui a persuadé Botticelli d'entasser ses propres peintures sur le Bûcher des Vanités ? m'enquis-je. Combien de fois n'avez-vous pas attiré mon attention sur quelque détail de ses œuvres copiées de vos mains pour m'en montrer la gracieuse beauté, de crainte que je l'oublie jamais ?

— Vas-tu disputer avec moi jusqu'à la fin du monde ? riposta-t-il. Je suis heureux que mon sang t'ait donné une force nouvelle, mais dois-tu vraiment contester la moindre des paroles qui tombent de mes lèvres ? (Il me jeta un regard exaspéré, laissant la lumière des torches toutes proches illuminer son sourire ironique.) Certains élèves croient en cette méthode. Ils pensent que des vérités nouvelles surgissent de la lutte continuelle qui oppose maître et disciple. Moi non ! Tu devrais laisser mes leçons reposer au calme dans ton esprit cinq minutes au moins avant d'entamer la contre-attaque.

— Vous voudriez vous fâcher contre moi, mais vous n'y parvenez pas.

— Ah, quel gâchis ! lâcha-t-il, comme un juron.

Il se mit à marcher très vite devant moi.

La triste venelle ressemblait davantage à un passage dans une grande demeure qu'à une véritable rue. Je soupirais après les brises de Venise, ou plutôt, mon corps le faisait, par habitude. Il était fascinant de se trouver à Florence.

— Ne vous irritez pas, repris-je. Pourquoi se sont-ils retournés contre Savonarole ?

— Si on leur en donne le temps, les hommes se retournent contre n'importe qui. Il se prétendait prophète d'inspiration divine, il annonçait que le monde vivait ses derniers jours, ce qui est bien la plus vieille complainte, et la plus fatigante, du christianisme. Ta religion ne repose-t-elle pas tout entière sur cette seule idée ? Elle se nourrit de la capacité humaine à oublier les erreurs du passé pour se préparer une fois encore à la fin du monde.

Je souris, non sans amertume, pénétré de la forte impression que le monde vivait en permanence ses derniers jours et que nous autres, mortels, nous portions cette certitude dans nos cœurs. Puis, de manière aussi soudaine qu'absolue, je réalisai que je n'étais plus mortel, excepté dans la mesure où le monde lui-même l'était.

Il me sembla alors comprendre viscéralement le pessimisme tenace qui avait imprégné toute mon enfance dans la lointaine Russie. L'image des catacombes boueuses, des moines enterrés qui m'avaient encouragé à devenir un des leurs, passa devant mes yeux.

Je me secouai. Comme Florence paraissait lumineuse, à présent, tandis que nous débouchions sur la vaste piazza del Duomo, illuminée par des torches — devant la grande cathédrale Santa Maria del Fiore.

— Ah, mon élève me prête l'oreille, de temps à autre, observait Marius, ironique. Oui, la mort de Savonarole me comble, mais il ne faut pas confondre le plaisir qu'on prend à voir se terminer un règne avec une quelconque satisfaction devant l'étalage infini de cruauté que présente l'histoire humaine. Je regrette qu'il en soit ainsi. Un sacrifice public est chose grotesque, de quelque manière qu'on le considère. Il émousse les sens du peuple. Ici, plus que partout ailleurs, il constitue un spectacle. Les Florentins y prennent plaisir, comme nous à nos régates et à nos processions.

« Savonarole n'est plus… Ma foi, si jamais mortel a mérité son sort, c'est bien lui, qui prédisait sans trêve la fin du monde, qui condamnait les princes du haut de sa chaire, qui poussait les grands peintres à immoler leurs œuvres. Qu'il aille au Diable. »

— Regardez, maître, le baptistère. Allons-y, je voudrais voir les portes. La place est quasi déserte. Venez. Voilà notre chance de contempler les bronzes.

Je tirai Marius par la manche.

Il arrêta de marmonner pour me suivre, mais il n'était pas lui-même.

Je voulais admirer une merveille florentine qui existe toujours, ainsi d'ailleurs que presque toutes celles décrites ici — ou que les beautés vénitiennes. Il suffit de se rendre en Italie pour les voir. Les panneaux des portes, œuvres de Lorenzo Ghiberti, firent mes délices, mais je me gardai d'ignorer l'œuvre plus ancienne d'Andrea Pisano, qui dépeignait la vie de saint Jean le Baptiste.

Ma vision vampirique était si aiguisée que je retenais avec peine des soupirs de plaisir en examinant les reliefs de bronze.

Ce moment reste parfaitement net. Sans doute croyais-je alors que rien ne pourrait plus jamais me faire de mal ou m'attrister, que j'avais trouvé dans le sang de Marius le baume salvateur. Le plus étrange est que je le crois à nouveau, en cette heure où je dicte mon histoire.

Bien que je sois une fois de plus malheureux, peut-être pour l'éternité, je crois à l'importance suprême de la chair. Les mots de D.H. Lawrence me reviennent à l'esprit, lui qui, en ce siècle, dans ses pages consacrées à l'Italie, évoque l'image de Blake : « Tigre, tigre brûlant haut et clair / Dans les forêts de la nuit. » Lawrence n'a-t-il pas écrit :

> Telle est la suprématie de la chair, qui dévore tout, qui se transforme en une flamme magnifiquement mouchetée, un véritable buisson ardent.
> Cette transfiguration par l'extase charnelle appartient aux possibilités de transfiguration en la flamme éternelle.

Mais je me suis livré à un exercice dangereux pour un conteur. J'ai abandonné mon intrigue, comme, j'en suis sûr, le vampire Lestat ne manquerait pas de le souligner — il est plus doué peut-être que moi, et passionnément épris de l'image du tigre dans la nuit, lui qui a, qu'il l'admette ou non, utilisé l'animal pour les besoins de son œuvre de la même exacte façon que Blake. Je retourne donc au plus vite à l'instant où je nous ai quittés, il y a de cela bien longtemps, Marius et moi, alors que j'étais perdu dans la contemplation du génie poli de Ghiberti, qui chante dans le bronze les sibylles et les saints.

Rien ne nous pressait. Marius me confia d'une voix douce qu'après Venise, Florence était sa cité d'élection, pour les magnifiques floraisons qu'elle avait connues.

— Mais je ne puis me passer de la mer, pas même ici, ajouta-t-il. Et, ainsi que tu peux le constater, la ville protège ses trésors d'une vigilance ombrageuse, alors qu'à Venise, les façades des palais s'offrent dans leur pierre luisante à la lune et au Dieu tout-puissant.

— Sommes-nous Ses serviteurs, maître ? le pressai-je. Je sais que vous condamnez les moines qui m'ont élevé ainsi que les délires de Savonarole, mais comptez-vous me ramener à Dieu par un autre chemin ?

— Oui, Amadeo, telle est en effet mon intention, bien que je répugne, en païen que je suis, à l'admettre si facilement, de crainte que la complexité de ma religion ne t'échappe. Mais telle est mon intention. Dieu se révèle à moi dans le sang. Dans la chair. Je ne crois pas au hasard, lorsque le mystère du Christ réside à jamais pour Ses adorateurs dans la chair et le sang, à travers le pain de la transsubstantiation.

Ces paroles me bouleversèrent ! Il me sembla que le soleil auquel j'avais renoncé à jamais revenait éclairer la nuit.

A peine nous étions-nous glissés dans la grande cathédrale obscure, le Duomo, par une petite porte latérale que je m'immobilisai, les yeux fixés sur l'autel dont me séparait une vaste étendue de pierre.

Etait-il possible que je trouve le Christ d'une manière nouvelle ? Peut-être, après tout, ne l'avais-je pas rejeté pour toujours. J'essayai d'expliquer à Marius ces pensées agitées. Le Christ... d'une manière nouvelle. Mais, incapable de trouver mes mots, je finis par lâcher :

— Je ne puis m'exprimer, je suis trop maladroit.

— Nous sommes tous maladroits, Amadeo ; ceux qui entrent dans l'histoire aussi. Le concept d'être suprême parcourt les siècles avec une bien grande maladresse, ainsi que Ses paroles et les principes qu'on Lui attribue. C'est pourquoi le Christ, dans Ses pérégrinations, est la proie du puritain prêcheur d'un côté, de l'ermite affamé et sale de l'autre, ou du riche Laurent de Médicis, qui a célébré son Dieu dans l'or, les peintures et les mosaïques.

— Mais le Christ est-il bien le Dieu vivant ? murmurai-je.

Pas de réponse.

Mon âme atteignit les tréfonds du désespoir. Marius, me prenant par la main, m'annonça que nous allions à présent nous introduire subrepticement dans le couvent de San Marco.

— Savonarole y a vécu, m'expliqua-t-il. Nous nous y glisserons sans que ses pieux habitants ne le sachent.

A nouveau, nous voyageâmes comme par magie. Blotti dans les bras puissants de mon maître, je ne vis même pas les portes que nous franchissions pour quitter la cathédrale et gagner le monastère.

Marius, je le savais, voulait me montrer l'œuvre de celui qu'on appelait Fra Angelico, un moine peintre depuis longtemps disparu qui avait œuvré sa vie durant au couvent San Marco, comme j'avais peut-être été destiné à le faire, très loin de là, au monastère des Grottes où ne pénétrait nulle lumière.

Quelques secondes plus tard, nous nous posions sans bruit sur l'herbe humide d'un cloître, dans un calme jardin aux murs percés de loges dues à Michelozzo.

Aussitôt, de multiples prières parvinrent à mon oreille intérieure vampirique, les suppliques tourmentées des frères restés fidèles ou favorables à Savonarole. Je me pris la tête à deux mains, comme pour montrer à la divinité, par ce futile geste humain, que c'était plus que je n'en pouvais supporter.

La voix apaisante du maître brisa le courant de réception des pensées.

— Viens, dit-il en me prenant la main. Nous allons nous introduire dans les cellules, l'une après l'autre. Il y a assez de lumière pour que tu voies les peintures.

— Vous voulez dire que Fra Angelico a exercé son art dans les réduits où dorment les moines ?

Je m'étais imaginé que les œuvres orneraient la chapelle et les autres pièces communes ou ouvertes aux visiteurs.

— Voilà pourquoi je veux te les montrer.

Marius m'entraîna dans un escalier, puis un large corridor. Lorsque la première porte s'ouvrit devant lui, nous la franchîmes sans un bruit, avec légèreté, pour ne pas déranger le religieux couché en chien de fusil sur la dure couchette, dont l'oreiller supportait sa tête suante.

— Ne le regarde pas, me conseilla Marius, prévenant, ou les rêves troublés qui l'agitent t'apparaîtront. Intéresse-toi plutôt au mur, et dis-moi ce que tu vois.

Je compris à l'instant. L'art de Fra Giovanni, dit Angelico en l'honneur de son talent sublime, mêlait d'étrange manière la sensualité de notre époque à la piété et au renoncement du passé.

Je contemplais la représentation élégante, lumineuse, de l'arrestation du Christ au Jardin des oliviers. Les longues silhouettes plates ressemblaient fort aux images élastiques des icônes russes, mais les visages plus doux étaient modelés par des émotions bien réelles, donc touchantes. Tous les protagonistes de la scène paraissaient d'une grande bonté, non seulement le Sauveur en personne, condamné à être trahi par un des Siens, mais aussi les apôtres tournés vers Lui et jusqu'aux hommes d'armes, y compris l'infortuné soldat en cotte de mailles qui tendait la main pour L'entraîner.

Je restai fasciné par l'indéniable bonté, l'innocence dont ils étaient tous possédés, la sublime compassion de l'artiste pour les acteurs de la tragédie qui avait préludé au salut du monde.

Marius m'entraîna aussitôt dans une autre cellule. Là encore, la porte céda à sa volonté, et le moine assoupi resta ignorant de notre visite.

La peinture représentait également le Jardin des oliviers, où le Christ, avant Son arrestation, entouré de Ses apôtres endormis, suppliait Son Père céleste de Lui donner la force. Une fois de plus, la comparaison s'imposait avec le style à l'ancienne que, dans ma jeunesse russe, j'avais pratiqué d'une main sûre. Les plis des vêtements, les arches, les auréoles, la discipline de l'ensemble — tout cela, venu du passé, étincelait pourtant de la chaleur italienne nouvelle, de l'indéniable amour italien pour ce qui était humain, y compris Notre Seigneur Jésus-Christ en personne.

Nous passâmes de cellule en cellule, parcourant au hasard la vie du Christ. Le spectacle de la première Communion s'offrit à nous, celle où Jésus distribuait le pain de Son corps comme les hosties à la messe ; puis vint le sermon sur la montagne, où les rochers polis aplatis qui entouraient le Christ et Ses auditeurs semblaient aussi réels que le tissu de Sa robe aux plis élégants.

Lorsque nous en arrivâmes à la crucifixion, au cours de laquelle Notre Seigneur confiait Sa mère bénie à saint Jean, l'angoisse qui marquait Ses traits me frappa au cœur. Quelle déférence dans la détresse de la Vierge, quelle résignation chez le saint au doux visage de Florentin, si semblable à des centaines d'autres visages peints par toute la ville, à peine souligné d'une barbe brun clair.

Chaque fois que je pensais avoir parfaitement compris la leçon, nous découvrions une autre peinture, et je me sentais plus fortement lié encore aux trésors perdus de mon enfance, à la calme splendeur incandescente dont le dominicain avait embelli ces murs. Enfin, nous quittâmes ce plaisant lieu de prières murmurées et de larmes.

Nous regagnâmes Venise environnés d'une froide obscurité rugissante et arrivâmes chez nous à temps pour rester assis un moment dans la lumière chaleureuse de notre chambre somptueuse, à discuter.

— Comprends-tu ? me pressa Marius, installé à son bureau, sa plume à la main. (Il la trempa dans l'encre puis se mit à écrire sans cesser de parler, tournant la grande page en vélin de son journal.) Dans la lointaine Kiev, les cellules des moines étaient de terre, moite et pure, certes, mais sombre et avide, car au bout du compte, c'est une bouche qui dévore toute vie et qui mènerait l'art à la destruction. (Assis, frissonnant, je me frottais les bras sans le quitter du regard.)

« Alors qu'à Florence, quelle vérité le subtil professeur Fra Angelico a-t-il léguée à ses frères ? De magnifiques images destinées à leur rappeler les souffrances de notre Sauveur ? (Le maître écrivit quelques lignes, avant de poursuivre :)

« Fra Angelico n'a jamais répugné à émerveiller la vue, à lui offrir toutes les couleurs que Dieu nous a donné la capacité de voir, car Il nous a donné deux yeux, Amadeo, et pas pour... pour qu'ils soient aveuglés par la terre noire. »

Je réfléchis un long moment. Savoir cela en théorie avait été une chose. Traverser les pièces silencieuses du monastère endormi, y découvrir les principes du maître défendus par un moine, en était une autre.

— Nous vivons une époque glorieuse, reprit-il d'une voix douce, où nous redécouvrons et remodelons ce que le passé avait de bon. Tu me demandes si le Christ est Notre Seigneur. Je te répondrai qu'Il peut l'être, car Il n'a quant à Lui jamais rien prêché d'autre que l'amour, ou du moins est-ce ce que Ses apôtres, qu'ils l'aient voulu ou non, nous ont amenés à croire...

J'attendis, conscient qu'il n'en avait pas terminé. La pièce était agréablement chaude, propre et lumineuse. En mon cœur demeure à jamais l'image qu'offrait Marius, grand, les cheveux blonds, la cape rouge rejetée en arrière afin qu'il écrivît à l'aise de son bras libre, le visage lisse, pensif, les yeux bleus perdus au loin, par-delà cette époque et toutes celles qu'il avait connues, traquant la vérité. Le gros volume occupait un lutrin portable qui permettait de le placer à un angle commode, le petit pot d'encre son propre support en argent richement travaillé. Le lourd candélabre posé derrière le maître, avec ses huit épaisses bougies, comportait d'innombrables chérubins à demi ensevelis dans l'argent sculpté, qui peut-être luttaient de toutes leurs ailes pour s'en libérer et dont les minuscules visages aux joues rondes, tournés de côté et d'autre, s'ornaient de grands yeux heureux sous des boucles serpentines.

On eût dit un auditoire d'angelots venus faire cercle autour de Marius, ces têtes miniatures qui émergeaient de partout, indifférentes aux ruisselets de cire fondue.

— Je ne puis vivre sans beauté, lâchai-je soudain, bien que j'eusse voulu attendre. Je ne puis continuer. Ah, mon Dieu, vous m'avez montré l'Enfer. Il est derrière moi, sans le moindre doute, dans le pays de ma naissance.

Marius entendit ma prière, ma confession, ma supplique désespérée.

— Si le Christ est Notre Seigneur, répondit-il, revenant à notre sujet, nous ramenant tous deux à la leçon, si le Christ est Notre Seigneur, quel miracle merveilleux que le mystère chrétien... (Ses yeux se voilèrent de larmes.) Le Seigneur Lui-même descendu sur Terre revêtu de chair afin de mieux nous connaître et nous comprendre. Ah, de tous les Dieux que l'Homme, dans Ses caprices, a créés à Son image, en a-t-il jamais existé un meilleur que Celui qui S'est fait chair ? Oui, te dis-je, oui, ton Christ, leur Christ, même le Christ des moines de Kiev est bien Notre Seigneur ! Mais montre toujours du doigt les mensonges qu'on répand en Son nom, les crimes qu'on accomplit. Car Savonarole se réclamait de Lui en célébrant l'ennemi étranger qui fondait sur Florence, et ceux qui ont condamné Savonarole comme faux prophète en faisaient autant, alors qu'ils boutaient le feu aux fagots entassés sous son corps.

Je succombai aux larmes.

Marius resta assis, silencieux, peut-être par respect pour moi, à moins qu'il ne rassemblât juste ses pensées. Enfin, il plongea derechef sa plume dans l'encre puis écrivit un long moment, bien plus vite qu'un homme quoique avec grâce et adresse, sans jamais raturer.

Lorsqu'il reposa sa plume, il me sourit.

— Je prépare des leçons de choses, mais rien ne se

passe jamais comme prévu. Cette nuit, je voulais te montrer les dangers de mon pouvoir de vol. Nous nous transportons trop facilement en d'autres lieux, nous avons le fallacieux, le dangereux sentiment qu'il nous est possible de nous glisser partout et de repartir avec la même aisance. Mais vois : les événements ont pris une tournure bien différente.

Je ne répondis pas.

— Je voulais, insista-t-il, te faire un peu peur.

— Vous pouvez compter sur moi pour avoir peur comme il se doit, le moment venu, assurai-je en m'essuyant le nez du dos de la main. Ce pouvoir sera mien, je le sais. Je le sens. Pour l'instant, je l'estime merveilleux, même si par sa faute, une noire pensée m'est entrée dans le cœur.

— Laquelle ? me demanda Marius avec la plus grande gentillesse. Je ne crois pas que ton visage séraphique soit plus fait pour la tristesse que ceux peints par Fra Angelico. Quelle est cette ombre que j'y vois ? Quelle est cette noire pensée ?

— Emmenez-moi là-bas, maître, dis-je — bien que tremblant, je le dis. Votre don nous permettra de survoler des kilomètres et des kilomètres. Partons vers le Nord. Emmenez-moi dans les contrées cruelles que mon imagination a transformées en Purgatoire. Emmenez-moi à Kiev.

Sa réponse se fit attendre un long moment.

Le matin arrivait. Arrangeant sa cape et sa robe, Marius se leva de son fauteuil puis m'entraîna dans l'escalier qui menait au toit.

Les eaux lointaines de l'Adriatique, déjà pâlissantes, scintillaient sous la lune et les étoiles, par-delà la forêt familière des mâtures. Des lumières minuscules clignotaient au loin, sur les îles. Le vent, très doux, était parfumé de sel et de fraîcheur marine, ainsi que de cette fragrance particulière, délicieuse, qu'on n'y trouve qu'une fois disparue toute peur de la mer.

— Ta requête est courageuse, Amadeo. Si vraiment tu le désires, nous partirons demain soir.

— Etes-vous déjà allé aussi loin ?

— En kilomètres, dans l'espace, oui, souvent. Mais à la recherche de la compréhension ? Non, jamais.

Marius m'enlaça puis m'emporta jusqu'au palazzo où nous attendait notre tombeau caché. Lorsque nous atteignîmes l'escalier de pierre sale où dormaient tant de miséreux, je me sentais glacé. Nous nous frayâmes un passage parmi les pauvres hères jusqu'à l'entrée des caves.

— Allumez la torche pour moi, messire, demandai-je. J'ai le frisson. Je veux voir l'or qui nous entoure.

— Voilà.

Nous nous tenions dans notre crypte, devant les deux sarcophages ornementés. Alors que ma main se posait sur le couvercle du mien, le pressentiment m'envahit soudain que rien ne subsisterait bien longtemps de ce que j'aimais.

Marius dut me sentir hésiter. Il passa les doigts à travers la flamme de la torche puis me les pressa contre la joue, avant de m'embrasser à l'endroit où subsistait leur chaleur. Une chaleur que je retrouvai dans son baiser.

X

Gagner Kiev nous prit quatre nuits.

Nous ne chassions que durant les heures précédant l'aube.

Nos tombeaux provisoires étaient de véritables sépulcres, caveaux de vieux châteaux abandonnés ou cryptes d'églises désertées, en ruine, où les profanes s'étaient accoutumés à parquer leur bétail et ranger leur foin.

Je pourrais conter bien des histoires sur ce voyage, sur les places fortes que nous parcourûmes à l'approche de l'aube, sur les rudes villages de montagnes où nous dénichâmes le malfaisant dans son repaire grossier.

Nos errances étaient riches d'enseignements. Marius mettait pour moi l'accent sur la facilité avec laquelle nous trouvions nos cachettes, applaudissait à ma rapidité de mouvements dans la forêt dense. Les lieux d'occupation humaine primitifs, dispersés, que nous visitions à cause de ma soif ne lui inspiraient nulle crainte. Il me félicitait de ne pas reculer devant les ossuaires obscurs où nous reposions de jour, non sans me rappeler que pareils sépulcres, déjà pillés, avaient peu de chances de subir une nouvelle fouille, même à la clarté du soleil.

Nos vêtements vénitiens fantaisistes furent bientôt maculés de terre, mais nous avions emporté pour le voyage de lourdes capes fourrées qui les dissimulaient. De cela aussi, Marius tira un enseignement : il fallait nous rappeler que nos costumes nous fournissaient une protection fragile, sans importance. Les mortels oublient comment porter avec insouciance une vêture qui, pourtant, ne sert qu'à couvrir le corps. Les vampires doivent se garder de les imiter, car ils dépendent beaucoup moins de pareils accessoires.

La dernière aube précédant notre arrivée à Kiev, les bois rocailleux qui nous accueillirent ne m'étaient que trop familiers. Encerclés par l'effroyable hiver nordique, nous nous trouvions confrontés à l'un de mes plus étonnants souvenirs : la neige.

— Ça ne me fait plus mal, observai-je, rassemblant la délicieuse blancheur dans mes mains pour la presser contre mon visage. Ce simple spectacle ne suffit plus à me glacer. En fait, je la trouve très belle, cette couverture immaculée posée sur la misère des villes et des masures. Regardez, maître, elle reflète jusqu'à la lumière des plus faibles étoiles.

Nous avions atteint la frontière de la Horde d'Or — les steppes de la Russie méridionale qui, deux cents ans durant, depuis la conquête de Batu Khan, s'étaient avérées trop dangereuses pour le paysan et, souvent, mortelles pour le soldat ou le chevalier.

Cette belle prairie fertile, autrefois domaine de Kiev, s'étendait vers l'est presque jusqu'à l'Europe, mais aussi au sud de la cité de mes pères.

— Il ne nous reste qu'une étape négligeable, me dit le maître. Nous la ferons demain soir, afin que tu arrives chez toi frais et dispos.

Debout sur un gros rocher, je contemplais l'herbe sauvage courbée par le vent hivernal, lorsque je ressentis pour la première fois depuis que j'étais vampire un terrible désir de soleil. J'avais envie de voir la steppe à la lumière du jour, mais je n'osai m'en ouvrir à Marius. Après tout, combien de bénédictions peut-on demander ?

La dernière nuit, je m'éveillai dès le crépuscule. Notre cachette se trouvait au sous-sol d'une église, dans un village où ne vivait plus à présent le moindre mortel.

Les terribles hordes tartares, qui avaient ravagé la contrée à de multiples reprises, avaient depuis longtemps réduit la bourgade en cendres, affirmait Marius. L'église n'avait même plus de toit, et il n'était pas resté aux alentours une âme pour arracher les pierres de son pavage afin de les vendre ou d'élever une autre construction. Nous avions descendu un escalier oublié puis nous étions allongés en compagnie de religieux enterrés là un millier d'années plus tôt.

En me levant de ma tombe, je découvris loin au-dessus de ma tête un rectangle de ciel, car Marius avait retiré du sol un bloc de marbre, sans doute une pierre tombale, pour me faciliter l'ascension. Je me propulsai vers le haut, c'est-à-dire que je pliai les genoux puis, usant de toute ma force, bondis comme si j'avais voulu m'envoler, franchis l'ouverture et retombai sur mes pieds.

Le maître, qui se réveillait invariablement avant moi, assis sur son siège improvisé, laissa échapper le rire appréciateur que j'attendais.

— Tu avais mis ce petit tour de côté pour un moment pareil ? s'enquit-il.

Je regardai autour de moi, étourdi par la neige, terrorisé rien qu'à voir les pins glacés qui jaillissaient partout des ruines du village. Tout juste si je parvins à parler.

— Non. Je ne savais pas que j'en étais capable. J'ignore jusqu'à quelle hauteur je peux sauter ou quelle force je peux rassembler. Vous êtes content, n'est-ce pas ?

— Oui. Pourquoi pas ? Je veux que tu deviennes si fort que personne ne puisse te faire de mal.

— Qui m'en ferait, maître ? Nous parcourons le monde, mais qui sait quand nous arrivons et repartons ?

— Les autres, Amadeo. Il y en a, ici même. Je pourrais les entendre, si j'en avais envie, mais je préfère m'abstenir.

L'explication me suffit.

— Si vous ouvrez votre esprit pour les entendre, ils sauront que vous êtes là ?

— Bien raisonné. Tu es prêt à rentrer chez toi ?

Je fermai les yeux. Je fis le signe de la croix à notre manière d'autrefois, me touchant l'épaule droite avant la gauche. J'évoquai mon père. Nous nous trouvions dans la steppe sauvage. Il se dressait sur ses étriers, son arc géant entre les mains, l'arc que lui seul parvenait à bander, ainsi que l'Ulysse mythique, harcelant de ses flèches les pillards qui fondaient sur nous dans un bruit de tonnerre. Lui-même montait aussi bien qu'un Turc ou un Tartare — il tirait avec un claquement sec ses flèches du carquois accroché dans son dos, les encochait, les envoyait à travers les hautes herbes balayées par le vent alors que son cheval galopait de toute la vitesse de ses jambes. Sa barbe rouge volait au vent rageur. Le ciel était bleu, d'un bleu si intense que…

M'arrachant à ma prière, je manquai perdre l'équilibre. Mon maître me retint.

— J'espère que tu en auras fini très vite avec tout cela, dit-il.

— Donnez-moi vos baisers, demandai-je. Donnez-moi votre amour. Donnez-moi vos bras, comme vous l'avez toujours fait, j'en ai besoin. Donnez-moi vos lumières. Mais donnez-moi vos bras, oui. Laissez-moi poser la tête sur votre épaule. J'ai besoin de vous. Cette visite, je la veux vite et bien faite, afin que tout ce que j'ai à en apprendre se loge là, dans mon esprit, pour que je le rapporte chez nous.

Il sourit.

— Tu es chez toi à Venise, à présent ? Ta décision est déjà prise ?

— Oui, je le sais, même en cet instant. La contrée de nos pères n'est pas toujours notre chez-nous. Partons-nous ?

Il m'enlaça puis s'éleva dans les airs. Je fermai les yeux, me privant d'un dernier coup d'œil aux étoiles immobiles. Il me semblait dormir contre lui, sans crainte et sans rêve.

Puis il me reposa sur mes pieds.

Je reconnus aussitôt la haute colline obscure, la forêt de chênes aux ramures dénudées, aux troncs noirs glacés, aux branches squelettiques. Le ruban du Dniepr brillait au loin, en contrebas. Mon cœur s'emballa. Je cherchai du regard les mornes tours de la cité haute, celle que nous appelions la cité de Vladimir, l'ancienne Kiev.

Des tas de gravats, autrefois remparts, se dressaient à quelques mètres de moi seulement.

J'ouvris la route, escaladant sans difficulté les monticules pour errer parmi les églises en ruine, à la splendeur légendaire avant que Batu Khan n'incendiât la ville, en l'an de grâce 1240.

J'avais grandi dans une jungle d'anciens lieux de culte et de monastères détruits, que j'avais souvent traversée en hâte pour aller écouter la messe à la cathédrale Sainte-Sophie, un des rares monuments épargnés par les Mongols. Elle avait été en son temps un spectacle de coupoles dorées dominant toutes les autres églises, réputée plus imposante que son homologue de la lointaine Constantinople, plus vaste, plus fourmillante de trésors.

Je n'en avais connu que l'impressionnante dépouille, la coquille vide.

Mon intention n'était pas d'y pénétrer. Il me suffisait de la contempler de l'extérieur, car je savais, grâce aux années heureuses passées à Venise, quelle avait autrefois été sa splendeur. Je comprenais, pour avoir vu les splendides mosaïques et peintures byzantines de la basilique Saint-Marc et de la vieille église de Torcello, quelle magnificence s'était jadis dévoilée ici aux yeux des fidèles. Lorsque j'évoquais la foule animée de Venise, ses étudiants, ses érudits, ses avocats, ses marchands, j'imprimais sur ce spectacle de sinistre abandon une vie intense.

La neige était épaisse et dense. Peu de Russes s'aventuraient dans le crépuscule glacial, qui nous appartenait tout entier. Nous le parcourions avec aisance, puisqu'il ne nous était pas nécessaire de choisir notre chemin ainsi que l'eussent dû des mortels.

Nous parvînmes à un long ruban de remparts en ruine, garde-fou informe sous sa couverture immaculée. Là, immobile, je regardai la cité basse, Podil, tout ce qui restait de Kiev. En ces lieux, j'avais grandi, dans une maison grossière de bois et d'argile, à quelques mètres seulement du fleuve. Je contemplai les toits pentus, au chaume couvert d'une blancheur purificatrice, aux cheminées fumantes, et les étroites venelles tortueuses, enneigées. Un immense quadrillage de maisonnettes et autres constructions s'était depuis longtemps formé le long de la rive, où il avait subsisté, malgré les incendies répétés et les pires raids tartares.

C'était une ville de négociants, de marchands, d'artisans, qui tous dépendaient du fleuve et des trésors qu'il apportait d'Orient, mais aussi de l'argent que certains étaient prêts à payer les marchandises qu'il emportait vers le monde européen.

Mon père, l'indomptable chasseur, avait eu coutume de vendre les peaux d'ours qu'il tirait, seul, des profondeurs de la grande forêt septentrionale. Renard, martre, castor, mouton, il avait fait commerce de toutes ces peaux. Si grandes étaient sa force et sa chance que nul membre de notre maisonnée, homme ou femme, n'avait jamais eu à vendre son travail ni manqué de pain. Si nous avions eu faim, parfois, c'était que l'hiver dévorait la nourriture, qu'il n'y avait plus de viande, qu'il ne restait rien que l'or de mon père pût acheter.

Debout sur les murailles de la cité de Vladimir, je respirai la puanteur de Podil. L'odeur du poisson pourri, du bétail, de la chair souillée et de la boue fluviale.

Je m'enroulai dans ma cape, chassant d'un souffle la neige posée sur la fourrure devant mes lèvres. Mon regard revint aux coupoles sombres de la cathédrale qui se découpaient contre le ciel.

— Continuons, décidai-je. Dépassons le château du voïvode. Vous voyez, ce bâtiment en bois ? Jamais on ne l'appellerait palais ou château, dans la belle Italie. Ici, c'en est un.

Marius hocha la tête et eut un petit geste apaisant. Je ne lui devais nulle explication sur l'étrange contrée de ma naissance.

Le voïvode, notre dirigeant, avait à mon époque été le prince Michel de Lituanie. J'ignorais de qui il s'agissait à présent.

Le désigner par le mot adéquat m'avait moi-même surpris. Dans le rêve visionnaire de mon agonie, je n'avais eu aucune conscience du langage. L'étrange terme réservé à notre seigneur, « voïvode », n'avait pas franchi mes lèvres. Pourtant, je l'avais vu distinctement, avec sa toque en fourrure, son épaisse tunique en velours sombre et ses bottes en feutre.

Je partis de l'avant.

Marius et moi nous approchâmes de la construction trapue, composée d'énormes rondins, à l'aspect de forteresse. Ses murs s'élevaient suivant un angle gracieux ; ses nombreuses tours s'ornaient de toits à quatre pentes. Je distinguais celui du corps de bâtiment central, une sorte de grand dôme en bois à cinq facettes, dont les lignes sévères tranchaient sur le ciel étoilé. Des torches flambaient aux énormes portes et le long des murailles extérieures. Les fenêtres closes tenaient en respect l'hiver et la nuit.

A un moment de mon existence, ce palais avait été pour moi le plus imposant bâtiment encore debout de toute la Chrétienté.

Il nous fut facile d'étourdir les gardes d'un chuchotement rapide et de quelques mouvements vifs, puis de les dépasser pour pénétrer dans le château proprement dit.

Nous nous y introduisîmes par un entrepôt situé sur l'arrière et progressâmes en silence jusqu'à un endroit avantageux, d'où nous pouvions espionner la petite foule de nobles et de seigneurs en fourrures massés dans la grand-salle, sous les poutres nues du plafond de bois, autour d'un brasier rugissant.

Ils étaient installés dans d'énormes chaises russes dont les sculptures géométriques n'offraient pour moi rien de surprenant, sur une vaste étendue éclatante de tapis turcs superposés. Deux jeunes serviteurs vêtus de cuir emplissaient de vin leurs gobelets d'or. Leurs longues robes à ceinture, bleues, rouges, dorées, étaient aussi vivement colorées que les tapis aux motifs variés.

Des tentures européennes couvraient les murs enduits d'un stuc grossier — toujours les mêmes scènes d'autrefois, des chasses dans les forêts infinies de France, d'Angleterre ou de Toscane. Sur un long plateau en bois orné de bougies étincelantes attendait un repas fort simple de gibier et autres viandes rôties.

Il régnait un tel froid dans la salle que les visiteurs conservaient leur toque de fourrure.

Comme tout cela m'avait paru exotique, dans mon enfance, lorsqu'on m'avait amené en compagnie de mon père devant le prince Michel ! Ce dernier vouait une reconnaissance perpétuelle à mon géniteur pour ses actes de bravoure, car il chassait dans la steppe un gibier délicieux ou allait délivrer à nos alliés des places fortes orientales des paquets de grande valeur.

Mais les gens réunis là étaient européens. Je ne les avais jamais respectés le moins du monde.

Mon père m'avait trop bien appris qu'il s'agissait de simples laquais du khan, à qui ils payaient tribut pour avoir le droit de nous gouverner.

— Nul ne se dresse contre ces voleurs, m'avait-il dit. Qu'ils célèbrent dans leurs chants leur honneur et leur courage. Cela n'a pas de sens. Ecoute plutôt ce que je chante, moi.

Car il chantait.

Malgré sa résistance en selle, son adresse à l'arc et à la flèche, sa force brute avec sa grande épée, il savait de ses longs doigts cueillir la musique aux cordes d'une harpe et interprétait fort bien les œuvres narratives des anciens temps. Kiev était dans ces poèmes une grande capitale dont les églises rivalisaient avec celles de Byzance et dont les richesses faisaient l'émerveillement du monde entier.

Il ne me fallut qu'un instant pour être prêt à repartir. J'enveloppai d'un dernier regard les hommes penchés sur leurs gobelets d'or, leurs grosses bottes fourrées posées sur des repose-pieds turcs ornementés, leurs épaules voûtées, leurs ombres serrées sur les murs, puis, après que j'eus gravé leur image dans ma mémoire sans qu'ils eussent jamais eu conscience de notre présence, nous nous éclipsâmes, Marius et moi.

Il était temps à présent de gagner une autre cité, elle aussi perchée sur une colline, le Petcherks, qui recouvrait les vastes catacombes du monastère des Grottes.

Je tremblais à cette seule pensée. Il me semblait que ce lieu allait m'avaler, que je serais condamné à fouiller pour toujours les entrailles humides de notre mère la Terre, cherchant la clarté des étoiles sans jamais la trouver.

J'affrontai cependant la boue et la neige pour m'y rendre, et une fois de plus, avec l'aisance soyeuse du vampire, je m'introduisis dans la place. Là, je montrai le chemin, brisant les serrures en silence grâce à ma force supérieure, soulevant les portes pour les ouvrir sans que leur poids tombât sur leurs gonds grinçants, me précipitant à travers les pièces de manière que les yeux des mortels ne perçussent que des ombres froides, s'ils percevaient quoi que ce fût.

L'air tiède et immobile du couvent me fut un véritable soulagement, alors que ma mémoire me rappelait qu'il n'avait pas semblé aussi doux à l'adolescent mortel. Dans le scriptorium, où régnait la clarté enfumée de l'huile bon marché, plusieurs frères, courbés sur leur écritoire, copiaient des documents comme si la presse à imprimer n'avait pas encore existé, ce qui était sans doute le cas pour eux.

Quant aux textes sur lesquels ils œuvraient, je les connaissais — ils composaient le Paterikon du monastère des Grottes de Kiev, la merveilleuse histoire de ses fondateurs et de ses nombreux et pittoresques saints.

C'était dans cette pièce, en travaillant sur cet ouvrage, que j'avais appris à réellement lire et écrire.

Je me glissai le long du mur jusqu'à ce que mes yeux se posent sur la page que recopiait un des moines, lequel tenait de la main gauche son modèle presque réduit en miettes.

Cette partie du Paterikon m'était des mieux connues. Je savais par cœur l'histoire d'Isaac. Des démons étaient venus à lui sous formes d'anges, l'un d'eux prétendant même être le Christ. Leur victime s'y était laissé prendre, et ils avaient dansé d'allégresse en l'accablant de sarcasmes. Pourtant, après avoir longuement médité et fait pénitence, Isaac s'était dressé contre eux.

Le religieux, qui venait de tremper sa plume dans l'encre, couchait à présent sur le papier les paroles du saint :

> « Lorsque vous m'avez trompé en adoptant la forme de Jésus et des anges, vous étiez indignes de leur rang. Voilà que vous vous montrez sous votre véritable jour… »

Je détournai les yeux : inutile d'en lire davantage. Collé au mur, j'eusse pu rester là, invisible, pour toujours. Lentement, je pivotai vers les autres pages copiées par le moine, qui les avait mises à sécher. J'y trouvai un passage précédent que je n'avais jamais oublié. Il décrivait Isaac gisant, à l'écart du monde, sans bouger, sans nourriture, deux ans durant :

> « Car Isaac, affaibli dans sa chair comme dans son esprit, était incapable de se retourner, de se

redresser ou de s'asseoir ; il restait juste couché là, sur le côté. Souvent, des vers s'amassaient sous ses cuisses, en quête de son urine ou de ses excréments. »

Voilà à quoi les démons, avec leurs tromperies, avaient mené Isaac. Ces tentations, ces visions, cet égarement et cette pénitence, j'avais espéré les connaître, moi aussi, pour le reste de mes jours, lorsque j'étais entré au monastère encore enfant.

J'écoutai la plume gratter le papier, puis je me retirai, invisible, comme si je n'étais jamais venu.

Je jetai un regard en arrière sur mes frères érudits.

Emaciés, vêtus de laine noire bon marché, la tête pour ainsi dire rasée, ils empestaient la vieille sueur et la crasse. Leur longue et fine barbe était tout emmêlée.

Il me sembla en reconnaître un, lui avoir même voué quelque affection, mais à une époque si lointaine que cela ne paraissait plus mériter la moindre attention.

A Marius, qui se tenait près de moi, aussi fidèle qu'une ombre, je confiai que je n'aurais pu supporter pareille existence, mais nous savions tous deux que je mentais. Je l'aurais supportée, très certainement, et je serais mort sans avoir jamais connu d'autre monde.

Je gagnai le premier des longs tunnels où étaient enterrés les moines. Puis, les yeux clos, cramponné au mur de terre, je tendis l'oreille aux rêves et aux prières de ceux qu'on avait ensevelis vivants pour l'amour de Dieu.

Il n'y avait là rien que je n'eusse imaginé ou dont je ne me souvinsse : les mots familiers, à présent dépouillés de leur mystère, murmures en slavon ; les images prescrites ; la flamme crachotante de la dévotion et du mysticisme vrais, allumée au maigre feu de vies faites du renoncement le plus total.

J'attendis, la tête basse, la tempe appuyée au mur. J'eusse aimé trouver le garçon à l'âme si pure qui avait ouvert les cellules afin d'apporter aux religieux juste ce qu'il fallait d'eau et de nourriture pour les maintenir en vie, mais je n'y parvins pas. Non. D'ailleurs, je n'éprouvais qu'une pitié rageuse envers lui, qui avait souffert ici, maigre et misérable, désespéré, ignorant — oh, si terriblement ignorant — lui dont la seule joie sensuelle avait été de voir s'enflammer les couleurs des icônes.

Je hoquetai. Me détournant, je tombai bêtement dans les bras de Marius.

— Ne pleure pas, Amadeo, me dit-il à l'oreille avec tendresse.

Il écarta mes cheveux de mes yeux puis, d'un pouce tendre, effaça même mes larmes.

— Fais tes adieux, à présent, mon fils, ajouta-t-il.

Je hochai la tête.

En un clin d'œil, nous nous retrouvâmes dehors. Il me suivit tandis que je descendais, sans un mot, la pente qui menait à la ville du bord de l'eau.

L'odeur du fleuve s'amplifia, ainsi que la puanteur humaine, puis j'atteignis enfin la maison qui, je le savais, avait été la mienne. Soudain, tout cela me parut dément ! Que cherchais-je ? A mesurer mon passé à une nouvelle aune ? A me conforter dans l'opinion que, comme jeune mortel, jamais je n'avais eu la moindre chance ?

Doux Seigneur, rien ne pouvait excuser la chose impie que j'étais devenue, le buveur de sang qui se nourrissait de la riche cuisine mijotée pour un monde vénitien dévoyé. Ce pèlerinage n'était-il qu'une vaine tentative de justification ? Non, quelque chose d'autre me poussait vers la longue maison rectangulaire, semblable à beaucoup d'autres, aux épais murs d'argile divisés par des poutres grossières, au toit à quatre pentes festonné de glaçons — grande demeure grossière qui avait été mon foyer.

A peine l'eûmes-nous atteinte que je me glissai sur le côté de la bâtisse. A cet endroit, la neige boueuse s'était transformée en eau. Le fleuve, qui venait lécher la rue, s'infiltrait partout, ainsi que durant mon enfance. Il s'insinuait jusque dans mes bottes cousues avec soin, mais il ne me paralysait plus les pieds comme autrefois, car je tirais ma force nouvelle de dieux inconnus en ces lieux, de créatures pour qui ces paysans dégoûtants, dont j'avais été, ne possédaient pas même de nom.

Je posai la tête contre le mur grossier, du même geste qu'au monastère. A la manière dont je me cramponnais au mortier, on l'eût cru capable de me protéger et de me transmettre tout ce que je voulais savoir. Regardant à travers un trou minuscule, entre les mottes d'argile brisées qui s'éboulaient en permanence, je vis dans la clarté familière des bougies et celle plus forte des lampes une famille rassemblée autour de la chaleur dispensée par un gros fourneau de brique.

J'en connaissais tous les membres, bien que le nom de certains me fût sorti de l'esprit. Ils composaient ma parentèle ; je connaissais l'atmosphère qu'ils partageaient.

Mais il me fallait voir au-delà de cette petite assemblée. Il me fallait découvrir s'ils allaient bien. Si, à dater du jour fatal où j'avais été capturé et mon père, sans le moindre doute, tué dans la steppe, ils étaient parvenus à continuer leur route avec leur vigueur habituelle. Il me fallait savoir, peut-être, dans quel genre de prières ils évoquaient Andrei, qui avait eu le don de créer des icônes d'une telle perfection qu'elles ne pouvaient être faites de main d'homme.

Le son d'une harpe s'éleva dans la maison, accompagné d'une voix. Celle de Borys, un de mes oncles, si jeune qu'il eût pu être mon frère. Il avait été bon chanteur dès la petite enfance, retenant facilement les vieilles *rengaines*, les sagas des chevaliers et des héros. L'œuvre qu'il interprétait en cet instant, un poème tragique, très rythmé, racontait une bataille meurtrière dont l'enjeu n'était autre que l'ancienne, la grande Kiev. Il scandait son récit et pinçait en mesure les cordes de la petite harpe usée de mon père.

Les cadences familières, transmises de génération en

génération, frappaient mon oreille. J'arrachai un peu plus de mortier. A travers la minuscule ouverture, m'apparut l'alcôve des icônes — juste à l'opposé de la famille, réunie autour du feu qui brillait dans le poêle ouvert.

Ah, quel spectacle ! Parmi des dizaines de bougies presque consumées et de lampes en terre emplies de graisse se dressaient une vingtaine d'icônes, voire plus, certaines très anciennes, assombries dans leur cadre doré, d'autres rayonnantes, comme nées la veille à peine de la puissance divine. Entre elles se pressaient des œufs peints, joliment colorés et ornés de motifs dont je me souvenais fort bien, quoique, malgré mes yeux de vampire, j'en fusse à présent trop éloigné pour les distinguer. J'avais souvent regardé les femmes décorer ces œufs sacrés pour la Pâque. Elles y appliquaient de la cire fondue brûlante, à l'aide de petites baguettes pointues, afin de dessiner des rubans ou des étoiles, le symbole du papillon ou de la cigogne, des croix ou les lignes représentant les cornes du bélier. Une fois la cire durcie, elles plongeaient leurs œuvres dans une teinture froide à la couleur étonnamment profonde. Les motifs et signes fort simples qu'elles y traçaient m'avaient autrefois semblé d'une infinie variété, capables de transmettre une infinité de messages.

Les beaux œufs fragiles permettaient de guérir les malades ou de se protéger des tempêtes. J'en avais dissimulé dans un verger pour que la chance accompagnât la récolte proche. J'en avais placé un au-dessus de la porte de la demeure où ma sœur allait vivre après son mariage.

Une bien belle légende entourait ces offrandes pascales : aussi longtemps que la coutume perdurait, aussi longtemps qu'il existait des œufs décorés, le monde était à l'abri du monstre du Mal qui voulait l'envahir et dévorer tout ce qu'il renfermait.

Il m'était doux de revoir ces trésors fragiles dans l'alcôve prestigieuse des icônes, à leur place, parmi les saints visages. Avoir oublié pareille tradition me semblait honteux, annonciateur d'une tragédie prochaine.

Mais, soudain, les panneaux de bois captèrent mon attention, chassant tout le reste de mon esprit. Le Christ étincelait à la lumière du feu, le Christ coloré, sévère, que j'avais peint si souvent. En avais-je réalisé, de ces icônes ! Celle que j'examinais à présent ressemblait de manière inouïe à la merveille perdue il y avait bien longtemps dans l'herbe haute de la steppe !

Impossible. Comment quiconque eût-il récupéré le paquet que j'avais laissé tomber lorsque les pillards m'avaient capturé ? Non, c'était une autre peinture, bien sûr, car, ainsi que je l'ai dit, j'en avais exécuté plus d'une avant que mes parents ne rassemblent le courage de m'emmener chez les moines. Il s'en trouvait par toute la ville. Mon père en avait même fièrement offert au prince Michel, lequel avait décidé que les religieux devaient être informés de mon talent.

Comme Notre Seigneur me paraissait sévère, à présent, comparé aux tendres Christ méditatifs de Fra Angelico ou au noble Fils malheureux de Bellini. Pourtant, mon amour l'avait rendu radieux ! C'était le Sauveur vu par les Russes, par les anciens, aimant dans son austérité, dans ses couleurs sombres, à la manière de mon pays. Radieux de l'amour que je croyais sentir en Lui !

Une nausée me prit. Les mains de mon maître se posèrent sur mes épaules mais, au lieu de me tirer en arrière, comme je le craignais, il se contenta de me tenir contre lui et de poser la joue dans mes cheveux.

J'allais repartir. C'était assez, me semblait-il. La musique s'interrompit. Une femme — ma mère, peut-être ? non, plus jeune : ma sœur, Anya, à présent adulte — déclara avec lassitude que mon père chanterait à nouveau s'il était possible d'écarter de lui la moindre goutte d'alcool et de le rendre à lui-même.

Borys ricana. Ivan était incorrigible ; il ne connaîtrait plus un jour ou une nuit de sobriété jusqu'à sa mort, qui ne saurait tarder. L'alcool l'avait empoisonné, que ce fussent les fins spiritueux obtenus en vendant à des marchands ce qu'il volait dans cette maison même ou le breuvage soutiré aux paysans par la menace ou les coups — car il était toujours la terreur de la ville.

Je me hérissai de partout. Ivan, mon père, en vie ? Pour mourir une nouvelle fois, déshonoré ? Il n'avait donc pas péri dans la steppe ?

Hélas, les pensées et les mots qui lui étaient consacrés s'évanouirent au fond des crânes épais de mes parents. Mon oncle chanta une autre chanson, sur un air de danse, bien que nul ne dansât autour de lui. Tout le monde était trop fatigué par son travail, et les femmes quasi aveugles continuèrent à raccommoder les vêtements entassés sur leurs genoux. Pourtant, la musique ragaillardit la famille. Un adolescent plus jeune que moi au moment de ma mort, mon petit frère, murmura une prière pour mon père, demandant qu'il ne mourût pas de froid cette nuit comme cela avait si souvent failli lui arriver, après qu'il fut tombé ivre mort dans la neige.

— Ramenez-le à la maison, s'il vous plaît, continua le garçon, dans un chuchotement.

Marius intervint, afin d'éclaircir la situation et de me calmer.

— Il semble qu'il n'y ait aucun doute, dit-il, dans mon dos. Ton père est bel et bien en vie.

Avant qu'il pût m'appeler à la prudence, je contournai la maison et ouvris la porte. J'eusse dû lui en demander la permission, car c'était là agir avec impétuosité — témérité, même — mais, ainsi que je l'ai déjà dit, j'étais un élève indiscipliné. Il fallait que j'agisse.

Le vent se rua dans la demeure. Les silhouettes recroquevillées frissonnèrent, remontèrent leurs fourrures sur leurs épaules. Le feu, profondément enfoncé dans la gueule du fourneau de briques, flamba en toute beauté.

J'étais censé ôter mon chapeau, dans mon cas mon capuchon, me tourner vers l'alcôve des icônes et me signer, mais cela ne m'était pas possible.

En fait, décidé à dissimuler mes traits, je tirai ma capuche sur ma tête en refermant la porte, devant laquelle je me dressai, solitaire. Je tins aussi devant ma bouche ma cape de fourrure, si bien que mon visage était invisible, hormis mes yeux et, peut-être, une de mes mèches auburn.

— Pourquoi Ivan a-t-il succombé à la boisson ? murmurai-je. (La vieille langue russe me revint sans difficulté.) C'était l'homme le plus fort de toute la ville. Où est-il, à présent ?

Mon intrusion suscita méfiance et colère. Le feu dansa et crépita, ranimé par un festin d'air frais. L'alcôve des icônes paraissait elle-même un bouquet de flammes radieuses, parfaites, avec ses images rayonnantes et ses bougies disposées au hasard, un autre feu bien différent, éternel. Je distinguais très nettement le visage du Christ, dans la clarté vacillante. Ses yeux semblaient fixés sur moi, qui me tenais devant la porte.

Mon oncle, se levant, posa la harpe entre les bras d'un garçon que je ne connaissais pas. Des enfants, assis dans la pénombre de leurs lits aux lourdes draperies, me regardaient avec des yeux brillants. Leurs aînés se rapprochèrent les uns des autres, baignés par la lumière du brasier, tout en se tournant vers moi.

Ma mère, aussi triste et desséchée que s'il s'était écoulé des siècles depuis mon départ, véritable vieillarde, se cramponnait dans son coin à la couverture jetée sur ses genoux. Je l'examinai, à la recherche des raisons de sa déchéance. Edentée, décrépite, les articulations gonflées, écorchées et polies par le travail, elle n'était peut-être qu'une malheureuse conduite prématurément à la tombe par l'épuisement.

Une avalanche de pensées et de mots me frappa, comme si on m'avait roué de coups. Ange, démon, visiteur de la nuit, terreur de l'obscurité, qui êtes-vous ? Des mains se levèrent, exécutèrent en hâte le signe de la croix. Pourtant, les réflexions déclenchées par ma question restaient claires.

Qui ne sait qu'Ivan le Chasseur est devenu Ivan le Pénitent, Ivan l'Ivrogne, Ivan le Fou du jour où, dans la steppe, il n'a pu empêcher les Tartares de capturer son fils bien-aimé, Andrei ?

Je fermai les yeux. Il avait connu pire que la mort ! Et je ne m'étais seulement jamais interrogé, je n'avais seulement jamais osé l'imaginer vivant, je n'y avais pas attaché assez d'importance pour espérer qu'il l'était ou me demander quelle eût été sa destinée s'il avait vécu. Partout à Venise, dans d'innombrables échoppes, j'eusse pu lui écrire une lettre que les grands marchands de la République eussent emportée jusqu'à quelque port, où elle fût passée aux célèbres courriers du khan.

Je savais tout cela. L'égoïste petit Andrei le savait. Il n'ignorait rien des détails qui eussent scellé son passé afin qu'il parvînt à l'oublier. J'eusse pu écrire :

> « Chers tous, je suis en vie et heureux, bien qu'il me soit impossible de jamais rentrer à la maison. J'envoie de l'argent, pour mes frères et sœurs et pour ma mère... »

Mais jamais je n'avais vraiment su. Le passé n'avait été que souffrance et chaos.

Chaque fois que l'image la plus triviale en avait émergé, j'avais subi la torture.

Mon oncle s'immobilisa devant moi. Il était aussi imposant que mon père, bien vêtu, d'une tunique en cuir à ceinture et de bottes en feutre. Il me regardait avec calme mais sévérité.

— Qui êtes-vous pour vous introduire ainsi dans notre demeure ? demanda-t-il. Qui est le prince qui se présente à nous ? Avez-vous un message à nous transmettre ? Dans ce cas, parlez, et nous oublierons que vous avez brisé la serrure de notre porte.

J'inspirai à fond. Je n'avais plus de questions, car je savais où trouver Ivan l'Ivrogne. A la taverne, en compagnie des pêcheurs et des marchands de fourrures. C'était le seul lieu clos qu'il eût jamais aimé, excepté sa maison.

Je trouvai de la main gauche la bourse que je portais toujours, comme le voulait la mode, attachée à la ceinture, l'en arrachai et la tendis à mon interlocuteur. Il n'y jeta qu'un coup d'œil puis se dressa de toute sa hauteur, offensé, avant de faire un pas en arrière.

Pour moi, il s'intégra alors à une image significative. Il y avait la maison, les meubles artisanaux, fierté de la famille qui les avait fabriqués, les croix et les chandeliers en bois sculpté, les symboles peints sur les encadrements des fenêtres, les étagères chargées des jolis pots, bols et bouilloires fabriqués en ces lieux mêmes.

Il y avait ces gens drapés dans leur fierté, tous, les femmes qui raccommodaient comme celles qui brodaient. Evoquer la stabilité et la chaleur de leur vie quotidienne me fut un apaisant réconfort.

Pourtant, elle était triste, ô, si triste, comparée à mon propre monde !

Je m'avançai, tendant à nouveau la bourse, et dis d'une voix étouffée, sans découvrir mon visage :

— Je vous supplie de prendre ceci par générosité envers moi, afin d'épargner mon âme. C'est votre neveu, Andrei, qui vous l'envoie. Il est loin, très loin d'ici, dans le pays où l'ont emmené les marchands d'esclaves, et jamais il ne reviendra chez lui. Mais il va bien et veut partager ce qu'il possède avec sa famille. Il m'a ordonné de lui dire qui parmi vous était en vie et qui était mort. Si je ne vous donne pas cet argent, si vous ne l'acceptez pas, je serai condamné à l'Enfer.

Mes hôtes ne me répondirent pas à haute voix, mais leur esprit m'apprit ce que je voulais savoir. En détail. Oui, Ivan était toujours de ce monde, et voilà que l'étrange visiteur affirmait qu'il en allait de même d'Andrei. Ivan pleurait un fils qui non seulement vivait, mais encore prospérait. La vie est une tragédie, quoi qu'il arrive. Une chose est sûre, la mort est au bout du chemin.

— Je vous en prie, insistai-je.

Mon oncle prit la bourse offerte d'une main hésitante. Mes ducats d'or seraient acceptés partout.

Laissant tomber ma cape, je débarrassai ma main gauche de mon gant, puis des bagues qu'elle portait à chaque doigt. Opale, onyx, améthyste, topaze, turquoise. Je dépassai Borys et les garçons puis contournai le feu pour poser avec respect les bijoux dans le giron de la vieille femme qui avait été ma mère. Elle me regardait.

Encore un instant, je n'en doutais pas, et elle saurait qui j'étais, aussi me couvris-je à nouveau le visage, mais de ma main nue je me saisis de la dague qui était à ma ceinture. Ce n'était qu'une courte miséricorde, le petit poignard que le guerrier emporte au combat afin d'achever ses victimes, un ornement plus qu'une arme, au fourreau plaqué or richement incrusté de perles parfaites.

— Pour vous, dis-je. Pour la mère d'Andrei qui a toujours aimé son collier en perles du fleuve. Prenez, au nom d'Andrei.

Je posai la dague aux pieds de la vieille femme.

Puis je m'inclinai bas, très bas, touchant presque le sol du front, avant de sortir d'un pas décidé. Une fois la porte refermée, je restai près de la maison afin d'entendre tous mes parents sauter sur leurs pieds. Ils se rassemblèrent autour des bagues et du poignard ou, pour certains, de la serrure.

L'émotion m'affaiblit un instant, mais rien ne m'empêcherait de mettre mon projet à exécution. Sans un regard à Marius, car il eût été fou de lui demander son soutien ou son approbation, je descendis la rue enneigée et boueuse en direction de la taverne la plus proche du fleuve, où je pensais trouver mon père.

Je n'y étais que rarement entré durant mon enfance, et toujours pour demander à mon géniteur de regagner la maison. Elle ne m'avait laissé aucun souvenir, excepté celui d'un endroit où des étrangers juraient en buvant.

C'était une longue bâtisse faite des mêmes rondins mal dégrossis que mon ancienne demeure, de la même argile, des mêmes inévitables fissures et trous qui livraient passage au terrible hiver. Son toit très élevé se composait de six niveaux, sur lesquels glissait la neige pesante ; des stalactites de glace en pendaient, tout comme de celui de mon père.

Je m'émerveillai que les hommes vécussent ainsi, que le seul froid ne les poussât pas à construire quelque chose de plus durable et protecteur, mais il en avait toujours été ainsi en ces contrées, me semblait-il, pour les pauvres, les malades, les affamés, les accablés. Le cruel hiver était trop exigeant, le court printemps et le bref été trop avares, si bien qu'au bout du compte, la résignation devenait la plus importante des vertus.

Mais peut-être me trompais-je alors, et peut-être me trompé-je aujourd'hui. Une seule chose importe : cette ville était un lieu de désespoir. Elle ne me répugnait pas, car le bois, la boue, la neige et la tristesse n'ont rien de répugnant, mais on n'y trouvait nulle beauté, hormis dans les icônes ou les élégantes coupoles de la cathédrale Sainte-Sophie, perchée sur sa colline, qui se découpaient contre le ciel clouté d'étoiles. Ce n'était pas assez.

En pénétrant dans la taverne, j'y vis d'un coup d'œil une vingtaine d'hommes, tous occupés à boire et à discuter de manière conviviale, ce qui ne manqua pas de me surprendre tant l'établissement me sembla spartiate, simple refuge où échapper à la nuit en s'installant près d'un brasier. Nulle icône n'était là pour réconforter les clients, mais quelques-uns chantaient. Le traditionnel musicien pinçait les cordes de sa petite harpe, accompagné par un flûtiste.

Certaines des nombreuses tables étaient couvertes de toile, d'autres nues. Les buveurs qui les entouraient comptaient nombre d'étrangers, comme je m'en étais souvenu, dont trois Italiens — je le sus dès que je les entendis parler — sans doute des Génois. En fait, il y avait plus d'étrangers que je ne m'y étais attendu, des hommes attirés là par le commerce qui se faisait sur le fleuve. Peut-être Kiev ne se débrouillait-elle pas trop mal, à l'époque.

Des tonnelets de bière et de vin attendaient derrière le comptoir, où le propriétaire vendait sa marchandise au gobelet. Je ne vis que trop de bouteilles de vin italien, sans le moindre doute coûteux, et des caisses de xérès.

Peu soucieux d'attirer l'attention, je m'enfonçai dans les ombres profondes, d'un côté de la pièce. Peut-être un Européen vêtu de riches fourrures ne se ferait-il pas remarquer ; après tout, la belle fourrure ne manquait pas, ici.

Les clients étaient trop ivres pour se demander qui j'étais. Quant au tavernier, il s'efforça de se secouer à l'idée d'avoir un nouveau consommateur mais se remit bientôt à ronfler dans sa main. La musique continua, une autre saga, beaucoup moins gaie que celle jouée par mon oncle. Les musiciens devaient être épuisés.

Mon père m'apparut.

Etendu de tout son long sur un large banc grossier et taché de graisse, vêtu de son justaucorps en cuir, sa plus grande et plus lourde cape de fourrure soigneusement repliée sur lui, comme si ses compagnons de beuverie lui avaient rendu les honneurs après qu'il avait perdu conscience. Elle était en peau d'ours, cette cape, ce qui prouvait la richesse relative de son propriétaire.

Il ronflait dans son sommeil d'ivrogne ; des vapeurs d'alcool s'élevaient de lui. Je m'agenouillai juste à son côté pour le regarder sans qu'il bronchât le moins du monde.

Ses joues, bien qu'amaigries, restaient rosées, mais la chair se creusait sous ses pommettes. Sa moustache et sa longue barbe étaient striées d'un gris bien visible. Il me sembla que sa chevelure s'était éclaircie aux tempes et que son beau front lisse était plus abrupt, mais peut-être s'agissait-il d'une illusion. La peau qui lui entourait les yeux paraissait moelleuse et foncée. Bien que ses mains, rassemblées sous sa cape, me fussent invisibles, je le découvrais fort, puissamment bâti ; son amour de l'alcool ne l'avait pas encore détruit.

Soudain, sa vitalité me frappa de manière gênante. L'odeur de son sang, de la vie qui coulait en lui, évoquait une victime possible croisant mon chemin. J'écartai ces pensées de mon esprit pour le contempler avec amour, occupé du seul plaisir de le trouver en vie ! Il était revenu de la steppe. Il avait échappé aux pillards qui m'étaient apparus comme les hérauts de la mort en personne.

Je tirai à moi un tabouret afin de m'y installer, d'étudier à loisir le visage du dormeur.

Ma main gauche était toujours nue.

Je posai mes doigts froids sur le front de mon père, sans insister, me refusant à prendre avec lui la moindre liberté. Lentement, ses yeux s'ouvrirent. Quoique troubles, injectés de sang et humides, ils avaient conservé leur bel éclat. Il me fixa un moment avec douceur, sans un mot, comme s'il n'avait eu aucune raison de bouger, comme si j'avais été une vision issue de ses rêves.

Le capuchon glissa de ma tête ; je ne cherchai pas à le retenir. Je ne voyais pas ce que voyait Ivan, mais je le devinais : son fils, le menton glabre, ainsi qu'il l'avait connu, coiffé de longs cheveux auburn aux boucles libres, poudrées de neige.

Au-delà, simples silhouettes massives contre l'incandescence du brasier, les autres clients chantaient ou discutaient. Le vin coulait à flots.

Rien ne vint s'interposer entre ce moment et moi, entre cet homme et moi ; il s'était efforcé de vaincre les Tartares, il avait décoché à ses ennemis flèche après flèche alors même que les leurs pleuvaient sur lui.

— Ils ne vous ont pas touché, murmurai-je. Je vous

aime, et aujourd'hui seulement, je découvre combien vous étiez fort.

Ma voix était-elle audible ?

Il cligna les yeux, puis sa langue courut le long de ses lèvres. Des lèvres aussi éclatantes que le corail, qui luisaient entre les lourdes franges rousses de sa barbe et de sa moustache.

— Ils m'ont touché, rectifia-t-il lentement, d'une voix basse mais non faible. Ils m'ont atteint par deux fois, à l'épaule et au bras. Mais ils ne m'ont pas tué, et ils n'ont pas lâché Andrei. Je suis tombé de cheval. Je me suis relevé. Ils ne m'ont pas blessé aux jambes. Je leur ai couru sus. De toutes mes forces, sans jamais arrêter de tirer. Une de leurs maudites flèches me sortait en plein de l'épaule droite, là. (Sa main jaillit de sous sa cape pour se poser sur la courbe sombre de son épaule.)

« Je tirais toujours. Je ne sentais rien. Ils se sont éloignés. En l'emportant. Je ne sais même pas s'il vivait encore. Je ne sais pas. Se seraient-ils souciés de l'emporter s'il avait été blessé ? Les flèches étaient partout. Il en pleuvait ! Ils devaient bien être cinquante. Tous les autres sont morts ! Je leur avais dit : Continuez à tirer, il faut continuer, ne vous arrêtez pas, même une seconde, ne vous mettez pas à l'abri, tirez, tirez, tirez, et quand vous n'aurez plus de flèches, prenez votre épée et allez-y, foncez-leur dessus, baissez-vous sur l'encolure de votre cheval et foncez-leur dessus. Ma foi, peut-être l'ont-ils fait. Je ne sais pas. (Il cligna les paupières, regarda autour de lui, essaya de se lever puis reposa les yeux sur moi.)

« Offrez-moi un verre. Quelque chose de correct. Il y a du xérès d'Espagne. Tenez, payez-moi une bouteille. Bon Dieu, autrefois, j'attendais les négociants là dehors, au bord du fleuve, et je n'avais jamais à acheter quoi que ce soit. Payez-moi du xérès. Je vois bien que vous êtes riche. »

— Savez-vous qui je suis ? demandai-je.

Il me fixa, l'air égaré. La question ne l'avait même pas effleuré.

— Vous venez du château. Vous avez l'accent lituanien. Je me fiche de savoir qui vous êtes. Offrez-moi du
vin.

— L'accent lituanien ? répétai-je tout bas. Quelle horreur. Je pense que c'est l'accent vénitien, et j'en ai honte.

— Eh bien, vous ne devriez pas. Dieu sait que les
Vénitiens ont essayé de sauver Constantinople, vraiment
essayé. L'Enfer dévore tout. Le monde finira dans les
flammes. Mais avant, payez-moi du xérès, d'accord ?

Je me levai. Me restait-il de l'argent ? Alors que je
m'interrogeais, la sombre silhouette silencieuse du
maître se dressa devant moi, une bouteille de xérès à la
main, débouchée.

Je soupirai. L'odeur du vin ne signifiait plus rien
pour moi, mais je savais que celui-là était bon ; et puis
mon père en voulait.

Pendant ce temps, il s'était assis sur le banc, les yeux
rivés à la bouteille. Il s'en empara et y but aussi avidement que je buvais le sang.

— Regardez-moi bien, repris-je.

— Il fait trop sombre, idiot, riposta-t-il. Comment
pourrais-je bien regarder quoi que ce soit ? Hmm, ça,
c'est bon. Merci.

Soudain, il se figea, le goulot tout proche des lèvres.
Cette brusque immobilité avait quelque chose d'étrange.
On eût dit qu'il se trouvait en pleine forêt et qu'il avait
senti approcher un ours ou quelque autre bête dangereuse. Toujours est-il qu'il se figea, la bouteille à la
main ; seuls ses yeux, animés, se levèrent vers moi.

— Andrei, murmura-t-il.

— C'est moi, père, répondis-je avec douceur. Les
Tartares ne m'ont pas tué. Je faisais partie de leur butin,
et j'ai été vendu. Leurs bateaux m'ont emporté vers le
sud, puis ils sont redescendus plus au nord, jusqu'à
Venise, où je vis à présent.

Son regard restait calme. Une splendide sérénité descendait sur lui. Il était beaucoup trop ivre pour que sa
raison se révoltât ou qu'une surprise clinquante le ravît.

Au contraire, la vérité le submergeait telle une vague, le subjuguait, et il en comprenait toutes les ramifications ; je n'avais pas été blessé, j'étais riche, j'allais bien.

— J'étais un enfant perdu, père, repris-je dans le même doux chuchotement qu'il était sans doute seul à entendre. Perdu, oui, mais un homme de bien m'a trouvé, il m'a guéri, et je n'ai plus souffert depuis. J'ai fait un long voyage pour venir vous le dire. J'ignorais que vous étiez en vie. Je n'en ai jamais rêvé. Je pensais que vous étiez mort en ce jour où le monde était mort pour moi. Mais je suis venu jusqu'ici vous dire qu'il ne faut plus jamais, jamais me pleurer.

— Andrei, répéta-t-il, le visage toujours figé, empreint d'un calme émerveillement.

Il restait assis, les deux mains posées sur la bouteille abaissée jusqu'à ses genoux, ses larges épaules très droites. Sa chevelure mêlée de roux et de gris, aussi longue qu'autrefois, se fondait à la fourrure de sa cape.

Il était beau, très beau, mais il me fallait l'œil d'un monstre pour le voir. Il me fallait la vision d'un démon pour découvrir la force de son regard alliée à la puissance de sa gigantesque ossature. Seuls ses yeux injectés de sang trahissaient sa faiblesse.

— Oubliez-moi comme si les moines m'avaient envoyé au loin, père, conseillai-je, mais n'oubliez pas que jamais je ne serai enseveli dans les tombes boueuses du monastère. Non, il peut m'arriver bien d'autres choses, mais je ne subirai pas une telle fin. Grâce à vous. Parce que vous ne l'avez pas voulu. Parce qu'en ce jour lointain, vous avez exigé ma présence à votre côté et m'avez contraint à me conduire en fils.

Je me détournai pour partir. Il se jeta en avant, attrapant la bouteille par le goulot de la main gauche, refermant la droite, puissante, sur mon poignet afin de m'attirer à lui avec sa force d'antan, comme si je n'avais été qu'un simple mortel. Ses lèvres se pressèrent contre ma tête inclinée.

Oh, Seigneur, faites qu'il ne devine pas ! Qu'il ne sente pas que j'ai changé !

Désespéré, je fermai les yeux.

Mais, dans ma jeunesse, je n'étais pas aussi dur et froid que mon maître, non, pas à moitié, ni à moitié de cette moitié. Mon père n'eut conscience que du soyeux de mes cheveux et, peut-être, de la douceur glacée, au parfum d'hiver, qui s'accrochait à ma peau.

— Andrei, mon enfant céleste, mon fils précieux, si talentueux !

Je me retournai pour l'enlacer d'un bras ferme. J'embrassai sa tête au hasard comme jamais, jamais je ne l'eusse fait durant mon enfance. Je le serrai contre mon cœur.

— Arrêtez de boire, père, lui murmurai-je à l'oreille. Relevez-vous, redevenez le chasseur. Obéissez à votre nature.

— Personne ne voudra me croire.

— Et qui sont-ils pour vous contredire, si vous êtes à nouveau vous-même ?

Nous nous regardâmes dans les yeux. Je gardai les lèvres closes afin qu'il ne vît pas dans ma bouche les dents aiguës dont le sang vampirique m'avait doté, les crocs minuscules qu'un homme aussi exercé, le chasseur incarné, eût fort bien pu remarquer.

Mais il ne cherchait pas en moi pareille tare. Il ne voulait que mon amour, et l'amour passa entre nous.

— Je n'ai pas le choix, repris-je, il me faut partir. J'ai volé ces instants pour venir à vous. Dites à ma mère que c'est moi qui suis allé à la maison, tout à l'heure, qui lui ai offert les bagues et qui ai remis la bourse à votre frère.

Je reculai un peu et m'assis sur le banc, car il avait posé les pieds par terre. Otant mon gant droit, je regardai les sept ou huit anneaux qui ornaient ma main, tous d'or ou d'argent agrémentés de gemmes, puis je les retirai un à un malgré le gémissement indigné de mon père et lui posai cette poignée de bijoux dans la main. Comme elle était douce et chaude, rosée et vivante.

— Prenez-les, j'en possède des tas. Je vous écrirai, à présent, et je vous en enverrai d'autres, bien d'autres, afin que vous n'ayez plus à faire que ce qu'il vous plaît — chevaucher, chasser, raconter près du feu les histoires de l'ancien temps. Achetez une bonne harpe, achetez des livres pour les enfants si le cœur vous en dit, achetez tout ce que vous voudrez.

— Je ne veux pas de ça ; je te veux, toi, mon fils.

— Oui, et je vous veux, vous, mon père, mais peut-être n'aurons-nous jamais que ces quelques instants.

Je lui pris la tête à deux mains sans dissimuler ma force, ce qui manquait peut-être de sagesse mais le contraignit à l'immobilité tandis que je l'embrassais. Enfin, après une longue étreinte chaleureuse, je me levai pour partir.

Ma sortie fut si rapide qu'il vit sans doute seulement la porte se refermer.

Il neigeait. Mon maître se tenait à quelques mètres de là. Je le rejoignis et, ensemble, nous entreprîmes l'ascension de la colline. Je ne voulais pas voir sortir mon père, juste m'éloigner le plus vite possible.

Alors que j'allais demander l'aide de la vélocité vampirique pour quitter Kiev, une silhouette apparut qui se hâtait dans notre direction. Une femme de petite taille, dont les longues fourrures traînaient dans la neige humide, serrant contre elle quelque chose de coloré.

Je me figeai, tandis que Marius attendait que je fusse prêt. C'était ma mère qui venait à moi. Ma mère qui s'avançait vers la taverne avec, dans les bras, tournée vers l'extérieur, une icône du Christ austère ; la peinture que j'avais longuement contemplée par le trou du mur.

J'inspirai profondément. L'arrivante souleva à deux mains le panneau de bois pour me le tendre.

— Andrei, murmura-t-elle.

— Mère. Gardez-la pour les enfants, je vous en prie.

Je la serrai dans mes bras et l'embrassai. Elle me

semblait vieillie, misérable. Les grossesses l'avaient ainsi abîmée, lui soutirant sa force, pour ne lui accorder en fin de compte que des tombes minuscules. Je songeai à tous les nouveau-nés qu'elle avait perdus durant mon enfance, à tous ceux qu'il y avait eus avant ma naissance, ses anges, comme elle disait, ses tout petits, trop frêles pour vivre.

— Gardez-la, répétai-je. Pour la famille, ici.

— Très bien, Andrei, acquiesça-t-elle.

Ses yeux pâles, emplis de douleur, restaient fixés sur moi. Elle se mourait, je le voyais bien. Soudain, je compris que l'âge ou la fatigue de l'enfantement n'étaient pas seuls à la ronger. Elle était malade et ne tarderait pas à s'éteindre. La peur m'envahit tandis que je la contemplais, une peur immense pour le genre humain tout entier. Maladie banale, ennuyeuse, inévitable.

— Adieu, cher ange, dis-je.

— Adieu à toi aussi, Andrei, répondit-elle. Je suis heureuse, de cœur et d'âme, que tu sois devenu un grand prince, mais montre-moi si tu fais toujours le signe de la croix comme il convient ?

Quel désespoir dans sa voix. Elle pensait ce qu'elle disait. Elle se demandait, tout simplement, si j'avais gagné la fortune qu'elle me voyait en me convertissant à la religion occidentale. Voilà ce que je lisais dans son esprit.

— Vous m'imposez là une épreuve bien facile, mère.

Pour elle, j'exécutai le signe de la croix à notre manière, la manière orientale, de l'épaule droite à la gauche, puis je souris.

Elle hocha la tête, avant de tirer avec précaution quelque chose de son lourd manteau d'intérieur en peau de mouton, ne le lâchant que lorsque je lui eus fait un berceau de ma main.

Un œuf de Pâques rubis foncé, véritable perfection à l'ornementation exquise. Des rubans de jaune le parcouraient sur toute sa longueur, se rejoignant en un point central où était peinte une rose parfaite, ou peut-être une étoile à huit branches.

Je le contemplai et hochai la tête à l'adresse de ma mère.

Tirant un mouchoir de fine toile des Flandres, j'en enveloppai le fragile cadeau, le tapotai avec douceur, puis le glissai ainsi que je le devais dans les plis de ma tunique, sous ma cape et ma veste.

Penché sur la vieille femme, j'embrassai une nouvelle fois sa joue sèche et douce.

— La Vierge de miséricorde, mère, voilà ce que vous êtes pour moi !

— Mon tendre Andrei. Pars avec Dieu, puisque tu dois partir.

Elle regarda l'icône puis la retourna vers moi afin de me présenter le visage divin, aussi beau et lisse que le jour où je l'avais peint pour elle. Mais ce n'était pas pour elle que je l'avais peint. Non, cette icône était celle-là même que j'avais emportée le jour de ma chevauchée dans la steppe.

N'était-il pas merveilleux que mon père l'eût rapportée, qu'il eût parcouru sans la lâcher tout le chemin depuis le théâtre de son martyre ? Mais après tout, pourquoi pas ? Pourquoi pareil homme n'eût-il pas fait pareille chose ?

La neige tombait sur la peinture, sur le visage sévère de notre Sauveur né comme par magie, flamboyant, de la course de mon pinceau, un visage qui représentait l'amour avec ses lèvres lisses, austères, et son front légèrement plissé. Le Christ Notre Seigneur paraissait parfois plus sévère encore lorsqu'Il regardait le monde depuis les mosaïques de la basilique Saint-Marc. Il le paraissait tout autant dans bien des peintures anciennes. Mais, de quelque style qu'Il fût, quelle que fût Son attitude, Son amour était infini.

La neige, qui arrivait par rafales, semblait fondre en touchant Ses traits.

J'avais peur pour le fragile panneau de bois, pour

l'image de laque luisante, censée briller éternellement. Ma mère, qui y songeait aussi, la protégea vivement de l'humidité des flocons en la couvrant de sa cape.

Jamais je ne la revis.

Mais qui, à présent, me demandera encore ce qu'une icône représente pour moi ? Qui me demandera pourquoi, lorsque je vis le visage du Christ sur le voile de Véronique brandi par Dora — le voile que Lestat en personne avait rapporté de Jérusalem, à l'heure de la Passion du Christ, en passant par les Enfers — je tombai à genoux et m'écriai : « Voici le Seigneur ! »

XI

Le retour de Kiev me sembla un voyage vers le futur et l'endroit où j'étais à ma place.

À mon arrivée, Venise tout entière me parut partager l'éclat de la pièce tapissée d'or où se trouvait ma tombe. Je passai mes nuits dans une sorte d'hébétude, à errer, avec ou sans Marius, à me gorger de l'air frais de l'Adriatique, à explorer les demeures et palais gouvernementaux splendides auxquels je m'étais accoutumé durant les dernières années.

Les vêpres m'attiraient comme le miel attire les mouches. Je buvais avec avidité la musique des chœurs, le chant des prêtres et, par-dessus tout, la joyeuse sensualité des fidèles. Peut-être ce baume parviendrait-il à soigner la chair mise à vif par mon retour au monastère des Grottes.

Pourtant, au plus profond de mon cœur, j'entretenais une flamme tenace, brûlante, de révérence envers les moines de mon enfance. Ayant eu un aperçu des paroles de saint Isaac, je marchais dans le vivant souvenir de ses enseignements — frère Isaac avait été un fou de Dieu, un ermite, un homme capable de voir les esprits, une victime du démon avant de devenir son vainqueur, au nom du Seigneur.

J'avais l'âme religieuse, on n'en pouvait douter. Deux grands modèles de la pensée chrétienne m'avaient été proposés, et en cédant à la guerre qui les opposait, je me faisais la guerre à moi-même. En effet, si je n'avais pas la moindre intention de renoncer aux splendeurs et au luxe vénitiens, à l'éclat toujours vivace des œuvres de Fra Angelico ainsi qu'aux accomplissements éblouissants de ses successeurs, qui offraient au Christ la beauté de leurs créations, je béatifiais en secret le vaincu du conflit, Isaac — qu'il soit béni — dont je m'imaginais, dans ma puérilité, qu'il avait suivi le véritable chemin menant à Dieu.

Marius avait conscience de cette lutte, du pouvoir de Kiev sur moi, de l'importance cruciale que j'attachais à ces choses. Jamais je n'ai rencontré personne qui comprît mieux que chaque être se bat contre ses propres anges et démons, s'abandonne à un système de valeurs essentiel, un thème, en fait ; il est impossible sans cela de mener une existence satisfaisante.

En ce qui nous concernait, bien que vampires, nous n'en étions pas moins vivants dans tous les sens du terme, d'une vie physique, sensuelle. Je n'y trouvais nul refuge contre les obsessions et compulsions dont j'avais été tourmenté en tant que mortel. Au contraire, elles étaient à présent magnifiées.

Au cours du mois qui suivit mon retour, il m'apparut que j'avais donné le ton de mon approche du monde. Je me vautrerais dans les délicieuses beautés de la peinture, de la musique et de l'architecture italiennes, oui, mais avec la ferveur d'un saint russe. J'orienterais toutes mes expériences sensuelles vers le bien et la pureté. J'apprendrais. Je deviendrais plus compréhensif, plus compatissant, envers les mortels qui m'entouraient. Je soumettrais sans trêve mon âme à une pression qui ferait de moi ce que je considérais comme un être de bien.

Le bien était au-dessus de tout. Il fallait être doux ; ne rien gâcher ; peindre, lire, étudier, écouter, prier, même, bien que je ne fusse pas certain de savoir à qui s'adressaient mes prières ; saisir la moindre occasion de me montrer généreux avec les mortels que je ne tuais pas.

Quant à ceux que je tuais, je devais leur ôter la vie miséricordieusement. Je deviendrais le maître absolu de la compassion. Jamais je n'infligerais ni douleur ni égarement. Autant que faire se pourrait, je ligoterais mes victimes des sortilèges tissés par ma voix douce et la profondeur de mon regard, ainsi que par un autre pouvoir, encore balbutiant, qui me permettait de projeter mon esprit dans celui des malheureux sans défense afin de les aider à susciter leurs propres images rassurantes ; la mort n'était plus alors pour eux que le vacillement d'une flamme dans l'extase, suivi d'un silence des plus doux.

Je me concentrais aussi sur la jouissance que me procurait le sang, cherchant à m'enfoncer sous la turbulente contrainte de la soif pour mieux goûter le fluide vital dérobé à mes proies et sentir pleinement ce qu'il emportait vers sa funeste fin, la destinée d'une âme mortelle.

Les leçons de Marius cessèrent un moment, mais il finit par m'avertir avec gentillesse qu'il était grand temps que je reprisse mes études, que nous avions à faire.

— Je me consacre à mes propres études, répondis-je. Je ne paresse pas durant mes errances. Mon esprit est aussi affamé que mon corps, vous ne l'ignorez pas. Laissez-moi tranquille.

— Tout cela est bel et bon, jeune maître, contra-t-il d'une voix douce, mais vous devez revenir à mon école. J'ai des choses à vous apprendre.

Cinq nuits durant, il essuya mes rebuffades. Puis, alors que je somnolais sur son lit, après minuit, car j'avais passé le début de soirée sur la place Saint-Marc à un grand festival où j'avais admiré musiciens et jongleurs, je sursautai en sentant sa badine me cingler l'arrière des jambes.

— Réveille-toi, mon enfant, ordonna-t-il.

Je me retournai, stupéfait. Il se tenait près de moi, la fine baguette à la main, les bras croisés, vêtu d'une longue tunique de velours pourpre à ceinture. Ses cheveux étaient attachés à la base de sa nuque.

Je me rallongeai, persuadé qu'il exagérait et qu'il s'en irait. La badine s'abattit derechef, suivie d'une volée de coups.

Je les sentis comme jamais je n'avais rien senti en tant que mortel. J'étais plus fort, plus résistant, mais une fraction de seconde durant, les chocs franchirent ma garde surnaturelle, m'infligeant chacun à leur tour une minuscule explosion d'exquise douleur.

Furieux, je voulus sauter du lit. Sans doute eussé-je frappé Marius, tant ma colère était grande d'être ainsi traité, mais il me posa un genou sur le dos pour me battre encore et encore jusqu'à ce que je me misse à crier.

Alors il se leva en me tirant par le col. Je tremblais de rage et d'égarement.

— Tu veux que je continue ? demanda-t-il.

— Je ne sais pas, répondis-je, repoussant son bras. (Il me laissa faire avec un petit sourire.) Peut-être ! Un instant, vous ne pensez qu'à ce que j'éprouve en mon cœur, et le suivant, je suis un simple écolier. C'est bien ça ?

— Tu as eu tout le temps de pleurer et de te résigner, ainsi que de réévaluer ce qui t'a été donné. A présent, il faut te mettre au travail. Installe-toi au bureau et prépare-toi à écrire, ou je reprends la correction.

— Je ne me laisserai pas traiter de cette manière, ripostai-je, prêt à une grande tirade ; il n'y a pas de raison. Pourquoi écrirais-je quoi que ce soit ? J'ai rédigé des volumes entiers en esprit. Vous vous imaginez pouvoir me forcer dans le triste petit moule de l'élève obéissant, vous le croyez adapté aux pensées cataclysmiques qu'il me faut méditer, vous…

Il me frappa au visage, si fort que j'en restai étourdi.

Lorsque ma vision s'éclaircit, mes yeux plongèrent dans les siens.

— Je veux que tu me rendes ton attention. Que tu émerges de tes méditations. Installe-toi, et fais-moi un résumé de ce que ton voyage en Russie signifiait pour toi, de ce que tu vois à présent ici alors que tu n'étais pas capable de le voir auparavant. Sois bref, use de tes meilleures comparaisons et métaphores, rédige tout cela proprement et rapidement.

— Quelles tactiques grossières, murmurai-je.

Mais mon corps m'élançait. La douleur, très différente de celle d'une chair mortelle, n'en était pas moins détestable.

Je m'assis au bureau, décidé à écrire quelque chose de réellement hargneux, comme : « J'ai appris que je suis l'esclave d'un tyran. » Mais, levant les yeux, découvrant Marius planté devant moi, la badine à la main, je changeai d'avis.

Il savait que l'instant était bien choisi pour venir m'embrasser, ce qu'il fit. Je m'aperçus alors que j'avais levé la tête vers son baiser avant qu'il n'eût penché la sienne. Il ne s'arrêta pas pour autant.

Le bonheur suprême de lui céder m'envahit. Je levai le bras pour le passer à son cou.

Lorsqu'il me lâcha après un long, un délicieux moment, je rédigeai bien des phrases pour décrire ce que je viens d'expliquer. Je parlai de la bataille que se livraient en moi sensualité et ascétisme. Mon âme russe cherchait sans trêve la plus grande exaltation possible, celle que j'avais éprouvée en peignant des icônes dont la beauté avait en outre satisfait mon côté charnel. Plongé dans mes réflexions, je compris pour la première fois que le style russe ancien, le style byzantin, matérialisait par essence la lutte entre sensualité et ascétisme, avec ses silhouettes diminuées, aplaties, disciplinées mais entourées de riches couleurs : l'ensemble faisait les plus pures délices de l'œil tout en représentant le renoncement.

Marius sortit pendant que je maniais la plume. Bien que j'en fusse conscient, je n'y attachai pas d'importance. Absorbé par mon travail, je dérivai peu à peu de l'analyse pour me mettre à raconter une vieille histoire.

« Dans les temps anciens, alors que les Russes étaient ignorants de Jésus, le grand prince Vladimir de Kiev — et, à cette époque, Kiev était une cité magnifique — envoya ses émissaires étudier les trois religions du Seigneur : l'Islam, qui leur apparut forcené, méphitique ; le catholicisme romain, où ils ne découvrirent nulle beauté ; et, enfin, le christianisme de Byzance. A Constantinople, on fit visiter aux étrangers les splendides églises où les·Grecs adoraient leur Dieu. Les Russes les trouvèrent si belles qu'ils se demandaient s'ils étaient sur Terre ou dans les cieux. Jamais il n'avaient rien vu d'aussi harmonieux ; sans le moindre doute, le Seigneur s'était établi parmi les hommes qui prônaient la religion de Constantinople. Ce fut donc ce christianisme qu'embrassa la Russie. L'Eglise russe naquit de la beauté.

Autrefois, les hommes trouvaient à Kiev ce que Vladimir avait voulu recréer. A présent, la ville n'est plus que ruines, et les Turcs ont pris la basilique Sainte-Sophie de Constantinople. Il faut venir à Venise pour admirer la grande Theodokos, Celle qui Porte Dieu, et Son Fils devenant le Pantocrator, le divin Créateur de tout ce qui est. A Venise, je vois dans les mosaïques d'or scintillantes et les images charnelles d'un âge nouveau le miracle même qui apporta la lumière du Christ notre Seigneur à mon pays natal, une lumière qui brûle toujours dans les lampes du monastère des Grottes. »

Je posai ma plume, écartai ma feuille, enfouis ma tête dans mes bras et me mis à pleurer tout bas, seul parmi les ombres de la chambre. Il m'importait peu d'être battu, maltraité ou ignoré.

Enfin, Marius vint me chercher pour m'emmener à notre crypte. Aujourd'hui, des siècles plus tard, je m'aperçois en regardant en arrière que l'obligation qu'il me fit cette nuit-là de tout coucher sur le papier me permit de me rappeler à jamais les leçons tirées de cette époque.

La nuit suivante, après avoir lu mon devoir, il regretta de m'avoir frappé. Il lui était difficile de me traiter autrement qu'en enfant, dit-il, alors que je n'en étais pas un, même si mon esprit fonctionnait parfois comme celui d'un jeune garçon — naïf, acharné jusqu'à l'obsession sur certains sujets. Jamais il n'eût pensé m'aimer autant.

J'eusse voulu me montrer hautain, distant, parce qu'il m'avait battu, mais ce me fut impossible. A ma grande surprise, son contact, ses baisers, ses étreintes étaient plus importants encore pour moi que lorsque j'avais été humain.

XII

J'aimerais maintenant passer de l'image heureuse que nous formions à Venise, Marius et moi, au New York des temps modernes. A l'instant où Dora brandit le voile de Véronique, la relique rapportée de l'Enfer par Lestat. Mon histoire se composerait alors de deux moitiés parfaites — l'enfant que je fus et l'adorateur que je devins, par opposition à la créature que je suis aujourd'hui.

Mais je ne puis me leurrer ainsi. Je sais que ce qui nous arriva, à Marius et moi, dans l'année suivant notre voyage en Russie, fait partie intégrante de ma vie.

Il m'est impossible de ne pas traverser mon Pont des Soupirs personnel, le long ouvrage obscur qui enjambe des siècles de mon existence torturée pour me poser dans l'époque moderne. Lestat a fort bien décrit le temps qu'il me fallut pour le franchir, mais cela ne signifie nullement que j'échappe à l'obligation d'y accoler mes propres mots ni, surtout, de reconnaître que j'ai été trois cents ans durant un fou de Dieu.

J'aimerais que cette destinée m'ait été épargnée. J'aimerais que les événements d'alors aient été épargnés à Marius. Il est maintenant évident qu'il survécut à notre séparation avec beaucoup plus de force et de clairvoyance que moi, mais il avait déjà plusieurs siècles et une grande sagesse, alors que je n'étais qu'un enfant.

Nulle prémonition n'entacha nos derniers mois à Venise, durant lesquels il me donna quelques vigoureuses leçons fondamentales.

L'une des plus importantes m'apprit à passer pour humain au milieu des humains. Depuis ma transformation, je n'avais guère tenu compagnie aux autres apprentis et j'avais tout bonnement évité ma Bianca bien-aimée, à qui je devais une immense gratitude pour notre amitié passée mais aussi pour les soins qu'elle m'avait dispensés après mon empoisonnement.

Il me fallait à présent l'affronter — ainsi en décida Marius. Ce fut à moi qu'il revint d'écrire à la jeune femme une lettre où je lui expliquais que la maladie m'avait jusque-là empêché de venir la voir.

Puis, un soir, très tôt, après une courte chasse au cours de laquelle je bus le sang de deux victimes, le maître et moi nous mîmes en route pour lui rendre visite, chargés de cadeaux. Nous la trouvâmes entourée de ses amis français et italiens.

Marius, vêtu pour l'occasion d'élégant velours bleu foncé, arborait une cape de même teinte, ce qui était inhabituel. Il m'avait pressé de m'habiller de bleu ciel, la couleur qu'il préférait me voir porter. Je tenais à la main un panier renfermant les figues au vin et les tartelettes destinées à notre hôtesse.

Sa porte était ouverte, comme de coutume, et nous parvînmes à elle sans rencontrer la moindre résistance, mais elle ne nous en vit pas moins aussitôt.

A l'instant où je l'aperçus, la douloureuse envie d'une intimité bien particulière monta en moi, le besoin pressant de lui raconter tout ce qui s'était passé ! Je n'en avais évidemment pas le droit. Je pouvais l'aimer sans me confier à elle, Marius avait insisté pour que je l'apprisse.

Elle se leva, s'avança vers moi, m'enlaça et accepta comme à l'ordinaire mes baisers ardents. Je compris aussitôt l'insistance du maître à me faire abattre deux victimes. Leur sang me réchauffait, me rosissait.

Rien en moi n'effraya Bianca. Elle noua à mon cou ses bras soyeux, radieuse dans sa robe de soie jaune et de velours vert foncé ouverte sur des jupons jaunes poudrés de roses brodées. Ses seins à peine voilés ne pouvaient appartenir qu'à une courtisane.

Lorsque je me mis à l'embrasser, prenant grand soin de dissimuler mes petits crocs, nulle faim ne s'éveilla en moi, car mes deux proies m'avaient plus que rassasié. Je l'étreignis avec amour, rien d'autre, tandis que mon esprit plongeait dans des souvenirs d'un érotisme brûlant, que mon corps trahissait sans le moindre doute le besoin qu'il avait eu d'elle par le passé. J'avais envie de la caresser tout entière, comme un aveugle caresse une sculpture, afin de mieux voir avec mes mains chacune de ses courbes.

— Tu n'es pas seulement en bonne santé, tu es resplendissant, dit-elle. Venez, Marius et toi, passons dans la pièce à côté.

Elle eut un geste insouciant en direction de ses invités, très occupés à discuter, disputer ou jouer aux cartes par petits groupes. Le salon où elle nous entraîna, plus intime, jouxtait sa chambre. Il était encombré de sofas et de fauteuils damassés effroyablement coûteux, où elle nous fit asseoir.

La pensée des bougies me frappa : au lieu de m'en approcher, je devais me servir des ombres pour que nul mortel n'eût l'occasion d'examiner dans les meilleures conditions ma peau à présent parfaite.

La chose ne me fut pas trop difficile : Bianca aimait certes le luxe et la lumière, mais elle avait fait disperser les candélabres, afin d'obtenir une ambiance plus feutrée.

Le manque de clarté rendrait également plus discrets mes yeux étincelants. Et plus je parlerais, plus je m'animerais, plus je semblerais humain.

Rester immobiles était dangereux lorsque nous nous trouvions en compagnie de mortels, Marius m'en avait informé, car nous leur apparaissions alors sans défaut, surnaturels, voire, au bout du compte, vaguement horribles ; ils sentaient que nous n'étions pas ce que nous paraissions.

J'obéis à tous ces préceptes, empli d'anxiété, pourtant, à l'idée que jamais je ne pourrais révéler à Bianca ce qui m'était arrivé. Le mal, lui expliquai-je, m'avait quitté, mais Marius, de beaucoup plus sage que n'importe quel médecin, m'avait ordonné solitude et repos. Je n'avais d'abord quitté mon lit que pour m'efforcer de regagner mes forces, seul.

— Reste le plus près possible de la vérité : c'est ce qui fait les meilleurs mensonges, m'avait-il déclaré.

Je suivais le conseil.

— Je te croyais perdu, m'avoua Bianca. Quand vous m'avez écrit qu'il se rétablissait, Marius, j'ai douté de vous. Je pensais que vous cherchiez à adoucir l'implacable vérité.

Elle était adorable, fleur parfaite aux cheveux blonds séparés par le milieu. Deux mèches épaisses encadraient son visage, entremêlées de perles et retenues en arrière par une barrette qui en était incrustée. Le reste de sa chevelure tombait à la Botticelli sur ses épaules, en ruisselets dorés.

— Vous l'aviez soigné autant qu'il était humainement possible, intervint Marius. Ma tâche a consisté à lui administrer d'antiques remèdes connus de moi seul, puis à les laisser faire leur œuvre.

Malgré la simplicité des mots, il me sembla triste.

Une tristesse terrible me saisit, moi aussi. Je ne pouvais révéler à Bianca ce que j'étais, ni combien elle me paraissait à présent différente, richement opacifiée par le sang des mortels, comparée à nous. Sa voix avait pris pour moi un timbre purement humain, qui troublait mes sens avec suavité à sa moindre parole.

— Eh bien, vous êtes là, et vous y reviendrez souvent, il le faut, reprit-elle. Ne laissez jamais pareille séparation se reproduire. Je vous aurais rendu visite, Marius, si Riccardo ne m'avait dit qu'il vous fallait la paix et le calme. J'aurais soigné Amadeo, dans quelque état qu'il eût été.

— Je le sais, mon ange, assura le maître. Mais, comme je vous l'ai déjà expliqué, il avait besoin de solitude. Votre beauté est peut-être plus enivrante, vos paroles plus stimulantes que vous ne le réalisez.

La réplique n'évoquait pas une simple flatterie mais une sincère confession.

Bianca secoua la tête, un peu triste.

— Je me suis aperçue que je ne suis chez moi à Venise que lorsque vous vous y trouvez. (Elle jeta un coup d'œil prudent vers le salon de façade puis poursuivit, à voix basse :) Vous m'avez libérée de ceux qui avaient prise sur moi, Marius.

— La chose n'a pas été bien difficile, répondit-il. En fait, j'irais jusqu'à dire que ç'a été un plaisir. Ces hommes étaient répugnants. Des cousins à vous, si je ne m'abuse, mais avides de vous utiliser, vous et votre réputation de beauté, dans leurs sombres manœuvres financières.

Elle rougit. Je levai une main suppliante, le priant de mesurer ses paroles. Je savais à présent que, durant le massacre des Florentins, il avait lu dans leur esprit toutes sortes de choses que j'ignorais.

— De miens cousins ? Peut-être, admit-elle. J'ai fort à propos oublié nos liens de parenté. Ils inspiraient la terreur à ceux qu'ils persuadaient sournoisement de leur faire des emprunts coûteux ou de saisir de dangereuses occasions, voilà ce que je puis certifier. Il s'est produit des choses très étranges, Marius, des choses que jamais je n'eusse prévues.

J'adorais l'air sérieux répandu sur ses traits délicats. Elle semblait trop belle pour posséder un cerveau.

— Je me retrouve plus riche, poursuivit-elle, puisqu'il m'est à présent possible de conserver une plus grande partie de mes revenus, et d'aucuns — voilà le plus étrange — reconnaissants de la disparition de notre banquier, de notre extorqueur, m'ont couverte de cadeaux, d'or et de bijoux. Jusqu'à ce collier, regardez. Ce sont de véritables perles, figurez-vous, toutes de la même taille, et qui forment autant dire une corde. Voilà ce qu'on m'offre, bien que j'aie juré cent fois ne pas avoir commandité le meurtre.

— Mais le blâme ? m'inquiétai-je. Le danger d'une accusation publique ?

— Nul ne les pleure ni ne les défend, affirma-t-elle aussitôt. (Elle planta sur ma joue un petit bouquet de baisers.) D'ailleurs, un peu plus tôt dans la journée, mes amis du Grand Conseil sont venus, à leur habitude, me lire quelques nouveaux poèmes en se reposant au calme. Ici, leurs solliciteurs les laissent en paix, et ils échappent aux exigences sans fin de leur famille. Non, personne ne m'accusera sans doute de rien. D'ailleurs, comme chacun sait, la nuit des meurtres, j'étais chez moi en compagnie de cet horrible Anglais, celui qui a essayé de te tuer, Amadeo. Bien sûr, il a…

— Oui ? l'encourageai-je.

Marius me regarda, les yeux plissés, en faisant mine de se tapoter la tempe d'un doigt ganté. Lis dans son esprit, voulait-il dire, mais ce n'était même pas envisageable. Elle était trop jolie.

— Il a disparu, reprit-elle. Je pense qu'il s'est noyé, qu'il est tombé dans un canal ou, pire, dans la lagune, alors qu'il était trop ivre pour tenir sur ses jambes.

Mon maître m'avait assuré que lord Harlech ne nous poserait plus de problèmes, mais jamais je ne lui avais demandé comment il avait réglé la question.

— Ainsi donc, le bruit court que vous avez engagé des assassins pour vous débarrasser des Florentins ? demanda-t-il.

— Il semblerait, acquiesça-t-elle. D'aucuns s'imaginent même que je me suis également débarrassée de l'Anglais. Je suis devenue quelqu'un de puissant, Marius.

Ils pouffèrent, lui du rire profond mais métallique

d'un être surnaturel, elle sur une note plus haute quoique étoffée par son sang humain.

Malgré mon envie de lire dans son esprit, je rejetai aussitôt la tentation. Je me sentais paralysé, tout comme avec Riccardo et les apprentis dont j'étais le plus proche : cela me donnait l'impression d'envahir l'intimité d'autrui de manière si terrible que je ne le faisais jamais, hormis lorsque je chassais, afin de trouver les malfaisants que je tuais ensuite.

— Tu rougis, Amadeo. Que se passe-t-il ? s'étonna Bianca. Tes joues sont devenues écarlates. Laisse-moi les embrasser. Oh, tu es aussi brûlant que si la fièvre était revenue.

— Regardez-le dans les yeux, mon ange, intervint Marius. Ils sont clairs.

— C'est vrai, admit-elle, m'examinant avec une si franche curiosité qu'elle me devint irrésistible.

J'écartai le tissu jaune de sa robe de dessous et le lourd velours vert foncé qui le recouvrait pour embrasser son épaule nue.

— Mais oui, tu vas bien, me roucoula-t-elle à l'oreille, qu'elle frôla de ses lèvres humides.

Je me reculai, toujours écarlate.

Puis, levant les yeux vers elle, je m'enfonçai dans son esprit ; il me sembla avoir ouvert l'agrafe d'or posée sur sa gorge ainsi que ses jupes volumineuses. Je contemplais le creux qui séparait ses seins quasi dévoilés. Sang ou non, je me rappelais le désir brûlant qu'elle m'avait inspiré, je l'éprouvais même à nouveau, mais d'une manière étrange, diffuse et non localisée dans mon organe oublié, comme auparavant. J'avais envie de prendre sa poitrine à deux mains et de lui sucer longuement les mamelons, de l'exciter jusqu'à ce qu'elle devînt moite et odorante, de voir sa tête tomber en arrière. Oui, j'étais écarlate. Une vague défaillance, très douce, me saisit.

Je vous veux, tout de suite, Marius et toi, ensemble dans mon lit, l'homme et le damoiseau, le dieu et le chérubin. Voilà ce que me disait son esprit, tandis qu'elle se rappelait. Je me vis comme dans un miroir embrumé, jeune homme nu, excepté pour une chemise à manches longues ouverte, assis à côté d'elle sur les oreillers, paré d'un organe à demi érigé toujours prêt à se dresser complètement sous l'effet de ses lèvres tendres ou de ses longues mains blanches.

Chassant ces visions, je me concentrai sur les beaux yeux en amandes de Bianca. Elle m'examinait sans la moindre suspicion, fascinée. Ses lèvres, que ne rougissait aucun artifice vulgaire, étaient d'un rose profond. Ses longs cils, foncés et recourbés par une pommade incolore, semblaient des branches d'étoile autour de ses prunelles lumineuses.

Je vous veux, tout de suite. Telles étaient les pensées qui me frappaient les oreilles. Je baissai la tête et levai les mains.

— Mon ange chéri, dit la jeune femme. (Puis, dans un murmure, à Marius :) Tous les deux ! (Elle me prit les mains.) Venez.

J'étais persuadé qu'il allait l'arrêter : ne m'avait-il pas averti d'éviter tout examen proche ? Pourtant, il se leva et se dirigea vers la chambre, dont il repoussa les portes peintes.

Du grand salon nous parvenaient des rires et des bruits de conversation. Quelqu'un s'était mis à chanter ; on jouait du virginal. La soirée continuait.

Nous nous glissâmes dans le lit de Bianca. Je tremblais de tout mon corps. Alors seulement je m'aperçus que Marius arborait une épaisse tunique et un beau pourpoint de velours bleu foncé, ainsi que des gants du même tissu parfaitement adaptés à ses doigts et des chausses en cachemire moelleux qui allaient se perdre dans ses chaussures pointues. Son corps si dur était tout entier recouvert.

Installé contre la tête du lit, il aida sans hésiter Bianca à s'asseoir auprès de lui. Je le regardais en prenant place de l'autre côté de la jeune femme. Tandis qu'elle se tournait vers moi, me saisissait le visage à deux mains et m'embrassait derechef avec ardeur, il exécuta un petit rituel que jamais encore je n'avais observé.

Soulevant les cheveux de notre compagne, il fit mine de lui embrasser la nuque. Elle ne le sentit pas ou, du moins, n'en montra rien. Pourtant, lorsqu'il recula, ses lèvres étaient maculées de rouge. Son doigt ganté étendit sur tout son visage ce sang, le sang de Bianca, mais quelques gouttes à peine, tirées sans aucun doute d'une simple égratignure. Le film luisant, qui à moi me semblait vivant, lui apparaîtrait à elle bien différent.

Il ranimait les pores de Marius, quasi invisibles, creusait les quelques rides fantomatiques lui entourant les yeux et la bouche. Mon maître avait l'air plus humain, ce qui opposait une barrière au regard de la jeune femme à présent tout proche.

— Mes deux amours sont là, comme j'en ai toujours rêvé, dit-elle d'une voix douce.

Marius se glissa devant elle, l'enveloppa d'un bras et se mit à l'embrasser avec autant d'avidité que je l'avais fait par le passé. J'eus un instant de surprise, voire de jalousie, puis la main libre de Bianca me trouva, m'attira à elle ; elle se détourna de mon maître, étourdie de désir, et m'embrassa, moi aussi.

Il m'attrapa afin de me rapprocher plus encore d'elle, me plaquant à ses courbes délicieuses si bien que je sentis la chaleur diffusée par ses cuisses voluptueuses.

Marius s'allongea sur elle, mais avec douceur, de manière à ne pas la meurtrir de son poids, puis il lui souleva les jupes et lui glissa les doigts entre les jambes.

Quelle audace ! Couché contre les épaules de Bianca, je contemplai le renflement de sa poitrine et, au-delà, la minuscule concavité de son sexe duveteux, emprisonné dans une main gantée de bleu.

Elle ne songeait plus au décorum. Les baisers que le maître lui posait dans le cou et sur les seins accompagnaient les caresses qu'il lui dispensait plus bas. Elle se mit à onduler dans un désir non dissimulé, la bouche ouverte, les paupières frémissantes, le corps soudain moite, odorant d'une chaleur toute neuve.

Là était le miracle, je le compris alors. Il était possible de faire monter la température d'un être humain, si bien qu'il dégageait tous ses délicieux parfums et même un intense miroitement invisible d'émotions ; c'était un peu comme alimenter un feu jusqu'à obtenir un brasier.

Le sang de mes victimes me monta au visage tandis que j'embrassais Bianca. On l'eût cru redevenu vivant sous l'échauffement du désir, mais ma passion ne se concentrait pas en un point diabolique. Je pressai ma bouche ouverte contre la gorge de ma compagne, à l'endroit où l'artère dessinait un fleuve bleu descendu de la tête. Il n'était pas question de faire le moindre mal à la jeune femme. Je n'en éprouvais pas le besoin. Je n'éprouvais d'ailleurs en l'embrassant que plaisir, et je glissai un bras entre son corps et celui de mon maître, afin de la bercer pendant qu'il jouait toujours d'elle, soulevant puis laissant retomber les doigts sur la tendre courbe de son sexe.

— Vous me torturez, Marius, murmura-t-elle.

Sa tête roulait sur le lit.

L'orciller qui la soutenait était humide, imprégné du parfum de sa chevelure. J'embrassai ses lèvres, qui se collèrent à moi. Craignant qu'elle ne découvrît de la langue mes dents de vampire, je lui glissai la mienne dans la bouche. Son autre bouche n'eût pu être plus douce, plus enveloppante, plus moite.

— Alors voici, ma douce, répondit Marius avec tendresse, glissant les doigts en elle.

Les hanches de Bianca se soulevèrent, comme portées par la main de mon maître, ainsi qu'elle le souhaitait.

— Ah, Seigneur, aidez-moi, balbutia-t-elle.

La passion de la jeune femme atteignit son apogée. Le sang lui monta au visage, feu rosé qui se propagea à sa poitrine. Ecartant le tissu de sa robe, je vis la rougeur lui consumer les seins, tandis que ses mamelons se dressaient, rigides, petits points semblables à des grains de raisin.

Les yeux clos, je m'allongeai à son côté. Je me permis d'éprouver le plaisir qui la secouait, puis sa température baissa quelque peu, alors qu'elle me semblait devenir somnolente. Elle détourna la tête, le visage serein, les paupières joliment abaissées sur les yeux. Un soupir lui échappa, pour lequel ses belles lèvres s'écartèrent tout naturellement.

Marius lui chassa les cheveux du visage, arrangea ses petites boucles emmêlées collées par la sueur puis l'embrassa sur le front.

— Dors, à présent, tu es en sécurité, lui dit-il dans un murmure. Je prendrai soin de toi à jamais. Tu as sauvé Amadeo. Tu l'as gardé en vie jusqu'à mon retour.

Elle se retourna, somnolente, fixa sur lui des yeux brillants, aux mouvements lents.

— Ne suis-je pas assez belle, que tu m'aimes pour cela seulement ? demanda-t-elle.

L'amertume de la question me frappa. C'était là une véritable confidence. Ses pensées me parvenaient !

— Je t'aime, que tu sois ou non vêtue d'or, que tu portes ou non des perles, que tu te montres ou non vive et spirituelle, que tu m'offres ou non un havre de paix lumineux et élégant. Je t'aime pour le cœur qui bat en toi, qui t'a poussée vers Amadeo alors que les amis de l'Anglais risquaient de te faire un mauvais parti. Je t'aime pour ton courage et ta solitude.

Ses yeux s'agrandirent fugitivement.

— Ma solitude ? Oh, oui, je sais ce qu'est la solitude la plus totale.

— Oui, courageuse enfant, et maintenant, tu sais que je t'aime. Comme Amadeo t'aime, et tu l'as toujours su.

— C'est vrai, je t'aime, murmurai-je, allongé près d'elle, la berçant dans mes bras.

— Eh bien, dorénavant, tu sais qu'il en va de même pour moi, ajouta Marius.

Elle l'examina de son mieux, malgré sa langueur.

— Les questions se pressent dans mon esprit.

— Elles sont sans importance, assura-t-il. (Il l'embrassa, laissant, je pense, ses dents lui toucher la langue.) Je les prends toutes et les jette au rebut. Dors, à présent, cœur virginal. Aime qui tu voudras, sous la protection de notre amour.

C'était le signal du départ.

Alors que je me tenais au pied du lit, Marius couvrit Bianca, prenant soin de replier le drap de fine toile des Flandres brodée sur le bord de la couverture en laine blanche, plus rugueuse. Enfin, il embrassa une dernière fois la jeune femme, mais déjà, elle dormait à poings fermés, petite fille fragile blottie dans la sécurité de sa couche.

Une fois dehors, au bord du canal, il porta à ses narines sa main gantée afin de savourer la fragrance qui s'y attardait.

— Tu as beaucoup appris, aujourd'hui, non ? Tu ne peux lui dévoiler ta nature, mais sens-tu combien vous pouvez devenir proches ?

— Oui, admis-je, à condition que je n'attende rien en retour.

— Rien ? (Il me fixa d'un air désapprobateur.) Elle t'a donné sa loyauté, son affection, son intimité ; que pourrais-tu demander de plus ?

— Je sais. Vous avez été bon professeur. Mais auparavant, Bianca me comprenait, elle était le miroir dans lequel j'étudiais mon reflet et jugeais de ma croissance. Tandis qu'à présent, elle ne peut plus l'être, c'est évident.

— Si, de bien des manières. Montre-lui ce que tu es par tes attitudes et tes paroles. Tu n'as nul besoin de lui raconter des histoires de buveurs de sang qui ne feraient que la mener à la folie. Il lui est possible de te consoler de la plus merveilleuse manière sans savoir pourquoi tu souffres: Quant à toi, n'oublie pas que tout lui dire reviendrait à la détruire. Songes-y.

Je restai un long moment silencieux.

— Une pensée vient de te frapper, reprit-il. Tu as ton air solennel. Parle.

— Est-il possible de la changer…

— Tu me mènes à une autre leçon, Amadeo. La réponse est non.

— Mais elle va vieillir et mourir…

— Certes. Tel est son destin. Combien peut-il exister de créatures telles que nous ? Pour quelles raisons l'attirerions-nous dans notre cercle ? Aimerions-nous avoir sa compagnie à jamais ? Aimerions-nous la prendre comme élève ? Entendre ses cris, si le sang magique venait à la rendre folle ? Car toutes les âmes ne le supportent pas. Ceux qui le partagent doivent avoir une grande force et y être préparés. J'ai trouvé cela en toi ; je ne le vois pas en elle.

Je hochai la tête. Je savais de quoi il voulait parler sans avoir besoin d'évoquer tout ce qui m'était arrivé, ni même le rude berceau russe où j'avais passé mon enfance. Il avait raison.

— Tu auras envie de partager ton pouvoir avec tous les hommes, poursuivit Marius. Sache que c'est impossible. Que chaque création de vampire s'accompagne d'une terrible responsabilité et d'un terrible danger. Les enfants se dressent contre leurs parents. Les buveurs de sang auxquels nous donnons naissance sont des enfants qui vivent à jamais, pour nous aimer ou nous haïr. Oui, nous haïr.

— N'en dites pas plus, murmurai-je. Je vois. Je comprends.

Nous rentrâmes chez nous ensemble, regagnâmes notre palazzo brillamment illuminé.

Je savais ce qu'il voulait de moi : que je me mêle à mes anciens amis apprentis et que je me montre particulièrement tendre avec Riccardo, lequel se reprochait, je m'en rendis vite compte, la mort des quelques enfants sans défense tués par l'Anglais.

— Feins, me glissa Marius à l'oreille, et que ta force s'accroisse au fur et à mesure. Ou plutôt, rapproche-toi d'eux, aime et sois aimé sans t'offrir le luxe de la véritable honnêteté, car l'amour comble toutes les distances.

XIII

J'en appris plus au cours des mois suivants que je ne
pourrai jamais en raconter ici. J'étudiai avec ardeur,
prêtant même attention au gouvernement de la cité, que
je trouvai d'une manière générale aussi ennuyeux que
n'importe quel autre. Je lus en outre avec voracité les
grands érudits chrétiens, Abélard, Duns Scotus et autres
penseurs que Marius tenait en haute estime.

Il dénicha aussi tout un tas de livres russes, qui me
permirent de découvrir pour la première fois à l'écrit ce
que je n'avais auparavant connu que par les chants de
mon père et de mes oncles. Je jugeai d'abord qu'il me
serait trop douloureux d'étudier sérieusement cette littérature, mais le maître m'imposa sa loi, et il fit bien.
L'intérêt intrinsèque du sujet ne tarda pas à absorber
mes tristes souvenirs, tandis que je progressais en
savoir ainsi qu'en entendement.

Les documents russes étaient rédigés en slavon, le
langage écrit de mon enfance, que je ne tardai pas à lire
avec une aisance extraordinaire. Si *Le Dit de la troupe
d'Igor* fit mes délices, les œuvres de saint Jean Chryso-
stome, traduites du grec, me plurent aussi beaucoup. Je
pris également plaisir aux contes fantastiques relatifs au
roi Salomon et à la descente aux Enfers de la Vierge car,
bien qu'ils ne fissent pas partie du Nouveau Testament
approuvé par l'Eglise, ils me semblaient très évocateurs

de l'âme russe. Notre chronique majeure, le *Récit des temps passés*, figurait à mon programme, ainsi que *L'Oraison sur la chute de la Russie* et *Les Chroniques de la Destruction de Riazan*.

Etudier les légendes de ma patrie me permit de les considérer à la lumière de mes autres connaissances. En résumé, elles quittèrent le domaine des rêves personnels.

Peu à peu, la sagesse de cette démarche m'apparut. Mes comptes rendus à Marius se firent plus enthousiastes. Après lui avoir demandé d'autres manuscrits en slavon, j'obtins bientôt l'*Histoire du pieux prince Dovmont et de sa vie courageuse* ainsi que *Les Hauts-Faits de Mercurius de Smolensk*. Enfin, j'en arrivai à lire dans cette langue par pur plaisir, si bien que je réservai ce genre de contes aux heures qui suivaient mes études officielles afin de les méditer à loisir, voire d'en tirer mes propres chansons mélancoliques.

Lorsque j'interprétais mes créations pour les autres apprentis, à l'heure du coucher, la langue leur en paraissait exotique, et il arrivait que la seule musique, agrémentée de mes inflexions pleines de tristesse, les menât aux larmes.

Pendant ce temps, Riccardo et moi étions redevenus très proches. Jamais il ne me demanda pourquoi j'étais à présent, comme le maître, une créature de la nuit. Jamais je ne sondai les profondeurs de son esprit. Je n'eusse pas manqué de le faire si ma sécurité ou celle de Marius avaient été en jeu, mais je préférai user de mon intelligence vampirique pour étudier le jeune homme, sans jamais le découvrir autre que dévoué, confiant et loyal.

Une nuit, je demandai à Marius ce que Riccardo pensait de nous.

— Il a envers moi une dette trop importante pour contester le moindre de mes actes, répondit le maître.

Simple constatation dépourvue d'orgueil.

— Alors il vaut mieux que moi, ne croyez-vous pas ?

Car j'ai la même dette, et je conteste chacune de vos paroles.

— Tu es un véritable petit démon à la langue acérée, c'est vrai, admit Marius avec un léger sourire. Riccardo a été gagné aux cartes, à son ivrogne de géniteur, par un marchand brutal qui le faisait travailler nuit et jour. Il détestait son père, ce qui n'a jamais été ton cas. Je l'ai acheté pour un collier d'or, lorsqu'il avait huit ans. Il avait vu ce qu'il y a de pire chez l'homme que le petit de sa race ne porte pas tout naturellement à la pitié. Toi, tu as vu ce que ce même homme est capable d'infliger à un enfant dans sa chair pour en tirer du plaisir. Ce n'est pas aussi cruel. Riccardo était incapable de croire qu'un pauvre petit être pût inspirer de la compassion. Il ne croyait à rien, jusqu'à ce que je le mette en sécurité dans un cocon, que je l'emplisse de savoir, que je lui dise en des termes sans équivoque qu'il était mon prince.

« Mais, pour répondre de manière plus appropriée à ta question, il pense que je suis un magicien et que j'ai décidé de partager avec toi mes sortilèges. Il sait que tu étais aux portes de la mort lorsque je t'ai accordé mes secrets, que l'honneur qui t'a été fait n'a pas pour but de les tourmenter, lui et les autres, mais implique de lourdes conséquences. Notre savoir ne lui inspire aucune envie. Et il nous défendra au péril de sa vie. »

Ces explications me suffirent. Riccardo ne m'inspirait pas le même désir de me confier que Bianca.

— J'éprouve le besoin de le protéger, expliquai-je à Marius. J'espère que lui n'aura jamais à me rendre la pareille.

— Mes sentiments rejoignent les tiens. Vis-à-vis de tous mes apprentis. Dieu s'est montré miséricordieux envers ton Anglais, en lui ôtant la vie avant que je ne rentre chez moi pour trouver mes enfants assassinés. Je ne sais ce que j'aurais fait. Il t'avait blessé, ce qui était déjà beaucoup. Il avait sacrifié sur mon seuil deux petits garçons à son orgueil et à son amertume, ce qui était plus méprisable encore. Tu avais été son amant, et tu étais de taille à te défendre, mais ces innocents avaient croisé son chemin, rien de plus.

J'acquiesçai, avant de demander :

— Qu'est-il advenu de sa dépouille ?

— C'est bien simple. (Marius haussa les épaules.) Pourquoi t'y intéresser ? Il m'arrive à moi aussi d'être superstitieux. Je l'ai réduite en pièces que j'ai dispersées au vent. Si les vieilles légendes sont fondées, le fantôme de l'Anglais soupire après la restauration de son corps, âme errante portée par la brise.

— Et que deviendront nos âmes à nous, si nos corps sont détruits ?

— Dieu seul le sait. Quant à moi, je désespère de jamais l'apprendre. J'ai vécu trop longtemps pour envisager de me tuer. Peut-être mon destin est-il lié à celui du monde matériel tout entier. Il est fort possible que nous soyons sortis du néant et que nous y retournions, mais profitons de l'illusion de notre immortalité comme les mortels de la leur.

C'était déjà bien.

Le maître s'absenta à deux reprises, pour de mystérieux voyages qu'il ne m'expliqua pas davantage qu'auparavant.

Bien que détestant ses absences, je savais qu'il mettait ainsi à l'épreuve mes pouvoirs tout neufs. Il me fallait diriger la maisonnée, avec douceur et discrétion, chasser en solitaire puis lui raconter, dès son retour, à quoi j'avais consacré mes loisirs.

Après son deuxième voyage, il rentra à la maison fatigué et d'une tristesse inhabituelle. Il me déclara, comme il l'avait déjà fait une nuit, que « Ceux Qu'il Faut Garder » semblaient en paix.

— Je les déteste ! m'exclamai-je.

— Ne dis jamais une chose pareille, Amadeo ! explosa-t-il.

En un éclair, je le vis plus furieux, plus bouleversé que jamais. Peut-être, jusque-là, ne l'avais-je pas vu réellement en colère.

Lorsqu'il s'approcha de moi, je me recroquevillai, effrayé. Mais il s'était assez ressaisi, au moment où il me frappa, pour ne m'administrer que le coup habituel, à m'ébranler le cerveau.

Après l'avoir reçu, je jetai à Marius un regard fulgurant, exaspéré.

— Vous vous conduisez comme un enfant, dis-je. Un enfant qui joue au maître, si bien que je dois me dominer et subir.

Il me fallut évidemment toute ma retenue pour m'exprimer ainsi, d'autant que la tête me tournait, mais je fis de mon visage un masque de mépris si obstiné que, soudain, Marius éclata de rire.

Je me joignis à lui.

— Sérieusement, repris-je, d'humeur effrontée, que sont les créatures dont vous parlez ? (J'adoucis ma sagesse, je la rendis respectueuse, car mes interrogations, après tout, étaient sincères.) Vous rentrez chez vous malheureux, messire, vous le savez fort bien. Alors que sont-elles, et pourquoi faut-il les garder ?

— Ne me pose plus cette question, Amadeo. Parfois, juste avant l'aube, lorsque mes craintes sont à leur comble, je m'imagine que nous avons des ennemis parmi les buveurs de sang et qu'ils sont tout proches.

— D'autres ? Aussi forts que vous ?

— Non, ceux qui sont venus par le passé n'étaient pas aussi forts que moi. C'est pourquoi ils ont disparu.

J'étais fasciné. Il m'avait déjà laissé entendre qu'il chassait de notre territoire les autres vampires, sans jamais m'en dire plus. A présent, adouci par la tristesse, il semblait désireux de parler.

— Mais j'imagine qu'il en existe davantage pour venir troubler notre existence. Ils n'ont aucune raison de le faire. Jamais. Ils veulent juste chasser le Vénitien, à moins qu'ils n'aient constitué une armée de tueurs pour s'amuser. Je pense... Mais le fait est, mon enfant — car tu es mon enfant, intelligent petit homme ! — que je me refuse à t'en dire plus sur les mystères d'autrefois que tu n'as besoin d'en savoir. Ainsi, nul ne parviendra à tirer de ton esprit de novice ses secrets les plus profonds, sans que tu le saches ou contre ton gré.

— Si notre histoire présente quelque intérêt, vous devriez me la raconter, messire. De quels mystères d'autrefois voulez-vous parler ? Vous m'ensevelissez sous les livres relatifs à l'histoire humaine. Vous m'avez fait apprendre le grec et même la difficile écriture égyptienne que personne d'autre ne connaît. Vous passez votre temps à m'interroger sur le destin de l'Athènes ou de la Rome antiques, sur les batailles de la moindre croisade jamais partie de nos rivages vers la Terre Sainte… mais qu'en est-il de nous ?

— Nous avons toujours été, je te l'ai déjà dit. Notre race est aussi vieille que l'humanité. Nous avons toujours été, et toujours peu nombreux, toujours en guerre, épris de solitude, avec pour seul besoin l'amour d'un proche, de deux tout au plus. Voilà notre histoire pure et simple. Couche-la pour moi sur le papier dans les cinq langues que tu connais.

Il s'assit sur le lit, maussade, laissant ses bottes boueuses s'enfoncer dans le satin. Renversé parmi les oreillers, l'air réellement triste, ce qui me sembla étrange, il paraissait très jeune.

— Allons, Marius, appelai-je du bureau, la voix câline. De quels mystères parliez-vous ? Que sont Ceux Qu'il Faut Garder ?

— Va creuser dans nos souterrains, mon enfant, répondit-il, sarcastique. Tu y trouveras des statues datant d'une époque soi-disant païenne. Elles te seront aussi utiles que Ceux Qu'il Faut Garder. Mais à présent, laisse-moi tranquille. Je t'expliquerai tout cela une nuit. Pour l'instant, je te donne l'essentiel. Tu étais d'ailleurs censé travailler en mon absence. Raconte-moi ce que tu as appris.

Il m'avait en fait demandé d'étudier Aristote, non à travers les manuscrits qu'on se procurait sans problème sur la piazza, mais dans un texte ancien rédigé de sa main et qui, d'après lui, était d'un grec plus pur. Je l'avais lu en entier.

— Aristote, commençai-je, et saint Thomas d'Aquin. Eh bien, les grands systèmes de pensée apportent le réconfort. Lorsque nous nous sentons glisser au désespoir, nous devrions créer de belles représentations du néant qui nous entoure. Ainsi, au lieu de glisser, pendrions-nous à un échafaud construit de nos propres mains, aussi dépourvu de sens que le néant mais trop complet pour être facilement écarté.

— Très bien. (Il eut un soupir éloquent.) Peut-être, dans un lointain avenir, choisiras-tu une approche plus positive, mais puisque tu m'as l'air aussi animé et heureux qu'il t'est possible de l'être, de quoi me plaindrais-je ?

— Nous devons bien venir de quelque part, déclarai-je, repartant avec obstination sur un autre sujet.

Il resta silencieux, trop abattu pour répondre.

Enfin, se ressaisissant, il se leva puis s'approcha de moi.

— Sortons. Allons chez Bianca, et habillons-la en homme. Apporte ce que tu as de mieux. Elle a besoin d'échapper un moment à sa demeure.

— La nouvelle vous portera peut-être un rude coup, messire, mais Bianca, comme bien d'autres femmes, a déjà cette habitude. Elle parcourt très souvent la cité en secret, sous l'apparence d'un jeune homme.

— Oui, mais pas en notre compagnie. Nous lui montrerons les pires endroits ! (Il prit un air théâtral des plus comique.) Allons, viens.

J'étais tout excité.

Aussitôt informée de notre plan, Bianca le fut également.

A peine avions-nous fait irruption chez elle, chargés d'une brassée de beaux vêtements, qu'elle se glissait hors du salon pour se changer.

— Que m'avez-vous apporté ? Oh, je vais être Amadeo, cette nuit. Splendide ! s'exclama-t-elle.

Elle ferma les portes sur ses invités qui, comme à l'ordinaire, poursuivirent la soirée sans elle. Plusieurs hommes chantaient autour du virginal, tandis que d'autres se querellaient avec ardeur au sujet d'une partie de dés.

La jeune femme se dévêtit et apparut nue, telle Vénus sortant de l'onde. Nous la parâmes de chausses, d'une tunique et d'un pourpoint bleus. Je bouclai sa ceinture, pendant que Marius rassemblait ses cheveux sous un chapeau de velours.

— Tu es le plus joli garçon de Venise, assura-t-il en reculant. Quelque chose me dit qu'il nous faudra te protéger au péril de notre vie.

— Allez-vous vraiment m'emmener dans les pires bouges ? Je veux voir des endroits dangereux ! (Elle leva les bras au ciel.) Donnez-moi mon stylet. Vous n'allez tout de même pas me laisser désarmée.

— J'ai apporté tout ce dont tu as besoin, assura-t-il. (Il s'était en effet muni d'une épée au beau ceinturon incrusté de diamants, qu'il lui boucla sur la hanche.) Essaie de la tirer. Ce n'est pas une rapière de parade mais une arme de guerre. Allons, essaie.

Saisissant la garde à deux mains, Bianca libéra la lame d'un grand geste sûr.

— Que n'ai-je un ennemi prêt à mourir ! s'écria-t-elle.

Je regardai Marius. Il me regarda. Non, elle ne pouvait être des nôtres.

— Ce serait par trop égoïste, me chuchota-t-il à l'oreille.

Je ne pus m'empêcher de m'interroger : si je n'avais été mourant, à la suite de mon duel avec l'Anglais, si la fièvre ne m'avait envahi, eût-il jamais fait de moi un vampire ?

Nous dégringolâmes tous trois les escaliers de pierre jusqu'au quai, contre lequel nous attendait une gondole à baldaquin. Marius lança une adresse.

— Vous êtes sûr de vouloir aller là, messire ? demanda le gondolier, choqué.

Il s'agissait du quartier où les pires marins étrangers se réunissaient pour boire et se bagarrer.

— Tout à fait sûr.

Tandis que nous voguions sur les eaux noires, j'entourai du bras ma tendre Bianca. Appuyé aux coussins, je me sentais invulnérable, immortel, certain que rien ne pourrait jamais nous vaincre, mon maître et moi, que Bianca serait toujours en sécurité auprès de nous.

Quelle erreur.

Peut-être passâmes-nous neuf mois ensemble après notre voyage à Kiev. Ou dix. Aucun événement extérieur ne permet d'en situer l'apogée. Je n'ai qu'une chose à dire, avant d'en arriver à ce sanglant désastre : Bianca passa ces derniers mois en notre compagnie. Lorsque nous n'épiions pas tous trois les gais lurons vénitiens, Marius la peignait en notre palazzo sous la forme de l'une ou l'autre déesse — Judith biblique dont l'Holopherne avait les traits d'un Florentin ou Vierge Marie contemplant, fascinée, un minuscule enfant Jésus aussi parfaitement dessiné que tous les autres sujets jaillis du pinceau du maître.

Ces œuvres — peut-être certaines subsistent-elles encore aujourd'hui.

Une nuit où tout dormait, nous trois exceptés, Bianca, prête à céder au sommeil sur un sofa pendant que Marius peignait, soupira.

— Je vous aime trop, je suis trop bien près de vous, dit-elle. Je ne veux pas rentrer chez moi, jamais.

Plût au ciel qu'elle nous eût moins aimés. Elle ne se fût pas trouvée là en cette fatale soirée de 1499, juste avant la fin du siècle, alors que la Renaissance était au sommet de sa splendeur, à jamais célébrée par les artistes et les historiens. Plût au ciel qu'elle eût été en sécurité lorsque notre monde s'embrasa.

XIV

Les lecteurs de *Lestat le vampire* savent ce qui se produisit, car je l'ai montré en images à Lestat il y a de cela deux cents ans. Il a traduit en mots ce que je lui avais appris, la souffrance que j'avais partagée avec lui. Je me propose à présent de revivre ces horreurs, d'habiller l'histoire de mes propres mots, mais je ne puis en toutes circonstances surpasser les siens, auxquels j'aurai parfois recours.

Il n'y eut pas d'avertissement. Je m'éveillai pour découvrir que Marius avait soulevé le couvercle doré de nos sarcophages. Une torche flambait derrière lui, accrochée au mur.

— Dépêche-toi, Amadeo. Ils sont là. Ils veulent brûler notre maison.

— Qui, maître ? Et pourquoi ?

Il me tira brusquement du cercueil luisant, et je m'élançai derrière lui dans l'escalier décrépi, jusqu'au rez-de-chaussée du palazzo en ruine.

Vêtu de sa cape et de son capuchon rouges, il se déplaçait si vite qu'il me fallait faire appel à toute ma puissance pour ne pas me laisser distancer.

— S'agit-il de Ceux Qu'il Faut Garder ? m'enquis-je.

Il m'entoura du bras, et nous nous envolâmes vers le toit de notre demeure.

— Non, mon enfant. C'est une meute de buveurs de sang stupides qui veulent détruire tout ce que j'ai accompli. Bianca est là, à leur merci, avec les apprentis.

Nous entrâmes par les portes du toit et descendîmes les escaliers. De la fumée s'élevait des étages inférieurs.

— Maître ! m'exclamai-je. J'entends les enfants crier !

Bianca arriva en courant au pied des degrés de marbre, beaucoup plus bas.

— Marius ! Ce sont des démons ! Servez-vous de votre magie ! s'écria-t-elle, les cheveux défaits au saut du lit, les vêtements en désordre. Marius !

Sa plainte se réverbéra à travers les trois niveaux du palazzo.

— Mon Dieu, le feu est partout ! m'exclamai-je. De l'eau, il nous faut de l'eau. Les peintures, maître !

Il se laissa tomber par-dessus la balustrade pour apparaître soudain au côté de la jeune femme. Alors que je courais le rejoindre, une foule de silhouettes en robe noire se referma sur lui. A ma grande horreur, les intrus brandissaient des torches, avec lesquelles ils cherchèrent à enflammer ses vêtements, tout en poussant de sous leurs capuchons d'horribles hurlements et des malédictions criardes.

Il en arrivait de partout. Les cris des apprentis étaient terribles.

Marius décrivit du bras un grand cercle qui renversa ses assaillants et fit rouler leurs torches sur le dallage de marbre. Il referma sa cape autour Bianca.

— Ils veulent nous tuer ! s'exclama-t-elle. Nous brûler. Ils ont massacré les enfants, Marius, et ceux qui restaient, ils les ont capturés !

Soudain, avant que nos premiers attaquants ne pussent se remettre sur leurs pieds, d'autres se ruèrent vers nous. Je compris alors de quoi il retournait. Leurs mains et leur visage étaient du même blanc que les miens ; eux aussi possédaient le sang magique.

C'étaient des créatures de notre espèce !

Une fois de plus, Marius, assailli, les projeta au loin.

Les tapisseries du grand hall étaient en feu. Une fumée noire, odorante, roulait sur nous venant des pièces voisines, emplissait la cage d'escalier qui nous surplombait. Une lumière vacillante infernale illumina brusquement les lieux comme en plein jour.

A peine entré dans la lutte, je m'aperçus que les démons étaient d'une surprenante faiblesse. Ramassant une de leurs torches, je me ruai sur eux, les repoussai, les éloignai de moi à l'image de Marius.

— Blasphémateur, hérétique ! siffla l'un d'eux.

— Suppôt de Satan, païen ! lança un autre.

Alors qu'ils se rapprochaient, je parvins à enflammer leur robe. Ils s'enfuirent, hurlants, en direction du canal.

Mais ils étaient trop nombreux. Il en arrivait toujours alors même que nous luttions.

Soudain, je vis avec horreur Marius pousser Bianca vers les portes ouvertes du palazzo.

— Cours, ma belle, cours. Va-t'en d'ici.

Il frappa sauvagement ceux qui s'élançaient sur les talons de la jeune femme, ne la suivant quant à lui que pour les abattre un par un tandis qu'ils s'efforçaient d'arrêter la fugitive, jusqu'à ce qu'enfin je la visse disparaître au-dehors.

Nous n'eûmes pas le loisir de vérifier qu'elle se trouvait en sécurité. D'autres intrus avaient fondu sur moi. Les tapisseries en feu tombaient de leurs tringles. Les statues, renversées, s'écrasaient sur le marbre. Deux petits démons, s'accrochant à mon bras gauche, faillirent me faire perdre l'équilibre ; je pressai ma torche contre le visage du premier puis embrasai totalement le second.

— Au toit, Amadeo ! me cria Marius.

— Les peintures, maître ! Les entrepôts !

— N'y pense plus. Il est trop tard. Allez-vous-en, mes enfants, sauvez-vous, ne vous laissez pas capturer par le feu.

Se débarrassant de ses assaillants, il grimpa les escaliers à toute allure.

— Viens, Amadeo, appela-t-il du dernier étage. Repousse-les. Aie confiance en ta force, mon enfant, bats-toi.

Lorsque j'atteignis le premier palier, cependant, j'étais cerné de toutes parts. A peine mettais-je le feu à un de mes adversaires qu'un autre était sur moi. Ils ne cherchaient pas à me tuer mais à m'attraper par les jambes et les bras. Enfin, m'ayant emprisonné les membres, ils m'arrachèrent la torche des mains.

— Ne vous occupez pas de moi, maître, m'écriai-je, allez-vous-en !

Je me tournai, me tortillai, ruai des quatre fers, les yeux levés pour le voir, loin au-dessus de moi, à nouveau encerclé. Mais cette fois, cent flambeaux plongèrent dans sa cape rouge flottante, cent flammes éclatantes s'abattirent dans ses cheveux d'or et contre son blanc visage furieux. L'essaim d'insectes rayonnants commença par l'immobiliser sous le nombre ; puis, dans une grande bourrasque bruyante, son corps tout entier s'embrasa.

— Marius !

Je hurlai sans discontinuer, incapable de détourner le regard de ce spectacle, luttant toujours contre mes vainqueurs, ne parvenant à me libérer les jambes que pour les sentir à nouveau saisies par des doigts froids brutaux, ne raidissant les bras que pour être derechef écartelé.

— Marius !

Le cri jaillissait de ma gorge, chargé de la pire angoisse, de la pire terreur que j'eusse jamais connues.

Il me semblait qu'aucune de mes peurs n'eût pu être aussi indicible, aussi insoutenable que la vision du maître près de la balustrade en pierre, englouti par les flammes. Sa longue forme mince se transforma une courte seconde en une ombre noire ; je devinai son profil, la tête rejetée en arrière, tandis que sa chevelure explosait et que ses doigts, semblables à des araignées, lacéraient les flammes à la recherche d'air frais.

— Marius !

Tout ce que le monde avait à m'offrir de réconfort, de bonté, d'espoir, brûlait dans la silhouette d'encre que mes yeux se refusaient à lâcher, alors même qu'elle se recroquevillait, perdait toute forme reconnaissable.

— *Marius !*

Ma volonté mourut.

Il n'en subsista qu'un semblant qui, comme dirigé par une âme secondaire faite de sang et de magie, continua à se battre en aveugle.

On me recouvrit d'un filet d'acier si lourd, aux mailles si serrées, que je me retrouvai soudain aveugle. Les mains ennemies m'y enroulèrent pour m'entraver puis m'emportèrent. Des cris résonnaient tout autour de moi ; les pas rapides de mes ravisseurs. Lorsque le vent rugit à mes oreilles, je compris que nous avions gagné le rivage.

La tête encore emplie de plaintes humaines, je fus descendu dans les entrailles d'un navire. On me jeta au milieu des apprentis, prisonniers, eux aussi ; leurs corps moelleux, frénétiques, s'entassèrent sur moi, autour de moi, sans que, ligoté dans mon filet, je pusse seulement ouvrir la bouche afin de leur adresser quelques paroles de réconfort. Je n'en avais d'ailleurs aucune à leur offrir.

Les rames se levèrent puis s'abaissèrent, les inévitables éclaboussures jaillirent, et la grande galère de bois s'ébranla pour gagner la haute mer. Elle accéléra, comme si la nuit n'avait pas cherché à la retenir ; les rameurs s'activaient avec une force et une endurance que nul mortel n'eût égalées, poussant le vaisseau vers le sud.

— Blasphémateur, murmura quelqu'un à mon oreille.

Les apprentis priaient, sanglotaient.

— Cessez vos prières impies, serviteurs de Marius le

païen, lança une voix d'une froideur surnaturelle. Vous mourrez pour expier ses péchés, tous, jusqu'au dernier.

Un rire sinistre roula tel un lent grondement de tonnerre sur les doux bruissements de l'angoisse et de la souffrance. Un long rire, sec et cruel.

Les yeux clos, je m'enfonçai au cœur de mon esprit. Je reposais dans la terre du monastère des Grottes, fantôme de moi-même retombé aux souvenirs les plus sûrs, les plus terribles.

— Grand Dieu, murmurai-je sans remuer les lèvres, sauvez-les, et je vous jure de m'ensevelir vivant pour toujours parmi les moines, de renoncer à tous les plaisirs, de ne rien faire heure après heure que célébrer Votre très saint nom. Seigneur Dieu, délivrez-moi. Seigneur Dieu… (Puis, alors que la folie de la panique s'imposait à moi, que je perdais la notion du temps et du lieu, j'en appelai à Marius :) Marius, pour l'amour du Ciel, Marius !

Un pied chaussé de cuir me frappa à la tête. Un autre aux côtes. Un autre encore m'écrasa la main. Ces pieds maudits étaient partout, ils me battaient, me meurtrissaient. Je me détendis. Je visualisai les chocs comme autant de couleurs. Et quelles couleurs splendides ! songeai-je avec amertume. Oui, de simples couleurs. Les gémissements de mes frères s'enflèrent. Eux aussi enduraient les coups, et quel refuge mental possédaient-ils, ces jeunes élèves fragiles, si aimés, si bien éduqués et préparés au vaste monde, tombés entre les griffes de démons dont j'ignorais le but ? Un but qui se trouvait sans doute bien au-delà de tout ce qu'il m'était possible de concevoir.

— Pourquoi ? murmurai-je.

— Pour vous punir, me répondit un doux chuchotement. Pour vous faire expier vos vaines nuits blasphématoires, la vie mondaine impie que vous avez menée. Qu'est-ce que cela, enfant, en comparaison de l'Enfer ?

Les exécuteurs du monde mortel l'avaient dit des centaines de fois en envoyant les hérétiques au bûcher :

« Qu'est-ce que cette brève souffrance, comparée à la fournaise infernale ? » Ah, quelle arrogance dans ces mensonges d'autojustification !

— Vraiment ? reprit le chuchotement. Prends garde à tes pensées, enfant, car il existe des êtres capables de t'en dépouiller. Peut-être l'Enfer n'est-il pas pour toi, mais l'éternelle souffrance, si. Tes nuits de luxe et de lascivité sont terminées. La vérité t'attend.

Une fois de plus, je me réfugiai dans ma cachette mentale la plus profonde. Je me trouvais au monastère, enseveli, inconscient de mon corps. Mon esprit se mit à travailler sur les voix douces, pitoyables, qui s'élevaient autour de moi. Je distinguai les apprentis par leur nom et en fis le compte. Plus de la moitié de notre petit groupe, notre splendide groupe de chérubins, se trouvait dans cette abominable prison.

Je n'entendais pas Riccardo. Pourtant, lorsque nos ravisseurs arrêtèrent un moment de nous frapper, sa voix me parvint.

Rauque, désespérée, entonnant une litanie latine.

— Béni soit Dieu, conclut-il.

— Béni soit Son saint nom, répondirent aussitôt les autres.

Les prières se poursuivirent, de plus en plus faibles, jusqu'à ce que Riccardo restât seul à célébrer le Seigneur.

Je ne lui donnai pas les répons.

Il continua cependant, alors que ceux dont il avait la charge s'étaient réfugiés dans le sommeil. Peut-être cherchait-il à reprendre courage ou désirait-il juste glorifier Dieu. A la litanie succéda le *Pater Noster*, lui-même suivi par l'antique prière réconfortante de l'*Ave*, que le jeune homme répéta encore et encore comme s'il avait récité un rosaire, seul, prisonnier dans les entrailles du vaisseau.

Je ne lui adressai pas un mot. Je ne lui laissai pas seulement savoir que je me trouvais là. Je ne pouvais le sauver. Je ne pouvais lui apporter aucun réconfort, ni lui expliquer le terrible destin qui nous avait rattrapés. Je ne pouvais, surtout, lui révéler ce dont j'avais été témoin : la mort du maître, du plus grand, sous la torture toute simple, éternelle du feu.

J'avais glissé dans un état de choc proche du désespoir. Mon esprit retourna à l'image de Marius en train de brûler, torche vivante tournoyant et se tordant au cœur des flammes, ses doigts fins tendus vers le ciel telles des araignées dans la lumière orange. Marius était mort ; réduit en cendres. Ils avaient été trop nombreux. Je savais ce qu'il m'eût dit s'il était venu à moi, spectre de réconfort : « Il y en avait trop, Amadeo, tout simplement. Je n'ai pu les arrêter, malgré mes efforts. »

Des rêves tourmentés s'emparèrent de moi. Le vaisseau s'enfonçait dans la nuit, m'emportant loin de Venise, loin des ruines de tout ce en quoi j'avais cru, de tout ce que j'avais chéri.

Je m'éveillai à des chants et à l'odeur de la terre, mais pas de la terre russe.

C'en était fini de la mer. Nous étions prisonniers sur le continent.

Toujours ligoté dans le filet, j'écoutai une voix creuse, surnaturelle, chanter avec une délectation répugnante le *Dies Irae*, le jour de colère, un cantique terrible.

Un tambour au son bas en marquait le rythme rapide, comme s'il s'était agi d'une musique de danse plutôt que d'une terrible lamentation sur la fin du monde. Les mots latins s'enchaînaient, parlant du jour où tout deviendrait cendres, où les grandes trompettes du Seigneur donneraient le signal de l'ouverture des tombeaux. La nature et la mort elles-mêmes trembleraient. Les âmes rassemblées ne pourraient cacher quoi que ce fût à leur Dieu. Il lirait tout haut dans Son grand livre la description de leurs péchés. Sa punition s'abattrait sur nous, Ses créatures. Qui nous défendrait, si ce n'était notre Juge en personne, le Seigneur majestueux ? Notre seul espoir était qu'Il eût pitié de nous, Lui Qui avait souffert sur la Croix, qu'Il ne permît pas que Son sacrifice fût vain.

Oui, les antiques paroles étaient belles, mais elles sortaient d'une bouche mauvaise. Celui qui les prononçait, ignorant de leur sens, frappait son tambour avec ardeur, comme avant un festin.

Une nuit avait passé. Après nous avoir mis au tombeau, on nous tirait à présent de notre prison, tandis que l'affreuse petite voix chantait au rythme de son fougueux instrument.

Des murmures me parvenaient; les plus âgés des apprentis cherchaient à réconforter les plus jeunes, puis Riccardo leur assura d'un ton égal qu'ils découvriraient sans doute bientôt ce que voulaient ces créatures. Peut-être, alors, recouvreraient-ils la liberté.

Moi seul entendais les rires diaboliques qui bruissaient autour de nous. Moi seul savais combien de monstres surnaturels étaient tapis aux environs tandis qu'on nous traînait vers un grand feu éclatant.

On me débarrassa du filet. Je roulai sur moi-même puis me cramponnai à l'herbe. Lorsque je levai les yeux, je m'aperçus que nous nous trouvions dans une grande clairière, sous les étoiles lointaines, éclatantes, indifférentes. L'air estival nous enveloppait, des arbres majestueux nous entouraient, mais la lumière d'un brasier rugissant déformait tout. Les apprentis, enchaînés les uns aux autres, les vêtements déchirés, le visage égratigné, ensanglanté, poussèrent des cris frénétiques en me voyant. Une horde de petits démons m'arracha à eux puis me maintint immobile, accrochée à mes mains.

— Je ne peux rien pour vous! criai-je à mes amis.

Ce cri égoïste, terrible, jailli de ma fierté, ne fit que répandre la panique parmi eux.

Riccardo, aussi meurtri que les autres, les mains liées devant lui, le dos du pourpoint presque complètement lacéré, se tourna de-ci de-là, s'efforçant de les calmer.

Il me jeta un coup d'œil puis, ensemble, nous regardâmes les silhouettes en robe noire qui nous enfermaient dans un grand cercle. Distinguait-il la blancheur de leur visage et de leurs mains ? Devinait-il, à un niveau instinctif, ce qu'elles étaient ?

— Si vous voulez nous tuer, faites vite ! lança-t-il. Nous ne sommes coupables de rien. Nous ne savons ni qui vous êtes, ni pourquoi vous nous avez capturés. Nous sommes innocents, jusqu'au dernier.

Touché par son courage, je rassemblai mes esprits. Je ne devais plus reculer, horrifié, devant mon dernier souvenir du maître, mais l'imaginer vivant et penser à ce qu'il m'eût conseillé.

L'ennemi était à l'évidence supérieur en nombre. Je distinguais à présent des sourires sous les capuches qui, si elles dissimulaient de leur ombre les yeux des petits démons, nous laissaient voir leur longue bouche tordue.

— Qui est votre chef ? demandai-je, d'une voix trop forte pour être humaine. Vous devez bien voir que ces garçons sont de simples mortels ! C'est sans doute à moi que vous en avez !

A ces mots, le cercle de nos ravisseurs s'abandonna à des murmures et des chuchotis. Les gardes assemblés autour des apprentis enchaînés resserrèrent les rangs. D'autres, que je voyais à peine, jetèrent plus de bois et de poix encore dans le feu. L'ennemi se préparait à agir.

Quatre créatures se placèrent, deux par deux, devant les prisonniers qui, tout à leurs sanglots et à leurs gémissements, ne comprirent de toute évidence pas ce que cela signifiait.

Je le devinai aussitôt.

— Non ! hurlai-je, m'efforçant d'échapper à ceux qui me maintenaient. Parlez-moi. Discutez avec moi !

A ma grande horreur, seuls des rires me répondirent.

Soudain, les tambours se mirent à battre, cent fois plus fort que précédemment. On eût dit qu'un cercle complet de musiciens entourait les captifs et le brasier sifflant, crachotant.

Aussitôt installé le rythme régulier du *Dies Irae*, les monstres du cercle se raidirent comme un seul homme en se prenant par les mains puis entonnèrent le terrible jour de misère. Ils se balançaient gaiement, levaient les genoux d'un air joueur, crachaient de cent voix le texte latin avec une vivacité assortie à la danse, en une grotesque parodie du pieux cantique.

Aux tambours se joignirent les sifflements aigus des flûtes et le battement monotone des tambourins. Soudain, la ronde tout entière se mit en branle ; les bustes se balançaient d'un côté puis de l'autre, les têtes tressautaient, les bouches grimaçaient.

— *Dii-eees... i... rae, dii-ees... iiilla !* clamaient-elles.

Paniqué, je cherchai en vain à me débarrasser de mes gardes. Je hurlai.

Les deux créatures qui se tenaient juste devant les apprentis, après avoir tiré du groupe la première victime désignée, jetèrent haut dans les airs son corps gigotant. Les deux autres le rattrapèrent, le balancèrent avec de grands gestes étranges puis lancèrent l'enfant sans défense vers le brasier.

Le garçon décrivit un large arc de cercle avant de tomber dans les flammes, où il disparut en poussant des cris pitoyables. Ses compagnons, conscients à présent du sort qui les attendait, se mirent à pleurer, sangloter, hurler — sans le moindre résultat.

Un par un, ils furent séparés de leurs amis et jetés au feu.

Je me débattis de toutes mes forces, donnant des coups de pied à mes adversaires, dans la terre, partout. A un moment, je parvins à me libérer un bras, qui fut derechef entravé par trois gardes aux doigts cruels.

— Non, sanglotais-je, pas ça. Ils sont innocents. Ne les tuez pas. Pas ça.

Quelle que fût la force de mes protestations, les cris d'agonie des malheureux en train de brûler me parvenaient — *Au secours, Amadeo !* — que leur ultime terreur s'exprimât en mots ou non. Enfin, tous ceux qui vivaient encore reprirent cette psalmodie : *Au secours,*

Amadeo ! Mais il n'en restait pas la moitié ; bientôt, ils n'étaient plus que le quart à se tordre et à se débattre tandis qu'on les envoyait à une mort indicible.

Les tambours battaient toujours, accompagnés du tchinc, tchinc, tchinc moqueur des tambourins et de la mélodie plaintive des flûtes. Les voix composaient un chœur terrifiant, chaque syllabe aiguisée par le venin.

— Et voilà pour tes suppôts ! me siffla la silhouette la plus proche. Tu les pleures, hein ? Alors que tu aurais dû te nourrir du plus petit d'entre eux, pour l'amour de Dieu !

— L'amour de Dieu ! m'écriai-je. Vous osez parler de l'amour de Dieu, vous qui massacrez des enfants !

Je parvins à me tourner pour décocher au provocateur un coup de pied beaucoup plus douloureux qu'il ne s'y attendait mais, comme toujours, trois autres gardes prirent la relève.

Enfin, il ne resta plus dans la clarté rougeâtre des flammes que trois garçonnets livides, les plus jeunes de la maisonnée, qui ne faisaient pas un bruit. Leur silence avait quelque chose d'étrange, d'inquiétant, ainsi que leurs petits visages trempés, frémissants, leurs ternes yeux incrédules, tandis qu'on les livrait au brasier.

Je les appelai. Je criai, de toute la force de mes poumons :

— Au ciel ! C'est au ciel que vous allez, mes frères, dans les bras du Seigneur !

Mais comment leurs oreilles de mortels m'eussent-elles entendu par-dessus le chant assourdissant de nos ravisseurs ?

Soudain, je m'aperçus que Riccardo n'avait pas été parmi les sacrifiés. Il s'était enfui, à moins qu'il n'eût été épargné — promis, peut-être, à un destin pire encore. Je fronçai les sourcils avec ardeur, m'appliquant à enfouir ces pensées dans mon esprit, de crainte que les bêtes qui m'entouraient ne se rappellent le jeune homme.

Mais je fus tiré de mes réflexions et en direction du brasier.

— A ton tour, petit brave, Ganymède des blasphémateurs, chérubin impudent.

— Non !

J'enfonçai les talons dans la terre. C'était impensable. Je ne pouvais mourir ainsi ; je ne pouvais sombrer dans les flammes. Je raisonnai avec frénésie : « Tu viens de voir périr tes frères. Pourquoi pas toi ? » Mais je ne parvenais pas à l'accepter ; ce n'était pas possible ; non, pas moi ; j'étais immortel ; non !

— Si, toi. Le feu te rôtira comme il a rôti les autres. Tu ne sens pas l'odeur de la chair cuite ? Des os brûlés ?

Des mains puissantes me jetèrent en l'air, assez haut pour que la brise prît possession de mes cheveux, pour que je visse le feu du dessus tandis que son souffle destructeur frappait mon visage, ma poitrine, mes bras tendus.

Je plongeai, plongeai au cœur de la fournaise, écartelé, dans le tonnerre du bois qui craquait, des flammes orange dansantes. *Voilà ma mort !* pensai-je, si tant est que je pensai. Il me semble que je n'étais plus que panique, et abandon à ce qui allait être une indescriptible souffrance.

Des mains me saisirent. Du bois en feu s'effondra sous moi dans un rugissement. Je fus tiré du brasier. Sur le sol. On piétina mes vêtements fumants. On m'arracha ma tunique qui se consumait. J'ouvris la bouche, cherchant mon souffle. Mon corps tout entier me faisait mal — la terrible douleur de la chair brûlée. Je roulai volontairement les yeux pour ne plus rien voir, appelant l'oubli du néant. *Venez, maître, venez s'il existe pour nous un Paradis. Venez à moi.* Je me représentai Marius mort, squelette noirci mais qui ouvrait les bras pour m'accueillir.

Une silhouette se dressait devant moi. Grâce à Dieu, je gisais sur la Terre Mère humide, les mains et le visage, la chevelure, encore fumants. La silhouette, de haute taille, possédait de larges épaules et des cheveux noirs.

Elle leva deux puissantes mains blanches aux fortes articulations afin de rabattre son capuchon, dévoilant une énorme masse de boucles sombres luisantes. Ses grands yeux au blanc nacré s'ornaient d'iris d'un noir de jais. Ses sourcils formaient malgré leur épaisseur des courbes gracieuses. C'était un vampire, ainsi que ses compagnons, mais d'une beauté unique, d'une présence immense, qui me regardait comme s'il s'était plus intéressé à moi qu'à lui-même, bien qu'il s'attendît à être le centre de l'attention générale.

Un faible frisson de gratitude me traversa, car il semblait, en vertu de ses yeux et de sa bouche lisse, semblable à l'arc de Cupidon, posséder une apparence de raison humaine.

— Acceptes-tu de servir Dieu ? demanda-t-il d'une voix douce et cultivée, sans la moindre trace d'ironie. Réponds. Acceptes-tu de servir Dieu — car si tu refuses, nous te jetterons à nouveau au feu.

La douleur me taraudait tout le corps. Nulle pensée ne me vint, excepté que la question était impossible, qu'elle n'avait pas de sens et que donc je ne pouvais y répondre.

Aussitôt, les cruels suivants de l'inconnu me soulevèrent, riant, chantant en rythme le cantique tonitruant qui ne s'était à aucun moment interrompu :

— Au feu ! Au feu !

— Non ! s'exclama leur chef. Je vois en lui un amour pur pour notre Sauveur.

Il leva la main. Les autres relâchèrent leur étreinte mais me gardèrent suspendu en l'air, bras et jambes écartés.

— Vous cherchez le bien ? murmurai-je avec désespoir au nouveau venu. Comment est-ce possible ?

Je pleurais.

Il se rapprocha. Se pencha sur moi. Quelle beauté ! Sa large bouche offrait, ainsi que je l'ai déjà dit, l'arc parfait de Cupidon, mais je n'avais pas remarqué auparavant la riche teinte sombre naturelle de ses lèvres, ni l'ombre régulière de sa barbe, rasée sans doute pour la dernière fois dans sa vie de mortel, et qui lui donnait le masque puissant d'un homme. Son grand front semblait fait par comparaison d'os immaculé. Ses tempes pleines, arrondies, et la ligne de démarcation pointue de sa chevelure, d'où tombaient ses gracieuses boucles sombres, composaient à son visage un écrin saisissant.

Mais ce furent ses yeux, oui — il en va toujours ainsi pour moi — qui me captivèrent, de grands yeux ovales luisants.

— Enfant, souffla-t-il, souffrirais-je pareilles horreurs, si ce n'était pour Dieu ?

Je n'en pleurai que davantage.

Je n'avais plus peur. Je ne me souciais plus de la douleur. Rouge et or, comme les flammes, elle courait en moi tel un fluide, mais si je la sentais bien, elle ne me touchait plus, je n'y attachais plus d'importance.

Je me laissai emporter sans protester, les yeux clos, à travers un tunnel où les pas de mes tourmenteurs levaient contre le plafond bas et les murs un doux écho roulant.

Lorsqu'on me lâcha, me laissant rouler au sol, j'y pressai le visage, attristé de me trouver sur un nid de vieilles guenilles : je ne pouvais toucher la Terre Mère alors que j'en avais grand besoin. Puis cela aussi perdit toute importance. La joue posée sur la toile souillée, je somnolai, comme si j'avais été abandonné là afin d'y dormir.

Ma peau brûlée me semblait détachée de mon être. Un long soupir m'échappa, car je songeais, sans le formuler en mots dans mon esprit, que mes malheureux compagnons étaient morts, en sécurité. Le feu n'avait pu les torturer bien longtemps, non. Sa chaleur était trop forte. Leurs âmes s'étaient sans le moindre doute enfuies au ciel tels des rossignols dérivant dans la fumée du brasier.

Mes frères n'étaient plus de cette Terre ; nul ne pouvait plus leur nuire. Les bienfaits que Marius avaient répandus sur eux, les arts qu'on leur avait enseignés, les leçons qu'ils avaient apprises, leurs danses, leurs rires, leurs chants, les œuvres qu'ils avaient peintes — tout cela n'était plus. Leurs âmes étaient parties au ciel sur de douces ailes blanches.

Les eussé-je suivies ? Dieu eût-il accueilli l'âme d'un buveur de sang dans son Paradis de nuages dorés ? Eussé-je quitté l'horrible chant latin des démons pour le royaume des voix angéliques ?

Pourquoi ceux qui m'entouraient me permettaient-ils ces pensées, alors qu'il leur était sans doute possible de lire dans mon esprit ? Je sentais la présence de leur chef, le puissant vampire aux yeux noirs. Peut-être me trouvais-je seul avec lui. S'il parvenait à donner un sens à tout cela, à trouver aux événements une signification qui en excusât la monstruosité, ce ne pouvait être qu'un saint. La vision s'imposa à moi de moines sales, affamés, terrés dans des grottes.

Je roulai sur le dos, jouissant des éclaboussures de douleur rouge et jaune qui m'enveloppaient, puis j'ouvris les yeux.

XV

Une voix douce s'adressa à moi, apaisante :

— Les œuvres orgueilleuses de ton maître ont brûlé ; elles ne sont plus que cendres. Puisse Dieu lui pardonner d'avoir utilisé ses sublimes pouvoirs non pour Le glorifier, Lui, mais pour exalter le Monde, la Chair et le Démon, oui, le Démon. L'Esprit du Mal est notre père à tous : Il est fier de nous, heureux de notre souffrance, mais Marius L'a servi sans se soucier de la volonté divine, de la bonté divine qui nous sauve des flammes infernales, en nous permettant de régner sur les ombres de la Terre.

— Ah, murmurai-je. Je vois quelle est votre philosophie perverse.

Nulle remontrance ne me fut adressée.

Peu à peu, bien que j'eusse préféré me contenter de l'ouïe, ma vue s'éclaircit. Des crânes humains blanchis, couverts de poussière, dépassaient de la voûte en terre qui me dominait. Ils composaient le plafond tout entier, telles de pâles coquilles marines fixées par du mortier. Des coquilles de cerveaux, pensai-je, car que restait-il de ces boîtes crâniennes, hormis le dôme ayant abrité le cerveau et les noirs trous ronds autrefois occupés par les yeux gélatineux, aussi agiles que des danseurs, toujours prêts à rapporter à l'esprit enfermé dans sa carapace les merveilles du monde ?

Des crânes, une coupole de crânes, puis, sur le pourtour du plafond qui s'abaissait à la rencontre des parois, un entrelacs de fémurs supporté par les os de l'enveloppe corporelle disposés au hasard, sans plus d'ordre que les pierres enfoncées dans le mortier d'un mur.

Ce lieu n'était qu'os éclairés de bougies. Oui, l'odeur de la cire d'abeille la plus pure y régnait, comme chez les riches.

— Non, intervint la voix, pensive. Comme dans les églises. Car bien que le Démon soit notre supérieur, le saint fondateur de notre ordre, nous nous trouvons dans la maison de Dieu ; alors pourquoi pas de la cire d'abeille ? C'est bien d'un Vénitien mondain, orgueilleux, que de confondre la piété avec le luxe dans lequel il s'est vautré tel le cochon dans la boue.

Je ris tout bas.

— Continuez, étalez votre sotte logique généreuse, encourageai-je. Soyez le Thomas d'Aquin du Démon.

— Ne te moque pas de moi, implora mon compagnon, sincère. Je t'ai sauvé du brasier.

— Je serais mort, à présent, si vous ne l'aviez fait.

— Le bûcher te tente ?

— Non, je ne veux pas souffrir ainsi. La seule pensée que quiconque subisse pareille chose m'est insupportable. Mais mourir, oui.

— Et que crois-tu qu'il t'arrivera si tu meurs ? La fournaise infernale n'est-elle pas cent fois plus chaude que les flammes allumées pour toi et tes amis ? Tu es un enfant des Enfers ; tu l'as été dès l'instant où Marius le blasphémateur t'a imprégné de notre sang. Nul ne peut défaire ce jugement. Ta vie dépend d'un sang maudit, qui n'a rien de naturel et plaît à Satan. A Dieu aussi, mais seulement parce que Satan Lui est nécessaire pour mettre en valeur Sa bonté et pour donner à l'humanité le choix entre bien et mal.

Je ris derechef, le plus respectueusement possible.

— Vous êtes si nombreux, dis-je.

Je tournai la tête. Les bougies m'aveuglèrent, mais

cela ne me déplut pas. Il me semblait que les flammes dansant sur les mèches étaient bien différentes de celles qui avaient consumé mes frères.

— Ces mortels trop gâtés étaient donc tes frères ? demanda mon hôte d'une voix qui ne tremblait pas.

— Vous croyez donc vraiment toutes les insanités que vous me débitez ? demandai-je sur le même ton.

Il se mit à rire, du rire décent qu'on laisse échapper dans une église en discutant l'absurdité d'un sermon. Toutefois, il n'y avait pas ici de saint sacrement comme en un lieu consacré, alors pourquoi baisser la voix ?

— Cher enfant, reprit-il. Il serait si facile de te torturer, de retourner totalement ton petit esprit arrogant, de te réduire à l'état d'instrument dont n'émaneraient que des cris rauques. Quoi de plus simple que de t'emmurer de manière à ce que tes hurlements, loin de nous sembler trop forts, forment juste un agréable accompagnement à nos méditations nocturnes ? Mais je n'ai aucun goût pour ce genre de choses, je suis un trop bon serviteur du Démon ; jamais je n'en suis venu à aimer la cruauté ou le mal. Au contraire, je les déteste. S'il m'était possible de poser le regard sur un crucifix, je le ferais, et je pleurerais comme lorsque j'étais mortel.

Je renonçai aux flammes dansantes qui parsemaient la salle pour laisser mes yeux se refermer, puis je projetai dans l'esprit de mon interlocuteur mon pouvoir le plus discret et le plus puissant. Il se heurta à une porte close.

— Oui, telle est l'image que j'ai choisie afin de te maintenir à l'écart. Douloureusement littérale pour un impie aussi cultivé que toi, mais ton adoration de notre Seigneur Jésus Christ a été nourrie par des hommes littéraux et naïfs, n'est-il pas vrai ? Ah, voilà un cadeau qui va te mettre très vite d'accord.

— D'accord, messire, et avec quoi ?

J'avais entendu arriver quelqu'un d'autre. Une odeur forte, terrible, pénétra mes narines, mais je ne bougeai pas, je n'ouvris pas les yeux. Le nouveau venu se mit à rire — le grondement bas, maîtrisé, des monstres qui avaient chanté le *Dies Irae* à leur manière crapuleuse. La puanteur délétère, évocatrice de chair humaine brûlée ou autre chose semblable, me semblait détestable. Alors même que je tournais la tête, j'essayai de m'en empêcher. Le bruit, la douleur, je parvenais à les supporter ; cette affreuse odeur, non.

— Un cadeau pour toi, Amadeo, lança l'arrivant.

Je levai la tête. Mes yeux plongèrent dans ceux d'un vampire au corps de jeune homme, aux cheveux blond-blanc et à la longue silhouette mince de Nordique. Il brandissait à deux mains une grande urne ; qu'il retourna.

— Non, non, arrête !

Je battis des bras. La nature du cadeau m'était apparue — trop tard.

Une averse de cendres s'abattit sur moi. Je m'étranglai, je criai, je me détournai. Impossible de les chasser de mes yeux et de ma bouche.

— Les restes de tes frères, précisa le nouveau venu.

Il laissa échapper un sauvage éclat de rire.

Impuissant, allongé sur le ventre, les mains pressées contre les joues, je me secouai tout entier, sous le poids chaud des cendres. Enfin, je me mis à rouler sur moi-même, avant de me redresser brusquement à genoux puis de bondir sur mes pieds. Je reculai jusqu'à un mur. Un grand chandelier de fer se renversa ; les petites flammes crachotèrent, devant ma vue brouillée, sur les cierges tombés à terre ; des os s'entrechoquèrent. J'agitai les bras devant mon visage.

— Qu'est donc devenu notre calme séduisant ? reprit le vampire blond. On est un chérubin pleurnichard, à ce que je vois ? C'est bien ainsi que t'appelait ton maître, non, chérubin ? Tiens !

Il me tira par le bras et tenta de me barbouiller de cendres.

— Espèce de démon ! explosai-je.

Fou de rage et d'indignation, je lui saisis la tête à

deux mains puis, mobilisant toutes mes forces, je la fis pivoter sur son cou pour lui briser les vertèbres. Un violent coup de pied le projeta à genoux, gémissant. Il vivait toujours, malgré sa nuque brisée, mais je me jurai bien qu'il ne vivrait pas en un seul morceau. Lui assenant un autre coup de pied, je tirai sur sa tête. La peau de son cou se déchira, se rompit, le sang jaillit de son tronc béant, auquel j'arrachai mon trophée.

— Eh bien, regardez-vous, à présent, mon bon monsieur ! lançai-je devant ses yeux affolés, dont les pupilles dansaient encore. Allons, mourez, mourez, pour l'amour de vous.

J'enfonçai une main dans sa chevelure puis, me tournant de-ci, de-là, je trouvai de l'autre un cierge que j'arrachai à son grand clou de fer et lui plongeai dans les orbites, l'une après l'autre, jusqu'à ce qu'il perdît la vue.

— On peut donc aussi s'y prendre de cette manière, commentai-je, relevant le regard et clignant des paupières dans l'éclat des bougies.

La silhouette de mon hôte m'apparut peu à peu, avec ses épaisses boucles noires emmêlées. Il était assis sur un tabouret, ses robes sombres répandues autour de lui, pas vraiment tourné vers moi bien qu'il me contemplât, de sorte que ses traits se découpaient dans la lumière — beau visage empreint de noblesse, aux lèvres courbes aussi puissantes que les yeux immenses.

— Je ne l'ai jamais aimé, dit-il d'une voix douce, en haussant les sourcils, mais je dois avouer que tu m'impressionnes. Je ne m'attendais pas à le voir disparaître aussi vite.

Je frissonnai. Un froid terrible me saisit, une affreuse colère sans âme qui chassa le chagrin, la folie, l'espoir.

Je haïssais la tête que je tenais à la main, j'avais grande envie de la lâcher, mais elle vivait toujours. Ses orbites sanglantes palpitaient, sa langue frétillait d'un côté à l'autre de sa bouche.

— Répugnant ! m'exclamai-je.

— Il me surprenait toujours, poursuivit le vampire brun. C'était un païen, vois-tu, ce que tu n'as jamais été. Lui, il croyait aux dieux de la forêt nordique, à Thor tournant pour l'éternité autour de la Terre, armé de son marteau...

— Allez-vous discourir indéfiniment ? demandai-je. Il faut brûler cette chose, même après ce que je lui ai fait, n'est-ce pas ?

Il m'adressa un sourire charmant, innocent.

— Vous êtes fou de rester ici, murmurai-je.

Un tremblement incontrôlable m'agitait les mains.

Sans attendre de réponse, je pivotai pour me saisir d'une deuxième bougie, puisque j'avais éteint avec tant de soin la première. Incendier la chevelure de ma victime me fut facile. La puanteur qui s'en dégagea me souleva le cœur. Un son m'échappa, semblable au pleur d'un enfant.

Je laissai tomber la tête en feu sur le corps décapité puis y ajoutai la bougie, afin que sa cire nourrît les flammes. Ensuite de quoi je rassemblai les autres cierges culbutés et les jetai sur le monticule, reculant lorsqu'une vague de chaleur s'éleva du mort.

Il me sembla que la tête roulait plus qu'elle ne l'eût dû, aussi me saisis-je d'un candélabre renversé que je plongeai comme un râteau dans la masse flambante pour aplanir, écraser ce qui se trouvait en dessous.

Tout à la fin, les mains tendues du cadavre se crispèrent, ses doigts s'enfoncèrent dans ses paumes. Seigneur, conserver la vie dans un pareil état ! songeai-je avec lassitude, en ramenant de mon outil les bras du corps contre son torse. Le feu empestait les guenilles et le sang de mortel — un sang bu par le vampire, sans le moindre doute — mais aucune autre odeur humaine ne s'en élevait. Le désespoir m'envahit quand je m'aperçus que j'avais édifié mon brasier en plein milieu des cendres de mes amis.

Ma foi, cela semblait approprié.

— Vous voilà vengés de l'un d'eux, murmurai-je.

Avec un soupir de vaincu, je jetai de côté le chandelier grossier et laissai là le cadavre. La salle était vaste. Pieds nus, car le bûcher avait dévoré mes chaussures de feutre, je gagnai d'un pas abattu un grand espace dégagé, parmi les candélabres, où la terre noire humide me parut propre. Je m'y allongeai, de même qu'un peu plus tôt, indifférent au fait que le vampire brun eût une très bonne vue de moi, puisque je me trouvais presque en face de lui.

— Connais-tu la religion nordique ? interrogea-t-il, comme s'il ne s'était rien passé. Thor vole pour l'éternité, armé de son marteau, le cercle qu'il décrit est de plus en plus petit, et au-delà attend le chaos. Quant à nous, nous sommes condamnés, puisque notre bulle de chaleur va diminuant. En as-tu entendu parler ? Ta victime était un païen, créé par des magiciens renégats qui se servaient de lui pour assassiner leurs ennemis. Je suis heureux d'en être débarrassé, mais pourquoi pleures-tu ?

Je ne répondis pas. Nul espoir ne subsistait dans ce monstrueux ossuaire, parmi cette myriade de bougies dont la lumière n'illuminait que des restes de cadavres, près de cet être puissamment bâti, à la chevelure noire, qui régnait sur pareilles horreurs sans rien éprouver à la mort d'un de ses suivants — lequel n'était plus à présent qu'un tas d'os puants et rougeoyants.

Je m'imaginai chez moi. En sécurité, dans la chambre du maître. Assis près de lui, qui lisait un texte latin. Peu importaient les mots. Nous étions entourés de jolies choses agréables, créées par la civilisation ; la pièce même avait été faite de main d'homme.

— Orgueil que tout cela, affirma mon hôte. Orgueil et futilité, tu finiras par t'en apercevoir. Tu es plus fort que je ne le croyais, mais il est vrai que ton créateur avait des siècles. Nul ne parle d'une époque où Marius n'existait pas. Marius, le loup solitaire qui ne tolérait nulle intrusion sur son territoire ; Marius, le destructeur des jeunes.

— Je ne l'ai jamais vu détruire personne qui n'ait fait le mal, répondis-je dans un murmure.

— Nous faisons tous le mal, n'est-il pas vrai ? Le moindre d'entre nous. Aussi nous détruisait-il sans remords. Il se croyait à l'abri. Il se détournait de nous ! Nous n'étions pas dignes de son attention, et il a donné toute sa force à un enfant. Je dois cependant reconnaître que tu es un très bel enfant.

Un bruit s'éleva, un froufroutement malfaisant qui ne m'était pas inconnu. L'odeur des rats me parvint.

— Eh oui, poursuivit l'autre, mes amis les rats viennent à moi. Veux-tu les voir ? Tourne-toi, regarde, si tu en as envie. Ne pense plus à saint François avec ses oiseaux, ses écureuils, le loup à son côté. Pense à Santino, avec ses rats.

Je me tournai en effet. J'inspirai à fond, je m'assis dans la terre et je regardai. Un gros rat gris, assis sur l'épaule de Santino, la queue autour de sa tête, lui embrassait légèrement l'oreille d'un petit museau moustachu. Un autre avait tranquillement pris place, comme ensorcelé, sur ses genoux. D'autres encore s'étaient rassemblés à ses pieds.

Répugnant de toute évidence à bouger, de crainte de les effrayer, il plongea une main prudente dans un bol où attendaient des croûtes de pain rassis. A présent seulement, j'en remarquais l'odeur, mêlée à celle des petits animaux. Santino offrit une poignée de miettes au rat installé sur son épaule, lequel mangea avec reconnaissance et une étrange délicatesse, puis il en laissa tomber une partie dans son giron, où trois autres rongeurs s'empressèrent de venir festoyer.

— Crois-tu que j'aime ce genre de choses ? reprit-il.

Il me fixa d'un regard intense, les yeux élargis par la force mise dans ces mots. Ses cheveux noirs formaient sur ses épaules un voile épais, emmêlé, son front très lisse brillait, crayeux, à la lumière des bougies.

— Crois-tu que j'aime vivre ici, dans les entrailles du monde ? demanda-t-il tristement. Sous la grande cité de Rome, où la terre exsude l'ordure de la foule répugnante qui l'arpente ? Crois-tu que j'aime avoir cette vermine comme animaux familiers ? Que je n'ai jamais été chair et sang ou que, si j'ai changé pour la gloire du Dieu tout-puissant et de Son divin dessein, je ne soupire pas malgré tout après la vie que tu as menée en compagnie de ton maître avide ? N'ai-je pas des yeux pour voir les couleurs qu'il étalait sur ses toiles ? N'aimé-je pas la musique impie ? (Il poussa un long soupir torturé.)

« Qu'a fait Dieu, ou qu'a-t-il accepté, qui soit par essence répugnant ? Le péché n'est pas intrinsèquement révoltant ; quelle bêtise que de le croire. Personne n'en vient à aimer la douleur. On ne peut qu'espérer la supporter. »

— Pourquoi ? demandai-je.

Bien que nauséeux à vomir, je me maîtrisai. J'aspirai le plus profondément possible afin de laisser les odeurs de l'horrible salle m'emplir les poumons, dans l'espoir qu'elles arrêteraient de me tourmenter.

Puis je m'assis, les jambes croisées, et examinai Santino.

— Pourquoi ? insistai-je. Vos arguments me sont familiers, certes, mais qu'est-ce que ce royaume de vampires en robes de moines ?

— Nous sommes les Défenseurs de la Vérité, affirma-t-il, sincère.

— Qui ne l'est pas, pour l'amour de Dieu ? rétorquai-je avec amertume. Regardez, j'ai sur les mains le sang de votre frère dans le Christ ! Et vous restez assis, étrange contrefaçon d'être humain, gonflé de ce que vous avez bu, à contempler tout cela comme si nous devisions gaiement aux chandelles !

— Oh, mais c'est que tu as une langue de feu pour quelqu'un qui possède un aussi doux visage, s'étonna-t-il froidement. Tu parais malléable, avec tes tendres yeux bruns et ta chevelure d'automne, mais tu es intelligent.

— Intelligent ? Vous avez brûlé mon maître ! Vous

l'avez détruit. Vous avez jeté ses enfants au feu ! Je suis votre prisonnier, n'est-il pas vrai ? Pourquoi ? Et vous venez me parler de Notre Seigneur Jésus Christ ? Vous ? Vous ? Qu'est-ce que cette boue d'ignominie et de délires, ce mélange d'argile et de bougies bénites ? Répondez-moi !

Il se mit à rire. Les coins de ses yeux se plissèrent, son visage se fit gai et doux. Ses cheveux, malgré leur saleté et leur enchevêtrement, conservaient leur lustre surnaturel. Qu'il eût été beau, débarrassé des exigences de son cauchemar.

— Nous sommes les Enfants des Ténèbres, Amadeo, expliqua-t-il patiemment. Nous autres, vampires, n'existons que pour être un fléau, tout comme la peste. Nous faisons partie des malheurs et des afflictions de ce monde, lorsque nous buvons le sang et tuons pour la gloire du Seigneur, Lequel met Ses créatures à l'épreuve.

— Arrêtez ces horreurs.

Je me recroquevillai, les mains plaquées sur les oreilles.

— Tu sais très bien que j'ai raison, insista-t-il sans élever la voix. Tu le sais, en me voyant dans mes robes et en regardant par cette salle. Le Dieu vivant m'impose Ses contraintes ainsi qu'aux moines des anciens temps, avant qu'ils n'apprennent à orner leurs murs de peintures érotiques.

— Vous êtes fou. Je ne sais même pas pourquoi vous me racontez tout cela.

Je refusais d'évoquer le monastère des Grottes !

— Parce que, ici, j'ai découvert quel était mon but, le but de Dieu, et qu'il n'est rien de plus élevé. Préférerais-tu être damné, solitaire, égoïste et sans but ? Tournerais-tu le dos à un dessein si magnifique que le plus petit enfant n'en est pas exclu ? Croyais-tu possible de vivre à jamais sans la splendeur d'un grand agencement, de nier la main de Dieu dans tout ce que tu convoitais et voulais faire tien pour sa beauté ?

Je restai silencieux. Ne pense pas aux anciens saints russes. Sagement, il se garda d'insister, préférant chanter le cantique latin d'une voix très douce, sans lui donner de rythme diabolique…

Dies irae, dies illa
Solvet saeclum in favilla.
Teste David cum Sibylla.
Quantus tremor est futurus…

Jour de colère, jour
Qui réduira le monde en cendres.
David l'annonce, et la sibylle.
Quel effroi terrible ce sera…

— Et ce jour, ce dernier jour, il nous faudra accomplir notre devoir en Son nom. Nous qui sommes Ses anges noirs, nous entraînerons les âmes des méchants en Enfer, car telle est Sa divine volonté.

Je relevai les yeux vers Santino.

— Mais que faites-vous de la prière finale, celle qui Lui demande d'avoir pitié de nous ? Sa Passion ne nous était-elle pas destinée ?

Je chantai tout bas, en latin :

Recordare, Jesu pie,
Quod sum causa tuae viae…

Souvenez-vous, ô, doux Jésus,
Que pour moi Vous avez vécu…

Après quoi je poursuivis, bien que j'en eusse tout juste le courage, que j'eusse peine à réellement admettre l'horreur :

— Quel moine du monastère de mon enfance n'espérait-il pas un jour rejoindre son Dieu ? Mais vous, que me dites-vous, à présent ? Que nous, les Enfants des

Ténèbres, nous Le servons *sans espoir de jamais Le rejoindre* ?

— Prie que je ne connaisse pas tous les secrets, murmura Santino, avec une soudaine détresse. (Il me regarda comme s'il avait bel et bien prié.) Se pourrait-il qu'Il n'aime pas Satan, alors que ce dernier a si bien travaillé ? Se pourrait-il qu'Il ne nous aime pas, nous ? Je ne comprends pas, mais je suis ce que je suis, c'est-à-dire tel, et toi aussi. (Ses sourcils se haussèrent pour souligner son émerveillement.) Il nous faut Le servir. Sans quoi, nous sommes perdus.

Il glissa de son tabouret, s'approcha et s'assit en tailleur devant moi, avant de me poser la main sur l'épaule.

— Vous êtes une splendide créature, dis-je. Quand je pense que Dieu vous a créé comme il a créé les enfants que vous avez détruits ce soir, les corps parfaits que vous avez livrés aux flammes…

— Prends un autre nom, Amadeo, me demanda-t-il, profondément malheureux. Joins-toi à nous, soutiens-nous. Nous avons besoin de toi. Et puis que ferais-tu, tout seul ?

— Dites-moi pourquoi vous avez tué mon maître.

Il me lâcha. Sa main retomba dans le creux que sa robe noire formait entre ses genoux.

— Il nous est interdit d'éblouir les mortels grâce à nos talents. De les piéger ainsi. De chercher à nous consoler par leur compagnie. De marcher en des lieux de lumière.

Rien de tout cela ne me surprit.

— Nous sommes des moines aussi purs de cœur que ceux de Cluny, poursuivit-il. Nos monastères sont aussi sévères et sacrés. Nous chassons et tuons afin de faire du Jardin du Seigneur une parfaite Vallée de Larmes. (Il marqua une pause avant de continuer d'une voix émerveillée, plus douce encore.) Nous sommes les abeilles qui piquent, les rats qui volent le grain, la peste noire qui prend les jeunes comme les vieux, la beauté comme la laideur, afin qu'hommes et femmes tremblent devant la puissance divine.

Le regard qu'il me jeta m'implorait de comprendre.

— Les cathédrales naissent de la poussière pour montrer l'émerveillement de l'homme. Lequel grave la danse macabre dans leur pierre pour montrer que la vie est courte. Nous portons la faux, perdus dans les rangs des squelettes en robe sculptés sur des centaines de seuils ou de murs. Nous sommes les suivants de la mort, dont le visage cruel orne des milliers de minuscules livres de prières, entre les mains des pauvres comme des riches.

Ses yeux immenses étaient devenus rêveurs. Tandis qu'il contemplait la grande salle sinistre au dôme de crânes, la flamme des bougies se reflétait dans ses prunelles. Ses paupières s'abaissèrent un instant puis se relevèrent sur un regard plus vif, plus brillant.

— Ton maître savait tout cela, reprit-il d'un ton de regret. Il savait. Mais il était obstiné, rageur, né en une époque païenne. Il a toujours refusé la grâce de Dieu. En toi, pourtant, il l'a vue, parce que ton âme est pure. Tu es jeune, tendre, ouvert telle l'ipomée à la lumière de la nuit. Tu as beau nous détester, tu finiras par voir.

— Je ne sais si je verrai quoi que ce soit, répondis-je. J'ai froid, je suis minuscule, je n'éprouve plus aucun sentiment, aucun besoin, aucune haine que je comprenne. Je ne vous en veux même pas, alors que je le devrais. Je suis vide. Je ne souhaite que la mort.

— C'est à Dieu qu'il revient d'en choisir l'heure, Amadeo. Pas à toi.

Alors que Santino me regardait avec attention, je compris qu'il ne m'était plus possible de lui dissimuler mes souvenirs — les moines de Kiev se mourant lentement de faim dans leurs cellules, disant qu'ils devaient se nourrir car il revenait à Dieu de choisir l'heure de leur mort.

Je m'efforçai cependant de les cacher, d'enfermer au fond de moi ces minuscules images. J'avais l'esprit vide. Un seul mot me venait aux lèvres : horreur. Puis la pensée me frappa que, jusqu'à cet instant, j'avais été stupide.

Un autre vampire arriva, une femme qui entra par une porte de bois qu'elle laissa retomber derrière elle avec précaution, comme une religieuse obéissante, afin de ne pas faire plus de bruit que nécessaire. Elle alla se placer derrière Santino.

Sa longue chevelure grise, aussi sale et emmêlée que celle de son chef, formait également dans son dos un voile solide d'un poids et d'une épaisseur étonnants. Ses vêtements n'étaient qu'antiques guenilles. Sa ceinture basse, à la mode d'autrefois, ornait une robe bien coupée qui soulignait sa taille fine et ses hanches doucement évasées : le costume d'apparat que portaient les silhouettes gravées sur les riches sarcophages. Ses yeux, de même que ceux de Santino, semblaient immenses, comme pour attirer la moindre précieuse particule de lumière perdue dans la pénombre. Sa bouche était pleine, énergique. Les os élégants de ses pommettes et de sa mâchoire luisaient sous la fine couche de poussière argentée qui la recouvrait tout entière. Son cou et sa poitrine étaient presque nus.

— Sera-t-il des nôtres ? demanda-t-elle d'une voix si tendre, si apaisante que je m'en sentis touché. J'ai prié pour lui. Je l'ai entendu pleurer en son for intérieur, bien qu'il n'ait pas lâché un son.

Je détournai le regard. L'ennemie qui avait massacré mes amis ne pouvait m'inspirer que dégoût.

— Oui, répondit Santino. Ce sera peut-être même un maître. Il est très fort. Il a tué Alfredo, là, tu vois ? Ç'a été un spectacle merveilleux. Il était fou de rage, et il faisait la moue comme un bébé.

Les yeux de l'arrivante cherchèrent derrière moi les restes de ma victime. Quant à moi, qui ignorais ce qu'il en subsistait, je ne me tournai pas pour le voir.

Un profond, un amer chagrin adoucit son expression.

Sans doute avait-elle été fort belle, vivante ; elle l'eût encore été, débarrassée de la poussière.

Son regard revint brusquement à moi, accusateur, avant de se radoucir.

— Orgueil pur et simple, mon enfant, dit-elle. Je ne vis pas pour les miroirs, contrairement à ton maître. Je n'ai besoin ni de velours ni de soie pour servir le Seigneur. Ah, Santino, vois donc, ce n'est qu'un nouveau-né. Dans les siècles enfuis, j'eusse célébré sa beauté en vers, car il est venu à nous afin d'embellir la vallée charbonneuse de Dieu. C'est un lys nocturne, un enfant magique planté par la lune dans le berceau d'une fille de ferme qui réduira le monde en esclavage de son regard féminin et de son murmure viril.

Ses flatteries m'enragèrent, mais dans cet enfer, l'idée de perdre sa voix mélodieuse à la profonde douceur m'était insupportable. Peu m'importait ce qu'elle racontait. Alors que je contemplais son blanc visage, où plus d'une veine était devenue arête de pierre, je compris qu'elle était beaucoup trop âgée pour mon impétueuse violence. Et cependant, la tuer... arracher sa tête à son corps... la poignarder avec des bougies... J'y pensai, les dents serrées. Quant à lui, je m'en débarrasserais, oui, car il n'était pas aussi âgé, pas de moitié, avec sa peau olivâtre. Mais ces impulsions moururent tels des brins d'herbe arrachés à mon esprit par le vent du nord, le vent glacé de ma volonté qui se mourait.

Ah, qu'ils étaient beaux !

— Il n'est pas nécessaire de renoncer à la beauté, me dit-elle gentiment, ayant peut-être aspiré mes pensées, malgré les procédés que j'avais employés pour les cacher. Tu découvriras juste une beauté différente — cruelle, changeante — au moment où tu prendras la vie et où le merveilleux agencement du corps que tu assécheras se transformera en une toile flamboyante. Des pensées agonisantes tomberont sur toi tels des voiles de deuil, assombrissant ton regard, et feront de toi l'école des malheureuses âmes poussées par ta soif vers leur gloire ou leur perdition. Cette beauté différente, tu la trouveras dans les étoiles, qui seront à jamais ta consolation. Dans la terre même, où tu percevras des centaines de nuances d'obscurité. Voilà ce qu'elle sera pour toi. Tu renonceras aux couleurs hardies de l'humanité, à la lumière provocante du riche et de l'orgueilleux.

— Je ne renoncerai à rien, ripostai-je.

Elle sourit. Son visage s'emplit d'une intense chaleur irrésistible. Sa longue crinière imposante de cheveux blancs bouclait par endroits dans le vacillement ardent des bougies.

— Il nous comprend à la perfection, observa-t-elle, pour Santino, et pourtant, on dirait le vilain cancre qui raille sans répit.

— Oui, il sait, acquiesça l'autre avec une surprenante amertume.

Il nourrissait ses rats, l'air rêveur, partageant son attention entre sa compagne et moi. Le vieux chant grégorien s'échappait même à nouveau tout bas de ses lèvres.

D'autres vampires s'agitaient dans l'obscurité, je les entendais. Au loin, les tambours battaient toujours, insupportables. Je levai les yeux vers le plafond, vers les crânes aveugles, privés de bouches, qui posaient sur toute chose un regard d'une infinie patience.

Puis je revins à eux. Santino, distrait ou perdu dans ses pensées, dominé par la femme sculpturale, en loques, au visage maquillé de poussière, aux cheveux gris que divisait une raie.

— Qui sont Ceux Qu'il Faut Garder, enfant ? interrogea-t-elle soudain.

Santino leva la main en un geste las.

— Il l'ignore, Allesandra, tu peux en être sûre. Marius était trop malin pour évoquer le sujet. Que recouvre la vieille légende sur laquelle nous nous acharnons depuis tant d'années ? Ceux Qu'il Faut Garder…

Si tel est bien le cas, alors, c'en est fini d'eux, car Marius n'est plus pour les garder.

Un tremblement me parcourut, la peur d'éclater en sanglots incontrôlables, de les laisser voir mon chagrin ; non, quelle horreur. Marius n'était plus...

— Dieu l'a voulu ainsi, poursuivit très vite Santino, comme s'il avait eu peur pour moi. Par Sa volonté, les constructions s'effondrent, les écrits disparaissent, volés ou brûlés, les témoins de mystères sont détruits. Réfléchis-y, Allesandra. Le temps a passé sur les mots tracés de la main de Matthieu, de Marc, de Luc et de Jean. Où subsiste-t-il un seul parchemin portant la signature d'Aristote ? Quant à Platon, n'aimerions-nous pas avoir ne serait-ce qu'un brouillon jeté par lui au feu alors qu'il travaillait fiévreusement... ?

— Que nous sont ces choses, Santino ? répondit-elle, désapprobatrice.

Pourtant, elle lui effleura la tête, les yeux baissés, puis lui lissa les cheveux d'un geste maternel.

— Je voulais dire que telles sont les voies du Seigneur, expliqua-t-il. Les voies de Sa Création. Le temps emporte jusqu'à ce qui est gravé dans la pierre. Des cités entières reposent sous le feu et les cendres de montagnes rugissantes. La terre qui dévore tout a fini par le prendre, lui, le légendaire Marius, alors qu'il était infiniment plus vieux qu'aucun autre dont nous ayons jamais connu le nom, et ses secrets ont disparu avec lui. Ainsi soit-il.

Je serrai les mains pour les empêcher de trembler mais ne dis mot.

— Je vivais dans une ville, poursuivit tout bas Santino. (Il tenait à présent dans ses bras un gros rat noir, qu'il caressait ainsi qu'il l'eût fait du plus beau des chats. Le rongeur aux yeux minuscules, à la queue incurvée telle une faux pointée vers le bas, paraissait incapable de bouger.) Une très jolie ville, aux hautes murailles épaisses, qui organisait tous les ans une foire extraordinaire. Les mots sont impuissants à décrire pareil endroit.

Les marchands y exposaient leurs articles, tandis que les villages alentour, proches ou lointains, y envoyaient jeunes et vieux acheter, vendre, danser, festoyer... La perfection y semblait de ce monde ! Pourtant, la peste a tout pris. Elle est venue, indifférente aux portes, aux murailles, aux tours, invisible aux serviteurs de Dieu, au père dans son champ comme à la mère dans son potager. Elle a emporté tout le monde, hormis les plus méchants. J'ai été emmuré dans ma demeure, en compagnie des corps bouffis de mes frères et sœurs. Un vampire m'en a tiré, après avoir exploré la ville sans trouver d'autre sang que le mien. Alors qu'elle avait été si animée !

— N'oublie pas que nous renonçons à notre histoire humaine pour l'amour de Dieu, intervint Allesandra — avec cependant une grande prudence.

Sa main, toujours dans les cheveux de Santino, les lui chassait du front.

Les yeux du brun vampire, immenses, emplis de pensées et de souvenirs, se posèrent sur moi lorsqu'il reprit la parole, mais peut-être ne me virent-ils pas.

— Il n'y a plus de murailles, à présent. Il ne reste que des arbres, de l'herbe et des tas de gravats. Les pierres qui composaient autrefois la place forte de notre seigneur, nos plus belles rues aux pavés durs et nos plus imposantes demeures font désormais partie de lointains châteaux. Il est dans la nature même du monde que le temps dévore tout, d'une bouche aussi sanglante que les autres.

Le silence s'installa. Je ne pouvais m'empêcher de trembler, de frissonner. Un gémissement franchit mes lèvres. Je regardai de tous côtés puis baissai la tête, les mains serrées contre la gorge pour me retenir de crier.

Lorsque enfin je relevai les yeux, je me décidai à parler.

— Je ne vous servirai pas ! murmurai-je. Je vois clair dans votre jeu. Je connais vos écritures, votre piété, votre penchant à la résignation ! Vous êtes des araignées aux toiles complexes, rien de plus. Vous reproduire pour répandre votre sang, voilà tout ce que vous savez faire, tout ce pour quoi vous tendez vos pièges laborieux. Vous êtes aussi pitoyables que les oiseaux qui bâtissent leurs nids dans la crasse devant des encadrements de marbre. Allez, tissez vos mensonges. Je vous déteste. Je ne vous servirai pas !

Avec quel amour ils me regardaient tous deux.

— Pauvre enfant ! soupira Allesandra. Tu commences tout juste de souffrir. Pourquoi saigner par fierté et non par amour de Dieu ?

— Je vous maudis !

Santino claqua des doigts — geste insignifiant. Pourtant, ses serviteurs encapuchonnés, toujours vêtus de robes, jaillirent des ombres et des passages ouverts dans les murs de boue telles des bouches secrètes, engourdies. Ils s'emparèrent de moi, m'immobilisant les bras, sans que je me débatte.

Mes gardes me traînèrent jusqu'à une cellule aux barreaux d'acier. Lorsque je cherchai à en creuser les parois de terre afin de m'évader, mes doigts crochus se heurtèrent à du roc bardé de fer qui m'empêcha de poursuivre mes efforts.

Je m'allongeai. Je pleurai — sur mon maître. Peu m'importait qu'on m'entendît ou qu'on se moquât de moi. Peu m'importait. Je n'étais que chagrin, un chagrin qui me révélait l'immensité de mon amour, laquelle m'en montrait la splendeur. Je sanglotai une éternité durant. Je me tournai et me vautrai dans la terre. Je m'y cramponnai, je la lacérai, puis je me figeai, des larmes silencieuses coulant sur mes joues.

Allesandra se tenait derrière les barreaux, sur lesquels elle avait refermé les mains.

— Pauvre enfant, chuchota-t-elle. Je serai avec toi, toujours. Il te suffira de prononcer mon nom.

— Pourquoi donc ? Pourquoi ? appelai-je, d'une voix qui résonna contre les murs de pierre. Répondez-moi.

— Au plus profond de l'Enfer, les démons ne s'aiment-ils pas les uns les autres ?

Une heure s'écoula. La nuit était bien avancée.

J'avais soif.

Une soif brûlante. Allesandra le savait. Je m'assis par terre sur les talons, recroquevillé, la tête basse. La mort me prendrait avant que je ne busse à nouveau, mais je ne voyais rien d'autre, je ne pensais à rien d'autre, je ne voulais rien d'autre que du sang.

Au bout de la première nuit, je crus que la soif allait me tuer.

Au bout de la seconde, que j'allais mourir en hurlant.

Au bout de la troisième, je n'étais plus capable que de rêver au rouge liquide en pleurant de désespoir et en léchant mes larmes sur le bout de mes doigts.

Au bout de six nuits, lorsque la soif devint vraiment insupportable, on m'amena une victime qui se débattait.

L'odeur du sang me parvint de l'extrémité du long passage obscur, avant même la clarté de la torche.

Un grand jeune homme musclé, puant, qu'on traînait en direction de ma cellule, qui donnait des coups de pied, insultait ses gardes, grognait et salivait en fou furieux, hurlait à la seule vue du flambeau avec lequel on le rudoyait, on le contraignait à s'approcher de moi.

Je me levai, presque trop faible pour cet effort, et me laissai tomber sur lui, sur sa délicieuse chair brûlante, puis lui déchirai la gorge en riant et en pleurant tandis que le sang débordait de ma bouche.

Il s'effondra sous moi, rugit, bégaya. Le sang jaillissait de son artère à gros bouillons sur mes lèvres et mes doigts amaigris — de véritables os. Je bus, je me gorgeai jusqu'à ne pouvoir en avaler davantage. Toute douleur m'avait quitté, tout désespoir, dans la simple satisfaction de ma soif, la seule consommation avide, haïssable, égoïste du sang bénit.

On me laissa à ce festin glouton, stupide et brutal.

Enfin, je roulai de côté pendant que ma vision retrouvait sa clarté dans le noir. Les murs scintillaient à nouveau par leurs minuscules morceaux de minerai, tel le firmament étoilé. Je me tournai vers ma victime. C'était Riccardo, mon Riccardo bien-aimé, mon brillant ami au grand cœur — nu, souillé, longuement engraissé dans quelque cellule puante en prévision de cette nuit.

Je me mis à hurler.

Je me jetai sur les barreaux ; j'y écrasai mon crâne. Mes gardiens à la peau blanche accoururent puis battirent en retraite, effrayés, pour me guetter depuis l'autre côté du corridor obscur. Sanglotant, je tombai à genoux.

J'attrapai le cadavre.

— Bois, Riccardo ! m'exclamai-je, me mordant la langue puis en crachant le sang sur le visage huileux, aux yeux fixes.

Mais mon ami était mort, vidé, abandonné ici par mes tourmenteurs afin de se décomposer avec moi, près de moi.

Je me mis à chanter « Dies irae, dies illa » en riant.

Trois nuits plus tard, hurlant, jurant, je démembrai le corps puant pour en jeter les morceaux hors de ma cellule. Sa présence m'était insupportable ! Je lançai le torse gonflé contre les barreaux, encore et encore, puis m'effondrai, en larmes, incapable d'y enfoncer le poing ou le pied afin d'en briser la masse. L'angle le plus éloigné du réduit me servit de refuge.

Allesandra vint.

— Que puis-je dire pour te réconforter, enfant ?

Murmure désincarné dans la nuit.

Quelqu'un d'autre était là. Santino. Lorsque je me retournai, je le vis à une faible clarté errante que seule pouvait rassembler un œil vampirique poser son doigt sur ses lèvres et secouer la tête, reprenant sa compagne avec gentillesse.

— Il faut le laisser seul, dit-il.

— Du sang ! hurlai-je.

Je me jetai sur les barreaux, les bras tendus à travers, si bien qu'ils s'enfuirent hors de ma portée, effrayés.

Au bout de sept nuits supplémentaires, alors que j'étais altéré au point que même l'odeur du sang ne m'excitait plus, on me mit la victime — un petit garçon des rues qui implorait pitié — dans les bras.

— N'aie pas peur, non, n'aie pas peur, chuchotai-je en lui plantant très vite les dents au creux du cou. Hmm, aie confiance. (Je savourais le sang, je le buvais lentement, désireux de contenir mon rire de plaisir mais aussi les larmes de soulagement qui tombaient sur le petit visage de ma victime.) Dors, fais de doux et jolis rêves. Des saints viendront te chercher ; tu ne les vois pas ?

Ensuite, je me rallongeai, rassasié, observant les minuscules étoiles de pierre dure brillante ou de minerai de fer incrustées dans le plafond boueux. Ma tête roula de côté, s'écarta du corps du malheureux que j'avais disposé avec soin, comme pour le suaire, près du mur, derrière moi.

Une silhouette m'apparut dans ma cellule, petite, dotée de contours flous qui se découpaient contre la paroi. Elle me regardait. Un autre enfant ? Je me levai, pantois. Nulle odeur n'émanait du nouveau venu. Je pivotai pour contempler le cadavre. Il reposait ainsi que je l'avais placé. Pourtant, devant le mur opposé, se tenait le même garçon, blême, perdu, les yeux fixés sur moi.

— Comment est-ce possible ? murmurai-je.

Mais la malheureuse petite chose ne pouvait parler. Seulement regarder. Elle portait une chemise blanche identique à celle du mort. Ses grands yeux décolorés étaient rêveurs et doux.

Un son lointain me parvint. Un pas traînant, dans le long boyau qui menait à ma prison. Un vampire n'eût pas eu pareille démarche. Je me dressai de toute ma taille, les narines imperceptiblement palpitantes, cherchant à capter l'odeur de l'arrivant. Rien ne vint modifier la puanteur de l'humidité et du moisi. Seul régnait dans ma cellule le parfum de mort émis par le pauvre petit corps brisé.

Je fixai l'esprit obstiné.

— Pourquoi t'attardes-tu ? demandai-je dans un murmure désespéré. Comment se fait-il que je te voie ?

Il remua ses lèvres minuscules, visiblement désireux de parler, puis secoua la tête, à peine, montrant son égarement avec une piteuse éloquence.

Les pas approchaient. Une fois de plus, je cherchai à saisir une quelconque odeur. Rien, pas même la puanteur poussiéreuse des robes des vampires. Il n'y avait que cette démarche traînante. Enfin, la haute silhouette brumeuse d'une femme hagarde apparut derrière les barreaux.

Elle était morte, je le savais. Tout comme le petit garçon qui attendait près du mur.

— Parlez-moi, je vous en prie, je vous en supplie. S'il vous plaît, parlez-moi ! m'écriai-je.

Mais les deux fantômes ne pouvaient détacher les yeux l'un de l'autre. Ma victime alla se jeter dans les bras de la femme d'un pas rapide quoique léger ; son enfant récupéré, l'arrivante se détourna. Elle commença à s'effacer alors même que ses pieds produisaient sur la terre compacte le grattement sec qui avait annoncé son arrivée.

— Regardez-moi ! l'implorai-je à voix basse. Un simple coup d'œil.

Elle s'immobilisa. Il ne restait presque rien d'elle. Pourtant, elle tourna la têtc ; la clarté terne de son œil se fixa sur moi. Puis, sans le moindre bruit, elle disparut tout à fait.

Je me rallongeai, empli d'un désespoir indifférent, les bras tendus, si bien que mcs doigts se posèrent sur le petit cadavre encore tiède.

Je ne distinguais pas toujours les fantômes.

Je ne cherchais pas à le faire.

Les esprits qui se rassemblaient parfois autour du théâtre de mes sanglantes destructions ne me témoignaient aucune sympathie — ils représentaient juste une malédiction supplémentaire. Nul espoir ne se lisait sur leurs traits, lorsqu'ils traversaient ma misère, aux moments où le sang était le plus chaud en moi. Nulle aura éclatante ne les enveloppait. Ce nouveau pouvoir était-il né de ma soif ?

Je n'en parlai à personne. Dans ma cellule infernale, geôle maudite où on me brisait l'âme, nuit après nuit, sans que j'eusse seulement le réconfort d'un cercueil enveloppant, j'en vins à redouter les fantômes, puis à les haïr.

Seul le lointain avenir me révélerait que les autres vampires, dans leur majorité, ne les voient jamais. Etait-ce une grâce ? Je l'ignorais.

Mais j'anticipe.

Il me faut retourner à cette intolérable époque, à ce creuset.

Une vingtaine de semaines s'écoulèrent dans le désespoir.

Je ne croyais même plus que le monde vénitien fantastique et lumineux eût jamais existé. Je savais mon maître mort. Comme tout ce que j'aimais.

Moi y compris. Il m'arrivait de rêver que je me trouvais en mon pays, au monastère des Grottes, que j'étais un saint. Puis je m'éveillais à l'angoisse.

Lorsque Santino et Allesandra aux cheveux gris vinrent me rendre visite, ils se montrèrent aussi gentils qu'auparavant. Santino versa des larmes en me voyant.

— Viens à moi, me dit-il. Consacre-toi aux études, à présent. Même les misérables créatures que nous sommes ne méritent pas pareille souffrance. Viens à moi.

Je m'abandonnai entre ses bras, j'ouvris mes lèvres aux siennes, je baissai la tête pour presser mon visage contre sa poitrine, en écoutant battre son cœur, j'inspirai à fond, comme si, jusqu'à cet instant, l'air m'avait été refusé.

Allesandra posa sur moi ses douces mains fraîches avec une immense tendresse.

— Pauvre petit orphelin, murmura-t-elle. Pauvre enfant errant. Ah, tu as parcouru une bien longue route pour venir jusqu'à nous.

Et, ô merveille, tout ce qu'ils m'avaient fait me paraissait une expérience partagée, une catastrophe inévitable qui frappait chacun de nous.

La cellule de Santino.

Je gisais sur le sol, dans les bras d'Allesandra, qui me berçait en me caressant les cheveux.

— Cette nuit, tu viens chasser avec nous, annonça Santino. Nous t'emmenons, Allesandra et moi. Nous empêcherons les autres de te tourmenter. Tu as faim, n'est-ce pas, terriblement faim ?

Ainsi commença mon existence d'Enfant des Ténèbres.

Encore et encore, je chassai en silence avec mes nouveaux compagnons, mes nouveaux aimés, mon nouveau maître et ma nouvelle maîtresse. Puis je fus prêt à réellement débuter mon apprentissage. Santino, mon professeur, parfois assisté d'Allesandra, fit de moi son élève personnel — un grand honneur dans le clan, les autres vampires m'en informèrent dès que l'occasion se présenta.

J'appris ce que Lestat a déjà couché sur le papier grâce aux révélations que je lui ai faites : nos grandes lois.

Premièrement, nous constituions des clans par le monde entier, et chaque clan avait son maître. Lorsque j'en serais un, tel le supérieur d'un monastère, je détiendrais en tout l'autorité. Moi et moi seul déciderais de la création des nouveaux vampires qui se joindraient à nous ; moi et moi seul veillerais à ce qu'ils fussent conçus selon les rites prescrits.

Deuxièmement, le Don ténébreux, ainsi que nous l'appelions, ne pouvait être accordé aux êtres dépourvus de grâce, car il plaisait au Dieu juste que le Sang ténébreux réduisît la beauté en esclavage.

Troisièmement, jamais un vampire très âgé ne devait en créer d'autres, car nos pouvoirs grandissaient avec le temps. Les anciens étaient trop puissants pour enfanter les jeunes. Témoin, ma propre tragédie, à moi qui étais né du dernier Enfant des Millénaires connu, le grand, le terrible Marius. Mon corps d'adolescent était habité par une force de démon.

Quatrièmement, nul parmi nous n'avait le droit de détruire un des nôtres, excepté le maître du clan, qui devait se tenir prêt à en éliminer les brebis galeuses. Il lui fallait aussi abattre à vue les vampires errants que nul clan n'abritait.

Cinquièmement, il nous était interdit de dévoiler notre identité ou nos pouvoirs magiques à un mortel puis de le laisser vivre. Un vampire se gardait de rien écrire qui révélât ses secrets ; il évitait de faire connaître son nom dans le monde des hommes. Le moindre signe de notre existence passée dans ce monde devait en être éradiqué à n'importe quel prix, ainsi que ceux grâce auxquels une telle violation de la volonté divine s'était produite.

Il y avait bien d'autres choses. Des rituels, des incantations, une sorte de folklore.

— Nous n'entrons jamais dans une église, car Dieu nous y frapperait, m'expliqua Santino. Nous ne posons pas les yeux sur la croix, dont la seule présence au cou d'un mortel suffit à lui sauver la vie. Nous évitons du regard et de la main les médailles de la Vierge. Nous battons en retraite devant les images des saints.

« Mais nous frappons d'un feu sacré ceux qui marchent sans protection. Nous nous nourrissons où et quand nous le désirons, avec cruauté, des innocents ou des heureux qui ont obtenu les faveurs de la beauté et de la fortune. Même si nous ne nous en vantons ni dans le monde, ni entre nous.

« Les châteaux et les cours nous sont fermés, car jamais, au grand jamais, nous n'infléchissons la destinée des hommes, que le Christ, notre Seigneur, a créés à Son image. Pas plus que la vermine, l'incendie ou la peste noire.

« Nous sommes la malédiction de l'ombre ; secrète ; éternelle.

« Lorsque notre travail en Son nom est terminé, nous nous rassemblons dans les souterrains que nous avons choisis pour y dormir, loin de la richesse et du luxe réconfortants. Là, à la seule lumière du feu et des bougies, nous disons nos prières, nous chantons et dansons, oui, nous dansons autour du feu, afin d'asseoir notre volonté, de partager notre force avec nos frères et sœurs. »

Six longs mois s'écoulèrent, au cours desquels j'étudiai ces lois. Je parcourais les bas quartiers de Rome pour chasser en compagnie des autres vampires, me gorgeant des infortunés mortels qui tombaient si facilement entre mes mains.

Il n'était pas question de fouiller les esprits à la recherche d'un crime qui justifiât mon festin de prédateur, non plus que de pratiquer l'art subtil de boire sans faire souffrir ma victime ou de la protéger de l'horreur que lui inspiraient mon visage, mes mains désespérées, mes crocs.

Une nuit, je me réveillai entouré de mes frères. Allesandra m'aida à quitter mon cercueil de plomb puis m'invita à les suivre tous.

Nous sortîmes ensemble sous les étoiles. Un brasier immense avait été édifié, de même que la nuit où mes amis mortels avaient perdu la vie.

L'air frais était empli du parfum des fleurs printanières. Le rossignol chantait. Au loin s'élevaient les murmures et les chuchotis de Rome, emplie d'une foule innombrable. Je me tournai vers la ville, aux sept collines couvertes de douces lumières vacillantes. Les nuages se teintaient d'or en se rapprochant de ces beaux phares dispersés, comme si le ciel obscur avait été en puissance d'enfant.

Le cercle s'était formé autour du feu, mes frères

vampires répartis sur deux ou trois rangs. Santino, vêtu d'une coûteuse robe de velours noir neuve — ah, quelle violation de nos stricts règlements — s'avança pour m'embrasser sur les deux joues.

— Nous t'envoyons au loin, dans le Nord de l'Europe, m'annonça-t-il. A Paris, où le maître du clan a disparu, de même que nous disparaissons tous, tôt ou tard, dans les flammes. Ses enfants t'attendent. Ils ont entendu parler de toi, de ta douceur, de ta piété, de ta beauté. Tu seras leur chef et leur saint.

Un par un, mes frères vinrent m'embrasser. Mes sœurs, peu nombreuses, posèrent également leurs baisers sur mes joues.

Je restais silencieux, immobile, l'oreille tendue aux chants des oiseaux dans les pins tout proches. Mes yeux dérivaient de temps à autre vers le ciel bas. Je me demandais si la pluie viendrait, la pluie claire et pure dont le parfum me parvenait, seule eau que je pusse désormais employer pour me laver, tiède et plaisante sous les cieux romains.

— Jures-tu sur ce que tu as de plus sacré de diriger le clan selon la Loi des Ténèbres, ainsi qu'il plaît à Satan et à Son Seigneur et Créateur, Dieu ?

— Je le jure.

— Jures-tu d'obéir à tous les ordres que t'enverra le clan de Rome ?

— Je le jure.

Des mots, des mots et encore des mots.

On jeta du bois dans le feu, tandis que les tambours battaient sur un rythme solennel.

Je me mis à pleurer.

Alors vinrent les tendres bras d'Allesandra, la masse douce de sa chevelure grise contre ma nuque.

— Je t'accompagne dans le Nord, mon enfant, annonça-t-elle.

Eperdu de reconnaissance, je l'enlaçai, j'étreignis avec force son corps dur et froid. Les sanglots me secouaient.

— Oui, cher, très cher enfant, poursuivit-elle, je reste auprès de toi. Je suis vieille, je serai à ton côté jusqu'à ce que vienne mon heure de m'offrir à la justice divine, comme nous le faisons tous.

— Alors dansons dans l'allégresse ! s'écria Santino. Satan et Christ, frères dans la demeure du Seigneur, nous vous confions cette âme exaltée !

Il leva les bras au ciel.

Allesandra recula, les yeux brillants de larmes. Une seule pensée subsistait en moi : je lui étais reconnaissant de m'accompagner, de ne pas me laisser accomplir seul le terrible voyage qui m'attendait. Elle restait auprès de moi. Ah, fou que j'étais, fou de Satan et du Dieu qui l'avait créé !

Elle rejoignit Santino, à qui elle ne rendait pas un centimètre, leva les bras au ciel, majestueuse, et secoua sa chevelure grise.

— Que la danse commence !

Le battement des tambours devint tonnerre, les cors gémirent, la pulsation des tambourins m'emplit les oreilles.

Un long cri bas s'éleva du grand cercle de vampires. Tous ensemble, se prenant par la main, ils se mirent à danser.

Happé par la ronde qu'ils formaient autour du brasier furieux, secoué de droite et de gauche tandis qu'ils avançaient dans un sens, puis dans l'autre, je finis par me libérer pour bondir en tournoyant.

Le vent me caressa la nuque. Je volais. Puis, à l'instant précis où des mains se tendaient vers moi, je les attrapai avant de recommencer à me balancer, de droite et de gauche.

Au-dessus du cercle, les nuages silencieux s'épaississaient, s'enroulaient, voguaient dans le ciel nocturne. La pluie vint, doux rugissement perdu parmi les cris des silhouettes qui s'agitaient follement, les crépitements du feu et le tonnerre des tambours.

Je l'entendis pourtant. Je pivotai et bondis le plus

haut possible afin de recevoir les gouttes argentées qui descendaient telle une bénédiction des cieux noirs, eaux baptismales des damnés.

La musique accélérait, se déchaînait en un rythme barbare. La ronde ordonnée n'était plus. Baignés de pluie, ruisselants de l'éclat inextinguible du brasier géant, les vampires tordaient les bras, hurlaient, se contorsionnaient, les membres recroquevillés, tapaient des pieds, le dos courbé, martelaient la terre des talons puis se détendaient tels des ressorts, s'étirant au maximum, la bouche ouverte, les hanches souples, tournoyaient et bondissaient. L'hymne s'élevait sans fin, chanté à pleine gorge par des voix rauques, *Dies irae, dies illa*. Oui, oh, oui, le jour de colère, le jour de feu !

Plus tard, alors que la pluie tombait avec une régularité, solennelle, que le brasier était réduit à l'état de ruine noire, que mes frères avaient gagné leur territoire de chasse, alors que seuls quelques abandonnés erraient encore sur la scène désolée du sabbat, entonnant des prières dans un délire angoissé, je m'allongeai, immobile, le visage pressé contre la terre, afin que l'averse me nettoyât.

Il me semblait retrouver les moines du monastère de Kiev, qui riaient gentiment de moi.

— Comment as-tu pu croire que tu nous échapperais, Andrei ? Ne savais-tu pas que Dieu t'avait appelé ?

— Allez-vous-en, vous n'êtes pas là, et je ne suis nulle part. Je suis perdu dans le désert obscur d'un hiver sans fin.

Je m'efforçai de me Le représenter, de visualiser Son visage sacré, mais je ne vis qu'Allesandra, qui m'aidait à me remettre sur mes pieds. Allesandra, qui me promettait de me raconter les temps obscurs, bien avant la création de Santino, où elle avait reçu le Don ténébreux dans les forêts françaises que nous allions à présent gagner ensemble.

— Seigneur, ah, Seigneur, entends ma prière, murmurai-je.

Si je parvenais seulement à voir le saint visage…

Mais pareille chose nous était interdite. Jamais, au grand jamais, nous ne posions les yeux sur Son image ! Nous œuvrerions jusqu'à la fin du monde sans ce réconfort. L'Enfer, c'est l'absence de Dieu.

Que puis-je dire pour m'excuser ?

Qu'y a-t-il à dire ?

D'autres ont raconté cette histoire. Des siècles durant, je fus le maître résolu du clan parisien. Je vécus dans l'ombre et l'ignorance, obéissant à des lois d'autrefois jusqu'à ce qu'il n'y eût plus ni Santino, ni clan romain pour me les faire respecter. Vêtu de loques et d'un calme désespoir, je m'accrochai à l'antique foi et aux antiques coutumes tandis que d'autres marchaient dans le feu afin de s'immoler ou, tout simplement, partaient.

Que puis-je dire pour excuser le saint, le converti que je devins ?

Trois cents ans durant, je fus l'ange vagabond de Satan, son tueur au visage d'enfant, son lieutenant, son fou. Allesandra ne me quittait pas. Alors que d'autres me désertaient ou périssaient, elle conservait la foi. Mais le péché fut mien, le voyage, la terrible folie. Moi seul en porterai le fardeau, aussi longtemps que je vivrai.

En cette dernière matinée romaine, avant que je ne parte pour le Nord, il fut décidé que je changerais de nom.

Amadeo, qui contenait celui de Dieu, ne pouvait désigner un Enfant des Ténèbres, surtout chargé de diriger le clan parisien.

De tous les choix qu'on me laissa, Allesandra préféra Armand.

Armand je devins.

DEUXIÈME PARTIE

LE PONT DES SOUPIRS

XVI

Je refuse de parler davantage du passé. Il ne me plaît pas. Je n'y trouve aucun intérêt. Comment parler de quelque chose qui ne m'intéresse pas ? Est-ce censé vous intéresser, vous ?

Le problème est qu'on a déjà trop écrit sur le sujet. Mais que vous dire si vous ne connaissez pas ces livres ? Si vous ne vous êtes pas plongés dans les descriptions flamboyantes que Lestat a données de mes supposées erreurs et illusions ?

Bon, très bien. Je vais poursuivre, mais seulement afin d'en arriver à New York, au moment où j'ai posé les yeux sur le voile de Véronique. Ainsi, vous n'aurez pas à revenir en arrière et à lire les œuvres de Lestat. La mienne suffira.

Achevons donc la traversée du Pont des Soupirs.

Trois cents ans durant, je restai fidèle aux traditions de Santino, même lorsqu'il eut disparu. Comprenez-moi bien : il n'était pas mort. Au contraire, il réapparut à l'époque moderne en fort bonne santé, puissant, taciturne, sans présenter d'excuses pour les croyances qu'il m'avait enfoncées dans la gorge en l'an de grâce 1500, avant de m'envoyer à Paris.

Ces années s'écoulèrent pour moi dans la folie. Je dirigeai bel et bien le clan parisien, je fus l'ordonnateur et le maître de ses cérémonies, de ses noires litanies fantaisistes, de ses baptêmes sanglants. Ma force physique ne cessait de croître, comme il est d'usage chez les vampires, et puisque je ne pouvais rêver d'autre plaisir, je buvais avec avidité à la gorge de mes victimes, nourrissant mes pouvoirs.

Il m'était possible de tisser des sortilèges autour de ceux que je tuais. Je choisissais pour festin les plus beaux, les plus prometteurs, les plus audacieux et les plus extraordinaires des mortels, certes, mais je semais sur eux des visions fantastiques destinées à émousser leur peur et leur souffrance.

J'étais fou. Privé des lieux où s'épanouissait la lumière, du réconfort de la moindre église, modelé à la perfection par les Lois des Ténèbres, j'errais tel un fantôme poussiéreux dans les noires venelles parisiennes. Les plus nobles poèmes, la plus belle musique, se transformaient pour moi en un simple brouhaha, filtrés par la cire de piété et de bigoterie dont je me bouchais les oreilles. J'étais aveugle à la majesté des cathédrales et des palais qui s'élançaient vers le ciel.

Tout mon amour se concentrait sur le clan. Mes suppôts et moi discutions dans l'obscurité de la meilleure manière d'être les saints de Satan, ou de l'opportunité de proposer le pacte démoniaque à quelque belle empoisonneuse hardie, afin qu'elle devînt des nôtres.

Parfois, cependant, cette folie acceptable se muait en un état dont, seul, je connaissais les dangers. Ma cellule creusée dans la terre, au cœur des catacombes dont nous avions fait notre repaire, sous le grand cimetière des Innocents, abritait alors jour après jour des rêves étranges dont le sujet semblait dénué de la moindre importance : qu'était-il advenu du ravissant trésor que m'avait confié ma mère mortelle ? Du curieux artefact qu'elle avait prélevé dans l'alcôve réservée aux icônes, à Podil, pour le remettre entre mes mains ? De l'œuf cramoisi à l'étoile si parfaitement dessinée ? Voyons, où pouvait-il bien être ? Qu'était-il devenu ? Ne l'avais-je pas laissé, enveloppé d'épaisses fourrures, dans un cercueil d'or que j'avais autrefois occupé ? Mais tout cela s'était-il réellement passé ? Avais-je vécu la vie dont je croyais me souvenir, dans une cité aux palais de brillante mosaïque blanche, aux canaux luisants, à la vaste mer grise amicale semée de bateaux rapides, dont les longues rames s'activaient à l'unisson, comme vivantes, des bateaux joliment peints, souvent ornés de fleurs, aux voiles du blanc le plus pur ? Non, rien de tel ne pouvait avoir été. Je rêvais la salle d'or où attendait le cercueil d'or, le trésor extraordinaire, le ravissant joyau fragile, l'œuf teint cassant, parfait, dont la coquille enfermait une mystérieuse concoction de fluides vivants — ah, quel rêve étrange ! Mais qu'en était-il de cet œuf ? Qui l'avait découvert ?

Car quelqu'un l'avait découvert.

A moins qu'il ne fût resté là-bas, enfoui sous un palazzo de la cité flottante, au cœur de caves à l'épreuve des flots dissimulées par la terre gorgée d'eau sur laquelle s'étendait la lagune. Non, impossible. Pas cela ; pas là. N'y pense pas. Ne pense pas aux mains profanes qui s'emparent de la précieuse relique. Tu sais bien, petite âme traîtresse et menteuse, que jamais tu n'es allée en un lieu tel que cette ville basse aux rues envahies par une eau glacée. Que jamais ton père, création sans le moindre doute mythique, dépourvue de sens, n'a bu le vin donné de tes mains ni ne t'a pardonné de l'avoir quitté pour devenir un puissant oiseau sombre, un oiseau des ténèbres s'élevant plus haut encore que les coupoles de la cité de Vladimir — jailli de l'œuf brisé, semble-t-il, de la merveille peinte avec tant de soin par ta mère, cassée d'un pouce cruel qui en a traversé la coquille. Tu n'es pas né d'un fluide pourri, puant, tu ne planes pas au-dessus des cheminées fumantes de Podil, des dômes de la cité de Vladimir, de plus en plus haut, de plus en plus loin ; tu ne survoles pas la steppe sauvage, le vaste monde, jusqu'aux bois obscurs, la forêt profonde, noire, infinie, dont jamais tu ne sortiras, la contrée froide et austère du loup affamé, du rat avide, du ver rampant, de la proie hurlante.

Allesandra venait alors.

— Réveille-toi, Armand. Réveille-toi. Tu rêves les tristes rêves qui précèdent la folie. Tu ne peux me quitter, mon enfant, tu ne le peux. J'ai plus peur de la mort que de cette vie. Je refuse de rester seule. Tu ne peux marcher dans le feu, partir et m'abandonner.

Non, je ne le pouvais. Je n'avais pas l'ardeur nécessaire pour franchir le pas. Je ne mettais mon espérance en rien, bien que nous n'eussions pas reçu la moindre nouvelle du clan romain depuis des décennies.

Mais mes longs siècles au service de Satan touchaient à leur fin.

Une fin qui se présenta vêtue de velours rouge, celui-là même que mon ancien maître, le roi du rêve, Marius, avait tant aimé. Elle se présenta donc, faisant la roue et s'exhibant dans les rues à la façon d'une création divine.

Un enfant vampire, comme moi, fils du dix-huitième siècle, puisque telle était alors l'époque ; un buveur de sang flamboyant, impudent, insouciant et provoquant, à l'allure de jeune homme, venait piétiner ce qu'il restait de feu sacré dans mon âme creusée de cicatrices pour en disperser les cendres au vent.

Lestat. Ce n'était pas sa faute. Si un des membres de mon clan était parvenu à le vaincre, une nuit, à le découper en morceaux avec sa propre épée puis à l'enflammer, nul doute que nous eussions joui quelques décennies supplémentaires de nos misérables illusions.

Mais nul ne le put. Il était bien trop fort.

Lestat, création d'un vieux et puissant renégat, d'un vampire légendaire du nom de Magnus ; Lestat, avec ses vingt printemps de mortel, petit aristocrate de province sans le sou, fils de la fruste Auvergne, indifférent à la tradition et à la respectabilité, imperméable à l'ambition du courtisan, ce qu'il n'eût de toute manière pu devenir, trop insolent pour servir quelque souverain que ce fût et de surcroît analphabète ; Lestat, qui fut bientôt une célébrité exubérante du théâtre de boulevard, amoureux des hommes comme des femmes, génial, à sa façon, rieur, insouciant, d'un arrivisme aveugle ; Lestat aux yeux bleus et aux cheveux blonds, infiniment sûr de lui, orphelin dès la nuit de sa création, car le vieux monstre qui l'avait transformé s'offrit l'éternelle consolation des flammes dévorantes, non sans lui laisser une fortune dans une pièce secrète de sa tour médiévale en ruine.

Lestat ignorait tout des clans et de leurs coutumes, des bandits barbouillés de suie qui grouillaient sous les cimetières, persuadés d'avoir le droit de le condamner pour hérésie et non-conformité, lui, le bâtard du Sang ténébreux. Il parcourait le Paris mondain, solitaire, torturé par ses dons surnaturels mais jouissant de ses pouvoirs tout neufs, il dansait aux Tuileries avec les femmes les plus magnifiquement vêtues, il s'adonnait aux joies du ballet et du théâtre de cour — bref, il ne se contentait pas d'écumer les Lieux de Lumière, ainsi que nous les appelions, mais il se réfugiait, chagrin, à Notre-Dame de Paris même, juste devant l'autel, sans que la foudre divine s'abattît sur lui.

Il nous détruisit. Il *me* détruisit.

Allesandra, folle à cette époque comme la plupart des anciens, eut avec lui une amusante querelle après que je l'eus arrêté, car tel était mon devoir, puis traîné jusqu'à notre tribunal souterrain pour l'y juger. A la suite de quoi elle marcha dans les flammes, elle aussi, m'abandonnant à cette évidente absurdité : nos coutumes avaient vécu, nos superstitions étaient risibles, nos robes noires poussiéreuses ridicules, notre pénitence et notre renoncement inutiles, notre croyance que nous servions Dieu et le Démon égoïste, naïve, stupide, notre organisation aussi absurde dans le frivole Paris athée de l'Age de Raison qu'elle l'eût semblé des siècles plus tôt à mon Marius bien-aimé.

Lestat fut mon destructeur, le pirate rieur qui ne respectait rien ni personne. L'Europe ne le retint pas long-temps : la colonie de La Nouvelle-Orléans, avec ses promesses d'un territoire personnel sûr et agréable, l'attirait aux Amériques.

Il n'avait nulle philosophie, nul réconfort à m'offrir. Le diacre au visage d'enfant que j'étais, sorti des pri-sons les plus noires dépouillé de toute croyance, allait sans aucune aide endosser les vêtements à la mode puis s'aventurer dans les plus belles rues, ainsi qu'il l'avait fait trois cents ans plus tôt à Venise.

Quant à mes suivants, les rares vampires que je ne pouvais vaincre et condamner aux flammes dans mon amertume, ils se montraient d'une maladresse et d'une impuissance terribles, avec leur liberté toute neuve — liberté de tirer l'or des poches de leurs victimes, de se parer de soieries et de perruques poudrées, de contem-pler, emplis d'un étonnement émerveillé, les magnifi-cences des décors de théâtre, de prêter l'oreille aux harmonies lustrées des violons, aux bouffonneries de comédiens qui versifiaient.

Quel allait être notre destin, à nous qui, avec des yeux éblouis, nous frayions notre chemin à travers la foule des grands boulevards, les jolis manoirs ou les salles de bal surchargées d'ornements ?

Nous nous nourrissions dans des boudoirs tendus de satin, sur les coussins damassés de carrosses dorés. Nous nous offrions de beaux cercueils, couverts de gra-vures variées, aux capitons en velours. Nous nous enfer-mions de jour dans des caves lambrissées d'acajou.

Que serait-il advenu de nous, dispersés, des enfants dont j'étais le père redouté, de moi qui me demandais quand le dandysme et la frénésie de la Ville Lumière pousseraient mes compagnons à des actes irréfléchis ou affreusement destructeurs ?

Lestat me donna la solution au problème, le lieu où abriter mon cœur affolé, où réunir mes suivants afin qu'ils trouvent un semblant de santé mentale fondé sur la modernité.

Avant de m'abandonner, échoué dans les ruines des anciennes coutumes, il me céda le théâtre de boulevard où il avait été le jeune premier de la commedia dell'arte. Ses comédiens humains l'avaient déserté. Il en restait une simple coquille élégante, attirante, même — scène aux gais décors, manteau d'Arlequin doré, rideaux de velours et bancs vides, qui n'attendaient que le retour d'un public bruyant. Là, nous trouvâmes notre plus sûr refuge. Nous étions tellement empressés à nous cacher sous le maquillage et les paillettes, le masque le plus parfait qui fût pour notre peau blanche polie, notre grâce et notre adresse fantastiques.

Nous devînmes donc comédiens, authentique compagnie théâtrale d'immortels tenue de présenter des pantomimes gaiement décadentes pour un public mortel. Pas un spectateur ne se douta un soir que ces artistes au visage blême étaient pires encore que tous les monstres qu'ils incarnaient dans leurs petites farces et tragédies.

Le Théâtre des Vampires était né.

Tout vidé, tout indifférent que je fusse, moi qui me vêtais en humain alors que, durant toutes mes années de misère, jamais je ne l'avais été moins, j'en devins le mentor.

Je ne pouvais refuser cela aux orphelins de l'ancienne foi, malgré leur frivolité et leur bonheur retrouvés dans un monde clinquant, sans Dieu, au bord de la révolution.

Pourquoi je dirigeai si longtemps ce théâtre palladien, pourquoi je restai année après année lié à cette sorte de clan, je ne saurais le dire. Mais j'en avais besoin, autant que j'avais eu besoin de Marius et de notre palazzo vénitien, ou d'Allesandra et de mes suivants sous le cimetière des Innocents. J'avais besoin d'un endroit où diriger mes pas avant le lever du soleil, un endroit où, je le savais, des frères reposaient en sécurité.

Je puis ajouter en toute vérité que mes compagnons avaient besoin de moi.

Ils avaient besoin de croire en mon autorité. D'ailleurs, lorsque le pire se produisait, je ne les décevais pas. Je contenais quelque peu les immortels insouciants qui nous mettaient parfois en danger par des exhibitions publiques de leurs pouvoirs surnaturels ou de leur extrême cruauté ; je gérais nos affaires avec le talent pour l'arithmétique d'un idiot savant.

Impôts, billets, affiches, chauffage, lampes, paiement de nos féroces fabulistes, tout cela, je m'en chargeais.

Il m'arrivait d'en ressentir du plaisir et une exquise fierté.

Notre théâtre s'étoffa au fil des saisons, en même temps que notre public. Les bancs grossiers cédèrent la place à des sièges de velours, les pantomimes de quatre sous à des pièces plus poétiques.

Bien des soirs, alors que je m'installais, seul, dans ma loge aux beaux rideaux épais, gentilhomme évidemment riche vêtu des pantalons serrés à la mode, d'une veste de soie imprimée ajustée et d'un manteau de laine colorée près du corps, les cheveux retenus sur la nuque par un ruban noir ou éparpillés sur un haut col blanc amidonné, j'évoquai les siècles gaspillés en rituels puants et en rêves démoniaques comme on évoque une longue et douloureuse maladie, passée dans une chambre obscure au milieu des potions amères et des incantations inutiles. Ce n'était pas possible ; cet ange déchu, ces prédateurs miséreux qui célébraient Satan dans la pénombre sonnante, n'avaient pas existé.

Quant aux vies que j'avais vécues, aux mondes que j'avais connus, ils me semblaient encore moins substantiels.

Qu'y avait-il derrière mes dentelles, mes yeux calmes où ne brillait nulle interrogation ? Qui étais-je ? Ne me souvenais-je pas d'une flamme plus chaude que celle qui donnait son éclat argenté au léger sourire dont se voyaient gratifiés tous ceux qui me le demandaient ? Je ne me rappelais pas qu'un être eût jamais vécu et respiré en mon corps aux calmes mouvements. Crucifix tachés de sang peint, vierges sucrées dessinées dans des livres de prières ou formées de porcelaine aux teintes pastel, qu'était-ce que tout cela ? Les restes banals d'une époque rude, insondable, durant laquelle les calices d'or et, surtout, le visage surplombant les autels étincelants avaient recelé une magie terrifiante, à présent rejetée.

Ce genre de choses m'indifférait. Les croix arrachées au cou des vierges, fondues, servaient à façonner mes bagues ; les rosaires, aussi dédaignés que les autres babioles, restaient aux mains des victimes dépouillées par des doigts de voleur — les miens — de leurs boutons en diamant.

J'acquis durant les huit décennies où je dirigeai l'établissement — il résista étonnamment bien à la révolution, le public acclamant ses divertissements frivoles et morbides — et conservai bien après la dispersion de la troupe, une bonne partie du vingtième siècle, un caractère silencieux, dissimulé. Mon visage d'enfant trompait mes adversaires, mes possibles ennemis (que je prenais rarement au sérieux) et mes esclaves vampires.

J'étais le pire des chefs : le maître froid, indifférent, qui frappe de crainte tous les cœurs sans se soucier d'en aimer aucun. Le Théâtre des Vampires, puisque tel était son nom, exista jusqu'à la fin des années 1870, moment où Louis, l'enfant de Lestat, vint nous y voir dans l'espoir d'obtenir les réponses que son outrecuidant créateur ne s'était pas soucié de donner aux éternelles questions : D'où viennent les vampires ? Qui les a créés, et dans quel but ?

Ah, mais avant d'en arriver au célèbre, à l'irrésistible Louis et à sa délicieuse amante, la petite Claudia, il me faut raconter un minuscule incident survenu au tout début du dix-neuvième siècle.

Peut-être n'a-t-il aucune importance ; peut-être aussi trahit-il l'existence secrète d'un autre vampire. Je ne sais. Je ne le mentionne que parce qu'il est lié de manière bizarre, sinon certaine, à un des principaux acteurs de ce drame.

Quant à en situer l'année, cela m'est impossible.

Qu'il me soit cependant permis de signaler que les compositions pour piano de Chopin, délicieuse musique de rêve, étaient très en vogue à Paris, que les romans de George Sand y faisaient fureur, que les femmes avaient déjà abandonné les longues tuniques lascives de l'Empire pour les remplacer par les robes en taffetas à la taille fine, aux lourdes jupes, dans lesquelles on les voit souvent sur les vieux daguerréotypes à l'éclat métallique.

Le théâtre marchait du feu de Dieu, comme on dirait aujourd'hui. Quant à moi, son régisseur, lassé des représentations, j'errais seul, une nuit, dans les bois situés juste au-delà des lumières de Paris, non loin d'une maison de campagne emplie de voix rieuses et de chandeliers resplendissants.

Là, je vis un autre vampire.

La discrétion, l'absence d'odeur et la grâce quasi divine de la fausse jeune femme, qui s'avançait à travers les broussailles en retenant de ses petites mains pâles sa longue cape flottante et ses jupes, me renseignèrent aussitôt sur sa nature. Son but n'était autre que les fenêtres toutes proches, brillamment illuminées, donc attirantes.

L'intruse prit conscience de ma présence presque aussi vite que moi de la sienne — plutôt alarmant, à mon âge et avec mes pouvoirs. Elle se figea, sans tourner la tête.

Bien que les cruels comédiens du théâtre eussent conservé l'habitude de se débarrasser des morts-vivants étrangers ou indépendants, je ne leur prêtais quant à moi, après mes années d'illusoire sainteté, guère d'attention.

Comme je ne voulais aucun mal à la créature, je lui lançai d'une voix douce, en français, un avertissement négligent :

— Chasse gardée, ma chère. Pas de gibier qui ne soit marqué. Partez avant l'aube pour une cité moins dangereuse.

Nulle oreille humaine n'eût pu m'entendre.

L'inconnue ne répondit pas. Son capuchon de taffetas

s'affaissa — elle avait de toute évidence baissé la tête. Puis, pivotant, elle m'apparut dans les longs rayons de lumière dorée qui tombaient des fenêtres à petits carreaux.

Je la connaissais. Je connaissais son visage.

En une terrible seconde — une seconde fatidique — je compris qu'elle ne me reconnaîtrait peut-être pas, elle, avec mes cheveux coupés chaque soir à la mode du temps, mon pantalon foncé et mon terne manteau. L'homme que je jouais, à cette heure tragique, était par trop différent de l'enfant couvert de fanfreluches qu'elle avait connu. Elle ne le pouvait pas.

Pourquoi ne l'appelais-je pas ? Bianca !

Parce que je ne parvenais pas à comprendre, à en croire mes yeux, à secouer mon cœur endormi pour qu'il se réjouît de ce qu'affirmaient mes sens : l'adorable visage ovale, encadré de cheveux d'or et d'une capuche de taffetas comme il eût pu l'être autrefois, appartenait à Bianca, cela ne faisait aucun doute ; c'était elle, elle dont le visage avait été gravé dans mon âme enfiévrée avant et après que m'eût été donné le fameux Don ténébreux.

Bianca.

Elle disparut ! Je ne distinguai qu'une seconde ses grands yeux circonspects, emplis d'inquiétude vampirique, plus attentifs et menaçants que ceux d'un être humain. L'instant d'après, la silhouette s'était effacée, évaporée des bois, des environs, de tout le vaste jardin embroussaillé que je fouillai lentement, secouant la tête, marmonnant, bredouillant. Non, impossible, non, bien sûr que non. Non.

Jamais je ne la revis.

En cet instant même, j'ignore si l'intruse était ou non Bianca. Pourtant, alors que je dicte cette histoire, je crois en mon âme, une âme guérie à laquelle l'espoir n'est plus étranger, qu'il s'agissait d'elle, en effet ! Je me la rappelle trop bien, tournée vers moi au milieu des broussailles, et la vision comporte un dernier détail qui me conforte dans ma certitude : les cheveux blonds de la jeune femme étaient mêlés de perles. Ah, que Bianca avait donc aimé les perles ; qu'elle avait donc aimé en orner sa chevelure. Cette nuit-là, j'avais distingué à la lumière de la maison de campagne, dans l'ombre du capuchon, des enfilades de perles minuscules ornant des boucles blondes, encadrant la beauté florentine que je n'oublierai jamais, aussi délicate dans la blancheur vampirique qu'elle l'avait été emplie des couleurs de Fra Filippo Lippi.

Je ne souffris pas alors de cette rencontre. Je n'en fus pas ébranlé. Mon âme était trop affadie, trop engourdie, j'étais trop habitué à considérer toute chose comme invention, partie de rêves que rien ne reliait. Je ne pouvais sans doute me permettre de croire à cette vision.

Maintenant seulement, je prie que ç'ait bien été elle, ma Bianca, et que quelqu'un — tu devines qui, David — puisse me dire si c'était en effet ma courtisane chérie.

Un membre du détestable clan romain l'avait-il poursuivie dans la nuit vénitienne, avant de succomber à son charme au point d'abandonner les Voies ténébreuses et d'en faire pour toujours son amante ? Ou Marius, ayant survécu à l'horrible incendie, comme nous le savons à présent, avait-il cherché en elle le sang nourricier puis l'avait-il amenée à l'immortalité afin qu'elle l'aidât durant sa convalescence ?

Je ne puis me résoudre à lui poser la question. Peut-être le feras-tu. Et peut-être préférerai-je espérer que c'était elle plutôt que d'écouter des dénégations qui rendraient la chose moins probable.

Il fallait que j'en parle. Il le fallait. A mon avis, c'était Bianca.

Je retourne à présent au Paris des années 1870 — quelques décennies plus tard. Le jeune vampire du Nouveau Monde, Louis, passa alors ma porte, dans sa triste quête. Il cherchait la réponse aux terribles questions du pourquoi de notre présence sur Terre et du but de notre existence.

Quel dommage pour lui qu'il me les posât, à moi. Quel dommage pour moi.

Qui eût raillé avec plus de froideur la simple idée d'une rédemption de créatures qui, ayant été humaines, ne pouvaient être absoutes de fratricide, puisqu'elles se nourrissaient de sang humain ? J'avais connu l'éblouissant humanisme de la Renaissance, la recrudescence noire de l'ascétisme dans le clan romain, le morne cynisme du romantisme.

Que pouvais-je dire à ce vampire au doux visage, à cette création trop humaine du fort et impétueux Lestat ? Rien, sinon que le monde recelait assez de beauté pour le soutenir, et que s'il voulait continuer à vivre, il lui fallait trouver en son âme le courage d'exister au lieu de chercher une paix artificielle, éphémère, dans les images de Dieu ou du Démon.

Jamais je ne confiai à Louis mon histoire amère, mais je lui révélai pourtant un angoissant secret : en l'année 1870, alors que j'avais près de quatre cents ans, il n'existait à ma connaissance aucun buveur de sang plus âgé que moi.

Ce seul aveu me donna une impression de solitude écrasante. Lorsque je contemplai le visage torturé de Louis, lorsque je regardai sa frêle silhouette se frayer un chemin à travers le Paris encombré du dix-neuvième siècle, je compris que ce gentilhomme tout de noir vêtu, à la chevelure aile de corbeau, à l'ossature délicate et aux traits expressifs, était l'incarnation même de mon désespoir.

Il pleurait la grâce d'une vie humaine. Je pleurais celle des siècles. Sensible à la mode de l'époque qui l'avait créé — qui lui avait donné sa redingote noire flamboyante, son beau gilet de soie blanche, son haut col semblable à celui d'un prêtre et son jabot immaculé — je tombai désespérément amoureux de lui. Aussi quittai-je le Théâtre des Vampires (il l'avait réduit en cendres, poussé par une juste colère) pour errer en sa compagnie à travers le monde jusque très avant dans l'époque moderne.

Le temps eut raison de notre amour. Il épuisa notre tendre intimité, dévora les conversations et les plaisirs que nous partagions avec joie.

Pourtant, cette destruction eut une autre cause — terrible, inoubliable, inéluctable. Je n'ai aucune envie d'en parler, mais qui parmi nous me permettra de garder le silence sur Claudia, l'enfant vampire que le monde entier m'accuse, pour l'éternité, d'avoir détruite ?

Claudia. Qui parmi nous, aujourd'hui, de tous ceux pour qui je dicte ce récit, du public moderne qui le lira telle une agréable fiction — qui ne garde pas à l'esprit une vivante image de la fillette vampire aux boucles d'or créée par Louis et Lestat une affreuse nuit de folie, à La Nouvelle-Orléans ? L'enfant dont l'âme et l'esprit devinrent aussi immenses que ceux d'une immortelle adulte alors que son corps restait celui, parfait, d'une précieuse poupée de porcelaine ?

Pour mémoire, mon clan de comédiens déments la détruisit. En effet, lorsqu'elle apparut au Théâtre des Vampires en compagnie de Louis, son protecteur et amant malheureux, tourmenté par un sentiment de culpabilité, il ne fut que trop évident qu'elle avait cherché à assassiner son principal créateur, Lestat. Or le meurtre — ou la tentative de meurtre — perpétré par un vampire sur celui qui lui avait donné naissance était un crime passible de mort. De toute manière, elle avait été condamnée dès l'instant où son existence était parvenue à la connaissance du clan parisien, car il était interdit de rendre un enfant immortel. Malgré son charme et son intelligence, Claudia était trop petite, trop fragile pour survivre seule. Ah, malheureuse créature, si belle et si blasphématoire ! Sa douce voix monotone, jaillie de lèvres minuscules qui invitaient au baiser, me hantera à jamais.

Toutefois, je ne me chargeai pas de son exécution. Sa mort fut plus horrible que nul ne l'a jamais imaginé. La force me manque pour raconter cette histoire, aussi me contenterai-je d'ajouter que, avant de pousser la fillette dans le réservoir vide tapissé de briques où elle attendrait la sentence de mort du dieu Phœbus, j'essayai d'exaucer son vœu le plus cher : posséder un corps de femme, réceptacle adapté aux dimensions de son âme tragique.

Eh bien, j'échouai — alchimiste malhabile qui séparait des têtes de leurs troncs pour les poser sur d'autres. Une nuit, lorsque je me serai enivré du sang de nombreuses victimes et que j'aurai davantage l'habitude de la confession, je raconterai tout — les sinistres opérations grossières, menées avec l'obstination d'un sorcier et la maladresse d'un enfant. Je décrirai en ses terribles et grotesques détails la chose tressautante, contorsionnée, qui se leva de sous mon scalpel, mon aiguille et mon fil.

Ici, je me contenterai de dire que la malheureuse était redevenue elle-même, l'esprit clair malgré ses horribles blessures, piteux réassemblage de l'enfant angélique qu'elle avait été avant ma tentative, lorsqu'on l'emprisonna dans le matin naissant afin qu'elle allât à la mort. Le feu céleste détruisit la preuve monstrueuse de ma chirurgie satanique, la transformant en un monument de cendres. Il ne resta rien pour témoigner des dernières heures de la condamnée dans la salle de torture de mon laboratoire artisanal. Nul n'apprit alors ce que je révèle aujourd'hui.

Claudia me hanta des années durant. Je ne pouvais chasser de mon esprit l'image vacillante de son visage d'enfant aux boucles blondes, mal ajusté par un fil noir trop visible sur le corps titubant d'une femme vampire, dont j'avais jeté au feu le chef inutile.

Ah, quel terrible désastre que ce monstre à tête de fillette, incapable de parler, tournant frénétiquement en rond, le sang jaillissant de sa bouche frissonnante, les yeux roulant dans leurs orbites, les bras battant tels les os brisés d'ailes invisibles.

Je me jurai de dissimuler pour l'éternité cette horreur à Louis de Pointe du Lac et à tous ceux qui m'interrogeraient. Mieux valait leur laisser croire que j'avais condamné Claudia sans chercher à lui permettre de s'évader, que ce fût du théâtre empli de vampires ou de son ravissant petit corps angélique, à la poitrine plate et à la peau de soie.

Après la boucherie à laquelle je m'étais livré, il n'était plus possible de la délivrer. Elle évoquait une prisonnière soumise au chevalet cruel, à peine capable de sourire avec une amertume rêveuse tandis qu'on la mène, déchiquetée et misérable, à l'horrible bûcher final. Elle évoquait le patient condamné, enfin débarrassé des jeunes médecins trop zélés, qui attend dans la cellule stérile d'un hôpital moderne d'abandonner seul son fantôme sur un oreiller immaculé.

Assez. Je ne veux pas revivre cela.

Je ne le revivrai pas.

Jamais je ne l'avais aimée. Je ne savais pas aimer.

Je menai à bien mes plans avec un détachement effrayant et un pragmatisme diabolique. Condamnée, elle n'était plus rien, plus personne ; c'était le parfait sujet de mes capricieuses expériences. Telle fut l'horreur, une horreur secrète qui éclipsa toute la foi que j'eusse pu plaider ensuite, pénétré du courage artificiel du savant. Le secret que je conservai, moi, Armand, qui avais vu des siècles d'indescriptibles raffinements de cruauté. L'histoire n'était pas faite pour les tendres oreilles d'un Louis désespéré, qui n'eût jamais supporté la description de la dégradation et des souffrances de Claudia. En vérité, il ne survécut pas en son âme à la mort de l'enfant, telle qu'il la connut.

Quant aux autres vampires, bétail stupide et cynique qui épia avec lasciveté les cris de souffrance, derrière ma porte, qui peut-être devina jusqu'où s'étendait l'échec de ma magie, ils moururent de la main de Louis.

Le théâtre tout entier paya pour son chagrin et sa fureur, ce qui peut-être n'était que justice.

Je ne puis porter de jugement.

Je n'aimais pas ces mimes français moqueurs et décadents. Ceux que j'avais aimés, que j'étais capable d'aimer, excepté Louis de Pointe du Lac, il m'était impossible de les atteindre.

Il me fallait Louis, tel était mon arrêt. Je ne connaissais personne qui lui ressemblât. Ce fut pourquoi je n'intervins pas lorsqu'il incendia le théâtre malfamé où il porta, au péril de sa propre vie, le fer et le feu alors que l'aube pointait.

Pourquoi m'accompagna-t-il par la suite ?

Pourquoi n'abhorrait-il pas celui qu'il accusait de la mort de Claudia ?

« Tu étais leur maître. Tu aurais pu les arrêter. » Voilà ce qu'il me dit une nuit.

Pourquoi errâmes-nous si longtemps ensemble, élégants fantômes à la dérive dans nos dentelles et notre velours, parmi les lumières crues et les bruits électroniques de l'ère moderne ?

Il resta auprès de moi parce qu'il y était contraint, parce qu'il n'eût pu autrement continuer à vivre ; jamais il n'eut le courage de mourir, et jamais il ne l'aura.

Ainsi son existence se prolongea-t-elle après qu'il eut perdu Claudia, de même que la mienne durant mes siècles souterrains et mes années de vulgaire spectacle de boulevard, mais il finit par apprendre à supporter la solitude.

Louis, mon compagnon, se dessécha volontairement, comme une belle rose séchée avec habileté dans le sable et qui conserve ses proportions, voire sa fragrance et sa couleur. Malgré tout le sang qu'il buvait, il devint aride, sans cœur, étranger à autrui et à celui qu'il avait été.

Trop conscient des limites de mon esprit tortueux, il m'oublia bien avant de me rejeter, mais moi aussi, j'avais appris.

Effrayé par le monde, égaré, je connus une brève période de solitude — peut-être ma première réelle solitude.

Mais combien de temps est-il possible de continuer à vivre, seul ? Durant mes heures les plus sombres, la religieuse gardienne des anciennes coutumes, Allesandra, s'était tenue à mon côté, bien que j'eusse parfois dû me contenter du babil de ceux qui me considéraient comme un saint.

En cette dernière décennie du vingtième siècle, ne recherchons-nous pas la compagnie de nos frères, ne serait-ce que pour échanger de temps à autre quelques mots ou préoccupations ? Ne sommes-nous pas réunis dans cet ancien couvent poussiéreux, qui compte tant de pièces vides, afin de pleurer sur Lestat ? Nos aînés ne sont-ils pas venus contempler la preuve de sa plus récente, de sa plus terrible défaite ?

Nous sommes incapables de rester seuls. Nous ne le supportons pas plus que les moines d'autrefois, qui renonçaient à tout au nom du Christ mais se rassemblaient en congrégations, s'imposant pourtant les règles cruelles du silence et des cellules individuelles. La solitude leur était insupportable.

Nous sommes trop humains ; à l'image du Créateur, toujours. Et que pouvons-nous dire de Lui avec certitude, qu'Il soit le Christ, Jéhovah ou Allah, sinon qu'Il nous a faits parce que même Lui, dans Son infinie perfection, ne supportait pas la solitude ?

Avec le temps, je tombai bien sûr à nouveau amoureux ; de Daniel, un jeune mortel à qui Louis avait raconté son histoire et qui l'avait publiée sous le titre absurde d'*Entretien avec un vampire*. Plus tard, j'en fis un immortel, pour les raisons exactes qui avaient décidé Marius à me transformer si longtemps auparavant : le jeune homme qui avait été mon fidèle compagnon, qui ne s'était que rarement conduit en véritable peste, allait mourir.

Il n'y a là rien de mystérieux. La solitude nous

pousse à dispenser le Don, c'est inévitable. Pourtant, j'étais bien persuadé que nos créations en viennent fatalement à nous détester. Je ne puis affirmer ne jamais avoir détesté Marius, à la fois pour m'avoir créé et pour ne pas être venu me montrer qu'il avait survécu à l'horrible incendie allumé par le clan romain. J'avais d'abord préféré la compagnie de Louis à la paternité de nouveaux vampires. Après la transformation de Daniel, mes peurs devinrent très vite réalité.

Il est toujours en vie, toujours vagabond, très poli et calme, mais il ne supporte pas plus ma présence que je ne supporte la sienne. Mon sang, qui lui a donné la force de vaincre quiconque est assez fou pour contrecarrer ses projets, qu'ils portent sur une soirée, un mois ou une année, ne lui permet pas de dominer les sentiments que lui inspire ma compagnie prolongée ; pas plus que je ne puis dominer ceux que m'inspire la sienne.

D'un romantique morbide, je fis un véritable tueur ; j'amenai à la réalité dans ses veines l'horreur qu'il se plaisait à croire comprendre dans les miennes. A l'instant où je pressai son visage contre la chair du premier jeune innocent qu'il lui fallut massacrer pour étancher son inévitable soif, je tombai du piédestal sur lequel m'avait juché son esprit de mortel dément, trop imaginatif, fiévreusement poétique et exalté.

Toutefois, j'étais bien entouré lorsque je perdis Daniel ou, plutôt, lorsque je le gagnai comme novice, ce qui me le fit perdre comme amant — après quoi je le laissai peu à peu s'éloigner.

J'étais entouré car j'avais, pour des raisons que je suis incapable de déchiffrer, formé un autre clan encore — héritier de celui du cimetière des Innocents et du Théâtre des Vampires. J'avais bâti une cachette moderne luxueuse, où se pressaient les plus âgés, les plus savants, les plus résistants de notre race. Une ruche composée de chambres somptueuses dissimulées au sein du plus secret des édifices — un complexe hôtelier accompagné d'un centre commercial de luxe, sis sur une île au large de Miami, en Floride. Jamais les lumières ne s'y éteignaient, jamais la musique ne s'y taisait. Hommes et femmes y venaient par milliers du continent, sur de petits bateaux, afin de flâner parmi les belles boutiques ou de faire l'amour dans des chambres, voire des suites, opulentes, décadentes, magnifiques, toujours à la mode.

« L'île de Nuit », tel était le nom de ma création. Elle possédait héliport et port de plaisance, casinos secrets illégaux, gymnases tapissés de miroirs et piscines surchauffées, fontaines cristallines, escalators argentés, grands magasins aux marchandises éblouissantes, bars, tavernes, salons de thé et théâtres. J'y errais en paix, anonyme avec mes belles vestes de velours, mes jeans noirs serrés, mes lourdes lunettes de soleil, les cheveux coupés chaque soir (car chaque jour ils repoussent jusqu'à la longueur qu'ils avaient au moment de la renaissance), baigné par les doux murmures caressants des mortels. Lorsque la soif m'y poussait, je me lançais à la recherche de celui qui me désirait vraiment, celui qui, pour des raisons d'argent, de santé physique ou mentale, désirait que la mort le prît dans ses bras indécis, jamais brutaux, puis le débarrassât de son sang en même temps que de sa vie.

Jamais je n'avais soif. Je laissais tomber mes victimes dans les eaux tièdes, profondes et pures des Caraïbes. J'ouvrais ma porte à tous les morts-vivants qui voulaient bien s'essuyer les pieds avant d'entrer. On eût cru revenus les jours anciens de Venise, l'époque où le palazzo de Bianca était ouvert à tous les gentilshommes et gentes dames, tous les artistes, les poètes, les rêveurs et les intrigants qui osaient s'y présenter.

Pourtant, tel n'était pas le cas.

Il ne fut nul besoin d'un ramassis de clochards en robe noire pour disperser le clan de l'île de Nuit. Ceux qui s'y étaient intégrés un court moment se contentèrent de repartir. Les vampires n'ont pas réellement besoin de la compagnie de leurs pairs. Ils ont besoin de l'amour d'autres immortels, c'est vrai, réellement besoin ; il leur faut les liens profonds que la loyauté tisse inévitablement entre ceux qui se refusent à devenir ennemis. Mais pas de compagnie.

Bientôt, mes splendides salles de réception aux parois de verre se vidèrent. Quant à moi, j'avais pris depuis longtemps l'habitude de partir au hasard, seul, pour des semaines.

L'île de Nuit existe toujours. J'y retourne d'ailleurs parfois. Je rencontre alors quelque vampire qui s'y est présenté, comme on dit à l'époque moderne, afin de prendre des nouvelles de ses frères et de voir ceux d'entre eux qui s'y trouvent aussi. La vente de l'immense entreprise m'a rapporté une fortune de mortel — mais je suis resté propriétaire d'une villa à trois étages (un club privé appelé Il Villagio) aux profondes cryptes secrètes, où tous ceux de notre race sont les bienvenus.

Tous ceux de notre race.

Ils ne sont pas si nombreux. Mais laissez-moi à présent vous les présenter. Laissez-moi vous dire qui a survécu aux siècles écoulés, qui a réapparu après des centaines d'années d'une mystérieuse absence, qui s'est montré afin d'être intégré au recensement non écrit des morts-vivants modernes.

En premier lieu, il y a Lestat, auteur de quatre livres relatant sa vie et ses aventures, contenant tout ce qu'on peut désirer savoir sur lui et sur quelques autres immortels. Lestat, toujours à part, toujours l'escroc rieur. Grand jeune homme de deux mètres et vingt printemps lors de sa création, aux immenses yeux bleus chaleureux et à l'épaisse chevelure blonde voyante, à la mâchoire carrée, à la bouche généreuse d'un dessin harmonieux, à la peau foncée par un séjour sous le soleil qui eût tué plus faible que lui ; homme à femmes, fantasme à la Oscar Wilde, miroir de la mode, vagabond, parfois, le plus négligé, le plus insolent, le plus insouciant qui soit, solitaire, errant, briseur de cœurs, sage. « Le Prince Garnement », ainsi que le surnomme mon ancien maître — oui, rendez-vous compte, Marius, mon Marius, sauvé des torches du clan romain. « Prince Garnement », donc, mais dans quelle cour, de par quelle divine volonté et de quel sang royal, nul ne le sait. Lestat, empli de la puissance de notre aînée à tous, de notre Eve en personne, laquelle survécut cinq mille ans, peut-être sept, à son Paradis, parfaite horreur dissimulée sous le titre trompeusement poétique de reine Akasha, Celle Qu'il Faut Garder, et qui faillit détruire le monde.

Lestat, qui n'est pas un mauvais ami, pour qui je donnerais ma vie éternelle, dont j'ai souvent mendié l'amour et la compagnie, que je trouve fascinant, insupportable, intolérablement agaçant, et sans qui je ne saurais vivre.

Voilà pour Lestat.

Louis de Pointe du Lac, que j'ai déjà décrit un peu plus tôt mais qui reste intéressant : mince, un peu moins grand que son créateur, noir de cheveux, pâle et maladif de peau ; des doigts d'une longueur et d'une finesse étonnantes, des pieds parfaitement silencieux. Louis, aux yeux verts si expressifs, véritables miroirs d'une souffrance résignée, à la voix douce si humaine, vampire des plus faibles car il ne vit que depuis deux cents ans, incapable de lire dans les esprits, de léviter, d'ensorceler autrui, excepté par inadvertance, parfois hilarant, immortel dont les mortels s'éprennent facilement. Louis, trop timoré pour courir le risque de voir ses victimes mourir entre ses bras, tueur aveugle, pourtant, parce que incapable de satisfaire sa soif sans tuer mais aussi parce que nulle fierté ou vanité ne le pousse à établir une hiérarchie parmi ses proies possibles, si bien qu'il prend celles qui croisent son chemin sans distinction d'âge, de beauté, des bénédictions répandues sur elles par la nature ou la destinée. Louis, vampire assassin et romantique, du genre à errer dans les ombres profondes de l'Opéra pour écouter la reine de la Nuit chère à Mozart lancer son irrésistible cri.

Louis, qui jamais n'a disparu, qui toujours a été connu de ses frères, qu'il est facile de désirer puis d'abandonner, qui se refuse à créer d'autres vampires après ses tragiques échecs avec des enfants. Louis, au-delà de la quête de Dieu, du Diable, de la Vérité, voire de l'Amour.

Adorable rêveur empoussiéré capable de lire Keats à la lueur d'une unique bougie comme de rester debout sous la pluie, dans une rue déserte du centre-ville, à regarder derrière une vitrine le brillant Leonardo DiCaprio, sous les traits du Roméo de Shakespeare, embrasser sa tendre et charmante Juliette (Claire Danes) sur un écran de télévision.

Gabrielle. Ici, à l'heure actuelle. Sur l'île de Nuit, à l'époque de l'île de Nuit. Tout le monde la déteste. Mère de Lestat, qu'elle abandonne pour des siècles, elle ne réagit même pas aux frénétiques appels à l'aide qu'il lance à intervalles réguliers. Certes, elle ne les entend pas, puisqu'il l'a créée, mais il lui serait facile de s'en informer dans les autres esprits vampiriques, qui s'enflamment de par le monde entier en apprenant que Lestat a des problèmes. Gabrielle, qui ressemble fort à son fils sinon qu'elle est femme, totalement femme, c'est-à-dire dotée de traits plus aigus, d'une taille fine, d'une ample poitrine et d'yeux d'une douceur aussi déstabilisante et mensongère que possible. Très belle, en robe du soir noire, les cheveux libres, plus souvent poudrée de terre, asexuée, moulée dans du cuir souple ou du kaki, toujours sur la route, si intelligente, si froide en tant que vampire qu'elle a sans doute oublié ce que c'était que d'être humaine ou de souffrir — à mon avis, elle l'a oublié en une nuit, si elle l'a jamais su. Dans sa vie de mortelle, elle était de ces gens qui passent leur temps à se demander ce que manigancent les autres. Gabrielle à la voix basse, perverse sans le vouloir, glaciale, terrifiante, ne donnant jamais rien pour rien, vagabondant au cœur des forêts enneigées du Nord lointain, traquant des ours et des tigres blancs géants, légende indifférente des tribus primitives, plus proche du reptile préhistorique que de l'être humain. Très belle, bien sûr, avec ses cheveux blonds rassemblés en queue-de-cheval dans son dos, presque royale sous sa veste de chasse en cuir chocolat et son petit chapeau de pluie à bords tombants, chasseresse, tueuse rapide, créature sans pitié, peut-être pensive, à coup sûr secrète. Gabrielle, qui n'aide jamais personne sinon elle-même. Une nuit, sans doute, elle dira quelque chose à quelqu'un.

Pandora, enfant de deux millénaires, épouse de mon bien-aimé Marius un millier d'années avant ma naissance, déesse de marbre saignant, beauté puissante jaillie de l'âme la plus secrète, la plus profonde de l'Italie romaine, dotée d'une fibre morale dure comme l'acier héritée des sénateurs du plus grand empire à avoir jamais existé dans le monde occidental. Une inconnue pour moi. Son visage ovale étincelle sous un manteau de cheveux bruns onduleux. Elle paraît trop belle pour infliger la souffrance. Sa voix douce s'accompagne d'un regard innocent, implorant ; ses traits sans défaut, auxquels l'empathie confère aussitôt chaleur et vulnérabilité, conservent pourtant leur mystère. Je ne comprends pas que Marius ait pu la quitter. Avec son court fourreau de soie arachnéenne et le bracelet serpentiforme qui orne son bras nu, elle est trop ravissante pour les mâles mortels et la jalousie des femelles. Avec ses robes plus longues, plus discrètes, elle évolue tel un spectre dans un décor irréel, fantôme de danseuse à la recherche d'une scène parfaite que lui seul serait capable de trouver. Ses pouvoirs rivalisent sans le moindre doute avec ceux de Marius, puisqu'elle a bu à la source de l'Eden — la gorge de la reine Akasha. Elle peut bouter par la force de l'esprit le feu à de petits objets bien secs, léviter, s'évanouir dans le ciel nocturne, tuer les jeunes buveurs de sang qui la menacent. Pourtant, elle semble sans défense, à jamais féminine quoique indifférente au sexe, faible femme gémissante que je brûle de prendre dans mes bras.

Santino, l'ancien saint de Rome. Sa beauté a traversé, intacte, les désastres de l'ère moderne. Toujours aussi large d'épaules et de poitrine, doté d'une peau olivâtre pâlie par le sang magique ardent, il coupe souvent le soir son énorme masse de boucles sombres, peut-être pour préserver son anonymat. Santino se vêt sans la moindre vanité du noir le plus parfait et ne parle jamais à personne. Il me regarde, muet, comme s'il n'avait pas, une nuit, discuté théologie et mysticisme avec moi, brisé mon bonheur, réduit en cendres ma jeunesse, infligé à mon créateur une convalescence de plusieurs siècles, éloigné de moi tout réconfort. Qui sait s'il n'aime pas voir en nous — victimes d'une puissante morale intellectuelle, de l'engouement pour la notion de finalité — deux êtres égarés, vétérans de la même guerre ?

Par moments, sa perspicacité le rend presque haïssable. Il sait tant de choses. Il ne sous-estime pas les pouvoirs des anciens qui, ayant renoncé à l'invisibilité sociale des siècles passés, marchent à présent parmi nous avec une parfaite assurance. Ses yeux noirs passifs ne vacillent pas lorsqu'ils croisent mon regard. Son ombre de barbe, fixée à jamais par les minuscules restes de poils sombres incrustés dans son menton, a gardé sa beauté. Bref, il est d'une virilité classique, avec sa chemise blanche amidonnée ouverte sur sa gorge afin de révéler l'épaisse toison bouclée qui lui couvre la poitrine, aussi séduisante que celle enveloppant ce qu'on distingue de ses bras et de ses poignets. Il a un faible pour les manteaux noirs élégants mais solides, aux revers de cuir ou de fourrure, les voitures noires basses capables de faire du trois cents à l'heure, un briquet en or qui empeste l'essence et qu'il allume encore et encore, juste pour en contempler la flamme. Où vit-il, à l'heure actuelle ? Quand se montrera-t-il à nouveau ? Mystères.

Santino. De lui, je ne sais rien. Nous restons à distance respectueuse l'un de l'autre. Je le soupçonne d'avoir lui-même terriblement souffert, mais je ne cherche pas à briser la brillante carapace noire des apparences pour découvrir la cruelle tragédie sanglante qu'elle recouvre. Rien ne presse.

A présent, laissez-moi décrire aux plus vierges des lecteurs mon maître, Marius, tel que je l'ai retrouvé. Il s'est accumulé entre nous tant d'années et un vécu si imposant qu'il nous semble être séparés par un glacier ; nous nous regardons, chacun de notre côté de cette infranchissable immensité blanche, incapables de nous parler autrement que d'une voix maîtrisée, polie, en parangons de bonnes manières — moi, sous mon apparence de jeunesse, trop délicieux pour être crédible ; lui, mondain sophistiqué, étudiant du présent, philosophe du siècle, gardien de l'éthique du millénaire, historien, à jamais.

Il se tient très droit, comme il l'a toujours fait, impérial malgré la mode plus discrète du vingtième siècle, vêtu de manteaux taillés dans des velours anciens qui renvoient un faible reflet de la magnificence dont il se drapait autrefois chaque nuit. S'il lui arrive aujourd'hui de couper les longs cheveux blonds qu'il arborait fièrement dans l'ancienne Venise, il reste vif d'esprit et de repartie, désireux de trouver des solutions raisonnables, d'une patience infinie et d'une insatiable curiosité, refusant, têtu, de renoncer à l'espoir pour lui-même, pour nous tous, pour le monde. Nul savoir ne peut l'abattre ; assagi par le feu et le temps, il est plus fort que les horreurs de la technologie ou les sortilèges de la science. Ni microscopes ni ordinateurs n'ébranlent sa foi en l'infini, bien que les fardeaux dont il avait autrefois la charge solennelle — Ceux Qu'il Faut Garder, en lesquels résidait la promesse d'une signification rédemptrice à notre existence — aient été renversés depuis longtemps de leurs archaïques piédestaux.

Il me fait peur, je ne sais pourquoi. Peut-être parce qu'il me serait possible de recommencer à l'aimer ; que, si je l'aimais, j'aurais besoin de lui ; que, si j'avais besoin de lui, j'apprendrais sous sa férule ; que, si j'apprenais sous sa férule, je redeviendrais en tout son élève dévoué, pour découvrir que sa patience n'est qu'un pauvre substitut à la passion dont la flamme brûlait dans ses yeux, il y a de cela des siècles.

J'ai besoin de cette passion ! J'en ai besoin. Mais il suffit. Marius a survécu deux mille ans durant, rejoignant puis quittant sans scrupule le cours de la vie humaine, expert en l'art d'être humain, à jamais pénétré de la grâce et de la dignité de la Rome augustinienne apparemment invincible dans laquelle il est né.

D'autres, absents pour l'instant, m'ont rendu visite sur l'île de Nuit. Nous nous reverrons. Les jumelles sans âge, Mekare et Maharet, gardiennes de la fontaine de sang primitive d'où découle notre vie, des racines, si l'on peut dire, sur lesquelles nous fleurissons si obstinément, avec une telle beauté. Nos Reines des Damnés.

N'oublions pas Jesse Reeves, novice du vingtième siècle créée par Maharet, ancienne parmi les anciens qui en a donc fait un monstre stupéfiant. Je ne la connais pas, mais ses admirateurs sont légion. Elle apporte au monde des morts-vivants une incomparable érudition dans des domaines tels que l'histoire, le paranormal, la philosophie ou les langues. C'est l'inconnue de notre équation. Le feu la consumera-t-il, comme il l'a fait de tant de vampires qui, lassés de la vie, ne pouvaient accepter leur immortalité ? Ou l'intelligence que lui a conférée le vingtième siècle lui servira-t-elle d'armure impénétrable, indestructible, contre les changements inconcevables dont nous savons à présent qu'ils nous attendent ?

Oh, il y en a d'autres. Des errants. J'entends parfois leurs voix dans la nuit. Certains, très loin, ignorants de nos traditions, nous ont appelés par hostilité envers nos écrits et dérision envers nos bouffonneries « le clan des beaux parleurs ». Ce sont d'étranges créatures « non recensées » de tous les âges, toutes les forces, toutes les attitudes. Parfois, découvrant sur un présentoir à livres de poche un exemplaire de *Lestat le vampire*, ces inconnus l'en arrachent avant de le réduire en poussière au creux de leurs mains haineuses.

Peut-être, dans quelque imprévisible avenir, apporteront-ils à nos chroniques grandissantes leur sagesse ou leur esprit. Qui sait ?

Il ne me reste pour l'heure qu'un personnage à décrire avant de poursuivre mon histoire.

Toi, David Talbot. Toi que je connais à peine, qui écris à une furieuse allure les mots tombant lentement de mes lèvres tandis que je t'observe, fasciné au fond par le simple fait que les sentiments qui ont brûlé en moi il y a si longtemps soient à présent couchés sur le papier, pour l'éternité semble-t-il.

Qui es-tu, David Talbot — toi qui as plus de sept décennies d'éducation mortelle ? Un érudit à l'âme profonde et aimante ? Qui peut le dire ? Celui que tu étais autrefois, le vieillard assagi par les années, endurci par l'infortune routinière, ennobli par les quatre saisons d'une vie humaine terrestre, a été transporté avec toute sa mémoire, tout son savoir, dans le corps splendide d'un jeune homme. Puis ce corps, précieux calice d'un esprit qui connaissait le prix des deux éléments, a été attaqué par ton ami le plus proche, un monstre aimant, un vampire qui voulait faire de toi son compagnon de voyage pour l'éternité, avec ou sans ta permission, Lestat.

Pareil viol m'est inconcevable. Je suis trop éloigné de l'humanité, moi qui n'ai jamais été un homme véritable. Ton visage trahit la vigueur et la beauté de l'Anglo-Indien à la peau d'or sombre dont tu occupes le corps, tes yeux l'âme calme, dangereusement pondérée du vieillard.

Tes cheveux noirs soyeux sont coiffés avec soin derrière tes oreilles. Le choix de tes vêtements indique la plus grande vanité, soumise à un goût anglais très sûr. Tu me regardes comme si ta curiosité allait trouver le défaut de ma garde, alors que rien de tel n'arrivera.

Attaque-moi, et je te détruirai. Que m'importent ta force ou le sang que Lestat t'a donné ? J'en sais plus que toi. Te rendre témoin de ma souffrance ne m'oblige pas à t'aimer. Je le fais pour moi-même et pour d'autres, pour la seule idée qu'ils existent, pour tous ceux qui veulent savoir et pour mes mortels, les deux enfants proches de moi depuis peu, les précieuses créatures qui, telle une horloge tictaquante, mesurent ma capacité à vivre encore.

Symphonie à Sybelle, tel pourrait être le titre de ces confessions. Et, comme j'ai fait de mon mieux pour Sybelle, je fais de mon mieux pour toi.

N'est-ce pas assez du passé ? N'ai-je pas dicté un prologue suffisant au moment où j'ai vu le visage du Christ sur le voile, à New York ? Ici commence le dernier chapitre consacré à mes plus récentes tribulations. Je n'ai rien d'autre à ajouter. Tout le reste, je te l'ai donné. Ce qui suit n'est que le bref compte rendu déchirant des événements qui m'ont mené en ce lieu.

Accorde-moi ton amitié, David. Je ne voulais pas te dire de telles horreurs. Mon cœur saigne. J'ai besoin de toi pour continuer de l'avant. Aide-moi de ton expérience. N'est-ce pas assez ? Puis-je poursuivre ? Je veux entendre la musique de Sybelle. Je veux parler de sauveurs bien aimés. Il m'est impossible de mesurer les proportions de mon histoire. Je ne sais qu'une chose : je suis prêt… Le Pont des Soupirs est derrière moi.

Ah, mais la décision m'appartient, c'est vrai. Tu attends, prêt à écrire ce que je vais raconter.

Eh bien, arrivons-en au voile.

Au visage du Christ. Comme si je grimpais la colline dans l'hiver de Podil, il y a très longtemps, sous les tours en ruine de la cité de Vladimir, pour aller chercher au fond du monastère des Grottes la peinture et le bois grâce auxquels ce visage prendrait forme devant moi. Le Christ, oui, le Sauveur, le Dieu vivant, une fois de plus.

TROISIÈME PARTIE

APPASSIONATA

XVII

Je ne voulais pas aller à lui. C'était l'hiver. Je me sentais bien, à Londres, où je hantais les théâtres qui donnaient du Shakespeare et passais mes nuits à lire pièces ou poésie. Mon esprit était tout entier occupé de Shakespeare, que Lestat m'avait fait découvrir. Lorsque je débordais de désespoir, je me plongeais dans un livre.

Mais Lestat m'appelait. Lestat avait peur, ou du moins le prétendait-il.

Il fallait que j'y aille. La dernière fois qu'il avait eu des problèmes, je n'avais pu voler à son secours. C'est toute une histoire, là encore, mais de loin moins importante que celle à laquelle je me consacre pour l'instant.

Je savais que la paix difficilement gagnée de mon esprit risquait de voler en éclats à son simple contact, mais il m'appelait, et je partis.

Je le trouvai tout d'abord à New York. Il ne le fit pas exprès, mais il n'eût pu m'attirer dans pire tempête de neige. Il tua un mortel, cette nuit-là, une victime dont il s'était épris, ainsi qu'il le faisait depuis peu — il repérait les stars du crime, les acteurs des meurtres les plus horribles puis les suivait comme leur ombre avant la nuit du festin.

Que me voulait-il ? Voilà ce que je me demandais. Tu étais là, David. Tu pouvais l'aider, du moins me le semblait-il. Etant son novice, tu n'avais pas toi-même perçu son appel, mais il t'avait contacté, d'une manière ou d'une autre. Nous nous réunîmes en parfaits gentlemen pour discuter dans des murmures bas, sophistiqués, les peurs de Lestat.

Je le revis ensuite à La Nouvelle-Orléans, où il m'exposa la chose avec simplicité. Tu y étais. Le Démon lui avait rendu visite sous les traits d'un homme. Le maître des Enfers, capable de changer d'apparence, pouvait se montrer un instant comme une épouvantable créature aux ailes membraneuses et aux pieds fourchus puis, celui d'après, comme un être humain des plus ordinaires. Lestat était tout empli de ces histoires. Son hôte lui avait fait une terrifiante proposition : il l'avait prié, lui, Lestat, de l'aider à servir Dieu.

Te rappelles-tu avec quel calme je répondis à son récit, à ses questions, à ses supplications, lorsqu'il nous demanda conseil ? Ah, de quelle fermeté ne fis-je pas preuve en lui affirmant que c'était folie de suivre cette créature, de croire qu'un esprit désincarné fût contraint de dire la vérité.

A présent seulement, tu sais que ce conte étrange, merveilleux, ouvrit en moi une terrible blessure. Ainsi donc, le Démon se proposait de transformer Lestat en aide infernal et donc en serviteur de Dieu ? J'eusse pu éclater de rire, ou en sanglots, jeter au visage de ton créateur que moi aussi, je m'étais cru autrefois un saint ou un suppôt du mal, alors que, frissonnant dans mes loques, je suivais mes victimes au cœur de l'hiver parisien pour la plus grande gloire du Seigneur.

Mais il le savait. A quoi bon le faire souffrir davantage en détournant de lui les projecteurs ? N'était-il pas l'étoile brillante sur laquelle ils devaient rester braqués ?

Nous discutâmes d'un ton civilisé sous les chênes festonnés de mousse. Toi et moi, nous le suppliâmes de se montrer prudent. Bien sûr, il ne nous accorda aucune attention.

Ses hésitations se compliquaient de la présence d'une mortelle fascinante, Dora, qui vivait en ces lieux mêmes, dans ce vieux couvent. La fille de l'homme qu'il avait filé puis tué.

Lorsqu'il nous arracha la promesse de veiller sur elle, j'en fus agacé, mais si peu. Je suis déjà tombé amoureux de mortels, il me faut bien l'admettre. Sybelle et Benji, que j'appelle mes enfants, sont en fait mes deux amours, et j'ai été par le passé le troubadour secret d'autres humains.

Bref, Lestat s'était épris de Dora. Il avait posé la tête sur son sein, il convoitait le sang menstruel qui ne manquerait pas à la jeune femme, il était fou d'amour, éperdu, poursuivi par le fantôme du père et courtisé par le Prince des Enfers en personne.

Quant à elle, que puis-je en dire ? Elle possédait la force d'un Raspoutine sous le masque d'une jeune religieuse, alors que c'était une habile théologienne et non une mystique, une meneuse extraordinaire, déclamatoire, et non une visionnaire. Ses ambitions ecclésiastiques eussent ridiculisé celles de saint Pierre et de saint Paul réunis. C'était aussi, bien sûr, comme toutes les fleurs jamais cueillies par Lestat dans le jardin sauvage qu'est ce monde, une créature des plus séduisantes, un glorieux spécimen de la Création divine — cheveux aile de corbeau, moue boudeuse, joues de porcelaine, membres déliés dignes d'une nymphe.

A l'instant précis où il quitta notre Terre, je sus qu'il avait disparu. Je le sentis. Je me trouvais déjà à New York, tout près de lui, conscient aussi de ta présence à toi. Nous ne voulions ni l'un ni l'autre le perdre de vue, mais il disparut dans le blizzard, il fut extirpé de l'atmosphère terrestre comme s'il n'y avait jamais baigné.

Le silence parfait qui s'établit aussitôt ne te saisit pas, toi, son novice. Tu ne sentis pas que Lestat avait été arraché à toutes les minuscules choses matérielles qui, auparavant, avaient résonné du battement de son cœur.

Moi si. Je crois que j'espérais nous changer les idées

lorsque je te proposai de rendre visite à la malheureuse mortelle, sans doute désespérée par la mort de son père entre les mains du monstre superbe aux cheveux d'or, trempé de sang, qui avait fait d'elle son amie et confidente.

Il ne nous fut pas difficile de l'aider au cours des quelques brèves nuits qui suivirent, riches en péripéties. L'horreur s'ajouta à l'horreur dès la découverte du meurtre de son géniteur, dont la vie sordide devint aussitôt, par la magie des médias, le sujet des conversations superficielles du monde entier.

Il me semble qu'un siècle s'est écoulé depuis que nous emménageâmes en ces lieux, réserve de crucifix et de statues léguée à la jeune femme par le bandit défunt, entrepôt d'icônes que je manipulai avec un calme parfait, indifférent, semblait-il, à leur beauté.

Il me semble qu'un siècle s'est écoulé depuis que je me vêtis décemment pour aller me présenter à elle, que je dénichai dans une boutique à la mode de la Cinquième Avenue un manteau de bonne coupe en vieux velours rouge, une chemise de poète, comme on dit aujourd'hui, au coton amidonné surchargé de molles dentelles, et, pour les mettre en valeur, un pantalon serré en laine noire ainsi que des bottes brillantes ornées d'une boucle de cheville. Tout cela afin de l'accompagner lorsqu'elle alla identifier la tête coupée de son père sous les néons trop présents d'une morgue immense et surpeuplée.

Il faut reconnaître à la dernière décennie du vingtième siècle qu'un homme peut y arborer des cheveux de la longueur qu'il lui plaît, quel que soit son âge.

Il me semble qu'un siècle s'est écoulé depuis que je coiffai les miens, épais, bouclés, propres, pour une fois, en l'honneur de Dora.

Il me semble qu'un siècle s'est écoulé depuis que nous nous tînmes à son côté, résolus, que même nous lui offrîmes l'abri de nos bras, à cette apprentie sorcière ensorcelante au long cou, aux cheveux courts, tandis qu'elle pleurait la mort de son père tout en nous soumettant à un feu roulant de froides questions d'une intelligence maniaque relatives à notre nature sinistre — comme si un cours accéléré sur l'anatomie du vampire allait refermer le cercle d'horreur qui menaçait son intégrité, sa santé mentale, ranimer le criminel dépourvu de conscience.

Mais non, ce n'était pas le retour de Roger qu'elle implorait ; elle croyait trop en l'omniscience et en la bonté divines. Qui plus est, la vision d'une tête humaine coupée cause toujours un certain choc, même si ladite tête est congelée ; un chien avait quelque peu mâchouillé ce chef avant qu'on ne le découvrît, si bien que, grâce à la stricte règle moderne du « pas touche » appliquée par la médecine légale, il offrait un spectacle impressionnant — même pour moi. (L'assistante du coroner, compatissante, me dit que j'étais bien jeune pour devoir endurer pareille vision. L'adorable femme me croyait le frère cadet de Dora. Peut-être s'entendre qualifier de « bon petit soldat » plutôt que d'« ange de Botticelli » — rengaine que me servent tous les morts-vivants — vaut-il la peine de faire de temps à autre une incursion dans l'univers judiciaire des mortels.)

Ce dont rêvait Dora, c'était de voir revenir Lestat. Comment se fût-elle jamais libérée de l'enchantement où nous la tenions, sinon grâce à la bénédiction finale du prince couronné en personne ?

Debout à la fenêtre obscure de son appartement new-yorkais, le regard plongé dans la neige profonde de la Cinquième Avenue, j'attendis et priai en sa compagnie, regrettant que la vaste Terre eût été désertée par mon vieil ennemi, pensant en mon cœur stupide qu'avec le temps, le mystère de cette disparition se résoudrait, comme tous les miracles, dans la tristesse des chagrins sans importance, par quelques menues révélations qui me laisseraient ainsi que j'étais resté depuis la nuit vénitienne si lointaine où mon maître et moi avions été séparés à jamais, juste un peu plus habile à feindre la vie.

Je n'avais pas peur pour Lestat, pas vraiment. Je ne fondais aucun espoir sur ses tribulations, excepté celui de le voir réapparaître tôt ou tard pour nous servir quelque conte fantastique, le genre d'histoire dont il est coutumier, car nul ne gonfle autant que lui ses absurdes aventures. Je ne veux pas dire par là qu'il n'a pas changé de corps avec un mortel, ni qu'il n'a pas réveillé notre terrifiante déesse mère, Akasha ; je sais qu'il l'a fait. Je ne veux pas non plus dire qu'il n'a pas réduit en pièces mon ancien clan superstitieux, dans les années sinistres qui ont précédé la Révolution française ; je vous ai raconté qu'il l'a fait.

Mais sa manière de décrire ce qui lui est arrivé m'exaspère, sa façon de relier divers incidents les uns aux autres, comme si ces terribles événements aléatoires constituaient en fait les maillons d'une chaîne significative. Tel n'est pas le cas. Ce ne sont que des farces, il le sait très bien, mais il ne peut s'empêcher de donner dans le théâtre de boulevard chaque fois qu'il se cogne un orteil.

Le James Bond des vampires, le Sam Spade de ses propres livres ! Le chanteur de rock hurlant sur scène parmi des mortels deux longues heures durant puis, fort de cela, faisant ses adieux avec une tonne d'enregistrements qui, de nos nuits encore, lui rapportent des sommes indécentes.

Lestat a le chic pour transformer ses tribulations en tragédie, pour s'absoudre de tout et n'importe quoi dans le moindre paragraphe de ses confessions.

Je ne peux le lui reprocher vraiment. Quoi que j'en aie, je déteste penser qu'il gît à présent, comateux, sur le sol de la chapelle, au cœur d'un silence qui n'appartient qu'à lui, malgré les jeunes vampires qui lui tournent autour — ainsi que j'ai fait, moi aussi : pour voir si le sang du Christ l'a transformé de quelque manière que ce soit et s'il ne représente pas une magnifique manifestation du miracle de la Transsubstantiation. Mais j'y viendrai plus tard.

Mes vitupérations me contraignent à l'admettre, je sais pourquoi je lui en veux autant, pourquoi je suis si heureux de m'attaquer à sa réputation, de marteler sa grandeur de mes petits poings.

Il m'en a trop appris. Il m'a amené à cet instant même, où je dicte le récit de mon passé avec un calme et une cohérence qui m'eussent été refusés avant que je ne vole à son secours en compagnie de son précieux démon Memnoch et de sa fragile petite Dora.

Deux cents ans plus tôt, il m'avait dépouillé de mes illusions, de mes mensonges et de mes prétextes pour me jeter, nu, sur le pavé parisien, afin que je retrouve mon chemin vers la gloire des étoiles que j'avais connue autrefois puis perdue dans la souffrance.

Mais, alors que nous attendions dans le bel appartement de la tour, au-dessus de la cathédrale Saint-Patrick, j'ignorais qu'il pouvait me dépouiller de bien plus encore. Je le déteste uniquement parce qu'il m'est désormais impossible de m'imaginer une âme sans lui et que je suis impuissant à l'éveiller de son sommeil glacé, moi qui lui dois tout ce que je suis, tout ce que je sais.

Mais chaque chose en son temps. Quel bien cela ferait-il que je redescende maintenant à la chapelle, que je pose à nouveau les mains sur lui, que je le supplie de m'écouter ? Il gît comme si la conscience l'avait totalement quitté et ne devait jamais lui revenir.

Je ne puis l'accepter. Je ne le puis. Ma patience est épuisée ; l'engourdissement qui me consolait. Ce moment m'est intolérable…

Il faut pourtant que je raconte.

Il faut que je décrive ce qui s'est produit lorsque j'ai vu le voile, lorsque le soleil m'a frappé et, bien pire, lorsque enfin, en rejoignant Lestat, je me suis assez approché de lui pour boire son sang.

Oui, persévérons. Je sais à présent pourquoi il tisse

des liens. Ce n'est pas une question de fierté, non, mais une nécessité. On ne peut conter d'histoire sans en attacher les maillons ; or, malheureux orphelins du temps que nous sommes, nous n'avons d'autres moyens de mesure que l'enchaînement. Abandonné dans la nuit enneigée, dans un monde plus cruel que le néant, n'ai-je pas tâtonné à la recherche d'une chaîne ? Ah, Seigneur, que n'eussé-je donné durant cette terrible chute pour refermer la main sur le métal solide !

Le retour du disparu — à toi, à Dora, à moi — fut brutal.

Le troisième matin, trop peu de temps avant l'aube, j'entendis des portes claquer au bas de la tour de verre. Puis me parvint un son dont le volume surnaturel augmente chaque année, le battement du cœur de Lestat.

Qui de nous se leva le premier ? Je restais figé par la peur. Sa course rapide s'accompagnait de parfums sauvages tourbillonnant autour de lui, d'odeurs de forêt et de terre brute. Il défonça tous les obstacles dressés sur sa route, comme si ses ravisseurs l'avaient poursuivi alors que nul ne galopait derrière lui. Enfin, la porte de l'appartement s'ouvrit, il la claqua dans la foulée puis se dressa devant nous, plus horrible que je n'eusse pu l'imaginer, plus abîmé que je ne l'avais jamais vu après ses précédentes défaites.

Dora se précipita vers lui, emplie d'un amour absolu. Il se cramponna à elle dans un besoin désespéré qui n'était que trop humain, l'étreignant si fort que je craignis qu'il ne la détruisît.

— Tu es en sécurité, à présent, mon chéri, s'écria-t-elle.

Elle désirait ardemment qu'il la comprît, mais il suffisait de le regarder pour savoir que l'épreuve n'était pas terminée, bien que, face à ce spectacle, nous murmurâmes les mêmes mots creux.

XVIII

Il sortait du maelström. Une seule de ses chaussures lui restait ; son autre pied était nu, son manteau déchiré, ses cheveux en broussaille mêlés d'épines, de feuilles mortes, de fragments de fleurs sauvages.

Contre sa poitrine, il serrait un grand morceau de tissu, comme si la destinée du monde y avait été brodée.

Mais le pire, le plus horrible, était qu'un de ses yeux avait été arraché de son beau visage. Son orbite aux paupières vampiriques frémissait, ondulait, cherchait à se refermer, refusant l'horrible défiguration du corps rendu parfait à jamais au moment où il était devenu immortel.

J'avais envie de prendre Lestat dans mes bras. De le consoler, de lui dire que, où qu'il fût allé et quoi qu'il eût vécu, il se trouvait à nouveau en sécurité, près de nous. Mais rien ne parvenait à l'apaiser.

Un profond épuisement nous préserva tous de l'inévitable récit. Il nous fallait nous réfugier dans nos coins sombres, à l'abri du soleil inquisiteur, pour attendre la nuit suivante où Lestat reviendrait nous raconter ce qui s'était passé.

Son fardeau toujours serré contre lui, il refusa notre aide et s'enferma avec sa blessure. Je n'eus d'autre choix que de le quitter.

Ce matin-là, en descendant vers ma propre salle de

repos, à l'abri d'une obscurité moderne aseptisée, je pleurai tel un enfant au souvenir de cette vision. Ah, pourquoi étais-je venu à l'aide de Lestat ? Pourquoi étais-je condamné à le voir terrassé, alors qu'il avait fallu tant de douloureuses décennies pour cimenter à jamais l'amour que je lui portais ?

Une nuit, cent ans plus tôt, il était arrivé, titubant, au Théâtre des Vampires, sur la trace de ses novices renégats, le doux Louis et l'enfant maudite ; je n'avais pas eu pitié de lui, alors, malgré sa peau couturée de cicatrices à cause des tentatives de meurtre maladroites, imbéciles de Claudia.

Je l'aimais, certes, mais ses plaies toutes physiques seraient soignées par son sang mauvais. Nos vieilles légendes assuraient même qu'il y gagnerait une force plus grande encore que ne lui en eût donné une vie sereine.

Alors que son visage angoissé me révélait à présent une âme dévastée et que la vision de son unique œil bleu, brillant avec tant de vie dans sa face lacérée, ravagée, m'était insupportable.

Je ne me rappelle pas que nous ayons discuté, David. Je me souviens juste que le matin nous mit en fuite. Si tu pleuras, toi aussi, je ne l'entendis pas ; je ne songeai pas même à écouter. Quant au fardeau qu'il serrait dans ses bras, de quoi pouvait-il bien s'agir ? Il ne me semble pas y avoir accordé la moindre pensée.

La nuit suivante.

Il pénétra dans le salon d'un pas tranquille, alors que l'obscurité tombait, étoilée quelques précieux instants durant avant la sinistre arrivée de la neige. Il s'était lavé et habillé, son pied ensanglanté avait sans le moindre doute guéri. Ses chaussures étaient toutes neuves.

Mais rien ne pouvait adoucir le spectacle grotesque qu'offraient son visage mutilé, les traces de griffes qui entouraient son orbite béante, agitée. Il s'assit, très calme.

Lorsqu'il se tourna vers moi, un léger sourire charmeur illuminait ses traits.

— Ne t'inquiète pas pour moi, petit démon, me dit-il. C'est pour nous tous qu'il faut avoir peur. Je ne suis rien. Rien.

Dans un murmure, je lui soumis mon plan :

— Laisse-moi sortir, laisse-moi voler quelque mortel, quelque être mauvais qui a gaspillé tous les dons répandus sur lui par le Créateur, laisse-moi m'emparer d'un œil pour toi ! Je le glisserai dans ton orbite vide. Ton sang s'y précipitera et le fera voir. Tu le sais. Tu as assisté à ce miracle, une nuit, chez notre ancêtre, Maharet, avec les yeux d'un humain trempés dans son sang, des yeux aveugles ! Il ne me faudra qu'un instant. Une fois l'œil au creux de la main, je serai le médecin qui le mettra en place. S'il te plaît.

Il se contenta de secouer la tête et de m'embrasser sur la joue.

— Pourquoi m'aimes-tu, après tout ce que je t'ai fait ? questionna-t-il.

On ne pouvait nier la beauté de son épiderme lisse, dépourvu de pores, foncé par le soleil, alors que le trou obscur de son orbite paraissait tout observer, détenteur d'un pouvoir secret qui transmettait sa vision jusqu'au cœur de Lestat. Oui, il était beau ; son visage rayonnait d'un éclat rouge sombre, comme s'il avait été témoin d'un puissant mystère.

— Je l'ai été, affirma-t-il. (Il se mit à pleurer.) Et il faut que je vous raconte. Croyez-moi, de même que vous croyez ce que vous avez vu la nuit dernière, les fleurs sauvages encore accrochées à mes cheveux, les coupures — regardez, mes mains guérissent, mais pas assez vite — croyez-moi.

Ce fut alors que tu intervins, David.

— Raconte, Lestat. Nous t'aurions attendu ici pour l'éternité. Où Memnoch le démon t'a-t-il emporté ?

Ta voix raisonnable était des plus réconfortante, tout comme elle l'est encore à présent. Sans doute es-tu fait pour cela, pour raisonner, et nous as-tu été donné, s'il m'est permis d'émettre une supposition, afin de nous obliger à regarder les catastrophes que nous déclenchons à la lumière nouvelle de la conscience moderne. Mais il nous reste bien des nuits pour parler de ce genre de choses.

J'en reviens à la scène où nous étions tous trois installés sur des chaises chinoises laquées de noir, autour d'une table en verre épais. Dora entra. Elle sursauta en découvrant Lestat, dont ses sens de mortelle ne lui avaient en rien indiqué la présence. Quelle ravissante vision, avec ses cheveux noirs coupés au bol dévoilant son fragile cou de cygne, son long corps souple revêtu d'une ample robe de tissu pourpre dont les plis mettaient exquisement en valeur ses petits seins et ses cuisses minces. Ah, musai-je, c'est un ange que cette héritière d'une tête coupée, cette descendante d'un caïd de la drogue. Elle enseigne la doctrine religieuse, alors que chacun de ses pas pousserait les dieux païens de la luxure à la canoniser avec joie.

Sa douce gorge pâle s'ornait d'un crucifix si minuscule qu'il ressemblait à un insecte doré, pendu à une chaîne immatérielle aux maillons infinitésimaux tissée par les fées. Que sont de nos jours ces objets sacrés, qui se balancent en toute liberté sur des poitrines laiteuses, sinon des babioles banales, des marchandises? Quoique mes pensées fussent sans pitié, je cataloguais les beautés de la jeune femme avec indifférence. Ses seins gonflés, à la séparation ombreuse bien visible contre la couture toute simple de sa robe décolletée, évoquaient parfaitement Dieu et la divinité.

Mais sa parure la plus seyante, en cet instant, était l'amour ardent, bouleversé, qu'elle portait à Lestat, son absence de peur devant le visage mutilé, la grâce de ses bras blancs tandis qu'elle enlaçait notre ami, pleine d'assurance, heureuse de la manière imperceptible dont il s'inclinait vers elle. Je lui étais terriblement reconnaissant d'aimer Lestat.

— Le Seigneur des Mensonges avait donc une histoire à raconter ? demanda-t-elle, incapable de maîtriser le tremblement de sa voix. Il t'a emmené dans ses Enfers puis renvoyé ? (Prenant entre ses mains le visage de Lestat, elle le tourna vers elle.) Alors décris-nous ces Enfers, dis-nous de quoi nous devons avoir peur. De quoi tu as peur, toi, quoiqu'il me semble que tu affrontes bien pire que la peur.

Il hocha la tête, approbateur, repoussa sa chaise puis se mit à faire les cent pas en se tordant les mains — inévitable prélude à ses contes.

— Avant de juger, commença-t-il, les yeux fixés sur les trois auditeurs rassemblés autour de la table, public réduit anxieux de lui plaire, écoutez ce que j'ai à dire.

Son regard s'attarda sur toi, David, sur l'érudit anglais au viril costume de tweed qui, s'il l'aimait visiblement, le considérait néanmoins d'un œil critique, prêt à peser ses mots avec la sagesse qui lui était naturelle.

Alors il raconta. Des heures durant. Des heures durant, les mots jaillirent, brûlants, précipités, se télescopant parfois au point qu'il lui fallait s'interrompre pour reprendre haleine, mais jamais il ne fit de véritable pause tandis qu'il nous déversait, tout au long de la nuit, le récit de son aventure.

Oui, Memnoch le démon l'avait entraîné en Enfer, mais un Enfer de sa propre conception, une sorte de Purgatoire où les âmes de tous ceux qui avaient jamais vécu étaient les bienvenues et où elles pouvaient se rendre si elles le désiraient depuis le tourbillon de mort qui avait hérité d'elles. Dans ce Purgatoire infernal, confrontées aux actes accomplis de leur vivant, elles apprenaient la plus affreuse des leçons, elles découvraient les conséquences sans fin de la moindre de leurs actions. Assassin et mère, enfants errants massacrés soi-disant innocemment et soldats imprégnés du sang des champs de bataille, tous étaient acceptés en ce lieu horrible de fumée et de feu soufré, qui n'existait que pour leur montrer les blessures béantes qu'ils avaient infligées à autrui dans la colère ou l'insouciance, pour les contraindre à sonder les profondeurs d'autres âmes et d'autres cœurs qu'ils avaient fait saigner !

Les horreurs de cet Enfer n'étaient qu'illusions, mais il en existait une bien pire : le Dieu incarné Qui avait laissé créer cette école suprême destinée aux futurs élus dignes de Son Paradis. Cela aussi, Lestat l'avait vu — l'Eden entraperçu des millions de fois par des saints ou des agonisants, le jardin aux arbres toujours verts, aux fleurs éternellement parfumées, aux innombrables tours de cristal peuplées de créatures heureuses, libérées de la chair, et l'une au moins de chœurs angéliques innombrables.

C'était une vieille histoire. Trop vieille. Trop souvent racontée — le Paradis, dont les portes ouvertes permettaient au Créateur de répandre Sa lumière infinie sur ceux qui montaient Ses mythiques escaliers afin de se joindre pour toujours à Sa cour céleste.

Combien de mortels, au réveil d'un sommeil presque fatal, n'ont-ils pas cherché à en dépeindre les merveilles !

Combien de saints n'ont-ils pas affirmé avoir aperçu cet indescriptible, cet éternel Paradis ?

Avec quelle ruse Memnoch n'avait-il pas exposé son cas afin d'implorer l'humanité de lui pardonner son péché ; lui, et lui seul, s'était opposé à un Dieu indifférent, sans pitié ; il avait supplié la divinité de poser un œil indulgent sur les êtres de chair qui, par leur seul amour désintéressé, étaient parvenus à engendrer des âmes dignes de Son intérêt.

Ainsi s'était produite la chute de Lucifer, tombé du ciel telle l'Etoile du Matin — un ange avait plaidé pour les fils et les filles de l'homme, puisqu'ils possédaient à présent le cœur et l'enveloppe des anges.

— Donne-leur le Paradis, Seigneur, une fois qu'ils auront appris à mon école l'amour de Ta création.

Cette aventure a empli tout un livre, *Memnoch le*

démon, qu'on ne peut condenser en quelques paragraphes incapables de lui rendre justice.

Mais voilà le résumé de ce qui frappa mes oreilles dans cette pièce new-yorkaise glaciale, alors que je regardais parfois derrière la silhouette frénétique du conteur, qui allait et venait, le ciel blanc dont la neige tombait sans discontinuer. La narration rugissante de Lestat occultait le grondement de la ville, en contrebas. Je me débattais intérieurement contre l'horrible peur de le décevoir au point culminant de son histoire, de lui rappeler qu'il n'avait rien fait d'autre que donner au voyage mystique d'innombrables saints une forme nouvelle, plus au goût du jour.

C'était donc une école qui remplaçait les anneaux de feu éternel décrits par Dante avec une acuité à rendre malade son lecteur, la fournaise que le tendre Fra Angelico lui-même s'était senti contraint de peindre, où les mortels nus, baignant dans les flammes, étaient censés souffrir pour l'éternité.

Une école, un lieu d'espérance, une promesse de rédemption assez immense peut-être pour nous aussi, les Enfants des Ténèbres, qui comptons parmi nos péchés autant de meurtres que les Huns ou les Mongols d'autrefois.

Ah, quelle belle image que celle de cette après-vie, où les horreurs du monde normal sont étalées devant un Dieu sage quoique distant, où la folie du Démon est rendue avec une intelligence si vive.

J'aimerais qu'elle soit vraie, que tous les poèmes et les tableaux du monde reflètent sa splendeur chargée d'espérance.

J'aurais pu m'attrister ; j'aurais pu être brisé au point de baisser la tête, incapable de regarder Lestat dans les yeux.

Mais un simple incident de son aventure, une rapide rencontre, dominait pour moi tout le reste, installé dans mes pensées au point que je ne pouvais l'en bannir : Lestat avait bu le sang du Christ sur le chemin du calvaire ; il avait parlé au Dieu incarné qui, de Sa propre volonté, avait marché à une mort horrible sur le Golgotha ; témoin terrifié, tremblant, il avait attendu dans les ruelles poussiéreuses de l'antique Jérusalem le passage de notre Seigneur, de notre Dieu vivant Qui, la croix attachée aux épaules, lui avait offert sa gorge, à lui, Lestat, l'élève élu.

Ah, que d'imagination dans sa folie. Je ne m'étais pas attendu à ce que son histoire me fît aussi mal. Je ne m'étais pas attendu à la brûlure qui me meurtrissait la poitrine, au serrement de gorge qui m'empêchait de prononcer le moindre mot. Je n'avais pas voulu cela. Seul baume à mon cœur blessé, il me semblait cocasse, ridicule qu'un tel tableau — Jérusalem, les rues poudreuses, la foule coléreuse, le Dieu sanglant, victime du fouet, boitillant sous Son fardeau — inclût un personnage tiré d'une vieille légende attendrissante, la femme consolatrice qui levait un morceau de tissu afin d'essuyer le visage sanglant du Christ, lequel y imprimait son image à jamais.

Nul besoin d'érudition, David, pour savoir que de tels saints, fabriqués les siècles suivants par d'autres saints, joueraient la Passion dans les campagnes sous les traits de comédiens. Véronique ! Véronique, dont le nom même signifie la Véritable Icône.

Et notre héros, notre Lestat, notre Prométhée, possesseur de ce chiffon qu'il tenait de la main même du Dieu vivant, avait fui l'horrible royaume du Ciel et de l'Enfer ainsi que le chemin du calvaire en criant Non ! Je refuse ! Il était revenu à New York, où il avait couru comme un fou, hors d'haleine, à travers la neige, animé du seul désir de nous rejoindre après avoir rejeté tout le reste.

La tête me tournait. La guerre faisait rage en moi. Je ne pouvais le regarder.

Il parlait toujours, repassait son aventure en revue, évoquait à nouveau le Paradis de saphir où chantaient les anges, débattait avec lui-même, avec toi, avec Dora.

La conversation n'était qu'éclats de verre insupportables.

Le sang du Christ, en lui ? Le sang du Christ avait
franchi ses lèvres souillées, ses lèvres de mort-vivant,
l'avait transformé en un monstrueux ciboire ? Le sang
du Christ ?

— Laisse-moi boire à ta gorge, Lestat ! m'écriai-je
soudain. Laisse-moi goûter à ton sang, qui contient le
Sien ! (Mon ardeur, mon sauvage désespoir, me surprenaient moi-même.) Je le chercherai de la langue et du
cœur. Permets-le-moi, je t'en supplie ; tu ne peux me
refuser un moment d'intimité. Si c'était le Christ... si
c'était Lui...

Je ne pus achever.

— Tu es fou, malheureux enfant, répondit-il. Tout ce
que tu gagneras à plonger les dents en moi, c'est ce que
nous tirons des visions que nous offrent nos victimes.
Tu découvriras ce que je pense avoir vu. Ce que je
pense avoir appris. Tu sauras que mon sang court dans
mes veines, ce que tu sais déjà, et que je crois que
c'était en effet le Christ. Rien de plus.

Il secoua la tête, déçu, sans me quitter des yeux.

— Non, ripostai-je, je saurai. (Je me levai, les mains
frémissantes.) Donne-moi cette seule étreinte, Lestat, et
je ne te demanderai plus rien de toute l'éternité. Laisse-
moi poser les lèvres sur ta gorge, laisse-moi goûter ton
histoire, laisse-moi essayer !

— Tu me brises le cœur, petit imbécile, protesta-t-il,
les larmes lui montant à l'œil. Comme toujours.

— Ne me juge pas ! m'écriai-je.

Il poursuivit pour moi seul, en esprit autant qu'à voix
haute, de sorte que j'ignore si les autres l'entendaient.
Moi, oui. Je n'ai pas oublié une seule de ses paroles.

— Et si c'était bien le sang de Dieu, Armand, si ce
que j'ai vu n'était pas partie intégrante de quelque
énorme mensonge, que trouveras-tu en moi ? Rends-toi
à la messe la plus matinale et choisis une victime parmi

les fidèles qui viennent de recevoir la Communion ! Quel jeu amusant ce serait, que de se nourrir à jamais de communiants ! Le Christ se trouve dans chacun d'eux. Je te dis que je ne crois pas tous ces menteurs, ces esprits, ce Dieu, ce Memnoch ; je refuse ! Je ne suis pas resté. J'ai quitté leur satanée école, j'ai perdu un œil dans ma fuite — ils me l'ont arraché, ces anges mauvais, en cherchant à me retenir ! Si tu veux goûter au Christ, gagne à l'instant l'église obscure où on célèbre matines, écarte de l'autel le prêtre somnolent, arrache le calice à ses mains consacrées. Vas-y, fais-le !

« Le sang du Christ ! (Le visage de Lestat se réduisait à l'unique œil immense qui fixait sur moi son impitoyable rayonnement.) Si ce sang sacré a jamais été en moi, mon corps l'a dissous et brûlé comme la cire d'une bougie en dévore la mèche. Tu le sais très bien. Que reste-t-il du Christ dans le ventre de Ses fidèles, lorsqu'ils quittent Son église ? »

— Non, non. Nous ne sommes pas humains, murmurai-je, désireux de noyer dans la douceur sa véhémence coléreuse. Je saurai, Lestat ! C'était Son sang, pas le pain ou le vin de transsubstantiation ! Son sang. S'il est en toi, je le saurai. Ah, laisse-moi boire, je t'en supplie. Je veux oublier tout ce que tu nous as raconté. Laisse-moi boire !

J'avais peine à me retenir de poser la main sur lui pour le plier à ma volonté, sans me soucier de sa force légendaire et de son épouvantable caractère. Je le maîtriserais, je le soumettrais. Je prendrais le sang…

Pensées stupides, futiles. Comme toute son histoire. Pourtant, ce fut avec fureur que je crachai :

— Pourquoi n'as-tu pas accepté ? Pourquoi n'as-tu pas suivi Memnoch, s'il lui était possible de t'arracher à l'Enfer terrestre que nous partageons ? Pourquoi ?

— Tu t'es échappé parce qu'ils l'ont bien voulu, affirmas-tu, David, en m'adressant pour me calmer un petit geste implorant.

Mais je n'avais pas la patience de me livrer à l'analyse

ou de chercher une inévitable interprétation. Je ne pouvais extirper de mon esprit l'image du Christ sanglant, la croix attachée aux épaules, et de Véronique, belle invention, le voile entre les mains. Ah, comment une telle chimère peut-elle planter si profond son hameçon ?

— Ecartez-vous ! s'écria Lestat. J'ai le voile. Je vous l'ai dit. Le Christ me l'a donné. Véronique me l'a donné. Je l'ai arraché à l'Enfer de Memnoch, alors que tous ses démons cherchaient à me le reprendre.

Ce fut à peine si je l'entendis. Le voile, le véritable voile ? Etait-ce possible ? J'avais mal à la tête. Les matines. Si on les célébrait bel et bien à Saint-Patrick, juste au pied de l'immeuble, je m'y rendrais. J'étais las de cette pièce aux parois de verre qui me privait du goût du vent et de l'humidité pure, rafraîchissante de la neige.

Pourquoi Lestat reculait-il jusqu'au mur ? Que tirait-il de son manteau ? Le voile ! Quelque faux grossier, destiné à parachever son chef-d'œuvre de destruction ?

Je levai les yeux. Mon regard erra un instant dans la nuit neigeuse, avant de trouver ses marques, lentement : le tissu déployé que Lestat brandissait, tête basse, avec autant de respect que l'eût fait Véronique en personne.

— Mon Dieu ! murmurai-je.

Le monde avait disparu dans des courbes aériennes de son et de lumière. Je Le voyais.

— Mon Dieu.

Je voyais Son visage, non qu'il fût peint, imprimé ou emprisonné de quelque autre manière délicate dans les fibres minuscules du fin tissage, mais étincelant d'un feu qui ne consumait pas le support où résidait sa chaleur. Mon Dieu, mon Dieu fait homme, mon Christ, malheureuse victime couronnée de noires épines aiguës, aux longs cheveux bruns mêlés de terribles grumeaux sanglants, aux grands yeux sombres interrogateurs fixés droit sur moi, admirables miroirs vivants de l'âme divine, emplis d'un amour incommensurable si radieux que toute poésie mourait devant son éclat, à la douce bouche soyeuse, incapable dans sa simplicité de critique ou de jugement, ouverte sur une aspiration silencieuse, affreusement pénible, lorsque le voile s'était approché pour apaiser sa hideuse souffrance.

Je pleurais. Mes lèvres, contre lesquelles je pressais pourtant mes mains, laissèrent échapper un murmure :

— Ah, Jésus, mon Christ tragique ! (Puis je m'écriai :) Il n'est pas fait de main d'homme ! Non, je le vois bien ! (Quels mots pitoyables, pâles et douloureux.) Ce visage d'Homme, de Dieu et d'Homme… Il saigne. Regardez, pour l'amour du Dieu tout-puissant !

Toutefois, pas un son ne m'échappa. Je restais paralysé. Le souffle coupé. Tombé à genoux sous le choc, dans mon impuissance. Je ne voulais plus quitter le voile des yeux, jamais. Je ne voulais plus rien, plus jamais, à part le contempler. A part voir le Christ, par-delà les siècles, fixer Son visage dans la clarté des lampes qui brûlaient au fond de la maison de Podil, Ses yeux qui me regardaient depuis le panneau de bois qu'étreignaient mes doigts frémissants, parmi les bougies du scriptorium du monastère des Grottes, Ses traits tels que jamais je ne les avais vus sur les murs magnifiques de Venise ou de Florence, où je les avais si longtemps, si désespérément cherchés.

Le visage viril, imprégné de divin, du Seigneur tragique qui me fixait, protégé par les bras de Sa mère, dans la boue gelée des rues de Podil aujourd'hui disparues, du Seigneur aimant, à la majesté sanglante.

Peu m'importait ce que disait Dora.

Peu m'importait qu'elle criât Son saint nom. Je savais.

Lorsqu'elle affirma sa foi, lorsqu'elle arracha le tissu des mains de Lestat pour s'élancer hors de l'appartement, je la suivis, je suivis le voile — bien que dans le sanctuaire de mon cœur, je n'eusse pas bougé.

Je n'eusse pas tressailli.

Mon esprit était totalement figé. Mon corps n'avait aucune importance.

Que Lestat luttât avec Dora, l'avertît de ne pas croire son histoire n'avait aucune importance, non plus que notre arrivée sur les marches de la cathédrale ou la neige tombant telle une splendide bénédiction des cieux invisibles, insondables.

Ou le lever tout proche du soleil, boule de feu argenté derrière le baldaquin des nuages en fusion.

Je pouvais mourir, à présent.

Je L'avais vu. Tout le reste — les explications de Memnoch et de son Dieu imaginaire, les supplications de Lestat qui nous pressait de partir, de nous cacher avant que l'aube nous dévorât — tout cela n'avait aucune importance.

Je pouvais mourir, à présent.

— Il n'est pas fait de main d'homme, murmurai-je.

Une foule s'amassait autour de nous, aux portes de la cathédrale. L'air chaud de l'église nous enveloppa en une délicieuse, une profonde bouffée. Aucune importance.

— Le voile, le voile ! criaient les gens.

Ils voyaient Son visage.

Les appels désespérés, implorants de Lestat s'éteignirent.

Le matin arriva avec sa lumière blanche brûlante, tonnante, qui roula sur les toits, figea la nuit au sein de centaines de parois en verre, se déploya lentement dans toute sa gloire monstrueuse.

— Soyez témoins, dis-je. (Je tendis les bras à l'aveuglante clarté, à la mort d'argent en fusion.) Le pécheur que je suis meurt pour Lui ! Pour aller à Lui.

Jette-moi en Enfer, ô, Seigneur, si telle est Ta volonté. Tu m'as donné le Paradis. Tu m'as montré Ton visage.

Un visage humain.

XIX

Je m'élançai dans les cieux. La souffrance absolue qui m'envahit me dépouilla de toute volonté, de toute possibilité de moduler ma vitesse. Une explosion intérieure me projeta dans l'azur, au cœur d'un soudain déferlement de clarté nacrée. L'œil menaçant qui répandait ses rayons sur le paysage citadin était devenu en une seconde un raz de marée de lumière aérienne en fusion roulant sur toute chose, petite ou grande.

Plus haut, toujours plus haut, je m'élevais en tournoyant, comme si la force dégagée par ma brusque flambée interne n'avait pas diminué. Je m'aperçus avec horreur que mes vêtements s'étaient consumés, qu'une fumée s'élevait de mes membres dans le vent tourbillonnant.

Une bonne vue me fut offerte de mes bras et de mes jambes étendus, découpés contre la lumière aveuglante. Déjà, ma chair brûlée brillait, noircie, collée à mes tendons, ratatinée sur l'enchevêtrement complexe des muscles qui enveloppaient mes os.

La douleur atteignit le zénith du supportable, mais comment expliquer que je ne m'en souciais pas ? J'étais en route vers ma mort personnelle. Cette torture apparemment sans fin n'était rien, moins que rien. J'endurerais tout, y compris la brûlure qui me transperçait les yeux, la certitude que mes globes oculaires ne tarderaient pas à fondre ou à exploser dans la fournaise solaire, que je cesserais d'être chair.

Soudain, le paysage changea. Le rugissement du vent s'interrompit, mon regard retrouva son calme et son acuité, un chœur s'éleva autour de moi, entonnant des cantiques familiers. Debout à l'autel, je levai les yeux pour découvrir une foule de fidèles, dans une église dont les colonnes peintes évoquaient autant de troncs d'arbres ornementés dressés au milieu d'une forêt de bouches chantantes et d'yeux émerveillés. Partout, de droite et de gauche, s'étendait cette innombrable congrégation. Le monument ne possédait pas de murs pour la contenir, et même ses coupoles, décorées de l'or le plus pur, le plus scintillant, aux saints et aux anges martelés, livraient passage aux cieux infinis, d'un bleu pâlissant.

Le parfum de l'encens me montait aux narines. Les minuscules clochettes dorées qui m'entouraient tintaient à l'unisson. La fumée me brûlait les yeux, mais suavement, tandis que son arôme me mouillait les paupières de larmes ; ma vision ne faisait plus qu'une avec tout ce que je touchais, entendais, goûtais.

Je levai les bras au ciel. De longues manches blanches ourlées d'or les enveloppaient, qui glissèrent de poignets couverts d'un duvet floconneux — la pilosité naturelle d'un homme. C'étaient mes mains, oui, mais des années de mortel au-delà du point où la vie avait été figée en moi. Des mains d'homme.

De ma bouche jaillit un chant qui sonnait clair et net au-dessus de la foule, puis les fidèles y répondirent, avant que je n'entonne une fois de plus la conviction dont j'étais imprégné jusqu'à la moelle :

— Le Christ est venu. L'Incarnation a commencé en toute chose, en tout homme et en toute femme, et elle se poursuivra à jamais !

Le cantique me semblait d'une telle perfection que les larmes ruisselèrent sur mes joues. Je baissai la tête et joignis les mains, les yeux fixés sur le pain et le vin posés devant moi, la miche ronde qui attendait la bénédiction pour être brisée, le liquide pour être transformé.

— Ceci est le corps du Christ, ceci est Son sang, versé pour nous aujourd'hui, autrefois et à jamais, à chaque instant de notre vie ! entonnai-je.

Je m'emparai du pain, que je brandis. Une vague de lumière en jaillit, tandis que la congrégation entamait son chant de célébration le plus puissant, le plus doux.

C'était à présent le calice que je tenais à deux mains. Je le levai bien haut, pendant que les cloches carillonnaient dans leurs clochers, des clochers et encore des clochers rassemblés autour de la vaste cathédrale sur des kilomètres, dans toutes les directions ; le monde entier s'était transformé en une immense, une merveilleuse forêt d'églises. Les clochettes d'or tintaient toujours.

La fumée de l'encens me parvenait par bouffées. Je posai le calice et parcourus du regard la mer de visages étendue devant moi, de gauche et de droite, puis je levai la tête vers les cieux, vers les mosaïques pâlissantes qui se fondaient aux nuages blancs bouillonnants.

Des coupoles dorées m'apparurent par-delà le Paradis. Les toits infinis de Podil.

La cité de Vladimir, dans toute sa gloire. Autour de moi se dressait la grande cathédrale Sainte-Sophie, débarrassée de tous les écrans qui eussent pu me séparer des fidèles. Les autres églises, simples ruines dans mon enfance depuis longtemps enfuie, avaient retrouvé leur magnificence. Les dômes dorés de Kiev buvaient la lumière du soleil puis la renvoyaient avec la puissance de millions de planètes, à jamais baignées dans le feu de millions d'étoiles.

— Seigneur, mon Dieu ! m'écriai-je.

Je baissai les yeux vers la splendeur de mes vêtements, satin vert brodé de fil d'or pur.

Mes frères dans le Christ m'encadraient, barbus, les yeux brillants, mes assistants qui chantaient de concert avec moi, si bien que nos voix mêlées passaient d'un mot à l'autre avec des notes que je voyais presque s'élever devant nous en direction du firmament.

— Donnez-leur le pain ! m'exclamai-je. Donnez-leleur, car ils ont faim !

Je rompis la miche en deux moitiés, que je brisai derechef en deux, avant de réduire hâtivement ces quarts en tout petits morceaux qui emplirent l'assiette d'or luisante.

Les fidèles grimpèrent en masse les marches de l'autel, leurs tendres petites mains roses tendues vers la manne, que je leur distribuai au plus vite sans en perdre une miette — des dizaines, des vingtaines, des centaines de gens poussaient vers moi, les nouveaux venus laissant à peine ceux qui s'étaient nourris revenir sur leurs pas.

Il en arrivait toujours, mais les cantiques ne s'interrompaient pas. Les voix, étouffées près de l'autel, réduites au silence pendant la consommation du pain, reprenaient ensuite, fortes, exultantes.

Le pain ne s'épuisait pas.

Je brisais encore et encore son épaisse croûte tendre pour le poser dans les mains tendues, aux doigts gracieusement recourbés.

— Le corps du Christ ! Prenez et mangez !

Des silhouettes sombres onduleuses se levaient alentour, sortant du sol d'argent et d'or polis. Des arbres, dont les membres s'arquaient vers le ciel avant de se recourber vers moi. Des feuilles et des fruits tombaient de leurs branches sur l'autel, sur l'assiette, sur le pain consacré, à présent, en une nuée de fragments.

— Rassemblez-les ! m'écriai-je.

Je ramassai les douces feuilles vertes et les glands odorants que je plaçai dans les mains avides. Puis, baissant les yeux, je vis du grain ruisseler entre mes doigts, un grain que j'offris aux lèvres écartées, que je versai dans les bouches ouvertes.

L'air était saturé de feuilles qui tombaient sans un bruit, si serrées que toute la cathédrale se teintait de vert tendre. Soudain, des vols d'oiseaux minuscules crevèrent de-ci, de-là ce fond pastel. Des milliers de pinsons s'élançaient vers le ciel, des milliers de passereaux filaient vers l'azur, tandis que le soleil brillant caressait leurs petites ailes déployées.

— Toujours et à jamais, dans la moindre cellule et le plus petit atome, scandais-je. L'Incarnation. Le Seigneur est venu parmi nous.

Mes paroles résonnaient à nouveau, comme sous un toit qui eût renvoyé mon chant, alors que nous n'avions plus au-dessus de nous que les cieux infinis.

La foule poussait toujours. Elle entourait l'autel. Mes frères s'étaient écartés les uns des autres à cause des milliers de mains qui tiraient doucement sur leurs vêtements, les éloignant de la table de Dieu. Tout autour de moi se pressaient les affamés, à qui je donnais le pain, le grain, les glands par poignées, jusqu'aux tendres feuilles vertes.

A mon côté se tenait ma mère, ma ravissante maman au visage triste, une belle coiffe brodée posée sur son épaisse chevelure grise, ses petits yeux entourés de rides fixés sur moi. Ses mains tremblantes, aux doigts desséchés, abritaient respectueusement la plus magnifique des offrandes, des œufs teints ! Rouge et bleu, jaune et or, ornés de rubans endiamantés et de guirlandes de fleurs sauvages, ils brillaient dans leur splendeur laquée comme d'énormes gemmes polies.

Et là, au centre exact du présent que la vieille femme tendait avec des bras frissonnants, ratatinés, reposait l'œuf même qu'elle m'avait remis si longtemps auparavant, l'œuf cru quasi dépourvu de poids à la magnifique décoration de rouge rubis éclatant, orné d'un ovale travaillé centré sur une étoile d'or — l'œuf précieux qui avait sans le moindre doute été sa plus belle création, la plus grande réussite des heures qu'elle avait consacrées à la cire brûlante et à la teinture bouillonnante.

Il n'avait pas été perdu. Jamais. Il était là. Mais un événement se préparait, je le savais. Malgré le chant majestueux de la multitude, me parvenait le son ténu émanant du fragile trésor, le frémissement imperceptible, le cri quasi inaudible.

— Mère, dis-je.

Je pris l'œuf. Je le tins à deux mains avant d'abaisser les pouces sur sa fine coquille.

— Non, mon fils ! cria la vieille femme. Non, non, oh, non !

Trop tard. La coquille teintée se brisa sous mes doigts, et de ses fragments s'éleva un oiseau, un bel oiseau adulte aux ailes d'un blanc de neige, au minuscule bec jaune et aux yeux noirs brillants, véritables perles de jais.

Un long, un profond soupir jaillit de ma gorge.

L'oiseau s'éleva des débris de l'œuf, déployant ses ailes immaculées aux plumes parfaites, ouvrant son petit bec en un soudain cri aigu. Il s'envola, libéré de la coquille rouge, de plus en plus haut, au-dessus des têtes, à travers la douce pluie verte tourbillonnante et les pinsons voletants, vers la clameur glorieuse des cloches.

Elles chantaient si fort dans leurs clochers qu'elles en secouaient les feuilles tournoyantes, si fort que les immenses colonnes vacillaient, que la foule se balançait, n'en chantant qu'avec plus d'ardeur, comme pour égaler les grands carillons à la voix d'or.

L'oiseau était parti. Libre.

— Le Christ est né, murmurai-je. Le Christ S'est élevé. Il est au ciel et sur la Terre. Auprès de nous.

Mais nul n'entendait ma voix, ma voix secrète. D'ailleurs, qu'importait, puisque le monde entier chantait le même chant ?

Une main se referma sur moi. Elle me tira par la manche, rudement, méchamment. Je pivotai, prenant mon souffle, prêt à crier, mais me figeai, terrifié.

Un homme surgi de nulle part se tenait à mon côté, si proche que nos visages se touchaient presque, fixant sur moi un regard mauvais. Je connaissais ses cheveux et sa barbe roux, ses yeux bleus sauvages au regard impie. C'était mon père sans être lui : une présence horrible imprégnait ses traits et attendait là, près de moi, sous sa forme de colosse menaçant, à la force et à la taille écrasantes.

Tendant le bras, il frappa d'un revers de main le calice doré, qui vacilla, tomba. Le vin consacré tacha les morceaux de pain et la nappe d'autel en or tissé.

— Vous n'avez pas le droit ! protestai-je. Regardez ce que vous avez fait !

Personne ne m'entendait-il donc, au-dessus du chant ? Au-dessus du tintement des cloches ?

J'étais seul.

Dans une pièce moderne. Sous un plafond au plâtre blanc. Celui d'un appartement.

Redevenu moi-même, frêle silhouette masculine aux boucles emmêlées, j'arborais manteau de velours pourpre et jabot de dentelle blanche. Je m'appuyai au mur. Etourdi, paralysé. Je ne savais qu'une chose : le moindre atome de cet endroit, le moindre atome de mon corps, étaient aussi solides et réels qu'ils l'avaient été une fraction de seconde plus tôt.

Le tapis sur lequel je me tenais était aussi réel que les feuilles tombant tels des flocons de neige dans l'immense cathédrale Sainte-Sophie. Mes mains, des mains d'adolescent dépourvues de pilosité, l'étaient autant que celles du prêtre que j'avais été un instant auparavant et qui avaient rompu le pain.

Un sanglot terrible me monta à la gorge, un pleur dont le gémissement me fut par avance insupportable. Mon souffle s'interrompait si je ne le laissais échapper ; mon corps, damné ou saint, mortel ou immortel, pur ou corrompu, exploserait.

Mais une musique vint me rasséréner. Elle s'articula peu à peu, nette et élégante, aussi différente que possible du chœur uni, magnifique, que je venais d'entendre.

Ses notes discrètes, parfaitement formées, jaillissaient du silence, sons cascadants dont la voix brusque, directe, semblait lancer un défi de toute beauté à l'inondation sonore que j'avais tant aimée.

Ah, dire qu'il suffisait de dix doigts pour tirer ce chant d'un instrument de bois dans lequel des marteaux, en un mouvement à la rigidité obstinée, frappaient une harpe de bronze aux cordes tendues.

Je la connaissais, cette musique, cette sonate pour piano. Je l'avais aimée, distraitement, et voilà qu'elle me paralysait de sa fureur. L'*Appassionata*. Les notes montaient et descendaient en splendides arpèges vibrants, dégringolaient jusqu'à un grondement au staccato martelé pour s'élancer à nouveau vers le haut. La mélodie enjouée se poursuivait, éloquente, heureuse, totalement humaine. Il fallait la sentir aussi bien que l'entendre, la suivre en ses moindres tours et détours intriqués.

L'*Appassionata*.

Dans le furieux torrent sonore, je distinguais l'écho résonnant du bois de l'instrument, la vibration de sa harpe de bronze géante. Je percevais le vrombissement grésillant de ses multiples cordes. Ah, oui, encore et encore et encore, le flot toujours plus fort, toujours plus brutal, plus pur et plus parfait, retentissant et contenu, des notes devenues fouets. Comment des mains humaines pouvaient-elles donner naissance à pareil enchantement ? Comment pouvaient-elles, en martelant des touches d'ivoire, susciter pareil déluge, pareille tempête de beauté tonitruante ?

L'orage s'interrompit. Ma souffrance fut telle que je fermai les yeux en gémissant. Je pleurais la perte des notes cristallines galopantes, de leur netteté éclatante, de la musique qui m'avait parlé sans un mot, qui m'avait supplié de contempler, de partager et de comprendre la fureur intense, exigeante, d'autrui.

Un cri me fit sursauter. Je rouvris les paupières. La pièce qui m'entourait était vaste, luxueuse quoique disparate : peintures encadrées montant jusqu'au plafond, tapis fleuris étalés sous les pieds courbes de chaises et de tables modernes, et là, le piano, le grand piano que je venais d'entendre. Il brillait au milieu de ce chaos, avec sa longue rangée de touches blanches souriantes, triomphe du cœur, de l'âme, de l'esprit.

Agenouillé devant moi, un enfant priait, un jeune Arabe aux boucles brillantes serrées, à la djellaba parfaitement ajustée, qui levait vers le ciel son petit visage aux yeux clos, aux sourcils froncés. Ses lèvres remuaient si frénétiquement que ses mots — prononcés dans sa langue — se bousculaient :

— Ah, qu'un démon ou un ange vienne l'arrêter, que la nuit nous envoie quelque chose, n'importe quoi, un être de pouvoir et de vengeance, peu importe, qui vienne, qui vienne de la lumière et de la volonté divine, laquelle ne saurait supporter l'oppression du méchant. Arrêtez-le avant qu'il tue ma Sybelle. Arrêtez-le, Benjamin, fils d'Abdullah, vous le demande. Prenez mon âme en échange, prenez ma vie, mais venez, venez, vous qui êtes plus fort que moi, et sauvez ma Sybelle.

— Silence ! m'écriai-je. (J'étais hors d'haleine, le visage trempé, les lèvres agitées d'un tremblement incontrôlable.) Que veux-tu ? Parle.

Il me regarda. Il me vit. Son petit visage byzantin tout rond eût pu descendre, frappé d'émerveillement, des murs de l'église, mais il était là, bien réel, il me vit, et j'étais ce qu'il voulait voir.

— Regarde, monsieur l'ange ! cria-t-il, sa voix enfantine aiguisée par son accent arabe. Tu es donc aveugle, avec tes grands yeux ?

Je vis.

L'entière réalité de la scène me frappa aussitôt. Sybelle, la jeune femme, luttait pour se coller au piano, pour ne pas se laisser arracher du tabouret, les mains tendues vers les touches, la bouche fermée sur un terrible gémissement qui poussait contre ses lèvres closes, ses cheveux blonds volant autour de ses épaules. L'homme la secouait, la tirait, hurlait. Il lui décocha soudain un coup de poing bien appliqué qui la projeta en arrière, la fit tomber à terre, lui arrachant un cri tandis qu'elle s'effondrait en un enchevêtrement maladroit.

— L'*Appassionata*, Ap*passionata*, grogna-t-il, véritable ours dans sa colère mégalomane. Je refuse de l'écouter, je refuse, je refuse, tu ne me feras pas une chose pareille, pas à moi, à ma vie. C'est ma vie ! (Un véritable mugissement de taureau.) Je ne te laisserai pas continuer !

Le petit garçon se redressa d'un bond pour se jeter sur moi. Il m'attrapa par les poignets puis, lorsque je les secouai, le contemplant avec stupeur, se cramponna à mes manchettes de velours.

— Arrête-le, monsieur l'ange ! Arrête-le, monsieur le démon ! Il ne faut plus qu'il la batte. Il va la tuer. Arrête-le, arrête-le, elle est gentille !

La jeune femme se mit péniblement à genoux. Sa chevelure formait un voile déchiqueté qui lui dissimulait le visage. Une grosse tache de sang séché maculait sa taille fine, sur le côté, imprégnant en profondeur le tissu de sa robe à fleurs.

Je regardai, courroucé, l'homme reculer. Grand, le crâne rasé, les yeux exorbités, il se posa les mains sur les oreilles avant de lancer à sa victime :

— Espèce de garce, imbécile, tu ne penses vraiment qu'à toi. Moi aussi, j'ai une vie. J'ai droit à la justice. A mes rêves.

Mais déjà, les mains sur le clavier, elle se lançait dans le deuxième mouvement de l'*Appassionata*, comme s'il ne l'avait pas interrompue. Ses doigts martelaient les touches, enchaînaient les volées de notes furieuses. La sonate semblait n'avoir qu'un but : répondre à la brute, la défier, crier, Je refuse d'arrêter, je refuse…

La suite des événements était prévisible. L'homme pivota et me jeta un regard furieux, les yeux écarquillés, la bouche tordue d'angoisse, mais seulement afin de laisser la rage atteindre en lui son apogée. Un sourire meurtrier naquit sur ses lèvres.

Sybelle se balançait sur le tabouret de piano. Ses cheveux volaient, son visage se levait vers le plafond. Elle n'avait nul besoin de voir les touches qu'elle frappait, de planifier la course de ses doigts, qui galopaient sans jamais perdre le contrôle du torrent sonore.

De ses lèvres closes s'échappait un fredonnement bas, rauque, accordé à la mélodie qui se déversait de l'instrument. La jeune femme se voûta, baissa la tête ; ses cheveux coulèrent sur ses mains rapides. Elle continua à jouer, à tonner, à décréter, à refuser, à provoquer, à affirmer, oui, oui, oui, oui, oui.

L'homme s'approcha d'elle.

L'enfant, frénétique, désespéré, me quitta pour filer s'interposer entre eux. La brute le repoussa avec une telle furie qu'il tomba de tout son long.

Mais avant que les mains de son tortionnaire ne saisissent les épaules de Sybelle, avant qu'il ne la touchât seulement — tandis qu'elle reprenait le premier mouvement, ah, ah, aaahhh, l'*Appassionata* renaissait dans toute sa puissance — je l'avais attrapé et fait pivoter vers moi.

— Tu veux la tuer, hein ? murmurai-je. Eh bien, on va voir ça.

— Oui ! cria-t-il, le front trempé de sueur, les yeux brillants, exorbités. Je vais la tuer ! Elle m'a rendu enragé, vraiment enragé. Elle va mourir ! (Trop furieux pour seulement s'étonner de ma présence, il chercha à m'écarter, le regard à nouveau fixé sur elle.) Nom de Dieu, Sybelle, arrête avec ça, arrête !

La mélodie qu'elle tirait des cordes était redevenue tonitruante. Elle balançait sa chevelure en laissant ses mains poursuivre leur course.

J'obligeai le jeune homme à reculer, puis je l'attrapai d'une main par l'épaule et, de l'autre, lui levai le menton pour presser le visage contre sa gorge, que je déchiquetai. Son sang m'emplit la bouche, brûlant, épais, chargé de haine et d'amertume, de rêves brisés et de fantasmes vengeurs.

Ah, cette chaleur. Je la bus à longs traits. Tout

m'apparut. L'amour qu'il avait porté à Sybelle, la sœur talentueuse sur laquelle il avait veillé, lui, le frère rusé à la langue perverse, complètement dépourvu d'oreille. Il l'avait guidée vers le pinacle de son propre univers raffiné, jusqu'à ce qu'une tragédie banale vînt briser l'ascension de la jeune femme, la laissant folle, la détournant de lui, de ses souvenirs, de ses ambitions. Elle resterait à jamais prisonnière du chagrin, car les victimes de la catastrophe n'étaient autres que leurs parents aimants, admiratifs, morts sur la route tortueuse d'une lointaine vallée obscure la nuit qui eût dû précéder le plus grand triomphe de leur fille, ses débuts comme génie du piano reconnu par le monde entier.

Je vis leur voiture filer, grondante, à travers l'obscurité. J'entendis, sur la banquette arrière, le frère bavarder à côté de la sœur, qui dormait à poings fermés. Je vis la collision. Les étoiles, témoins silencieux et cruels. Les corps meurtris, sans vie. Le visage stupéfait de Sybelle, debout, saine et sauve, les vêtements déchirés, au bord de la route. J'entendis les cris d'horreur de son frère, ses jurons incrédules. Je vis les éclats de verre. Il y en avait partout, brillant de toute leur beauté dans la lumière des phares. Je vis les yeux de Sybelle, ses yeux bleu pâle. Son cœur qui se fermait.

Ma victime me glissa des mains, morte.

Aussi dépourvue de vie que l'avaient été ses parents en ce désert brûlant.

Le frère mort, ratatiné, ne pourrait plus jamais faire de mal à la sœur, tirer ses longs cheveux blonds, la battre, l'empêcher de jouer.

La pièce était d'un calme délicieux, excepté pour la musique. Sybelle, parvenue au troisième mouvement, se balançait en douceur au rythme de son début plus calme, poli et mesuré.

Le petit garçon dansait de joie. Avec sa jolie djellaba, ses pieds nus, sa tête ronde couverte de boucles noires serrées, c'était l'image même de l'ange arabe. Il bondissait dans les airs en chantant :

— Il est mort, il est mort, il est mort. (L'enfant frappa des mains, les frotta l'une contre l'autre, en frappa derechef, les leva au ciel.) Il est mort, il est mort, il est mort. Finis, les coups, finis. Il est fini, il est mort, il est mort.

Elle ne l'entendait pas. Elle jouait, progressant à travers les notes basses assoupies, fredonnant tout bas puis écartant les lèvres sur un chant monosyllabique.

J'étais repu. Le sang courait en moi, un sang que j'aimais jusqu'à la moindre goutte. Je repris mon souffle, après l'effort fourni pour tout boire aussi vite, puis je m'avançai d'un pas lent, le plus silencieux possible — comme si la jeune femme avait risqué de m'entendre, ce qui n'était pas le cas — jusqu'à l'extrémité du piano, d'où je la regardai.

Elle avait un tout petit visage, enfantin et doux, avec d'immenses yeux bleu pâle très enfoncés dans leurs orbites. Mais voyez donc ces bleus. Voyez donc les égratignures rouge sombre qui lui barrent la joue. La plaque de minuscules pointes d'épingles sanglantes qui lui marquent la tempe, là où on lui a arraché une poignée de cheveux.

Elle ne s'en souciait pas. Les meurtrissures bleu-vert qui marbraient ses bras nus ne signifiaient rien pour elle. Elle jouait.

Comme son cou était délicat, malgré les traces noires des doigts de son frère qui y enflaient ; quelle grâce dans ses frêles épaules osseuses, qui retenaient à peine les manches de sa robe en fine cotonnade fleurie. Ses épais sourcils grisés se rejoignaient pour le plus adorable froncement de concentration, tandis qu'elle regardait droit devant elle, sans rien voir que la musique cadencée qui allait crescendo. Ses longs doigts nus trahissaient seuls sa force indomptable, titanesque.

Ses yeux dérivèrent vers moi. Elle sourit, comme devant un spectacle agréable, puis hocha la tête à une, deux, trois reprises au rythme rapide du morceau — on eût dit qu'elle me saluait.

— Sybelle, murmurai-je.

Je portai mes doigts à mes lèvres, les embrassai puis soufflai le baiser dans sa direction, alors que ses mains continuaient leur course.

Son regard s'embruma : elle était de nouveau ailleurs, tout au mouvement rapide, la tête rejetée en arrière dans l'effort qu'exigeait d'elle l'attaque du clavier. La sonate reprit une fois encore vie de façon triomphale.

Quelque chose de plus puissant que la lumière du soleil m'engloutit. Une force si absolue qu'elle m'aspira littéralement hors de la pièce, hors du monde, hors de la musique et de mes sens.

— Nooon ! hurlai-je. Pas maintenant !

Mais une obscurité immense, un désert de nuit, avala la sonate.

Je volais, dépourvu de poids, écartelé de tous mes membres charbonneux, dans un enfer de douleur insupportable. Ce n'est pas possible, sanglotai-je, ça ne peut pas être mon corps. La chair brûlée collait aux muscles tel du cuir ; le moindre tendon des bras était visible ; les ongles noircis, recourbés, évoquaient des morceaux de corne brûlée. Non, pleurai-je, ce n'est pas mon corps. Au secours, mère, à l'aide ! Au secours, Benjamin…

Puis je me mis à tomber. Ah, nul ne pouvait plus m'aider, à présent, sinon Lui.

— Donne-moi le courage, mon Dieu, criai-je. Si c'est là le début, Seigneur, donne-moi la force. Je ne peux renoncer à la raison, permets-moi de savoir où je suis, de comprendre ce qui m'arrive, dis-moi où est l'église, mon Dieu, où sont le pain et le vin, où est Sybelle. Aide-moi, mon Dieu, aide-moi.

Je tombai de plus en plus bas, laissant dans mon sillage des aiguilles de verre, les grilles de fenêtres aveugles, des toits et des tours pointues. Je tombai à travers le cruel gémissement du vent sauvage, le torrent picotant de la neige. Je tombai. Devant la fenêtre où se tenait la silhouette reconnaissable de Benjamin, sa petite main posée sur le rideau. Ses yeux noirs de minuscule ange arabe me fixèrent une fraction de seconde ; sa bouche s'ouvrit. Je dégringolai de plus en plus bas, la peau se rétrécissant, se resserrant sur mes jambes au point de m'empêcher de les plier, sur mon visage au point de me fermer la bouche de force. Puis, dans une explosion de pure douleur torturante, je heurtai la neige tassée.

Le feu ruissela sur mes yeux ouverts.

Le soleil était entièrement levé.

— Je vais mourir, maintenant, murmurai-je. Mourir ! Et en mes derniers instants de paralysie brûlante, alors que le monde entier a disparu et qu'il n'en reste rien, voilà que j'entends jouer Sybelle ! Les dernières notes de l'*Appassionata* ! C'est elle. C'est son chant tumultueux.

XX

Je ne mourus pas. Pas le moins du monde.

Je m'éveillai au jeu de Sybelle, mais son piano était bien loin. Dans les heures qui suivirent le crépuscule, celles où la douleur fut à son summum, je me servis de la musique, de l'attention que je consacrais à sa recherche, pour me retenir de hurler comme un fou, car rien ne pouvait me soulager.

Profondément enfoncé dans la neige, j'étais paralysé et aveugle. Seuls les yeux de l'esprit m'eussent permis de voir, mais puisque je voulais mourir, il n'était pas question d'en faire usage. Je me contentai d'écouter l'*Appassionata* et, parfois, dans mes rêves, de l'accompagner en chantant.

La première nuit, puis la seconde, je tendis l'oreille au jeu de Sybelle, du moins lorsqu'elle était disposée à jouer. Elle s'interrompait des heures durant, pour dormir, peut-être. Je l'ignorais. Puis elle reprenait, et moi avec elle.

Je suivis les trois mouvements de la sonate jusqu'à les connaître par cœur, comme elle, sans doute. Les variations qu'elle introduisait dans son jeu me devinrent familières ; elle ne reproduisait jamais deux fois les mêmes phrases musicales.

Benjamin m'appelait, d'une petite voix brusque au débit rapide, dans un style bien new-yorkais.

— Tu n'en as pas fini avec nous, monsieur l'ange. Qu'est-ce qu'on va faire de lui ? Reviens. Je te donnerai des cigarettes. J'en ai des tas, et des bonnes. Reviens. C'était pour rire. Je sais bien que tu peux te procurer des cigarettes toi-même. Mais c'est vraiment très contrariant que tu aies laissé le cadavre. Reviens, monsieur l'ange.

Il s'écoulait des heures sans que je les entende. Mon esprit n'avait pas la force de les atteindre par télépathie. Non. Cette force-là, je l'avais perdue. Tout juste si je parvenais à les regarder par les yeux l'un de l'autre.

Je gisais, figé, muet, brûlé autant par ce que j'avais vu et éprouvé que par le soleil, l'âme douloureuse et vide, le cœur et l'esprit morts, animés seulement de mon amour pour Sybelle et Benjamin. C'était facile, n'est-ce pas, d'aimer ces deux ravissants inconnus dans mon noir désespoir, la jeune fille démente et l'espiègle gamin des rues qui veillait sur elle ? Il n'y avait pas d'histoire derrière le meurtre que j'avais perpétré sur le frère de Sybelle — on applaudit bien fort, et voilà. Il y avait cinq cents ans d'histoire derrière la souffrance que m'infligeait tout le reste.

Parfois, la cité seule me parlait, l'immense ville de New York, bruyante, tourbillonnante, froufroutante, où la circulation s'entrechoquait en permanence, même dans la neige la plus épaisse, avec ses voix et ses vies entassées à n'en plus finir, s'élevant jusqu'au plateau sur lequel je reposais puis au-delà, bien au-delà, dans des tours telles que le monde n'en avait jamais admirées avant notre époque.

Je disposais de certaines informations, mais je ne savais qu'en faire. Ainsi, la neige qui me couvrait devenait de plus en plus épaisse, de plus en plus dure, mais j'ignorais comment la glace pouvait bien me préserver des rayons du soleil.

Sans le moindre doute, j'étais condamné. Si ce n'était le jour qui s'annonçait, du moins le suivant. Je pensais à

Lestat déployant le voile. Au visage du Christ. Mais le zèle religieux m'avait quitté. Tout espoir m'avait quitté.

Je vais mourir, pensais-je. Matin après matin, je vais mourir.

Mais je ne mourais pas.

Dans la cité, en contrebas, évoluaient mes frères. Je ne cherchais pas vraiment à les épier, aussi n'étaient-ce pas leurs pensées qui montaient à moi mais, de temps à autre, leurs paroles. Lestat et David étaient là ; ils me croyaient mort ; ils me pleuraient. Mais Lestat était poursuivi par de bien pires horreurs, car Dora et le monde s'étaient emparés du voile, si bien que les croyants avaient envahi la ville. Les autorités religieuses peinaient à maîtriser la multitude.

D'autres immortels s'en venaient, les jeunes, les faibles, mais aussi parfois, bien pire, les plus âgés. Attirés là par le miracle, ils se glissaient de nuit dans la cathédrale, mêlés aux fidèles mortels, pour contempler la relique de leurs yeux fous.

Il leur arrivait de parler du malheureux Armand, du courageux Armand, d'Armand le saint qui, dans sa dévotion envers le Christ crucifié, s'était immolé aux portes mêmes de l'église !

Certains en faisaient autant. Juste avant le lever du soleil, il me fallait les écouter, écouter leurs dernières prières désespérées tandis qu'ils attendaient la lumière assassine. Réussissaient-ils mieux que moi ? Trouvaient-ils refuge dans les bras de Dieu ? Ou hurlaient-ils, torturés, comme moi, brûlés jusqu'à l'insoutenable, incapables de se libérer ; étaient-ils perdus, comme moi, misérables restes dans des venelles ou sur des toits lointains ? Non, ils s'en venaient puis repartaient, quelle que fût leur destinée.

Ces événements me semblaient bien pâles, lointains. Je me sentais très triste pour Lestat, qui s'était soucié de me pleurer, mais j'allais mourir. Tôt ou tard. Les visions qui m'étaient apparues alors que je m'élevais dans le soleil n'avaient pas d'importance. J'allais mourir. Cela seul comptait.

Des voix électroniques perçaient la nuit enneigée, parlant du miracle, annonçant que le visage du Christ imprimé sur le voile avait guéri des malades et laissé son empreinte sur d'autres tissus, pressés contre la toile. Puis vint une querelle entre ecclésiastiques et sceptiques — du tapage, rien de plus.

Ces bavardages n'avaient aucun sens pour moi. Je souffrais. Je brûlais. Je ne pouvais seulement ouvrir les yeux. Lorsque j'essayais, mes cils me frottaient les globes oculaires — douleur insupportable. J'attendais Sybelle dans le noir.

Tôt ou tard, infailliblement, venait la magnifique musique, avec ses nouvelles variations merveilleuses. Rien n'avait plus d'importance, alors, ni le mystère de ma présente situation, ni ce que j'avais peut-être vu, ni ce que comptaient faire Lestat et David.

Il me fallut attendre la septième nuit, peut-être, pour que mes sens me fussent pleinement rendus et que l'horreur de mon état m'apparût réellement.

Lestat était parti. David aussi. L'église avait été fermée. Les murmures des mortels m'apprirent que le voile avait été emporté au loin.

Tous les esprits de la cité me parlaient en un vacarme insoutenable. Je m'en coupai, redoutant l'immortel errant qui viendrait à moi si la moindre étincelle de mon esprit télépathique lui apparaissait. La pensée d'une quelconque tentative de sauvetage par des vampires étrangers m'était insupportable. Leur visage, leurs questions, leur compassion possible ou leur indifférence impitoyable. Je me cachais à eux, blotti dans ma chair craquelée, recroquevillée. Pourtant, je les entendais, de même que les humains, parler de miracles, de rédemption, de l'amour du Christ.

Qui plus était, me représenter ma difficile situation et les causes dont elle résultait m'occupait déjà assez.

Je gisais sur un toit. Ma chute m'y avait mené, mais

non à ciel ouvert, comme je l'avais espéré ou supposé. Au contraire, mon corps avait dégringolé une plaque de métal en pente pour se loger sous un surplomb déchiqueté et rouillé. La neige apportée là par le vent me couvrait d'un linceul de plus en plus épais.

Comment étais-je arrivé sur ce toit ? Je ne pouvais qu'émettre des suppositions.

Ma propre volonté, à laquelle s'était ajoutée la première explosion de mon sang au soleil du matin, m'avait propulsé vers le ciel aussi haut peut-être qu'il m'était possible d'aller. Depuis des siècles, j'étais capable de gagner des altitudes élevées puis de m'y déplacer, mais jamais je n'avais cherché à pousser ce pouvoir jusqu'aux limites du concevable. Tandis que cette fois, emporté par le désir de mourir, j'avais mis toutes mes forces à grimper au maximum. J'étais donc tombé des hauteurs les plus élevées.

Le bâtiment sur lequel je reposais était vide, abandonné et dangereux, dépourvu de chaleur ainsi que de lumière.

Pas un son ne s'élevait de ses cages d'escalier en métal résonnant ou de ses salles en ruines. En fait, le vent jouait de temps à autre de l'immeuble comme d'un orgue immense, si bien que lorsque Sybelle n'était pas à son piano, je me coupais de la cacophonie citadine qui m'enveloppait de toutes parts pour écouter cette musique.

Parfois, des mortels se glissaient dans les étages inférieurs. Un espoir brutal m'empoignait. L'un d'eux aurait-il la bêtise de se risquer jusqu'au toit, où il me serait possible de m'emparer de lui puis de boire le sang dont j'avais besoin ne fût-ce que pour ramper à l'écart du surplomb qui m'abritait afin de m'offrir au soleil ? A l'endroit où je gisais, c'était tout juste si ses rayons m'atteignaient. Seule une vague clarté blême m'écorchait, à travers mon linceul de neige. Chaque nuit étant plus longue que la précédente, cette douleur toute neuve se fondait au reste.

Mais personne ne montait jamais jusqu'à moi.

La mort serait lente, très lente. Peut-être attendrait-elle le redoux et la fonte des neiges.

Ainsi, au fil des matins, alors que j'appelais de mes vœux l'anéantissement, je finis par accepter l'idée de me réveiller encore, plus brûlé que jamais mais d'autant mieux dissimulé par le blizzard hivernal, ainsi que je l'avais été tout du long, aux centaines de fenêtres éclairées qui surplombaient le toit.

Lorsque le calme régnait, lorsque Sybelle dormait et que Benji avait arrêté de m'appeler et de me parler de sa fenêtre, le pire survenait. Je pensais de manière incohérente, dans une indifférence engourdie, aux événements étranges dont j'avais été témoin pendant ma course céleste : mon esprit refusait tout autre occupation.

L'autel de la cathédrale et le pain rompu de mes mains m'avaient paru tellement réels. J'avais su des tas de choses que je ne me rappelais pas ni ne pouvais formuler, que j'ai été incapable de mettre en forme dans ce récit alors même que je cherchais à revivre mon histoire.

Réelles. Tangibles. J'avais touché la nappe d'autel et vu le vin répandu, après avoir regardé l'oiseau s'élever hors de l'œuf. J'entendais encore craquer la coquille qui se brisait. La voix de ma mère. Et le reste.

Pourtant, mon esprit refusait ces souvenirs. Il les rejetait. Ma ferveur s'était avérée fragile : elle avait disparu, comme mes nuits vénitiennes en compagnie de mon maître, mes années d'errances auprès de Louis, mes fêtes sur l'île de Nuit, mes longs siècles honteux passés à protéger les Enfants des Ténèbres, des siècles de pure folie.

J'évoquais le voile, le Paradis, le prêtre que j'avais été, debout à l'autel, accomplissant le miracle, puisque j'avais tenu entre mes mains le corps du Christ. Oui, j'évoquais tout cela, mais la somme que j'obtenais était terrible ; je n'étais pas mort, nul Memnoch ne me suppliait de devenir son aide, nul Christ aux bras ouverts ne se détachait sur la lumière éternelle de Dieu.

Il m'était, et de loin, plus doux de penser à Sybelle, de me rappeler que son salon aux riches tapis turcs rouges et bleus, aux tableaux vernis de sombre, renversés, avait été aussi réel que la cathédrale de Kiev, de revoir son pâle visage ovale lorsqu'elle s'était tournée pour me regarder, la soudaine brillance de ses yeux vifs, humides.

Un soir, alors que mes paupières s'ouvraient vraiment, dégageant bel et bien les orbes de mes globes oculaires afin que je visse à travers le blanc glaçage qui me recouvrait, je compris que je guérissais.

Quand je tentai de plier les bras, je parvins à les lever, un peu, et la glace qui les enveloppait se brisa ; quel bruit extraordinaire, électrique.

Le soleil ne m'atteignait tout simplement pas, ou pas assez pour contrebalancer la furie surnaturelle du fluide puissant qui circulait en moi. Ah, Dieu, quand j'y pensais ; cinq cents ans à grandir en force, alors que j'étais né avec le sang de Marius, que j'avais été dès le départ un monstre ignorant de ses propres pouvoirs.

Il me sembla un moment que ma rage et mon désespoir ne pouvaient croître. Que la douleur qui enflammait tout mon corps ne pouvait empirer.

Alors Sybelle se mit à jouer. L'*Appassionata*. Plus rien d'autre ne compta.

Plus rien d'autre ne compterait avant qu'elle ne s'interrompît. La nuit était moins froide qu'à l'ordinaire ; la neige avait un peu fondu. Apparemment, nul immortel n'errait aux alentours. Le voile avait été emporté au Vatican, à Rome, je l'avais appris. Pour quelle raison, alors, des immortels fussent-ils venus à New York ?

Pauvre Dora. Les nouvelles nocturnes m'avaient informé que son trophée lui avait été retiré pour être examiné par les autorités romaines. Ses histoires d'ange blond appartenaient aux journaux à scandales. Elle-même ne se trouvait plus ici.

Dans un moment de témérité, je fixai mon cœur à la musique de Sybelle puis, la tête douloureuse, concentré, j'envoyai au loin ma vision télépathique comme s'il s'était agi d'une portion physique de mon être, d'une langue dont les mouvements eussent mis à l'épreuve mon endurance, afin de voir par les yeux de Benjamin la pièce qu'ils occupaient tous deux.

Les lieux m'apparurent dans une délicieuse brume dorée. Les murs couverts de lourds tableaux encadrés, ma toute belle en personne, vêtue d'un peignoir de molleton blanc, des chaussons usés aux pieds, les doigts en plein travail. Quelle ampleur dans le mouvement de la musique. Benjamin, le petit inquiet, les sourcils froncés, tirait sur une cigarette noire, les mains croisées derrière le dos, allait et venait, pieds nus, secouait la tête en marmonnant :

— Je t'ai dit de revenir, monsieur l'ange !

Je souris. Les plis de mes joues me firent aussi mal que si on les avait gravés de la pointe aiguë d'un couteau. Alors je refermai mon œil télépathique pour me laisser bercer par les crescendo précipités du piano. Benjamin avait senti quelque chose. Son esprit, que la sophistication occidentale n'avait pas perverti, avait entraperçu un reflet de mon espionnage. Cela suffisait.

Une autre vision me vint aussitôt, très nette, très particulière et inhabituelle, impossible à ignorer. Je tournai à nouveau la tête, craquelant la glace. Les yeux toujours ouverts, j'apercevais en hauteur un fondu de gratte-ciel illuminés.

Un immortel pensait à moi dans la ville, loin, à l'écart de la cathédrale fermée. En fait, je perçus à l'instant la présence de deux vampires puissants, connus de moi, qui avaient appris ma mort et me pleuraient amèrement tout en s'attelant à une tâche des plus importante.

Voilà qui présentait un danger certain. Si je cherchais à les voir, ils risquaient de saisir bien plus que le vague reflet dont Benjamin s'était si vite emparé. Toutefois, autant que je pusse en juger, la cité était vierge de buveurs de sang, exceptés ces deux-là. Il me fallait savoir ce qui les poussait à agir avec tant de circonspection et de discrétion.

Une heure s'écoula. Le piano de Sybelle s'était tu. Quant à eux, les puissants vampires, ils étaient toujours au travail. Je décidai de prendre le risque.

M'approchant d'eux grâce à ma vision désincarnée, je m'aperçus très vite qu'il m'était possible de voir le premier par les yeux du second mais non l'inverse.

La raison en était simple. J'aiguisai ma vision. Je regardais par les yeux de Santino, mon ancien maître de clan romain, et mon compagnon n'était autre que Marius, mon créateur, dont l'esprit m'était fermé pour l'éternité.

Ils se trouvaient dans un vaste bâtiment officiel, où ils avançaient avec prudence, tous deux vêtus comme des gentlemen de l'époque — bleu marine soigné, cols blancs amidonnés et fines cravates de soie. Leur coiffure même était soumise à la mode des grandes entreprises. Ce n'était pourtant pas dans les locaux d'une compagnie quelconque qu'ils réduisaient à un esclavage sans danger les mortels tentant de les arrêter, mais au cœur d'un complexe réservé à l'usage de la médecine. Je ne tardai pas à deviner pourquoi.

Ils erraient à travers les laboratoires de médecine légale de la ville. Bien qu'ils eussent pris leur temps pour rassembler les documents destinés à leurs lourds attachés-cases, ils s'activaient à présent en arrachant aux compartiments réfrigérés les restes des vampires qui, suivant mon exemple, s'étaient livrés au soleil compatissant.

Bien sûr, ils confisquaient ce que le monde possédait de nous. Ils rassemblaient ce qui subsistait de nos corps, des fragments qui, une fois tirés de tiroirs semblables à des cercueils et de plateaux d'acier luisant, se retrouvaient enfermés dans de simples sachets plastique. Des os, des cendres, des dents, eh oui, même des dents, qu'ils faisaient tomber dans leurs petits sachets.

A présent, ils sortaient d'une série de classeurs les échantillons emballés des loques subsistantes.

Les battements de mon cœur s'accélérèrent. Je m'agitai dans la glace, qui me parla derechef en retour. Apaise-toi, mon cœur. Laisse-moi voir. Voilà ma dentelle, ma propre dentelle de Venise — un point de rose épais — brûlée sur les bords, accompagnée de quelques lambeaux effilochés de velours pourpre ! Oui, ils tiraient du compartiment étiqueté puis glissaient dans leurs sachets les restes pitoyables de mes vêtements.

Marius s'immobilisa. Je détournai la tête et l'esprit. Je ne veux pas que tu me voies. Si tu me vois et que tu viennes ici, je jure devant Dieu de… de quoi ? Je n'ai pas même la force de bouger. Je n'ai pas la force de fuir. Oh, Sybelle, je t'en prie, joue, joue pour moi, que je fuie tout cela.

Alors je me rappelai que Marius, mon maître, ne pouvait me suivre que par l'intermédiaire de l'esprit plus faible, plus brouillon, de Santino. Mon cœur s'apaisa.

Dans la réserve des souvenirs récents, je puisai la musique de Sybelle, je l'entourai de chiffres, de définitions, de dates, de tous les petits détritus accumulés au cours des siècles qu'il m'avait fallu pour arriver jusqu'à elle : le chef-d'œuvre qu'elle aimait tant, la sonate nº 23 en *fa* mineur, opus 57, avait été écrit par Beethoven. Pense à ça. A Beethoven. A une nuit imaginaire de la froide Vienne — imaginaire, car je ne savais en fait rien des origines de la sonate — au compositeur qui rédige sa partition, à la plume bruyante qui gratte le papier et qu'il n'entend peut-être pas. A la misère qu'on le paie. Pense avec un sourire, oui, un sourire douloureux qui fait saigner ton visage, à la ribambelle de pianos qu'on lui a apportés ; il était si fort, si exigeant, si ardent dans son jeu.

Quant à Sybelle, la jolie Sybelle, c'était sa digne fille. Elle frappait les touches de ses doigts vigoureux, avec une puissance terrifiante qui eût sans doute réjoui Beethoven s'il avait vu cette maniaque-ci dans le lointain avenir, parmi tous ses étudiants et admirateurs fanatiques.

Il faisait plus doux, cette nuit-là. La glace fondait. On ne pouvait s'y méprendre. Serrant les lèvres, je levai à nouveau la main droite. Une cavité s'était formée, dans laquelle je parvenais à bouger les doigts.

Impossible cependant d'oublier le couple improbable formé par celui qui m'avait créé et celui qui avait cherché à me détruire, Marius et Santino. Il me fallait vérifier. Prudent, j'envoyai vers eux le faible faisceau hésitant de mes pensées inquisitrices. Je les trouvai en un instant.

Debout devant un incinérateur, dans les entrailles du bâtiment, ils portaient à une bouche incendiaire les preuves réunies de notre existence. Les sachets se déformaient puis crachotaient l'un après l'autre au cœur des flammes.

Curieux. N'avaient-ils pas envie, eux aussi, de scruter nos restes au microscope ? Mais, sans doute, d'autres vampires s'en étaient déjà chargés. Et puis pourquoi examiner les os et les dents de ceux que l'Enfer a recuits, lorsqu'on peut couper le pâle tissu de sa propre main et en placer un morceau sur une lame de verre pendant que la chair guérit d'elle-même, miraculeusement, comme je guérissais en cet instant précis ?

Je m'attardai sur la vision. Le sous-sol brumeux où se trouvaient les intrus. Les poutres basses au-dessus de leurs têtes. Rassemblant tout mon pouvoir dans le regard que je projetais au loin, je distinguai Santino, ému et doux, lui qui avait réduit en pièces la seule jeunesse que j'eusse pu avoir. Quant à Marius, il contemplait les flammes avec une ombre de tristesse.

— C'est fini, dit sa calme voix autoritaire dans un italien parfait. Je ne vois pas ce que nous pourrions faire de plus.

— Attaquer le Vatican pour récupérer le voile. Quel droit ont ces gens de se l'approprier ?

Sa réaction me fut visible, le sursaut choqué que lui causa cette réplique puis son sourire poli, mesuré.

— Pourquoi ? demanda-t-il, comme s'il n'avait pas détenu le moindre secret. Qu'est-ce que ce voile pour nous, mon ami ? Tu crois qu'il lui rendrait la conscience ? Pardonne-moi, Santino, mais tu es bien jeune.

Conscience, lui rendre la conscience. Il devait parler de Lestat. Le contraire était impossible. Poussant ma chance, je scrutai l'esprit de Santino, à la recherche de tout ce qu'il savait. J'en reculai d'horreur, cramponné cependant à ce que j'avais découvert.

Lestat, mon Lestat — car ce n'était certes pas le leur — l'esprit affolé par sa terrible saga, s'était répandu en délires. L'aînée de notre race l'avait emprisonné, après avoir rendu un jugement sans appel : s'il ne renonçait pas à mettre en péril la paix, c'est-à-dire le secret de notre existence, elle le détruirait, comme elle seule pouvait le faire. Nul n'était autorisé à plaider sa cause, sous quelque prétexte que ce fût.

Non, cela ne pouvait être ! Je me tordis et me tortillai. La douleur me parcourut de ses secousses rouges, violettes, aux pulsations de lùmière orange. Je n'avais pas vu pareilles couleurs depuis ma chute. Mon esprit me revenait, et pourquoi ? Lestat allait être détruit ! Lestat était prisonnier, ainsi que je l'avais été autrefois, des siècles plus tôt, sous Rome, dans les catacombes de Santino. Ah, Seigneur, voilà qui est pire que le feu du soleil, pire que la vision de son bâtard de frère frappant le petit visage aux joues rondes de Sybelle et la faisant tomber de son tabouret ; une rage meurtrière m'a envahi.

Mais les dommages étaient minimes.

— Viens, dit Santino, allons-nous-en. Quelque chose ne va pas, je le sais sans pouvoir l'expliquer. J'ai l'impression que quelqu'un est là, près de nous, sans y être ; qu'une créature aussi puissante que moi a entendu mon pas à des kilomètres de là.

Marius lui jeta un regard empreint de gentillesse, de curiosité, mais nullement alarmé.

— New York nous appartient, cette nuit, se contenta-t-il d'affirmer. (Puis, avec un soupçon de crainte, il contempla une dernière fois la fournaise.) A moins que quelque chose de spirituel, d'obstiné à vivre, ne s'accroche encore à ses dentelles et au velours qu'il a portés.

Je fermai les yeux. Ah, Seigneur, permets-moi de fermer mon esprit. A double tour.

La voix de mon ancien maître poursuivit, transperçant la mince coquille de mon esprit à l'endroit où je l'avais affaiblie :

— Mais jamais je n'ai cru à ce genre de choses. Nous sommes semblables à l'Eucharistie, vois-tu ? Le corps et le sang d'un dieu mystérieux, à condition toutefois que nous conservions la forme choisie. Qu'est-ce que ces mèches de cheveux roux, ces lambeaux de dentelle brûlée ? Il n'est plus.

— Je ne te comprends pas, avoua Santino avec douceur, mais si tu t'imagines que je ne l'aimais pas, je t'assure que tu te trompes.

— Allons-nous-en, conclut Marius. Nous avons rempli notre tâche. La moindre trace du moindre d'entre nous a été effacée. Mais promets-moi, sur ton âme d'ancien catholique romain, que tu ne te lanceras pas à la recherche du voile. Des millions d'yeux l'ont contemplé, Santino, et rien n'a changé. Le monde est resté le monde. Il meurt des enfants sous tous les cieux, affamés et abandonnés.

Je n'avais couru que trop de risques.

M'éloignant en esprit, je fouillai la nuit tel le rayon d'un grand phare, à la recherche des mortels qui eussent pu voir les deux vampires quitter l'immeuble où ils venaient d'accomplir un travail d'une suprême importance. Mais leur départ fut trop discret, trop rapide.

Je le sentis. Je sentis la soudaine absence de leur

souffle, de leur pouls, et je compris que le vent les avait emportés.

Enfin, quand une heure se fut écoulée, je laissai mon œil intérieur parcourir les pièces où ils avaient erré.

Le calme régnait, parmi les malheureux techniciens et gardes égarés que des spectres d'un autre monde, au visage blême, avaient ensorcelés en douceur afin d'accomplir leur sinistre tâche.

Au matin, on découvrirait le vol des échantillons et des documents. Le miracle de Dora se verrait infliger une autre triste insulte. Il disparaîtrait plus vite encore du présent.

Douloureux, incapable même de rassembler des larmes, je m'abandonnai à des sanglots secs et rauques.

Il me semble qu'à un moment, je distinguai ma main dans la glace luisante, serre grotesque qu'on eût dite écorchée plutôt que brûlée, d'un noir brillant, telle que je me la rappelais.

Puis un mystère se mit à me ronger. Comment eussé-je pu tuer le frère de mon pauvre amour ? Comment cette exécution eût-elle pu être autre chose qu'une illusion — justice horrible, tellement expéditive, rendue alors que je m'élevais et retombais sous le poids du soleil de l'aube ?

Si le meurtre ne s'était pas produit, si je n'avais pas vidé de son sang le frère vengeur, eux aussi étaient un rêve, ma Sybelle et mon petit Bédouin. Ah, Seigneur, était-ce là l'horreur suprême ?

La nuit sonna ses pires heures. Des carillons teintaient, assourdis, dans des pièces au plâtre peint. Des roues battaient la neige crissante. Je levai derechef la main. Les inévitables craquements retentirent. La glace brisée dégringola tout autour de moi comme autant de verre cassé !

Mes yeux se fixèrent sur les pures étoiles scintillantes. Quelle beauté dans les flèches brillantes qui montent la garde, ornées de leurs carrés solides en lumière dorée alignés bien droit, horizontalement et verticalement, couturant la noirceur aérienne de la nuit hivernale. Et voilà le vent, le tyran qui siffle à travers les canyons de cristal puis descend jusqu'à la maigre couche négligée où repose un démon oublié, dont la vision voleuse que permet une âme immense reste fixée sur les lumières téméraires de la cité reflétées par les nuages. Ah, petites étoiles, comme je vous ai haïes, comme je vous ai enviées de pouvoir dans le vide effrayant poursuivre avec tant de détermination votre course obstinée.

Mais je ne haïssais plus rien, à présent. La douleur me purgeait de ce qui n'avait pas d'importance. Je regardai le ciel se couvrir, luire, devenir diamant un instant figé, merveilleux. Puis, une nouvelle fois, une brume blanche infinie, très douce, absorba l'éclat doré des lumières de la ville, lui envoyant en réponse la plus légère, la plus aérienne des neiges.

Elle me toucha le visage. Elle toucha ma main tendue. Elle toucha tout mon corps en fondant de ses minuscules flocons magiques.

— Le soleil va venir, murmurai-je comme si quelque ange gardien m'avait tenu dans ses bras. Il me trouvera, même là, sous ce petit surplomb de tôle tordue, il m'atteindra par ce baldaquin déchiré, il emportera mon âme dans des abîmes de souffrance plus profonds encore.

Une voix protesta avec énergie. Pria qu'il n'en allât pas ainsi. La mienne, bien sûr, pensai-je. Pourquoi m'illusionner ainsi ? Je suis fou de me croire capable d'endurer la brûlure que j'ai subie et de la supporter de mon plein gré une nouvelle fois.

Mais ce n'était pas ma voix. C'était celle de Benjamin, Benjamin en prière. Envoyant vers lui mes yeux désincarnés, je le vis, à genoux dans la pièce où Sybelle dormait, pêche mûre, succulente, posée dans l'enchevêtrement moelleux des couvertures.

— Oh, monsieur l'ange, Dybbuk, aide-nous. Tu es venu une fois. Alors reviens. Tu me fais de la peine en ne revenant pas !

Combien de temps reste-t-il avant l'aube, petit homme ? murmurai-je dans le coquillage de son oreille, comme si je n'avais pas connu la réponse.

— Dybbuk ! s'écria-t-il. C'est toi, tu m'as parlé. Réveille-toi, Sybelle.

Ah, réfléchis avant de la tirer du sommeil. C'est une terrible promenade. Je ne suis pas l'être resplendissant qui a vidé votre ennemi de son sang, qui a aimé la beauté de Sybelle et ta joie. C'est un monstre que vous allez recueillir si vous voulez me rembourser votre dette, une insulte à vos yeux innocents. Mais crois bien, petit homme, que je serai vôtre à jamais si vous me faites cette grâce, si vous venez à moi, si vous m'apportez votre aide, votre secours, parce que ma volonté m'abandonne, que je suis seul, que je voudrais guérir à présent mais ne puis me soutenir, que mon âge ne signifie plus rien et que j'ai peur.

Il se remit maladroitement sur ses pieds, se planta à une fenêtre écartée, celle à travers laquelle, dans mon rêve, il m'avait aperçu de ses yeux de mortel mais qui ne pouvait lui permettre de me distinguer, puisque je gisais sur un toit très loin en dessous du bel appartement qu'il partageait avec mon ange. Il carra ses petites épaules. Avec ses sourcils noirs au froncement parfait, terriblement sérieux, il offrait l'image même dessinée sur les murs byzantins d'un chérubin plus petit que moi.

— Dis-moi ce que tu veux, Dybbuk, je viens ! déclara-t-il. (Il ferma en poing sa puissante petite main.) Où es-tu ? Que crains-tu que nous ne puissions conquérir ensemble ? Sybelle ! Réveille-toi, Sybelle ! Notre divin Dybbuk est revenu, et il a besoin de nous !

XXI

Ils étaient en route. Le bâtiment où je me trouvais,
voisin du leur, n'était qu'une ruine abandonnée. Benjamin le savait. Je l'avais prié, par quelques faibles murmures télépathiques, d'apporter un marteau et une
pioche afin de briser la glace restante, ainsi que de
grandes couvertures douces où m'enrouler.

J'avais conscience de ne plus rien peser. Remuant les
bras malgré la douleur, je cassai d'autres morceaux de
mon carcan transparent. Mes mains, semblables à des
serres, m'apprirent que mes cheveux avaient repoussé,
aussi épais et colorés qu'à l'ordinaire. J'en levai une
boucle vers la lumière puis, incapable de supporter plus
longtemps la souffrance, laissai retomber le bras. Il me
fut impossible de bouger, voire de fermer, mes doigts
desséchés et tordus.

Je devais jeter un sort, à leur arrivée au moins, pour
éviter qu'ils ne vissent ce monstre noir à la peau de cuir.
Nul mortel n'en eût supporté la vision, quoi qu'il dît. Il
fallait le dissimuler, d'une manière ou d'une autre.

Mais sans miroir, comment savoir de quoi j'avais l'air
ou que tenter au juste ? Il ne me restait qu'à rêver, évoquer la lointaine époque vénitienne où j'avais été une
beauté que je connaissais bien, pour l'avoir contemplée
dans les glaces des tailleurs, et projeter cette vision droit
dans leurs esprits, même si cela me prenait mes der-

nières forces. Oui, voilà ce que j'allais faire. En leur donnant quelques instructions.

Je restai immobile, le regard perdu parmi les minuscules flocons à demi fondus qui tombaient doucement. Cette chute de neige n'évoquait en rien les terribles blizzards survenus peu de temps auparavant. Je n'osais me servir de mes talents pour guetter l'approche de mes sauveurs.

Soudain, retentit un grand craquement de verre brisé. Une porte claqua, loin en dessous de moi. Des chocs irréguliers retentirent en rafales sur les escaliers de métal, sur les paliers.

Mon cœur battait fort. Chacune de ses petites convulsions envoyait une vague de douleur à travers tout mon corps, comme si mon sang même m'ébouillantait.

La porte de fer qui donnait sur le toit s'ouvrit à la volée. Des pas s'élancèrent vers moi. La faible clarté de rêve qu'émettaient les grands immeubles alentour me révéla deux petites silhouettes, l'une féminine, la femme-fée, l'autre enfantine, le garçon d'une douzaine d'années, sans doute pas davantage, qui se hâtaient vers moi.

Sybelle ! Elle arrivait sans manteau, les cheveux au vent — quelle tristesse ; quant à Benjamin, il ne valait pas mieux, dans sa fine djellaba. Mais ils s'étaient munis d'un grand plaid de velours pour m'envelopper, et il me fallait susciter une vision.

Je voulais l'adolescent que j'avais été, le plus beau satin vert, le jabot de dentelle travaillée le plus mousseux ; je voulais des chausses et des bottes soutachées, des cheveux propres, brillants.

Lentement, j'ouvris les yeux. Passai de l'un à l'autre de leurs petits visages pâles, fascinés. Ils se tenaient dans la neige balayée par le vent tels deux vagabonds de la nuit.

— Oh, Dybbuk, tu nous a fait tellement peur, s'exclama Benjamin d'une voix où perçait une exultation sauvage. Et regarde-toi ! Tu es magnifique.

— Non, ne te fie pas à ce que tu vois, Benjamin, répondis-je. Faites vite, avec vos outils. Dégagez-moi, et posez la couverture sur moi.

Ce fut Sybelle qui, levant à deux mains le marteau d'acier au manche de bois, l'abattit sur la couche de glace supérieure fragilisée, laquelle cassa aussitôt. Benjamin se mit au travail armé de la pioche, comme transformé en une petite machine, frappant de droite et de gauche, faisant voler les éclats cristallins.

Le vent jouait avec la chevelure de Sybelle, lui en fouettait les yeux. La neige s'accrochait à ses paupières.

Je maintenais l'image de l'enfant impuissant, vêtu de satin, aux douces mains roses tournées vers le ciel, incapable de les aider.

— Ne pleure pas, Dybbuk, lança Benjamin, empoignant une plaque immense quoique fine, semblable à du verre. On va te tirer de là. Ne pleure pas. Tu es à nous, maintenant. On te garde.

Une fois jetées de côté les feuilles luisantes aux arêtes déchiquetées, il sembla lui-même geler sur place, plus figé que la glace la plus solide, les yeux fixés sur moi, la bouche un O de stupeur parfait.

— Tu changes de couleur, Dybbuk ! s'écria-t-il.

Il se pencha pour toucher mon visage illusoire.

— Non, Benji, intervint Sybelle.

C'était la première fois que j'entendais sa voix. Je pris alors conscience du calme voulu qu'affichait son visage blême. Bien qu'elle restât résolue, le vent la faisait presque pleurer. Elle m'ôta du givre des cheveux.

Un froid terrible m'envahit, étouffant la chaleur, certes, mais me tirant aussi des larmes. Etaient-elles de sang ?

— Ne me regardez pas, demandai-je. Détournez-vous, tous les deux. Mettez-moi juste la couverture dessus.

Les tendres yeux de Sybelle se plissèrent tandis qu'elle me fixait calmement, désobéissante, une main levée pour maintenir fermé le col de sa fine chemise de nuit en coton, l'autre immobilisée au-dessus de moi.

— Que s'est-il passé depuis que tu es venu nous voir ? demanda-t-elle avec la plus grande gentillesse. Qui t'a fait ça ?

J'avalai ma salive puis suscitai derechef la vision, la poussant de tous mes pores, comme si mon corps l'avait exhalée.

— Non, arrête, protesta Sybelle. Ça t'affaiblit, et tu souffres terriblement.

— Je guérirai, ma douce, je te le promets, répondis-je. Je ne resterai pas éternellement ainsi, pas même bien longtemps. Mais ne me laissez pas sur ce toit. Ne me laissez pas au froid. Emmenez-moi à un endroit où le jour ne m'atteindra pas. C'est le soleil qui m'a fait ça. Rien que le soleil. Emmenez-moi, s'il vous plaît. Je ne puis marcher. Je ne puis ramper. Je suis une créature de la nuit. Cachez-moi dans l'obscurité.

— Ça suffit. N'en dis pas plus, s'écria Benjamin.

J'ouvris les yeux pour voir tomber sur moi une grande vague d'un bleu lumineux, comme si un ciel d'été était descendu m'envelopper. La douceur pesante du velours me recouvrit, souffrance à ma peau en feu, mais souffrance supportable, car les mains réconfortantes de mes sauveurs étaient sur moi. Pour ces mains, pour ce contact, pour cet amour, j'eusse supporté n'importe quoi.

Ils me soulevèrent puis m'enroulèrent dans la couverture. J'avais beau savoir combien j'étais léger, le sentiment de mon impuissance me terrifiait.

— Je ne suis pas trop lourd ? interrogeai-je.

Ma tête était retombée en arrière. Je distinguais à nouveau la neige, et je m'imaginais, en aiguisant mon regard, voir aussi les étoiles, loin au-dessus de moi, qui attendaient leur heure par-delà la brume de notre minuscule planète.

— N'aie pas peur, murmura Sybelle, les lèvres près du plaid.

L'odeur du sang de mes compagnons me parut soudain capiteuse, aussi épaisse que le miel.

Ils me tenaient tous deux serré dans leurs bras en quittant le toit au pas de course. Libéré de la neige et de la glace blessantes, presque libre à jamais, je ne pouvais me permettre de penser à leur sang. Je ne pouvais permettre à mon corps ravagé, affamé, de faire ce qu'il voulait. Impensable.

Nous descendîmes les escaliers de métal, tournant sans fin, les marches en acier vibrant sous les pieds de mes sauveurs, mon corps secoué palpitant d'une atroce souffrance. Le plafond défilait, au-dessus de moi, puis l'odeur de sang m'engloutit. Je fermai les yeux, je serrai mes poings brûlés — j'entendis craquer ma chair dure comme le cuir. Je plantai mes ongles dans mes paumes.

— On te tient, on te tient bien, dit la voix de Sybelle à mon oreille. On ne te lâchera pas. Ce n'est pas loin. Oh, mon Dieu, regarde-moi ça, regarde ce que t'a fait le soleil.

— Ne regarde pas ! rétorqua Benjamin avec humeur. Dépêche-toi ! Tu crois qu'un Dybbuk aussi puissant ne sait pas ce que tu penses ? Ne sois pas bête, avance.

Ils étaient arrivés au rez-de-chaussée, près de la fenêtre brisée. Les bras de Sybelle me soulevèrent, l'un derrière ma tête, l'autre sous mes genoux fléchis, tandis que la voix de Benjamin s'élevait derrière moi, sans plus résonner contre les murs :

— Voilà, passe-le-moi, je peux le porter !

Que de fureur, que d'exaltation dans ces quelques mots. Mais Sybelle avait franchi l'obstacle sans me lâcher, je le savais, bien que mon brillant esprit de Dybbuk fût totalement épuisé et que je n'eusse plus conscience de rien, hormis la douleur et le sang, la douleur encore et le sang, et la course dans une longue allée d'où les cieux m'étaient totalement invisibles.

Mais quel plaisir. Le mouvement qui me berçait, le balancement de mes jambes brûlées, la douce pression des doigts apaisants de la jeune femme à travers la couverture — quelle affreuse merveille. Je n'éprouvais plus de douleur, juste des sensations. La couverture tomba de mon visage.

Ils couraient toujours, écrasant la neige sous leurs pieds ; à un moment, Benji glissa, laissa échapper un cri, mais Sybelle le rattrapa. Il reprit son souffle.

L'effort qu'ils fournissaient dans le froid était terrible. Il fallait que cela cessât.

Enfin, nous atteignîmes l'hôtel où ils vivaient. L'air chaud et âcre s'engouffra à l'extérieur, nous enveloppant, alors même que les portes s'ouvraient devant nous. Elles n'étaient pas encore retombées que les pas nets des petites chaussures de Sybelle et le frottement rapide des sandales de Benjamin retentissaient dans le hall.

Une soudaine explosion de douleur me traversa les jambes et le dos : mes compagnons me pliaient, les genoux relevés, la tête penchée, pour me tasser avec eux dans l'ascenseur. Je ravalai les cris qui m'emplissaient la gorge. Rien n'avait moins d'importance. La cabine, à l'odeur de vieux moteur et d'huile usagée, entama son voyage oscillant, tressautant, vers les hauteurs.

— On y est, Dybbuk, murmura Benjamin, souffle chaud contre ma joue. (Sa petite main me chercha à travers la couverture, s'appuya douloureusement sur mon crâne.) On est en sécurité. On t'a attrapé, tu es à nous.

Cliquètements de serrures, pas sur des planchers de bois dur, odeur d'encens et de bougies, de parfum féminin coûteux, de cire pour meubles raffinés, de vieille toile couverte de peinture à l'huile craquelée, de lis frais coupés à l'irrésistible senteur suave.

Mes compagnons me posèrent avec douceur sur un lit de duvet, relâchèrent le plaid bleu afin que je m'enfonce dans des épaisseurs de soie et de velours. Les oreillers fondirent sous mon poids.

C'était le nid désordonné où j'avais vu Sybelle avec

l'œil de mon esprit, endormie, dorée, dans sa chemise de nuit blanche. Elle l'abandonnait à une horreur telle que moi.

— Ne retirez pas la couverture, demandai-je.

Je savais que mon petit ami avait grande envie de le faire.

Nullement ébranlé, il l'écarta avec précaution. Je cherchai à la rattraper, à la ramener sur moi de ma main qui guérissait, mais je ne parvins qu'à plier mes doigts brûlés.

Mes sauveurs se tenaient à mon chevet, les yeux baissés vers moi. La lumière tourbillonnait autour d'eux, mêlée de chaleur, enveloppait leurs silhouettes fragiles, une frêle jeune femme de porcelaine, à la peau d'un blanc de lait débarrassée de ses meurtrissures, et un petit Arabe, un petit Bédouin, car je découvrais à présent qu'il l'était bel et bien. Ils contemplaient sans crainte un spectacle de toute évidence insupportable à l'œil humain.

— Tu es tout brillant ! s'étonna Benjamin. Ça fait mal ?

— De quoi as-tu besoin ? s'enquit Sybelle d'une voix assourdie, comme si le son même risquait de m'être douloureux.

Ses mains se posèrent sur ses lèvres. Les mèches indomptables de sa longue chevelure pâle bougeaient dans la lumière, ses bras étaient bleus du froid extérieur, et elle ne pouvait maîtriser ses frissons. Pauvre petit être épargné, si délicat. Sa chemise de nuit chiffonnée, en fin coton blanc brodé de fleurettes et orné d'une mince quoique grossière dentelle, avait quelque chose de virginal. Ses yeux brillaient de compassion.

— Tu ne connais pas mon âme, cher ange, répondis-je. Je suis une créature du mal. Dieu n'a pas voulu de moi. Le Diable non plus. Je suis allé dans le soleil afin qu'ils prennent mon âme. C'était un acte d'amour, où n'entrait nulle crainte des feux infernaux ou de la douleur. Mais cette Terre, notre Terre, a été mon Purgatoire.

J'ignore comment je suis venu à vous auparavant. J'ignore quelle puissance m'a donné les quelques secondes où je me suis trouvé ici, pour me dresser entre toi et la mort qui t'enveloppait de son ombre.

— Oh, non, murmura-t-elle avec effroi, les yeux brillants dans la lumière tamisée. Il ne m'aurait pas tuée.

— Oh, si ! m'exclamai-je, de concert avec Benjamin.

— Il était saoul, il aurait fait n'importe quoi, poursuivit ce dernier, furieux. Lui et ses grosses pattes de brute... il aurait fait n'importe quoi. La fois d'avant, quand il t'avait battue, tu étais restée là, sur le lit, pendant deux heures sans bouger du tout, comme un cadavre ! Tu crois vraiment qu'un Dybbuk aurait tué ton frère pour rien ?

— Je pense qu'il dit vrai, ma douce, ajoutai-je.

J'avais beaucoup de mal à parler. Chaque mot contraignait ma poitrine à se soulever. Soudain, saisi d'un désespoir dément, je voulus un miroir. Je m'agitai, me tournai sur le lit puis me figeai sous le coup de la douleur.

Mes compagnons paniquèrent.

— Ne bouge pas, Dybbuk, non ! supplia Benjamin. La soie, Sybelle, tous les foulards en soie, apporte-les, enroule-les-lui autour.

— Non ! murmurai-je. Couvrez-moi. Si vraiment vous voulez voir mon visage, laissez-le à l'air libre, mais couvrez le reste. Ou alors...

— Ou alors quoi, Dybbuk ? Vas-y, dis-le.

— Soulevez-moi, que je me voie, que je sache à quoi je ressemble. Tenez-moi devant un miroir en pied.

Ils se turent, perplexes. Les longs cheveux blond pâle de Sybelle reposaient, aplatis, sur son ample poitrine. Benji se mordillait la lèvre inférieure.

La pièce tout entière était emplie de couleurs mouvantes. La soie bleue collée au plâtre des murs, les tas de coussins richement décorés qui m'entouraient, les franges d'or, les pendeloques oscillantes du chandelier, où jouaient les nuances chatoyantes du spectre. Je m'imaginais entendre le tintement chantant du verre lorsque les perles se touchaient. Il me semblait, dans mon esprit affaibli, dérangé, que jamais je n'avais admiré pareille splendeur, que j'avais oublié à cause de mon grand âge l'exquise beauté du monde.

Je fermai les yeux mais emportai dans mon cœur une image de la chambre. J'inspirai le parfum délicieux des lis pour combattre l'odeur du sang.

— Je peux voir les fleurs ? demandai-je tout bas.

Mes lèvres étaient-elles carbonisées ? Mes crocs apparaissaient-ils, jaunis par le feu ? Je flottais sur la soie. Je flottais, avec l'impression que je pouvais à présent me permettre de rêver, à l'abri, réellement. Les lis étaient tout proches. Je tendis la main, et leurs pétales me caressèrent la peau. Les larmes ruisselèrent sur mon visage. Etaient-elles de sang pur ? Je priais que non, mais le petit hoquet très net de Benji me parvint, ainsi que le doux murmure de Sybelle pour le faire taire.

— J'avais dix-sept ans, je crois, lorsque c'est arrivé, commençai-je. Il y a des centaines d'années de cela. J'étais trop jeune, c'est vrai. Mon maître m'aimait ; il ne croyait pas que nous étions des créatures du mal. Il pensait que nous pouvions nous nourrir des malfaisants. Si je n'avais pas agonisé, jamais il n'aurait agi aussi vite. Il voulait que j'apprenne, que je sois prêt.

J'ouvris les yeux. Sybelle et Benjamin me contemplaient, fascinés ! Ils voyaient à nouveau l'adolescent que j'avais été. Je l'avais suscité sans le vouloir.

— Que tu es beau, Dybbuk, s'émerveilla Benji. Tu es ravissant.

— A partir de maintenant, petit homme, soupirai-je, sentant la fragile illusion qui m'entourait s'évanouir, appelle-moi donc par mon nom ; ce n'est pas Dybbuk. Tu as dû prendre cela aux Hébreux de Palestine.

Il se mit à rire. Me voir revenir à mon horrible moi-même ne lui arrachait pas le moindre frisson.

— Alors dis-moi ton nom, demanda-t-il.

Ce que je fis.

— Armand, répéta Sybelle. Que pouvons-nous faire pour toi ? Puisque tu ne veux pas des foulards de soie, des onguents, alors, oui, de l'aloès, voilà qui guérira tes brûlures.

Je ris, mais doucement, brièvement, avec la plus pure gentillesse.

— Mon aloès, enfant, c'est le sang. Il me faut un malfaisant, un homme qui mérite la mort. Mais comment le trouverai-je ?

— Que fera son sang ? interrogea Benji. (Il s'assit au bord du lit, penché sur moi comme sur le plus fascinant des spécimens.) Tu sais, Armand, tu es d'un noir de charbon. On dirait du cuir. Ça rappelle ces gens qu'on repêche dans les marais, en Europe. Tu es tout brillant, et tout concentré à l'intérieur. Je pourrais prendre un cours sur la musculature en te regardant.

— Arrête, Benji, intervint Sybelle, partagée entre l'inquiétude et la désapprobation. Il faut réfléchir à la manière de se procurer quelqu'un de méchant.

— Tu veux rire ? demanda-t-il, levant les yeux vers elle depuis l'autre côté du lit. (Les mains jointes, elle semblait en prière.) C'est simple comme bonjour. Ce qui est dur, c'est de s'en débarrasser après. (Il me regarda.) Tu sais ce qu'on a fait de son frère ?

Elle se posa les mains sur les oreilles et baissa la tête. Combien de fois n'avais-je pas moi-même agi ainsi, lorsqu'il me semblait qu'un flot de mots et d'images allait me détruire ?

— Tu es vraiment brillant, Armand, poursuivit Benji. Mais je peux te trouver un méchant en un clin d'œil, sans problème. Tu en veux un ? Mettons un plan au point.

Quand il se pencha derechef sur moi, comme pour

scruter mon cerveau, je compris qu'il examinait mes crocs.

— Ne t'approche pas plus, Benji, ordonnai-je. Sybelle, écarte-le.

— Mais qu'est-ce que j'ai fait ? s'étonna-t-il.

— Rien, répondit la jeune femme. (Elle baissa la voix pour ajouter, désespérée :) Il a faim.

— Ote les couvertures, d'accord ? demandai-je. Ensuite, regarde-moi et laisse-moi te regarder dans les yeux, qu'ils soient mon miroir. Je veux voir à quel point c'est terrible.

— Hmm, fit Benji. A mon avis, Armand, tu es complètement fou ou quelque chose comme ça.

Sybelle se pencha et, à deux mains précautionneuses, tira les couvertures vers le bas afin d'exposer tout mon corps.

Je pénétrai dans son esprit.

C'était pire que je ne l'avais imaginé.

L'horreur luisante d'une momie arrachée à une tourbière, ainsi que l'avait dit Benjamin, excepté pour la monstrueuse tignasse brun-rouge, les énormes yeux bruns brillants, dépourvus de paupières, les dents blanches parfaitement alignées sur et sous des lèvres réduites à rien. Le cuir noir tendu quoique ridé du visage était barré d'épais traits de sang — mes larmes.

Je tournai la tête pour l'enfouir dans l'oreiller de plumes. Les couvertures se reposèrent sur moi.

— Ça ne peut pas durer. Vous ne pourriez pas supporter une chose pareille, même si moi, je le pouvais, déclarai-je. Je ne veux pas vous imposer ça une seconde de plus : plus longtemps vous vivrez avec, plus vous risquerez de vivre avec n'importe quoi. Non. Il faut que ça cesse.

— Peu importe, dit Sybelle. (Elle s'accroupit à mon chevet.) Ma main te paraît fraîche, si je te la pose sur le front ? Tu aimes que je te touche les cheveux ?

Je la fixai d'un œil étréci.

Son long cou mince participait à sa frissonnante

beauté émaciée. Ses seins voluptueux étaient haut perchés. Derrière elle, dans la clarté chaleureuse de la chambre, je distinguais le piano. J'évoquai ses doigts tendres courant sur les touches. La pulsation de l'*Appassionata* résonnait dans mon crâne.

Il y eut un claquement sonore, un grésillement, un craquement, puis la fragrance épaisse du tabac de qualité.

Benji se mit à aller et venir derrière Sybelle, armé d'une de ses cigarettes noires.

— J'ai un plan, annonça-t-il, discourant sans effort, la cigarette coincée entre ses lèvres entrouvertes. Je sors dans la rue. Je rencontre un sale, sale type en un rien de temps. Je lui raconte que je suis tout seul ici, dans cet appartement, à l'hôtel, avec un homme ivre, bavant, complètement fou, qu'on a plein de cocaïne à vendre, que je ne sais pas quoi faire et que j'ai besoin d'aide.

Je me mis à rire, malgré la souffrance.

Le petit Bédouin haussa les épaules et leva les mains, paumes vers le haut, en tirant sur sa cigarette, dont la fumée s'enroulait autour de lui tel un nuage magique.

— Qu'est-ce que vous en pensez ? Ça marchera. Je sais juger les gens. Bon, toi, Sybelle, tu restes à l'écart, tu me laisses guider ce misérable sac d'ordures, ce sale type que j'ai attiré dans mon piège, droit jusqu'à ce lit, et le faire tomber en avant, comme ça, en plaçant un croche-pied, comme ça, pour qu'il atterrisse, boum, en plein dans tes bras, Armand. Qu'est-ce que tu en dis ?

— Et s'il y a un problème ? m'enquis-je.

— Alors Sybelle ma belle lui tapera sur le crâne avec son marteau.

— J'ai une meilleure idée, repris-je. Bien que, Dieu m'en est témoin, ton plan soit incomparablement brillant. Tu lui dis que la cocaïne se trouve sous le couvre-pied, dans des petits sachets plastique tout prêts, mais s'il ne mord pas et qu'il ne veut pas s'approcher pour regarder lui-même, notre ravissante Sybelle n'aura qu'à tirer les couvertures. Quand il verra ce qu'il y a vraiment dans le lit, il filera sans penser à faire de mal à qui que ce soit !

— Exactement ! s'écria Sybelle.

Elle claqua des mains, les gardant serrées. Ses pâles yeux lumineux étaient immenses.

— Parfait, acquiesça Benjamin.

— Mais attention, n'emporte pas le moindre sou. Si seulement nous avions un peu de cette maudite poudre blanche pour servir d'appât à la bête…

— On en a, intervint Sybelle. Juste un tout petit peu. On l'a prise dans les poches de mon frère. (Elle me fixa sans me voir, pensive, égrenant le plan à travers les spires serrées de son tendre esprit élastique.) On l'a dépouillé avant de s'en débarrasser, pour que personne ne trouve rien sur lui. Il y a tant de corps laissés comme ça à New York. Bien sûr, ç'a été une corvée monstrueuse de le traîner.

— Mais on a cette maudite poudre blanche, oui ! renchérit Benji.

Il lui donna une brusque tape sur les épaules puis disparut à toute vitesse de ma vue pour revenir l'instant d'après, muni d'un étui à cigarettes blanc extra-plat.

— Pose-le près de moi, je veux sentir ce qu'il y a à l'intérieur, demandai-je.

De toute évidence, aucun d'eux n'avait de certitude à ce sujet.

Benji souleva le couvercle de la boîte d'argent. Là, dans un petit sachet plastique impeccablement plié, attendait une poudre immaculée à l'odeur exacte que je lui désirais — nul besoin de m'en poser sur la langue, où du sucre m'eût paru tout aussi étranger.

— Très bien. Vides-en juste la moitié dans le lavabo, qu'il en reste à peine, et laisse l'étui ici. Tu risques de tomber sur un idiot capable de te tuer pour le voler.

Sybelle frissonna, visiblement effrayée.

— Je t'accompagne, Benji.

— Non, protestai-je. Ce serait manquer de sagesse. Il peut s'enfuir beaucoup plus vite sans toi.

— Tu as parfaitement raison ! acquiesça Benjamin. (Il tira la dernière bouffée de sa cigarette puis l'écrasa dans le grand cendrier de verre posé à côté du lit, où attendait déjà une douzaine d'autres petits mégots recroquevillés.) Combien de fois ne le lui ai-je pas dit, en sortant acheter des cigarettes au milieu de la nuit ? Tu crois qu'elle écoute ?

Il disparut sans attendre de réponse. J'entendis couler l'eau du robinet, tandis qu'il se débarrassait d'une partie de la cocaïne. Mes yeux parcoururent la pièce, s'éloignant de mon doux ange gardien empli de sang.

— Il existe des gens d'une bonté innée, déclarai-je, qui veulent le bien d'autrui. Tu en fais partie, Sybelle. Je n'aurai plus de repos tant que tu vivras. Je resterai à ton côté. Je serai toujours là pour te protéger et te payer ma dette.

Elle sourit.

J'en fus surpris.

Son fin visage, aux lèvres pâles bien dessinées, s'éclaira du plus frais, du plus robuste des sourires, comme si jamais la douleur et l'indifférence ne l'avaient rongée.

— Tu seras mon ange gardien, Armand ? demanda-t-elle.

— Toujours.

— J'y vais, lança Benji. (Un grésillement, un craquement — il allumait une autre cigarette. Ses poumons devaient être de véritables sacs de goudron.) Je sors, ce soir. Mais qu'est-ce que je fais si ce fils de pute est malade, sale ou…

— Aucune importance. Le sang, c'est le sang. Amène-le juste ici. Ne t'amuse pas à tenter le coup du croche-pied. Attends qu'il soit là, à côté de moi, et quand il tendra la main pour soulever les couvertures, toi, Sybelle, tu le tireras, pendant que toi, Benjamin, tu le pousseras de toutes tes forces. Comme ça, il se cognera au bois de lit, et il me tombera dans les bras. Là, je le tiendrai.

Le jeune Arabe se dirigea vers la porte.

— Non, murmurai-je.

A quoi pensais-je, dans mon avidité ? Je levai les yeux vers le visage muet, souriant de Sybelle, puis les posai sur Benji, le petit moteur qui fumait sa cigarette noire, sans rien pour le défendre contre les rigueurs de l'hiver que sa satanée djellaba.

— Si, il faut le faire, dit Sybelle, les yeux écarquillés. Et Benji choisira un très, très mauvais homme, n'est-ce pas, Benji ? Un malfaiteur prêt à le voler et à le tuer.

— Je sais où aller, assura-t-il avec un petit sourire torve. Seulement n'oubliez pas d'abattre vos cartes quand je reviendrai, tous les deux. Couvre-le, Sybelle. Ne vous occupez pas de l'heure. Ne vous inquiétez pas pour moi !

Il sortit dans un claquement de porte, la lourde serrure se verrouillant automatiquement derrière lui.

Ainsi donc, il arrivait. Le sang. Le sang rouge épais. Il serait brûlant, délicieux, il y en aurait un plein être humain. Dans quelques minutes, il serait là.

Je fermai les yeux puis les rouvris, laissai la pièce reprendre forme, avec les lourds rideaux bleu ciel qui occultaient toutes les fenêtres, tombant en plis luxueux jusqu'au sol, et le tapis, un imposant ovale de roses choux entortillées. Et la grande fille qui me regardait, me souriait de son simple et doux sourire, comme si le crime à venir n'avait rien représenté pour elle.

Elle s'agenouilla à mon côté, dangereusement près, et me posa à nouveau sur les cheveux une main délicate. Sa poitrine moelleuse, que rien n'entravait, me toucha le bras. Je lus dans ses pensées ainsi que j'eusse lu dans la paume de sa main, en écartant couche par couche son conscient afin de découvrir à nouveau la route obscure, tortueuse, qui serpentait à travers la vallée du Jourdain ; ses parents conduisaient trop vite dans la nuit noire, le long des virages en épingles à cheveux ; les conducteurs arabes fonçaient vers eux plus vite encore, si bien que chaque rencontre de phares devenait un concours épuisant.

— Manger du poisson de la mer de Galilée, déclarat-elle, le regard lointain. Voilà ce que je voulais. C'est moi qui ai proposé d'aller là-bas. On a passé un jour de plus en Terre sainte. Ils ont dit qu'il y avait une longue route de Jérusalem à Nazareth, et moi, j'ai répondu : « Mais Il a marché sur les eaux. » C'est ce qui m'a toujours paru le plus curieux. Tu connais ?

— Oui.

— Qu'Il ait marché en plein sur l'eau, comme s'Il avait oublié que les apôtres L'accompagnaient ou que quelqu'un risquait de Le voir. Et quand ils L'ont appelé du bateau — « Seigneur ! » — Il a sursauté. Quel drôle de miracle. Presque… accidentel, on dirait. C'est moi qui ai voulu y aller. C'est moi qui ai voulu manger du poisson frais tout juste sorti de l'eau où Pierre et les autres avaient pêché. Moi. Oh, je ne dis pas qu'ils sont morts par ma faute. On rentrait pour mon grand soir au Carnegie Hall. La compagnie de disques avait prévu un enregistrement public. J'avais déjà fait un disque, tu sais. Il s'était beaucoup mieux vendu que personne ne l'aurait pensé. Mais ce soir-là… ce soir qui n'est jamais arrivé, je veux dire, j'allais jouer l'*Appassionata*. C'était tout ce qui comptait pour moi. Les autres sonates, celle *Au clair de lune* ou la *Pathétique*, je les aime bien, mais en fait… il n'y a que l'*Appassionata* qui compte. Mon père et ma mère étaient tellement fiers de moi. Mais c'était mon frère qui avait toujours tout fait, qui m'avait toujours obtenu le temps, la place, les bons pianos, les professeurs dont j'avais besoin. C'était lui qui leur avait expliqué, seulement bien sûr, il n'avait pas de vie du tout, et on savait tous ce qui allait arriver. On en parlait à table, le soir ; on disait qu'il fallait qu'il ait une vie à lui, que ce n'était pas bien qu'il travaille pour moi, mais il répondait que j'aurais besoin de lui dans les années à venir, que je n'imaginais même pas ce que ce serait. Il s'occuperait des disques, des concerts, du répertoire, des cachets. Les agents n'étaient pas dignes de confiance. D'après lui, je n'avais aucune idée des sommets que j'atteindrais.

Elle s'interrompit, la tête penchée de côté, le visage à la fois ardent et dépouillé.

— Je n'ai pas choisi, tu comprends, reprit-elle. C'est juste que je ne faisais rien d'autre. Mes parents étaient morts. Je ne sortais pas. Je ne répondais pas au téléphone. Je ne jouais que ça. Je n'écoutais pas ce qu'il me disait. Je n'avais pas de projets. Je ne mangeais pas. Je ne me changeais pas. Je jouais l'*Appassionata*.

— Je comprends, dis-je tout bas.

— Benji était chargé de prendre soin de moi. Je me suis toujours demandé comment il avait pu venir. Je pense que mon frère l'a acheté, tu sais, qu'il l'a payé en liquide.

— Je sais.

— Oui, à mon avis, c'est ça. Il disait qu'il ne pouvait pas me laisser seule, même au Roi David — c'était l'hôtel…

— Oui.

— … parce que je me mettrais à la fenêtre sans mes habits, ou que je ne laisserais pas entrer la femme de chambre, que je jouerais du piano en pleine nuit et que je l'empêcherais de dormir. Alors il s'est procuré Benji. J'aime beaucoup Benji.

— Je sais.

— Je lui obéis toujours. Mon frère n'osait pas le frapper. C'est seulement vers la fin qu'il s'est mis à me faire vraiment mal. Avant, tu vois, il me donnait juste des gifles, des coups de pied. Il m'attrapait par les cheveux, d'une seule main, et il me jetait par terre. Ça, il le faisait souvent. Mais il n'osait pas frapper Benji. Il savait que je me mettrais à hurler, hurler… Mais par moments, quand Benji essayait de l'arrêter… Je ne suis pas très sûre, parce que j'étais tout étourdie. J'avais mal à la tête.

— Je comprends.

Il avait frappé Benji.

Elle se perdit dans ses pensées, très calme ; ses grands yeux fixes étincelaient, sans la moindre trace de larme ou de plissement.

— On est pareils, tous les deux, murmura-t-elle, les baissant vers moi.

Sa main reposait près de ma joue. Elle appuya très doucement contre ma peau la douce extrémité de son index.

— Pareils ? répétai-je. Qu'est-ce que tu veux dire ?

— On est des monstres. Des enfants.

Je souris. Elle non. Elle semblait rêveuse.

— J'étais si contente que tu viennes, reprit-elle. Je savais qu'il était mort. Je le savais, quand tu t'es installé au bout du piano et que tu m'as regardée. Quand tu m'as écoutée. J'étais si heureuse que quelqu'un le tue.

— Fais ça pour moi, demandai-je.

— Quoi ? Je ferais n'importe quoi pour toi, Armand.

— Installe-toi au piano. Joue. L'*Appassionata*.

— Mais notre plan, protesta-t-elle d'une petite voix surprise. Le méchant. Il arrive.

— On s'en chargera, Benji et moi. Ne te retourne pas pour regarder. Joue juste l'*Appassionata*.

— Non, s'il te plaît, demanda-t-elle gentiment.

— Mais pourquoi ? Pourquoi t'imposer une telle épreuve ?

— Tu ne comprends pas. (Elle me contemplait de ses grands yeux écarquillés.) Je veux regarder !

XXII

Benji venait d'arriver au rez-de-chaussée. Sa voix lointaine, inaudible à Sybelle, chassa aussitôt la douleur qui me taraudait la surface des membres.

— Ce que je veux dire, vous voyez, expliquait-il, c'est que le cadavre est en plein dessus, mais on ne veut pas y toucher — au cadavre, je veux dire — alors que vous qui êtes policier, vous voyez, comme vous appartenez à la brigade des stups, bien sûr, vous saurez quoi faire…

Je me mis à rire. Il ne s'était vraiment rien refusé. Sybelle me fixait avec un air méditatif, calmement résolu et intelligent.

— Couvre-moi le visage, lui dis-je, et écarte-toi le plus possible. Il nous amène la crème des voleurs. Vite.

Elle passa à l'action. Déjà, je flairais l'odeur du sang de ma victime, qui se trouvait pourtant encore dans l'ascenseur en compagnie de Benji, à qui elle demandait, non sans prudence :

— Et vous vous êtes retrouvés avec tout ça dans votre appartement, elle et toi, sans personne d'autre sur le coup ?

Ah, merveilleux. Je sentais l'assassin dans sa voix.

— Je vous l'ai déjà raconté, répondit Benji du ton enfantin le plus naturel. Vous nous aidez à nous débarrasser de ça, hein, je ne peux pas me permettre d'attirer la police ici ! (Murmure.) C'est un hôtel de luxe. Comment aurais-je pu me douter que ce type allait mourir ! Nous, on n'en prend pas, de ce truc, alors vous en faites ce que vous voulez, du moment que vous emportez le corps. Mais attention...

L'ascenseur s'ouvrit à notre étage...

— ... il n'est pas franchement en bon état. Alors ne vous mettez pas à me baver dessus en le voyant.

— Te baver dessus, grogna tout bas ma victime.

Les chaussures des arrivants produisirent sur la moquette des bruits légers, rapides.

Benji fit mine de s'empêtrer dans ses clés, qu'il secoua, tripota.

— Sybelle, appela-t-il pour avertir la jeune femme. Ouvre, c'est moi.

— N'y va pas, dis-je tout bas.

— Non, bien sûr, répondit-elle d'une voix de velours.

Les cylindres de la grosse serrure tournèrent.

— Et ce type est venu là, comme ça, mourir chez vous avec sa marchandise...

— Eh bien, pas tout à fait, admit le petit Arabe, mais vous avez passé marché avec moi. J'espère que vous allez remplir votre part du contrat.

— Ecoute, gamin, je n'ai passé aucun marché.

— D'accord, alors je vais peut-être appeler la police normale. Je vous connais. Tout le monde au bar vous connaît et sait qui vous êtes. Vous traînez toujours dans le coin. Qu'est-ce que vous décidez, monsieur l'important ? Vous allez me tuer ?

La porte se referma derrière les arrivants. L'odeur du sang de l'homme envahit l'appartement. Abruti par la boisson, il avait aussi dans les veines le poison de la cocaïne, mais rien de tout cela ne ferait un atome de différence face à ma soif purificatrice. J'avais peine à me contenir. Sous les couvertures, mes membres se contractèrent d'eux-mêmes, cherchèrent à se plier.

— Eh, mais c'est une vraie princesse.

De toute évidence, les yeux de ma proie venaient de se poser sur Sybelle. Elle ne répondit pas.

— Ne vous occupez pas d'elle. Regardez là, dans le lit. Viens ici, Sybelle. Allez, viens.

— Là ? Tu veux dire que le corps est sous les couvertures, et la cocaïne sous le corps ?

— Combien de fois faudra-t-il vous le répéter ? (Benji eut sans le moindre doute son haussement d'épaules caractéristique.) Qu'est-ce que vous n'avez pas compris ? J'aimerais bien le savoir. Vous ne voulez pas de la cocaïne ? Je la donne pour rien. Je serai très populaire dans votre bar préféré. Tu vois, Sybelle, ce type dit qu'il va nous aider, et puis non, il parle, il parle, il parle. Le type même du fonctionnaire minable.

— Qui as-tu qualifié de minable, petit ? interrogea l'homme avec une gentillesse affectée. (L'odeur d'alcool s'épaissit.) Tu as un vocabulaire drôlement étendu pour ton âge. Quel âge as-tu, d'ailleurs ? Comment as-tu bien pu entrer dans ce pays ? Tu te balades toujours en chemise de nuit ?

— Ouais, vous n'avez qu'à m'appeler Lawrence d'Arabie, répondit Benji. Viens ici, Sybelle.

Je ne voulais pas qu'elle vînt. Je voulais qu'elle restât aussi loin que possible. Elle ne bougea pas, ce dont je fus ravi.

— Mes habits me plaisent, à moi, babillait Benjamin. (Bouffée de capiteuse fumée de cigarette.) Je suppose que je devrais imiter les gamins d'ici, avec leurs jeans ? Merci bien. Mes ancêtres portaient déjà la djellaba quand Mahomet parcourait le désert.

— C'est beau, le progrès, commenta son compagnon avec un profond rire de gorge.

Il approcha du lit à pas vifs et brusques. L'odeur du sang était si riche que je sentais les pores de ma peau brûlée s'ouvrir pour l'absorber.

Une minuscule portion de ma force me permit de me former, par les yeux de Benji et Sybelle, une image du visiteur. Grand, les joues creuses, il avait les yeux bruns, la peau olivâtre, et des cheveux sombres qui se raréfiaient sur le front. Sous son complet italien fait main à la soie noire brillante apparaissait une chemise de luxe, ornée de boutons de manchette voyants en diamant. Il était agité : ses doigts bougeaient le long de son corps, et il avait du mal à rester immobile. Son cerveau était partagé entre un amusement flou, le cynisme et une curiosité dévorante. Ses yeux avides pétillaient gaiement. Une nature impitoyable sous-tendait tout cela, accompagnée, semblait-il, d'une bonne dose de folie véritable, nourrie par la drogue. Il arborait ses meurtres aussi fièrement que son costume princier ou ses bottes noires luisantes.

Sybelle s'approcha du lit. L'odeur pénétrante et douce de sa chair pure se mêla à celle, plus épaisse, de l'homme. Mais c'était le sang de la brute que je flairais, qui faisait monter l'eau à ma bouche parcheminée. J'eus peine à contenir un soupir, sous mes couvertures. Mes membres étaient tout prêts à sortir de leur douloureuse paralysie pour se mettre à danser.

Le malfaiteur jaugeait les lieux, jetant des coups d'œil de droite et de gauche par les portes ouvertes, l'oreille tendue, à la recherche d'autres voix. Il se demandait s'il n'eût pas mieux valu, pour commencer, fouiller l'appartement encombré, empli de coins et de recoins. Ses doigts s'agitaient sans répit. Un éclair de pensées informulées me permit de comprendre qu'il avait sniffé la cocaïne emportée par Benji et qu'il en voulait davantage, immédiatement.

— Tu sais que tu es une ravissante demoiselle ? dit-il à Sybelle.

— Vous voulez que je tire les couvertures ? demanda-t-elle.

Je percevais l'odeur du petit revolver enfoncé dans la haute botte en cuir noir du gangster. Une autre arme, moderne et très mode, dégageait depuis le holster dissimulé sous son bras un bouquet très différent de parfums métalliques. Il sentait l'argent, aussi, la puanteur caractéristique des billets sales.

— Allez. Vous avez peur ou quoi ? intervint Benji. Vous préférez que je tire les couvertures moi-même ? C'est quand vous voulez. Vous allez avoir une sacrée surprise, croyez-moi !

— Il n'y a pas de cadavre, dit le visiteur avec un ricanement. Pourquoi ne pas nous installer pour discuter un peu ? Vous ne vivez pas vraiment là, hein ? Il me semble que vous avez besoin d'un peu d'autorité paternelle, mes petits.

— Il est tout brûlé, prévint Benji. Ne vous mettez pas à vomir.

— Brûlé ! répéta l'autre.

Ce fut la longue main de Sybelle qui écarta brusquement le dessus-de-lit. L'air frais glissa sur ma peau. Je levai les yeux vers l'homme, qui recula, un grognement étranglé coincé dans la gorge.

— Oh, nom de Dieu !

Soudain, mon corps se dressa, telle une hideuse marionnette au bout de ses fils, attiré par la fontaine abondante toute proche. Je m'abattis contre le visiteur, lui enfonçai solidement mes ongles brûlés dans le cou puis l'enlaçai en une étreinte torturante. Ma langue jaillit vers le sang que répandaient les griffures de plus en plus profondes tandis que, indifférent à la douleur qui fulgurait dans mon visage, j'ouvrais grand la bouche afin de planter mes crocs.

Je le tenais.

Sa taille, sa force, ses épaules puissantes, ses grandes mains qui s'accrochaient à ma chair souffrante, rien de tout cela ne l'aiderait. Je le tenais. Lorsque j'aspirai la première longue gorgée, je crus défaillir. Mais mon corps, loin de permettre une chose pareille, s'était collé contre ma victime telle une bête aux tentacules voraces.

Les pensées folles, lumineuses, du bandit m'entraînèrent aussitôt dans un brillant tourbillon d'images new-yorkaises d'une cruauté indifférente et d'une horreur grotesque, d'une énergie effrénée tirée de la drogue et d'une drôlerie sinistre. Je les laissai m'emplir. Impossible de me contenter d'une mort rapide. Il me fallait la moindre goutte du sang de ma proie, et pour l'obtenir, je devais laisser son cœur pomper encore et encore ; pas question qu'il s'arrêtât.

Si j'avais jamais goûté un fluide aussi fort, aussi capiteux et salé, je n'en avais pas le souvenir ; la mémoire ne pouvait enregistrer une sensation d'une telle perfection, l'extase de la soif qui s'apaisait, de la faim qui se calmait, de la solitude qui se dissolvait dans une étreinte d'une brûlante intimité. Le vacarme de mon propre souffle, laborieux et brûlant, m'eût horrifié si j'y avais accordé la moindre attention.

Je produisais un bruit inouï, celui d'un sinistre festin. Mes doigts massaient les muscles épais du malheureux, mes narines se pressaient contre sa peau soignée, à l'odeur de savon.

— Hmm, je t'aime, je ne te ferais de mal pour rien au monde, tu le sens, c'est bon, non ? lui murmurais-je, par-dessus la déglutition de son sang merveilleux. Hmm, oui, c'est si bon, meilleur que le meilleur des alcools, hmm…

Stupéfait, incrédule, il se laissa soudain totalement aller, s'abandonnant au délire dont je chargeais chacune de mes paroles. Je lui déchirai le cou afin d'agrandir la blessure, de mieux ouvrir l'artère. Le sang coula de plus belle.

Un frisson délicieux me dévala le dos, l'arrière des bras, les fesses puis les jambes, douleur et plaisir mêlés, tandis que le fluide brûlant, vivant, s'introduisait dans les fibres microscopiques de ma chair racornie, gonflait mes muscles sous ma peau rôtie, imprégnait la moelle même de mes os. Il m'en fallait plus, encore plus.

— Reste en vie, tu n'as aucune envie de mourir, non, reste en vie, roucoulais-je en me frottant les doigts dans les cheveux de ma proie.

C'étaient bien des doigts, à présent, je le sentais, pas

les serres de ptérodactyle auxquelles ils ressemblaient un instant plus tôt.

Ils étaient brûlants, oh, oui ; le feu me baignait à nouveau, le brasier qui flambait dans mes membres grillés. Cette fois, la mort viendrait forcément ; je ne pouvais supporter cela plus longtemps, mais j'avais atteint le pinacle, je l'avais dépassé, une grande douleur apaisante se ruait en moi.

Mon visage desséché me picotait, ma bouche s'emplissait régulièrement, déglutir ne demandait plus à ma gorge le moindre effort.

— Oui, oh, oui, vivant, si fort, si merveilleusement fort…, murmurais-je. Hmm, ne t'en va pas, non… pas encore, il n'est pas temps.

Les genoux du bandit cédèrent. Il s'effondra lentement sur le tapis, et moi avec lui, tout en l'attirant d'un geste tendre contre le bois de lit puis en le laissant tomber à mon côté, si bien que nous semblions des amants enlacés. Il y avait plus, beaucoup plus de sang que je n'eusse jamais pu en boire dans mon état normal, que je n'eusse jamais pu en désirer.

Même dans les rares occasions où, novice, avide et inexpérimenté, j'avais pris deux ou trois victimes en une nuit, jamais je n'avais bu si profond à aucune d'elles. J'en arrivais à présent à la lie foncée, goûteuse, j'absorbais jusqu'aux veinules, caillots doux qui se dissolvaient sur la langue.

— Tu es si précieux, oui, oh, oui.

Mais le cœur du malheureux ne pouvait en supporter davantage. Il ralentissait inexorablement, son rythme devenait assassin. Je refermai les dents sur le visage du malfrat, dont je déchirai la peau au-dessus du front pour lécher le riche enchevêtrement de vaisseaux sanguins qui lui couvrait le crâne. Il restait tant de sang, à cet endroit, dans les tissus. J'en suçai les fibres, que je recrachai exsangues, blanchies, les regardant tomber à terre tels de vieux vêtements.

Le cœur et le cerveau, voilà ce que je voulais. J'avais

vu les anciens les prendre. Je savais comment faire. Une nuit, Pandora, la Romaine, avait plongé devant moi la main droite dans la poitrine de sa victime.

Au moment de m'y risquer, je découvris avec surprise ma main bien formée, quoique brun sombre. Serrant et tendant les doigts, j'en enfonçai la pelle meurtrière dans ma proie, à travers vêtements et cage thoracique, pour atteindre les entrailles moelleuses, parmi lesquelles je saisis le cœur. Je le tins comme j'avais vu Pandora le faire et j'y bus. Il était bien plein. Merveilleux ! Je le suçai jusqu'à le réduire en bouillie puis le lâchai.

Aussi immobile que ma victime, je reposais à son côté, la main droite sur sa nuque, la tête penchée contre sa poitrine, respirant à longs soupirs. Le sang dansait en moi. Mes membres tressautaient, des spasmes me parcouraient, la carcasse blanche apparaissait et disparaissait dans mon champ de vision. La pièce s'allumait et s'éteignait.

— Ah, quel frère délicieux, murmurai-je. Vraiment délicieux.

Je me tournai sur le dos. Le sang du mort rugissait dans mes oreilles, courait sous mon cuir chevelu, me picotait les joues et la paume des mains. C'était bon, si bon, merveilleusement bon.

— Sale type, hmm ?

La voix de Benji, très loin, dans le monde des vivants.

Un monde où on jouait du piano, où les petits garçons étaient faits pour danser, où Sybelle et lui se tenaient immobiles, semblables à deux silhouettes peintes découpées contre la lumière onduleuse de la chambre. Ils me fixaient, le petit voyou du désert, avec la cigarette fantaisie noire sur laquelle il tirait en claquant des lèvres, les sourcils levés, et la jeune femme distraite, semblait-il, pensive mais décidée, comme un peu plus tôt, nullement choquée ni émue.

Je m'assis, les jambes fléchies, puis me mis sur mes

pieds, m'appuyant juste une seconde au bois de lit pour assurer mon équilibre. Une fois debout, nu, je la regardai.

Elle me sourit, les yeux emplis d'une riche clarté d'un gris profond.

— Magnifique, murmura-t-elle.

— Magnifique ? répétai-je. (Je levai les mains afin d'écarter mes cheveux de mon visage.) Montrez-moi un miroir. Vite. J'ai soif. Déjà.

La soif était revenue, je ne mentais pas. Mon reflet m'emplit d'une stupeur abasourdie. J'avais déjà vu des spécimens aussi abîmés, mais chacun de nous s'abîme à sa façon. Quant à moi, pour des raisons alchimiques que je ne pouvais invoquer, j'étais une créature brun foncé, de la couleur exacte du chocolat, aux yeux de verre opaque remarquablement blancs ornés d'iris brun-rouge. Mes mamelons étaient aussi noirs que du raisin, mes joues atrocement creuses, mes côtes parfaitement découpées sous ma peau brillante, et mes veines, mes veines, théâtre d'une action bouillante, saillaient telles des cordes le long de mes bras et de mes mollets. Mes cheveux n'avaient bien sûr jamais paru aussi lustrés, aussi épais, aussi symboliques de la jeunesse et de la bonté innée.

J'ouvris la bouche. La soif me torturait. Toute ma chair éveillée chantait de soif ou me maudissait par elle. On eût dit que des milliers de cellules écrasées, muettes, s'étaient mises à appeler le sang de leurs cris.

— Il m'en faut encore. Il m'en faut. Ne vous approchez pas de moi.

Je dépassai d'un pas rapide Benji, qui dansait presque.

— Qu'est-ce que tu veux ? Qu'est-ce que je fais ? Je vais t'en trouver un autre.

— Non, je vais me le trouver tout seul.

M'abattant sur ma victime, je desserrai sa cravate de soie, avant de déboutonner rapidement sa chemise.

Benji entreprit aussitôt de déboucler sa ceinture, tandis que Sybelle, agenouillée, tirait sur ses bottes.

— Le revolver, attention, prévins-je, inquiet. Recule, Sybelle.

— Je le vois, répondit-elle, désapprobatrice. (Elle posa l'arme de côté avec précaution, comme un poisson tout frais pêché qui eût risqué de lui échapper, puis retira ses chaussettes au cadavre.) Ces vêtements… Ils sont trop grands, Armand.

— Tu as des chaussures, Benji ? demandai-je. J'ai de petits pieds.

Je me redressai, passai la chemise et la boutonnai si vite qu'ils me fixèrent, bouche bée.

— Ne restez pas plantés là à me regarder, donnez-moi des chaussures.

J'enfilai le pantalon, en fermai la braguette puis, aidé des doigts agiles de Sybelle, bouclai la ceinture de cuir, que je serrai au maximum. Ça irait.

La jeune femme s'accroupit devant moi, sa chemise de nuit l'entourant d'un joli disque fleuri, pour rouler les jambes du pantalon au-dessus de mes pieds nus.

J'avais glissé les mains à travers les manchettes sans même les déranger.

Benji me lança des chaussures noires habillées, de belles Bally qu'il n'avait seulement jamais portées, l'adorable petit voyou. Sybelle offrit une des chaussettes à mon pied. Il s'empara de l'autre.

Quand j'eus enfilé le manteau, je fus prêt. Le picotement délicieux s'était interrompu dans mes veines, où la douleur rugissait à nouveau. Il me semblait être orné de coutures de feu, sur lesquelles une sorcière armée de son aiguille tirait de toutes ses forces pour me secouer de frissons.

— Une serviette, mes chéris, quelque chose de vieux, de banal. Non, de nos jours, on ne peut pas le laisser comme ça, il ne faut même pas y penser.

Saisi de dégoût, je baissai les yeux vers le corps à la chair blême qui fixait le plafond d'un regard inexpressif, les minuscules poils fins de ses narines d'un noir de jais contre sa peau exsangue, affreuse, les dents jaunâtres au-dessus de sa lèvre décolorée. Les poils de son torse n'étaient qu'une masse emmêlée baignée par la suée de la mort ; contre l'énorme plaie ouverte en leur milieu reposait la purée qui avait été le cœur — preuve terrible qu'il fallait par principe dissimuler aux yeux du monde.

Je me baissai pour réintroduire les restes de l'organe dans la cavité de la poitrine, crachai sur la blessure puis la frottai des doigts.

Benji eut un hoquet.

— Regarde-moi ça, Sybelle ! s'exclama-t-il. Ça se referme.

— Tout juste, tempérai-je. Il est trop froid, trop vide.

Je regardai autour de moi. Le portefeuille de l'homme, ses papiers, une bourse de cuir, bon nombre de billets verts dans une pince en argent. Après avoir rassemblé le tout, je fourrai les billets pliés dans une poche, le bric-à-brac dans une autre. Que restait-il ? Des cigarettes, un couteau à cran d'arrêt meurtrier, ah, oui, les revolvers.

Dans le manteau, tout cela.

Ravalant une nausée, je soulevai le cadavre, l'horrible corps livide et flasque, avec son caleçon de soie pitoyable et sa montre en or. Ma force d'autrefois me revenait bel et bien. Malgré son poids, je n'eus aucun mal à me caler le malfrat sur l'épaule.

— Que vas-tu faire ? Où vas-tu ? s'écria Sybelle. Tu ne peux pas nous laisser, Armand !

— Tu reviendras ! dit Benjamin. Attends, donne-moi sa montre, ne va pas la jeter.

— Chut, Benji, murmura Sybelle. Tu sais très bien que je t'ai acheté des montres magnifiques. Ne le touche pas. En quoi pouvons-nous t'aider, Armand ? (Elle se rapprocha de moi.) Regarde ! (Son doigt se tendit vers la main du cadavre, qui pendait juste en dessous de mon coude.) Il est manucuré. Comme c'est bizarre.

— Oh, oui, il a toujours pris grand soin de lui-même,

déclara Benji. Tu sais que sa montre vaut cinq mille dollars ?

— Arrête avec cette montre, riposta-t-elle. On ne veut pas de ses affaires. (Ses yeux se reposèrent sur moi.) Tu es encore en pleine transformation, Armand. Ton visage devient plus plein.

— Oui, acquiesçai-je, et ça fait mal. Attendez-moi. Préparez-moi une pièce obscure. Je reviendrai dès que je me serai nourri. Il faut que je boive, maintenant, et beaucoup, pour effacer les cicatrices restantes. Ouvrez-moi la porte.

— Attends, je vais regarder s'il y a quelqu'un dehors, déclara Benji en se précipitant, zélé, vers le couloir.

Je quittai l'appartement, indifférent au poids du malheureux cadavre dont les bras blancs se cognaient mollement contre moi.

Quel spectacle j'offrais dans ses vêtements trop grands. Je devais ressembler à un lycéen poète pétri de folie qui, ayant dévalisé les magasins de fripes pour y prendre ce qu'ils renfermaient de plus beau, se lançait à présent dans ses chaussures neuves à la recherche d'un groupe de rock.

— Le couloir est désert, mon petit ami, annonçai-je. Il est trois heures du matin. L'hôtel dort. Et, si je ne m'abuse, voilà la porte qui donne sur l'escalier de secours. C'est ça ? Il n'y a personne de l'autre côté non plus.

— Ah, quelle ruse, c'est merveilleux ! pépia-t-il. (Les yeux plissés, il se mit à bondir en silence sur la moquette du corridor, avant d'ajouter dans un murmure :) Donne-moi la montre !

— Non. Sybelle a raison. Elle est riche, moi aussi, et donc toi aussi. Ne mendie pas.

— On t'attend, Armand, lança la jeune femme, depuis le seuil. Benjamin, rentre immédiatement.

— Oh, écoute-la, voilà qu'elle se réveille ! Comment elle me parle ! « Benjamin, rentre immédiatement. »

Dis donc, chérie, tu n'as pas quelque chose d'urgent à faire, jouer du piano, par exemple ?

Sybelle laissa échapper malgré elle un minuscule éclat de rire. Je souris. Quel couple étonnant. Ils ne croyaient pas le témoignage de leurs yeux, mais c'était assez normal en ce siècle. Je me demandai quand ils se mettraient à voir et, ayant vu, à hurler.

— Au revoir, mes amours, dis-je. Attendez-moi.

— Tu reviens, Armand. (Les yeux de Sybelle étaient emplis de larmes.) Promets-le-moi.

J'en restai stupéfait.

— Sybelle. Tu sais ce que les femmes rêvent tellement d'entendre mais attendent si longtemps ? Je t'aime.

Je les quittai pour dégringoler les escaliers, changeant le corps d'épaule lorsque son poids me devint trop pénible. La douleur roulait sur moi par vagues. L'air froid de l'extérieur me causa un choc brûlant.

— Soif, murmurai-je.

Mais que faire du cadavre ? Il était beaucoup trop nu pour que je le transporte sur la Cinquième Avenue.

Je lui ôtai sa montre, seul moyen de l'identifier qui subsistât, puis, sur le point de vomir tant la proximité de ces restes fétides me répugnait, je le tirai derrière moi d'une main, très vite, dans l'impasse derrière l'hôtel, tout d'abord ; à travers une ruelle, ensuite ; sur un trottoir, pour finir.

Je courus face au vent glacial, sans m'arrêter pour observer les rares silhouettes lourdaudes qui boitillaient dans la nuit humide ou l'unique voiture qui rampait sur l'asphalte luisant.

En quelques secondes, j'avais parcouru deux pâtés d'immeubles. Une allée appropriée s'offrit à moi, défendue par une haute grille opposée aux clochards nocturnes, que j'escaladai vivement afin de jeter la carcasse de l'autre côté des barreaux, le plus loin possible. Elle tomba dans la neige amollie. J'en étais débarrassé.

A présent, il me fallait du sang. Je n'avais pas le temps de me livrer à mon ancien jeu, d'attirer à moi ceux qui désiraient mourir, qui soupiraient après mon étreinte, épris du lointain royaume de la mort dont ils ne savaient rien.

J'étais contraint de me traîner, titubant, cible idéale dans ma veste de soie trop large et mon pantalon aux jambes roulées, mes longs cheveux me voilant le visage, pauvre enfant égaré offert au couteau, au revolver, aux poings.

Ce ne fut pas long.

Le premier, un miséreux ivre qui errait dans la rue, me poursuivit de ses questions avant de dévoiler la lame étincelante qu'il chercha à planter en moi. Je le poussai contre la façade d'un immeuble et m'en nourris comme un goinfre.

Le suivant, un jeune désespéré des plus banals, couvert de petites plaies suppurantes, avait déjà tué à deux reprises pour se procurer l'héroïne dont il avait aussi désespérément besoin que moi de son sang maudit.

Je mis moins de hâte à boire.

Les cicatrices les plus épaisses, les plus profondes, qui marquaient mon corps se défendaient avec ardeur, me démangeaient, palpitaient, ne s'effaçaient que lentement. Mais la soif, la soif ne connaissait pas de répit. Mes entrailles se tordaient comme si elles s'étaient dévorées elles-mêmes. Mes yeux me lançaient douloureusement.

Pourtant, la cité glaciale, retentissante de bruits creux obsédants, devenait toujours plus éclatante autour de moi. Les voix qui s'élevaient à des centaines de mètres, des petits haut-parleurs électroniques installés dans les grands immeubles, me parvenaient à présent. Au-delà des nuages effilochés, les étoiles innombrables m'apparaissaient dans toute leur vérité.

J'étais presque redevenu moi-même.

Qui va s'approcher de moi, maintenant, me demandais-je, à cette heure solitaire qui précède l'aube, lorsque la neige fond dans l'air tiédi, que les néons se sont évanouis, que les journaux mouillés roulent telles des feuilles dans une forêt dénudée et glaciale ?

Tout en m'interrogeant, je laissais tomber çà et là, dans des poubelles publiques profondes, les biens de ma première victime.

Un dernier tueur, oui, s'il plaît au destin de me le donner quand il en est encore temps. Et il vint en effet, l'imbécile, il descendit de voiture, tandis que son complice attendait sans arrêter le moteur.

— Magne-toi un peu, nom de Dieu. Qu'est-ce qui te prend ? demanda enfin le conducteur.

— Rien, répondis-je en lâchant son compagnon.

Je me penchai dans le véhicule pour regarder le survivant. Aussi bête et méchant que l'autre. Il leva brusquement la tête, trop tard, impuissant. Je le repoussai sur le siège de cuir et bus par simple plaisir, par pur, délicieux, délirant plaisir.

Je marchais dans la nuit d'un pas lent, les bras tendus, les yeux au ciel.

Les grilles noires dispersées dans l'asphalte luisant vomissaient la vapeur immaculée des pièces souterraines chauffées. Les ordures rassemblées dans des sacs plastique brillants composaient un fantastique étalage scintillant, très moderne, au bord des trottoirs gris ardoise.

De jeunes arbres délicats, aux minuscules feuilles persistantes semblables à des traits de crayon vert vif dans la nuit, se penchaient telles des tiges de fleurs soumises au vent gémissant. Partout, les hautes portes de verre étincelant des grands immeubles en granit défendaient la splendeur radieuse de riches vestibules. Les vitrines des magasins exhibaient diamants aveuglants, fourrures lustrées, manteaux et robes de bonne coupe sur des mannequins métalliques sans visage aux coiffures élaborées.

La cathédrale, plongée dans l'obscurité, silencieuse, n'était que tourelles festonnées de givre et antiques voûtes pointues. A l'endroit où je m'étais tenu lorsque le soleil m'avait frappé, le trottoir était net.

Je m'attardai là, les yeux clos, cherchant peut-être à retrouver l'émerveillement, la ferveur, le courage et la glorieuse espérance.

Au lieu de quoi me parvinrent, claires et brillantes dans l'air nocturne, les notes cristallines de l'*Appassionata*. La musique fracassante roulait, grondait, se précipitait ; elle m'appelait. Je la suivis.

La pendule du hall de l'hôtel sonnait six heures. L'obscurité hivernale volerait en éclats dans quelques instants, comme la glace qui m'avait emprisonné. Le long comptoir poli était désert sous la lumière tamisée.

Un miroir mural au verre terni, encadré de dorures rococo, me renvoya mon image, pâle et cireuse, sans défaut. Ah, le soleil et la glace s'étaient bien amusés avec moi, chacun à leur tour, la furie du premier très vite gelée par l'étreinte impitoyable de la seconde. Il ne restait pas une cicatrice là où ma peau avait brûlé jusqu'au muscle. Un corps hermétique, solide, emprisonnant une souffrance uniforme, voilà ce que j'étais — tout d'une pièce, rebâti, doté d'ongles blancs, de cils recourbés autour de purs yeux bruns, de vêtements luxueux, sales et repoussants, trop grands pour un vigoureux chérubin tel que moi.

Jamais encore je n'avais éprouvé de reconnaissance en voyant mon visage trop juvénile, mon menton trop glabre, mes mains trop douces, trop délicates. Mais à cet instant, j'eusse volontiers remercié les anciens dieux de m'avoir donné des ailes.

Au-dessus de moi, la musique se déroulait, magnifique, parlant de tragédie, de désir, d'indomptable énergie. Dieu, que je l'aimais. Qui, dans le vaste monde, pourrait jamais jouer cette sonate comme Sybelle, chaque phrase aussi fraîche que le chant poussé leur vie durant par des oiseaux qui ne connaissent qu'un unique enchaînement de notes ?

Je regardai autour de moi. Je me trouvais dans un bel établissement de luxe, aux lambris anciens et aux fauteuils profonds. Des clés s'alignaient contre un mur, rangées dans de petites boîtes au bois assombri.

Un imposant vase de fleurs, signe infaillible du bon hôtel new-yorkais, occupait avec audace et magnificence le centre du hall, posé sur une table ronde à dessus de marbre noir. Je tournai autour du bouquet, cueillis un grand lis rose au cœur d'un rouge profond, dont les pétales s'enroulaient vers le jaune sur l'extérieur, puis je grimpai en silence l'escalier de secours afin de rejoindre mes enfants.

Sybelle n'arrêta pas de jouer lorsque Benji me fit entrer.

— Tu as l'air en pleine forme, monsieur l'ange, dit-il.

Elle resta au clavier, bougeant la tête sans la moindre affectation, parfaitement en rythme avec la sonate.

Il me guida à travers une suite de pièces joliment décorées. Celle qui m'était réservée me parut de beaucoup trop luxueuse, ainsi que je le dis en découvrant les tentures et les coussins au gracieux brocart d'or usé. Je n'avais besoin que de l'obscurité la plus totale.

— C'est ce que nous avons de moins bien, répondit-il avec un petit haussement d'épaules.

Il avait enfilé une robe propre en lin blanc, ornée d'un mince galon bleu, comme j'en avais souvent vu en pays arabe. Des chaussettes blanches apparaissaient dans ses sandales. Il tirait sur sa fine cigarette turque en m'observant, les yeux plissés, à travers la fumée.

— Tu m'as rapporté la montre, je parie !

Il hochait la tête, amusé et sarcastique.

— Non. (Je fouillai ma poche.) Mais tu peux prendre l'argent, si tu veux. Dis-moi, puisque ta petite tête est un véritable coffre dont je n'ai pas la clé, quelqu'un t'a-t-il vu amener jusqu'ici ce bandit, avec ses armes et son insigne ?

— Il traînait tout le temps par ici. (Benji eut un geste las.) On a quitté le bar séparément. J'ai fait d'une pierre deux coups. Très malin.

— Comment ça ?

Je lui posai le lis dans la main.

— Il fournissait le frère de Sybelle. C'était bien le seul être au monde à qui cette brute ait manqué. (Benjamin laissa échapper un léger rire, coinça la fleur dans les boucles épaisses qui surmontaient son oreille gauche puis l'en tira derechef, pour faire tournoyer entre ses doigts le minuscule ciboire.) Bien joué, non ? Maintenant, plus personne ne se demandera où elle est passée.

— D'une pierre deux coups, oui, tu as tout à fait raison. Malheureusement, ça m'étonnerait qu'on en reste là.

— Mais maintenant, tu vas nous aider, hein ?

— Oui. Je suis très riche, je te l'ai déjà dit. J'arrangerai les choses. Je suis doué pour ça. J'ai été propriétaire d'une grande maison de jeu, très loin d'ici, et ensuite, d'une île entière de magasins et d'autres établissements de ce genre. Je suis un monstre de bien des manières, à ce qu'il paraît. Tu n'auras plus jamais, jamais rien à craindre.

— Tu es vraiment beau, tu sais, reprit-il, haussant un sourcil puis m'adressant un rapide clin d'œil.

Il tira sur sa petite cigarette parfumée puis me la tendit. Son autre main tenait toujours le lis avec soin.

— Je ne peux pas. Je bois du sang, c'est tout. Le vampire classique, pour l'essentiel. Qui a besoin de l'obscurité la plus absolue quand il fait jour, ce qui ne saurait tarder. Ne touchez pas à cette porte.

— Ha ! (Il se mit à rire avec un ravissement diabolique.) Je le lui ai bien dit ! (Il roula les yeux puis jeta un coup d'œil en direction du salon.) Je lui ai dit qu'il fallait qu'on te vole un cercueil tout de suite, mais elle a dit que non, que tu t'en chargerais.

— Elle avait parfaitement raison. La chambre conviendra, quoique j'aime assez les cercueils. Vraiment.

— Tu peux nous transformer en vampires, nous aussi ?

— Ah, non. Pas du tout. Vous avez le cœur pur et vous êtes trop vivants. Et puis ce n'est pas en mon pouvoir. Ça ne se fait pas, jamais. Ce n'est pas possible.

Il haussa derechef les épaules.

— Alors qui t'a transformé, toi ?

— Je suis né d'un œuf noir. Comme tous mes frères.

Petit rire moqueur.

— Ecoute, tu as vu tout le reste. Pourquoi ne pas croire la meilleure part ? demandai-je.

Pour toute réponse, le jeune Bédouin se contenta de sourire, de souffler sa fumée et de me regarder de l'air le plus voyou qui fût.

Le piano chantait ses cascades fracassantes, les notes rapides fondant aussi vite qu'elles naissaient, tels les derniers flocons épars de l'hiver disparaissant sans avoir seulement touché le trottoir.

— Je peux l'embrasser, avant de me coucher ? m'enquis-je.

Il pencha la tête de côté et haussa les épaules.

— Si ça ne lui plaît pas, elle n'arrêtera même pas de jouer le temps de te le dire.

Je regagnai le salon. Comme tout m'apparaissait clairement, à présent, le vaste ensemble des paysages français somptueux, avec leurs nuages dorés et leurs cieux bleu de cobalt, les vases chinois sur leurs socles, le velours pesant accroché aux baguettes de bronze posées haut devant les vieilles fenêtres étroites. J'embrassai tout d'un coup d'œil, y compris le lit où j'avais attendu, sur lequel s'empilaient des édredons propres emplis de duvet et des coussins brodés anciens.

Elle, enfin, le diamant au centre de l'écrin, dans sa longue chemise de nuit en flanelle aux poignets et à l'ourlet ornés de volants en vieux point d'Irlande, promenant sur son piano à queue laqué des doigts agiles, infaillibles, les cheveux tombant sur les épaules en une large aura luisante.

J'embrassai ses boucles parfumées puis sa gorge tendre. Son sourire enfantin et son regard brillant ne m'échappèrent pas, tandis qu'elle continuait à jouer, la tête penchée en arrière pour effleurer le devant de mon manteau.

Je lui glissai les bras autour du cou. Elle appuya contre moi son poids léger. Les bras croisés, je lui pris la taille. Ses épaules bougeaient dans mon étreinte prudente au rythme de ses doigts rapides.

J'osai, les lèvres closes, en un murmure, fredonner avec la musique, et Sybelle fredonna avec moi.

— *Appassionata*, lui chuchotai-je à l'oreille.

Je pleurais. Il ne pouvait être question de la tacher de sang — elle était trop pure, trop ravissante — aussi détournai-je la tête.

Le silence tomba, abrupt, aussi cristallin que la musique qui l'avait précédé.

Sybelle pivota pour m'enlacer, me serra fort dans ses bras et me dit ce que jamais, durant toute ma longue vie d'immortel, ne m'avait dit aucun mortel :

— Je t'aime, Armand.

XXIII

Est-il besoin de préciser que ce sont les compagnons parfaits ?

Ils ne s'inquiétaient pas des meurtres. Sur ma vie, je ne le comprenais pas. Leurs préoccupations étaient autres : la paix dans le monde, les sans-abri misérables livrés au froid de l'hiver new-yorkais, le prix des médicaments nécessaires aux malades, l'horreur que représentait la guerre sans fin opposant Palestine et Israël. Mais les horreurs qu'ils avaient vues de leurs yeux les laissaient totalement indifférents. Ils ne se souciaient pas que je tue chaque nuit pour obtenir du sang, que je vive de cela et de rien d'autre, que je sois une créature vouée par sa nature même à la destruction des hommes.

Ils restaient sereins en pensant au frère mort (il s'appelait Fox, soit dit en passant, mais je préfère ne pas mentionner le nom de famille de ma belle enfant).

D'ailleurs, si ce texte voit jamais la lumière du monde réel, il te faudra changer son prénom et celui de Benjamin.

Toutefois, là n'est pas la question pour l'instant. Je ne parviens pas à imaginer la destinée de ces pages, si ce n'est qu'elles lui sont en grande partie destinées, à elle, ainsi que je l'ai déjà mentionné. S'il m'est permis de leur donner un titre, je pense que ce sera *Symphonie à Sybelle*.

Non, comprends-le bien, que j'aime moins Benji. Simplement, je n'éprouve pas envers lui des sentiments protecteurs aussi irrésistibles. Je sais qu'il aura une vie extraordinaire, aventureuse, quoi qu'il nous arrive à Sybelle ou moi, ou quoi qu'il lui arrive à lui-même. C'est dans sa nature de Bédouin, souple et tenace. Benji est un véritable enfant des sables dispersés par le vent et des tentes du désert, malgré le bidonville où il a vécu, dans la banlieue de Jérusalem. Là-bas, il persuadait les touristes de se faire photographier en sa compagnie, à prix d'or, près d'un chameau agressif et sale.

Fox l'avait tout bonnement enlevé, en offrant à son père cinq mille dollars pour prix de son esclavage criminel. Le marché comprenait aussi un passeport d'émigration falsifié. Benji, sans le moindre doute le génie de sa tribu, éprouvait à l'idée de rentrer chez lui des sentiments ambigus. Les rues de New York lui avaient appris à voler, fumer et jurer, dans cet ordre-là. Bien qu'il affirmât, la main sur le cœur, être incapable de déchiffrer quoi que ce fût, il savait lire. Il se mit d'ailleurs à le faire de manière obsessive à dater de l'instant où je commençai à le couvrir de livres.

Il connaissait en fait l'anglais, l'hébreu et l'arabe, pour avoir trouvé les trois dans les journaux de sa mère patrie aussi loin qu'il se le rappelât.

S'occuper de Sybelle lui plaisait. Il veillait à ce qu'elle se nourrît, bût du lait, se baignât et changeât de vêtements, alors qu'aucune de ces occupations routinières n'avait pour elle le moindre intérêt. Il se piquait d'être capable de lui obtenir par son intelligence tout ce dont elle pouvait avoir besoin, quoi qu'il advînt d'elle.

Le personnel de l'hôtel le considérait comme le porte-parole de la jeune femme : c'était lui qui donnait leur pourboire aux femmes de chambre ou échangeait des banalités à la réception, y compris des mensonges remarquablement travaillés sur la disparition de Fox, lequel était devenu dans sa saga sans fin un voyageur fabuleux parcourant le monde entier en tant que photographe amateur. Benji s'occupait en outre de l'accordeur de piano, qu'il appelait jusqu'à une fois par semaine parce que l'instrument, proche d'une fenêtre, se trouvait exposé au soleil et au froid, mais aussi parce que Sybelle en martelait bel et bien les touches avec une fureur qui eût impressionné le grand Beethoven. Il téléphonait à la banque, dont tous les employés le prenaient pour le frère aîné de la jeune femme, David — prononcez Dévidd — puis se présentait comme prévu au guichet afin de retirer de l'argent sous les traits du petit Benjamin.

Quelques nuits de sa conversation me persuadèrent qu'il était possible de lui donner une éducation digne de celle que Marius m'avait prodiguée. Ensuite, il n'aurait que l'embarras du choix entre les universités, les professions ou les passe-temps de nature à lui occuper l'esprit. Je ne voulais pas viser trop haut, mais avant la fin de la semaine, je rêvais de pensionnats d'où il émergerait en conquistador social de la côte est, vêtu d'un blazer bleu à boutons dorés.

Je l'aime assez pour démembrer quiconque se risquerait à poser le doigt sur lui.

Mais il existe entre Sybelle et moi une communion d'âmes qui échappe parfois aux mortels, comme aux immortels, leur vie durant. Je connais Sybelle. Vraiment. Je l'ai connue à la seconde où je l'ai entendue jouer pour la première fois, je la connais en cet instant, et je ne serais pas ici avec toi si elle ne se trouvait sous la protection de Marius. Tout le temps qu'elle vivra, jamais je ne me séparerai d'elle. Elle ne peut rien me demander que je ne sois prêt à lui donner.

Lorsqu'elle mourra, fatalement, j'endurerai une angoisse indescriptible. Mais je ne puis y échapper. Je n'ai pas le choix. Je ne suis plus celui que j'étais quand j'ai posé le regard sur le voile de Véronique, quand je me suis élevé dans le soleil.

C'est un être différent, profondément épris de Sybelle

et de Benjamin, qui se tient devant toi. Il m'est impossible de faire marche arrière.

Bien sûr, j'ai une conscience aiguë de m'épanouir dans cet amour. Je suis plus heureux que jamais encore durant toute mon existence d'immortel : la compagnie de mes deux enfants a accru ma force de manière considérable. Notre conjonction est trop proche de la perfection pour ne pas être due au hasard le plus complet.

Sybelle n'a pas sombré dans la folie ; elle ne s'en est pas même approchée. Je me plais à croire que je la comprends parfaitement. Elle a une obsession : jouer du piano. Du jour où elle a posé les mains sur les touches, elle n'a rien voulu d'autre. Sa « carrière », si généreusement planifiée par ses parents et son frère Fox, brûlant d'ambition, n'a jamais eu beaucoup d'importance à ses yeux.

Eût-elle été pauvre et contrainte de lutter pour survivre, peut-être la notoriété fût-elle devenue indispensable à son histoire d'amour avec le piano, en lui offrant l'échappatoire nécessaire aux pièges et à la morne routine de la vie domestique. Mais la pauvreté n'a pas été son lot. Sybelle est donc réellement, jusqu'au tréfonds de l'âme, indifférente au fait qu'on l'entende ou non jouer.

Elle veut juste s'entendre elle-même et savoir qu'elle ne gêne personne.

Dans le vieil hôtel, aux chambres en général louées à la journée, où ne vivent vraiment que quelques rares clients assez fortunés pour y habiter toute l'année, ainsi que le faisait sa famille, elle peut jouer tant qu'elle le veut sans déranger qui que ce soit.

Après la mort tragique de ses parents, après la perte des deux seuls témoins intimes de sa progression, il ne lui a tout simplement pas été possible de continuer à coopérer avec Fox lorsqu'il planifiait sa carrière.

Eh bien, tout cela, je l'ai compris presque dès le début, à cause de son incessante répétition de la sonate n° 23. Si tu l'entendais jouer, sans doute le comprendrais-tu aussi. Il faut que tu l'entendes.

Mais ne t'y trompe pas : si d'autres se réunissent pour l'écouter, Sybelle n'en est nullement gênée. Si on l'enregistre, cela ne la dérange pas. Si des auditeurs prennent plaisir à son jeu et le lui disent, elle en est ravie. Simplement, elle trouve leur réaction toute naturelle. « Ah, vous aussi, vous aimez, » pense-t-elle. « C'est beau, non ? » Voilà ce que m'ont confié ses yeux et son sourire la première fois que je l'ai rencontrée.

Je suppose qu'avant de poursuivre — car j'ai encore beaucoup à dire sur mes enfants — je devrais poser la grande question : comment l'ai-je rencontrée ? Comment suis-je arrivé dans son appartement, le matin fatal où Dora brandissait le voile miraculeux devant la foule, aux portes de la cathédrale, tandis que, le sang s'étant consumé dans mes veines, je filais vers le ciel ?

Je n'en sais rien. Les explications surnaturelles qui me viennent à l'esprit, assez fastidieuses, évoquent les volumes publiés par la *Society for the Study of Psychic Phenomena* ou les scénarios destinés à Mulder et Scully, dans la série des *X-Files*, voire un dossier secret tiré des archives du Talamasca, l'ordre des détectives psychiques.

En résumé, voilà comment je vois les choses. Je possède des pouvoirs immenses dès lors qu'il s'agit de jeter des sorts, de délocaliser ma vision, de transmettre mon image à distance et d'affecter la matière, de près mais aussi de loin. D'une manière ou d'une autre, au cours de mon ascension vers les nuages, j'ai dû utiliser cette capacité-là. Peut-être l'énergie nécessaire m'a-t-elle échappé en un instant de douleur déchirante, alors que j'étais, il faut le dire, proche de la folie et totalement inconscient de ce qui m'arrivait. Peut-être n'était-ce qu'un ultime refus hystérique, désespéré, de la mort ou de l'horrible épreuve, si proche de la mort, qui s'imposait à moi.

En fait, après être tombé, brûlé, sur le toit, il se peut que j'aie cherché une futile échappatoire mentale à la souffrance indicible qui me torturait en projetant mon image et ma force dans l'appartement de Sybelle le temps de tuer son frère. Un esprit est parfaitement capable de soumettre la matière à une pression assez forte pour la transformer. Peut-être est-ce là ce que j'ai fait — déléguer ma forme spirituelle, peser sur la substance de Fox et le tuer.

Mais je n'y crois pas vraiment. Voilà pourquoi.

Tout d'abord, bien que Sybelle et Benji ne connaissent pas grand-chose aux cadavres et à la médecine légale, malgré leur bon sens et leur détachement apparent, ils m'ont tous deux assuré que le corps de Fox était exsangue lorsqu'ils s'en sont débarrassés. Des marques de piqûres se voyaient à son cou. Mes enfants croient donc encore à cette heure que j'étais là, en chair et en os, et que j'ai réellement bu le sang de leur compagnon.

Chose qu'une image ne peut faire, du moins pas que je sache. Elle est incapable d'absorber tout le sang d'un corps puis de se dissoudre, de retourner à l'esprit dont elle est issue. Impossible.

Certes, Benji et Sybelle se trompent peut-être. Que savent-ils du sang et des cadavres ? Toutefois, ils m'ont affirmé avoir gardé le mort deux jours dans l'appartement, persuadés que le Dybbuk, l'ange, allait revenir les aider. Or, en deux jours, le sang descend jusqu'aux parties les plus basses du corps, changement qui leur aurait été visible. Ils n'ont rien remarqué de tel.

Ah, j'en ai la tête douloureuse ! Le fait est que j'ignore comment je me suis retrouvé auprès d'eux et pourquoi. Je ne sais ce qui s'est produit. Ce que je sais — je l'ai déjà dit — c'est que l'expérience tout entière, les événements de l'hôtel mais aussi la messe célébrée dans la grande cathédrale de Kiev restaurée — un lieu forcément imaginaire — était réelle.

Encore un détail, qui bien que minuscule est essentiel. Une fois que j'ai eu tué Fox, Benji a vu d'une fenêtre mon corps brûlé tomber du ciel. Il m'a vu comme je l'ai vu.

Une idée vraiment terrible m'est venue. La voici. Ce matin-là, j'allais mourir. Cela devait arriver. Je montais, propulsé par une volonté immense, par un immense amour de Dieu, dont je ne doute pas en dictant ces mots.

Mais peut-être, à l'instant crucial, le courage m'a-t-il manqué. Alors que je cherchais à m'abriter du soleil, à échapper au martyre, j'ai découvert l'épreuve vécue par Sybelle auprès de son frère. Conscient du besoin impérieux qu'elle avait de moi, je suis tombé vers l'abri du toit, sur lequel neige et glace m'ont très vite recouvert. Si je m'en tiens à cette interprétation, mon apparition à l'hôtel ne peut être qu'une illusion passagère, engendrée comme je l'ai déjà dit par une puissante projection de mon moi destinée à exaucer le vœu d'une jeune inconnue vulnérable, que son frère allait battre à mort.

Quant à Fox, je l'ai tué, cela ne fait aucun doute. Mais il est mort de peur, d'un arrêt du cœur, peut-être, ou de la pression de mes mains illusoires sur sa gorge fragile, assassiné par télékinèse ou influence spirituelle.

Toutefois, j'insiste là-dessus, je n'y crois pas.

J'étais bel et bien dans la cathédrale Sainte-Sophie. J'ai cassé l'œuf en y appuyant les pouces. J'ai regardé s'envoler l'oiseau.

Je sais que ma mère se tenait à mon côté, que mon père a renversé le calice. Je le sais, parce que nulle partie de moi n'eût été capable d'inventer pareille chose. Et parce que les couleurs que j'ai vues en ces instants, la musique que j'ai entendue, ne ressemblaient à rien de ce que j'avais jamais connu.

Je n'ai tout simplement jamais fait d'autre rêve dont je puisse en dire autant. Lorsque j'ai célébré la messe dans la cité de Vladimir, je me trouvais au sein d'un monde composé d'éléments dont mon imagination ne disposait pas.

Mais je ne veux pas en parler davantage. Essayer

d'analyser l'événement est trop douloureux, trop effrayant. Je ne l'ai pas souhaité, pas consciemment du moins, et je n'ai eu sur son déroulement aucune influence consciente. Il s'est juste produit.

Je l'oublierais, si j'en étais capable. Mon bonheur est tel, auprès de Sybelle et de Benji, que je veux en tout cas l'oublier de leur vivant. Mon unique désir est de rester auprès d'eux, ce que je fais depuis la nuit que je t'ai décrite.

Tu t'en es aperçu, j'ai pris mon temps pour venir à La Nouvelle-Orléans. J'avais rejoint les rangs des dangereux morts-vivants, aussi m'était-il facile d'apprendre, grâce aux esprits vagabonds d'autres vampires, que Lestat se trouvait en sécurité dans sa prison, ici même, où il te dictait l'histoire de ce qui lui était arrivé en compagnie du Dieu incarné et de Memnoch le démon.

Il m'était facile d'apprendre, sans dévoiler ma propre présence, qu'un monde d'immortels tout entier me pleurait, avec plus de détresse et de larmes que je ne l'eusse jamais prédit.

Ainsi, persuadé que Lestat ne courait aucun risque, stupéfait mais soulagé que son œil volé lui eût été mystérieusement rendu, je pouvais à mon gré rester auprès de Sybelle et de Benji.

En leur compagnie, je jouissais du présent comme je ne l'avais plus fait depuis le départ de mon novice, mon seul et unique novice, Daniel Molloy. Jamais l'amour que je lui portais n'avait été vraiment pur. C'était un sentiment possessif, féroce, inextricablement mêlé à ma haine pour l'univers tout entier, ainsi qu'à mon égarement face aux temps modernes stupéfiants qui s'étaient révélés à moi lorsque j'avais émergé des catacombes parisiennes dans les dernières années du dix-huitième siècle.

Daniel lui-même n'avait que faire de ce qui l'entourait. Il était venu me trouver avide de notre sang ténébreux, le cerveau enfiévré par les contes macabres, grotesques, de Louis de Pointe du Lac. En le couvrant des cadeaux les plus somptueux, je n'avais réussi qu'à le dégoûter des délices des mortels, si bien qu'il avait fini par se détourner des richesses que je lui offrais pour devenir un vagabond. En loques, dément, errant par les rues, il s'était coupé du monde au point de presque en mourir. Quant à moi, faible, partagé, torturé par sa beauté, empli de désir pour l'homme mais non pour le vampire qu'il pouvait devenir, je ne l'avais amené à nous grâce au Don que parce qu'il eût péri si je m'en étais abstenu.

Ensuite, je n'avais pas été pour lui un Marius. Les choses s'étaient trop passées comme je l'avais prévu : il m'avait pris en horreur, au fond de son cœur, pour l'avoir introduit dans la mort-vie, pour avoir fait de lui en une nuit à la fois un immortel et un véritable tueur.

En tant que mortel, il n'avait eu aucune idée du prix à payer pour ce que nous sommes et aucun désir d'apprendre la vérité. Ensuite, il avait cherché à la fuir, dans des rêves dangereux et des délires vindicatifs.

Ainsi mes craintes étaient-elles devenues réalité. J'avais voulu créer un compagnon ; j'avais enfanté un inférieur qui ne me voyait que davantage comme un monstre.

Nous ne connûmes ensemble nulle innocence, nul printemps. Cela nous fut refusé, malgré la beauté des jardins crépusculaires où nous portions nos pas. Nos âmes ne s'accordaient pas, nos désirs se heurtaient, nos rancunes étaient trop nombreuses, trop bien entretenues pour une floraison.

Il n'en va pas de même à présent.

Deux mois durant, je menai à New York, en compagnie de Sybelle et de Benji, une vie que je n'avais plus connue depuis mes nuits vénitiennes si lointaines.

Sybelle est riche, je pense l'avoir déjà dit, mais de manière ennuyeuse, laborieuse. Elle dispose d'une rente qui paie la location exorbitante de son appartement ainsi que les repas qu'on lui monte chaque jour, tout en lui laissant de quoi s'offrir de beaux vêtements, des billets de concert et, à l'occasion, une frénésie dépensière.

Je suis fabuleusement riche. Aussi, la première chose que je fis, et avec plaisir, fut de répandre sur mes enfants les cadeaux que j'avais autrefois répandus sur Daniel Molloy. Ils produisirent beaucoup plus d'effet.

Cela leur plut.

Sybelle, lorsqu'elle ne jouait pas du piano, n'avait absolument aucune objection à aller au cinéma avec Benji et moi, au concert ou à l'opéra. Elle aimait le ballet ; elle aimait emmener Benjamin dans les meilleurs restaurants, où les serveurs s'émerveillaient de sa brusque petite voix enthousiaste et de la rapidité avec laquelle il scandait les noms des plats, français ou italiens, puis commandait de grands vins qu'ils lui servaient sans hésiter, en dépit des lois bien intentionnées interdisant la vente d'alcool aux mineurs.

Bien sûr, j'aimais cela, moi aussi. Je découvris avec délices que Sybelle prenait également un intérêt amusé quoique sporadique à m'habiller, à choisir vestes, chemises et autres sur les présentoirs en les montrant d'un doigt vif, à sélectionner sur des plateaux couverts de velours des bagues ornées de pierres précieuses, des boutons de manchettes, des chaînes où pendaient de petits crucifix en or et rubis, des pinces à billets en or massif et diverses babioles du même genre.

J'avais ainsi joué les maîtres avec Daniel Molloy. Elle les joue avec moi à sa manière rêveuse, tandis que je me charge des ennuyeuses questions d'argent.

En retour, j'ai le plaisir suprême de porter Benji partout telle une poupée et de le voir arborer — du moins à l'occasion, pour une heure ou deux — toutes les merveilles occidentales que je lui achète.

Nous composons un trio saisissant, lorsque nous dînons au Lutèce ou au Sparks (où, bien sûr, je ne dîne pas vraiment) ; Benji dans sa petite robe de Bédouin immaculée, ou revêtu d'un costume de bonne coupe aux revers étroits, d'une chemise blanche et d'une mince cravate ; moi dans mon vieux velours très acceptable, le cou entouré d'une abondance de dentelle ancienne ; Sybelle arborant une des robes ravissantes dont déborde son placard, des modèles achetés par Fox ou sa mère qui moulent son ample poitrine et sa taille fine, avant de s'évaser comme par magie autour de ses longues jambes, l'ourlet assez haut pour révéler la courbe splendide et la fermeté de son mollet, lorsqu'elle glisse ses pieds gainés de bas noirs dans des souliers aux talons aussi effilés que des dagues. Les courtes boucles brunes de Benji forment une auréole byzantine à son petit visage sombre, énigmatique, les ondulations blondes de Sybelle flottent au vent, tandis que ma propre chevelure est redevenue la crinière Renaissance de longues mèches rebelles dont j'ai toujours été fier en secret.

Mon plus grand plaisir, en ce qui concerne Benji, consiste à l'éduquer. Dès le début, nous avons eu de longues conversations ardentes sur l'histoire et le monde. Nous nous retrouvions étendus sur les tapis de l'appartement, absorbés par des cartes, à discuter les progrès de l'Orient et de l'Occident, ou l'influence inévitable sur l'histoire du climat, de la culture et de la géographie. Benji marmonne en permanence durant les informations télévisées, appelant les présentateurs par leur prénom, comme des intimes, tapant rageusement du poing aux décisions des dirigeants mondiaux et poussant de grands gémissements à la mort des princesses ou des personnalités de l'humanitaire. Il est capable de suivre les nouvelles, de parler sans interruption, de manger du pop-corn, de fumer une cigarette, de chantonner par intermittence, toujours juste, pour accompagner Sybelle — tout cela plus ou moins simultanément.

Lorsqu'il me surprend à regarder tomber la pluie, comme si j'avais vu un fantôme, il vient me taper sur le bras en s'écriant :

— Qu'allons-nous faire, Armand ? Il passe trois films superbes, ce soir. Je suis fâché, fâché, te dis-je, parce que si nous allons en voir un, nous raterons Pavarotti au Metropolitan et que je serai vert de colère.

Souvent, nous nous associons pour habiller Sybelle, laquelle semble se demander ce que nous lui voulons. Nous nous installons toujours près de la baignoire quand elle prend son bain, car elle risque sinon de s'y endormir ou, tout simplement, d'y rester des heures à presser son éponge sur sa belle poitrine.

Certaines nuits, elle n'ouvre la bouche que pour des remarques comme : « Attache tes lacets, Benji, » ou « Il a volé l'argenterie, Armand. Demande-lui de la remettre en place, » ou encore, avec une soudaine surprise : « Il fait chaud, vous ne trouvez pas ? »

Avant cet instant, jamais je n'avais raconté à personne l'histoire de ma vie, mais en discutant avec Benji, je me suis parfois surpris à répéter des remarques de Marius sur la nature humaine, l'histoire du droit, la peinture, voire la musique.

Ces conversations, plus que n'importe quoi d'autre, m'ont fait comprendre au fil des deux derniers mois que je n'étais plus le même.

Une terreur noire, paralysante m'a quitté. L'histoire n'est plus pour moi le panorama de désastres que j'y voyais autrefois ; souvent, les prédictions de Marius me reviennent à l'esprit, généreuses, d'un bel optimisme — il me disait que le monde s'améliorait sans arrêt ; que la guerre, malgré tous les conflits qui nous entouraient, n'en était pas moins démodée parmi les gens au pouvoir et qu'elle disparaîtrait bientôt des arènes du tiers monde comme de celles de l'Occident ; que nous donnerions réellement à manger à ceux qui ont faim, un toit aux sans-abri, et prendrions soin des malheureux abandonnés à la solitude.

En ce qui concerne Sybelle, éducation et discussion ne constituent pas l'essence de notre amour. Il s'agit d'intimité. Peu importe qu'elle ne dise pas un mot. Je ne pénètre pas son esprit, car elle se refuse à subir pareille chose.

De même qu'elle m'accepte totalement, avec ma nature, je l'accepte totalement, avec son obsession de l'*Appassionata*. Heure après heure, nuit après nuit, je l'écoute jouer. Chaque fois qu'elle reprend la sonate au début, je perçois les infimes changements d'intensité et d'expression qui transforment son interprétation. C'est pourquoi je suis devenu peu à peu le seul auditeur dont elle ait jamais eu conscience.

Je me suis intégré à sa musique. Je suis là, auprès de mon aimée, dans les phrases et les mouvements de l'*Appassionata*. Je suis là, et je n'ai aucune exigence, excepté celle de voir faire à Sybelle ce qu'elle a envie de faire et fait si bien.

Voilà tout ce qu'elle aura jamais à m'accorder — agir ainsi qu'elle l'entend.

Si un jour elle désire « l'argent et la gloire », je lui ouvrirai la route. Si elle a envie de solitude, elle ne me verra ni ne m'entendra. Si elle veut quoi que ce soit, je le lui procurerai.

Si elle s'éprend d'un mortel, homme ou femme, je ferai ce qu'elle me demandera. Y compris vivre dans l'ombre. Je l'adore. Je peux vivre éternellement dans l'ombre, parce qu'une telle chose n'existe pas quand je suis auprès d'elle.

Elle m'accompagne souvent dans mes chasses, car elle aime me voir boire et tuer. Je ne crois pas l'avoir jamais permis à un autre mortel. Elle s'efforce de m'aider à me débarrasser des cadavres ou à rendre incertaine la cause de leur mort, mais je suis très fort, très rapide, très doué pour cela, aussi reste-t-elle avant tout un témoin.

J'essaie de ne pas entraîner Benji dans ces escapades, parce qu'une excitation sauvage, enfantine, l'empoigne alors, ce qui ne lui fait aucun bien. A Sybelle, cela ne fait tout simplement rien.

Je pourrais t'en raconter bien plus encore : nous avons géré la disparition de Fox ; j'ai placé au nom de Sybelle d'énormes sommes d'argent et créé pour Benji les fonds de dépôt appropriés les plus sûrs ; j'ai acheté à mon aimée des parts substantielles du palace où elle habite et installé dans son appartement, immense pour une suite d'hôtel, plusieurs bons pianos qu'elle apprécie fort ; j'ai aménagé, assez loin pour y être en sécurité, un repaire introuvable, inviolable, indestructible, où se trouve un cercueil que j'utilise parfois, bien que je sois davantage accoutumé à la chambre que m'ont réservée dès le début mes deux enfants, petite pièce dont la seule fenêtre, qui donne sur un puits d'aération, est occultée avec soin par des rideaux de velours.

Mais au diable tout cela.

Tu sais ce que je veux que tu saches.

Il ne nous reste qu'à en venir au crépuscule de cette nuit, au moment où j'arrivai ici, où j'entrai dans ce nid de vampires, encadré de mon fils et de ma fille, afin de voir enfin Lestat.

XXIV

Ça paraît un peu trop simple, non ? La transformation de l'enfant ardent, debout sous le porche de la cathédrale, en un monstre heureux, décidant par une nuit de printemps new-yorkaise qu'il est temps de partir vers le sud voir son vieil ami ?

Tu connais les raisons de ma visite.

Mais commençons par le commencement. Tu te trouvais à la chapelle lorsque je suis arrivé.

Ton accueil fut sincèrement chaleureux : tu étais ravi de me découvrir vivant et bien portant. Louis faillit en pleurer.

Les autres, les nouveaux mal vêtus rassemblés dans un coin, deux garçons, me semble-t-il, et une fille, j'ignorais qui ils étaient et je l'ignore toujours ; je sais juste que, plus tard, ils partirent.

A ma grande horreur, Lestat gisait sur le sol, vulnérable. Sa mère, Gabrielle, se contentait de le regarder de loin, froidement, ainsi qu'elle regarde tout être et toute chose, comme si elle n'avait jamais su ce que c'est qu'un sentiment humain.

A ma grande horreur, les jeunes vagabonds traînaient autour de lui. Je me sentis aussitôt des instincts protecteurs envers Sybelle et Benji. Qu'ils rencontrent les plus connus d'entre nous ne m'inquiétait pas, les légendes, les guerriers — toi, mon Louis bien-aimé, Pandora ou Marius, bien sûr, même Gabrielle ; ils se trouvaient tous là.

Mais je ne voulais pas que mes enfants vissent le rebut le plus banal pénétré de notre sang. Je me demandai avec arrogance, voire vanité, ainsi que je le fais toujours en pareils instants, comment ces voyous, ces rustres prétentieux, avaient bien pu devenir vampires. Qui les avait créés, quand et pourquoi ?

En de telles circonstances, l'ancien Enfant des Ténèbres se réveille en moi, le maître sauvage du clan enseveli sous un cimetière parisien qui décrétait quand et comment le sang maudit serait offert mais, surtout, à qui. Toutefois, cette vieille habitude de jouer les chefs, frauduleuse, est au mieux gênante.

Je détestais ces parasites parce qu'ils regardaient Lestat à la manière d'une attraction de carnaval, ce que je ne pouvais admettre. Une rage soudaine, un besoin de détruire, m'envahit.

Mais nous n'avons plus de lois autorisant pareille violence, et qui étais-je pour déclencher une mutinerie sous ton toit ? J'ignorais alors que tu vivais ici, certes, mais tu étais de toute évidence en charge du maître des lieux, et tu permettais la présence de ces brutes, des trois ou quatre autres qui arrivèrent peu après et osèrent tourner autour de lui — aucun d'eux, je le remarquai, ne s'approchant vraiment.

Sybelle et Benjamin suscitaient bien sûr la plus vive curiosité. Je leur dis tout bas de rester à mon côté, de ne s'écarter sous aucun prétexte. Sybelle ne parvenait pas à se sortir de la tête qu'un piano était là, tout proche, qui offrirait à la sonate un son entièrement neuf. Quant à Benji, il se tenait tel un petit samouraï, examinant les monstres qui l'entouraient de toute part avec des yeux comme des soucoupes, malgré sa bouche crispée, sévère et orgueilleuse.

Je fus frappé par la beauté de la chapelle. N'était-ce pas fatal ? Le plâtre blanc des murs, symbole de pureté, le plafond légèrement cintré, évocateur des très vieilles églises, l'alcôve à la voûte profonde autrefois occupée par l'autel, véritable caisse de résonnance — lorsqu'on s'y déplace, l'écho des pas se répercute à travers toute la salle.

Les vitraux colorés m'étaient apparus de la rue, brillamment illuminés. Leurs motifs non figuratifs n'en étaient pas moins beaux avec leurs vives couleurs, leurs bleus, rouges et jaunes serpentins. J'aimais les inscriptions noires anciennes nommant les mortels depuis longtemps disparus en mémoire desquels avait été érigée chacune de ces fenêtres. J'aimais les vieilles statues de plâtre dispersées dans la chapelle, celles que je t'avais aidé à tirer de l'appartement new-yorkais pour les expédier vers le sud.

Je n'y avais guère prêté attention, alors ; je m'étais protégé de leurs yeux de verre ainsi que du regard de basilics. Mais à présent, oui, je les regardais.

Il y avait sainte Rita, douloureuse et douce, en robe noire et guimpe blanche, le front marqué de sa terrible plaie comme d'un troisième œil ; Thérèse de Lisieux, souriante, charmante, sainte Thérèse de l'Enfant Jésus aux bras chargés d'un crucifix et d'un bouquet de roses roses.

Thérèse d'Avila, aussi — en bois sculpté artistement peint, les yeux levés vers le ciel, mystique, tenant à la main la grande plume caractéristique des docteurs en théologie.

Je reconnaissais encore saint Louis, roi de France, coiffé de sa couronne ; saint François, évidemment, dans son humble robe de moine brune, entouré des animaux familiers. Quant aux quelques autres vertueux personnages, j'avoue à ma grande honte ignorer qui ils étaient.

Je remarquai en outre, plus frappants s'il était possible que les statues dispersées, tels autant de gardiens d'une longue histoire sacrée, les tableaux accrochés aux murs. Ils représentaient la montée du Christ au calvaire — le chemin de croix. On les avait disposés dans l'ordre, avant peut-être notre naissance au monde.

Des peintures à l'huile sur cuivre, me semblait-il. Leur style Renaissance, bien que sans le moindre doute pure imitation, m'était familier et agréable.

Aussitôt, la peur qui avait plané sur mon esprit durant mes semaines de bonheur new-yorkais s'affirma. Non, pas de la peur ; plutôt de l'angoisse.

Seigneur, murmurai-je. Je me tournai pour contempler le visage du Christ, sur le crucifix surplombant Lestat.

Ce fut un moment atroce. J'imagine que l'image du voile de Véronique effaçait ce que je voyais dans le bois sculpté. Je le sais. J'étais de retour à New York, et Dora brandissait le voile.

Je distinguais les yeux sombres aux cernes gracieux, parfaitement nets, comme intégrés au tissu sans pourtant y être absorbés, les traits foncés des sourcils et, au-dessus du regard ferme mais non provocant, les gouttes de sang arrachées par les épines. Les lèvres entrouvertes suggéraient qu'Il avait eu bien des choses à dire.

Je m'aperçus avec un choc que Gabrielle me fixait de loin d'un air glacial, aussi fermai-je mon esprit et en avalai-je la clé. Je ne voulais lui laisser toucher ni mon corps ni mes pensées. Il émanait de l'assemblée vampirique une hostilité aiguë.

Louis vint alors. Quel bonheur que je ne fusse pas mort. Il avait quelque chose à me dire. Je me faisais du souci, il le savait. Lui-même s'inquiétait de la présence des autres. Il paraissait aussi austère qu'à l'ordinaire dans ses vêtements noirs usés, bien coupés mais incroyablement poussiéreux. Sa chemise était si élimée qu'on eût dit une toile d'araignée magique plutôt que du tissu et de la dentelle.

— On les laisse entrer, parce que autrement, ils tournent autour du couvent comme des hyènes ou des loups, nuit après nuit. Tandis que là, ils viennent, ils voient ce qu'il y a à voir puis ils repartent. Tu sais ce qu'ils veulent.

Je hochai la tête. Le courage me manquait pour lui avouer que je voulais exactement la même chose. Jamais je n'avais cessé d'y penser, pas vraiment, pas un instant, sous le rythme ample de tout ce qui m'était arrivé depuis que j'avais parlé à Lestat, la dernière nuit de mon ancienne vie.

Je voulais son sang. Boire à sa gorge. Calmement, j'en informai Louis.

— Il te détruira, murmura-t-il, soudain rouge de terreur. (Son regard passa, interrogateur, à ma douce Sybelle silencieuse, cramponnée à ma main, puis à Benjamin, qui levait vers lui des yeux brillants d'enthousiasme.) Tu ne peux pas courir le risque, Armand. L'un d'eux s'est trop avancé. Lui l'a écrasé. Un mouvement machinal, mais on le croirait fait de pierre vivante. Il a réduit l'insolent en lambeaux, là, par terre. Ne t'approche pas de lui, ne tente pas une chose pareille.

— Et les anciens, ceux qui sont forts, ils n'ont pas essayé ?

Pandora prit alors la parole, elle qui nous avait observés tout du long, perdue dans l'ombre. J'avais oublié à quel point elle était belle, d'une beauté discrète, très simple.

Sa longue chevelure brune luxuriante, coiffée en arrière, jetait une ombre derrière son cou délicat. Sa peau moirée ajoutait à son charme, car elle s'était frotté le visage d'une huile foncée subtile pour avoir l'air plus humaine. Ses yeux flamboyaient, audacieux. Elle me posa la main sur le bras avec une liberté toute féminine, heureuse, elle aussi, de me découvrir en vie.

— Tu connais Lestat, me dit-elle, implorante. C'est un creuset de pouvoir. Nul ne sait de quoi il est capable.

— Mais tu n'y as pas songé, Pandora ? Il ne t'est jamais venu à l'esprit de boire le sang à sa gorge pour chercher l'image du Christ ? Peut-être a-t-il en lui la preuve infaillible qu'il a bu le sang de Dieu ?

— Mais Armand, le Christ n'a jamais été mon Dieu. C'était si simple, si choquant, si définitif.

Elle soupira — inquiète pour moi, rien de plus. Sourit puis ajouta, gentiment :

— Je ne reconnaîtrais pas ton Christ s'il était en Lestat.

— Tu ne comprends pas. Il est arrivé quelque chose… il lui est arrivé quelque chose quand nous avons accompagné l'esprit, Memnoch, puis qu'il a rapporté le voile. J'ai vu cette étoffe. J'ai vu le… le pouvoir qui l'habite.

— Tu as vu une illusion, me dit Louis avec douceur.

— Non, j'ai vu le pouvoir, insistai-je.

Puis, l'instant suivant, je doutai. Les longs corridors tortueux de l'histoire se perdaient au loin. Plongé dans l'obscurité, armé d'une unique bougie, je m'étais lancé à la recherche des icônes que j'avais peintes. La tristesse de ma quête, sa trivialité, son absolu désespoir me brisèrent l'âme.

Je m'aperçus alors que j'avais fait peur à Sybelle et Benji. Leurs yeux s'étaient rivés à moi. Jamais ils ne m'avaient vu ainsi.

Les entourant de mes bras, je les attirai contre moi. J'avais chassé avant de les rejoindre, ce soir-là, afin d'être au sommet de ma force. Ma peau, je le savais, était agréablement chaude. J'embrassai les lèvres rose pâle de Sybelle puis le crâne de Benji.

— Je suis blessé, Armand, vraiment blessé, me déclara ce dernier. Tu ne m'avais pas dit que tu croyais à ce voile.

— Et toi, petit homme, lui demandai-je à voix basse, peu désireux de me donner en spectacle à leurs côtés, es-tu allé le voir à la cathédrale, lorsqu'il y était exposé ?

— Oui, et je te dirai la même chose que cette grande dame. (Il haussa les épaules, cela va de soi.) Le Christ n'a jamais été mon Dieu.

— Regardez-les rôder, intervint Louis. (Emacié, un peu frissonnant ; il avait négligé sa propre soif pour venir ici monter la garde.) Je devrais les jeter dehors, ajouta-t-il, d'un ton que l'âme la plus timide n'eût pas trouvé menaçant.

— Laisse-les voir ce qu'ils sont venus voir, répondit Pandora tout bas, d'une voix froide. Ils ne jouiront peut-être pas très longtemps de ce plaisir. Ils nous rendent le monde plus dur, ils sont la honte de notre race, ils ne font rien qui serve les vivants ni les morts.

La menace me parut charmante. J'espérais que celle qui l'avait proférée nous débarrasserait de tous ces gueux, mais je savais bien sûr que nombre d'enfants du siècle pensaient exactement la même chose des anciens dans mon genre. Et quelle impertinente créature n'étais-je pas, moi qui amenais, sans la moindre permission, mes compagnons mortels voir mon ami étendu à terre.

— Ils seront en sécurité auprès de nous, poursuivit Pandora, lisant de toute évidence dans mon esprit agité. Tu te rends bien compte que tous, jeunes ou vieux, sont ravis de ta présence. (Elle eut un petit geste qui englobait la salle.) Certains se refusent à sortir de l'ombre, mais ils ont entendu parler de toi. Ils ne désiraient pas que tu nous quittes.

— Non, nul ne le désirait, renchérit Louis avec une certaine émotion. Et tu es revenu, comme un rêve. Nous pressentions ton retour, nous avions entendu courir des bruits fous qui disaient qu'on t'avait aperçu à New York, aussi beau et vigoureux qu'à l'ordinaire, mais il a fallu que je te voie de mes yeux pour le croire.

Je hochai la tête afin de le remercier de sa gentillesse, mais je pensais au voile. Mon regard se leva vers le Christ de bois sur son arbre puis se rabaissa vers la silhouette immobile de Lestat.

Ce fut alors que Marius s'approcha. Il tremblait.

— Intact, murmura-t-il. Mon fils.

Une vieille cape grise négligée, misérable, lui couvrait les épaules, mais je n'en vis rien. Il m'étreignit aussitôt, contraignant mes enfants à reculer. Toutefois, ils ne s'éloignèrent pas. Sans doute furent-ils rassurés lorsque je l'entourai de mes bras puis l'embrassai à plusieurs reprises, sur le visage et les lèvres, comme je l'avais fait tant d'années auparavant. Il était splendide, tendre, débordant d'amour.

— Je veillerai à la sécurité de ces mortels, si tu es vraiment décidé à essayer, annonça-t-il, car il avait lu dans mon cœur le scénario tout entier et savait que je ne pouvais renoncer. Que puis-je dire pour t'en dissuader ?

Je secouai la tête. Ma hâte et mes espérances ne me permirent rien d'autre. Benji et Sybelle se trouvaient momentanément abandonnés à ses soins.

M'approchant de Lestat, qui gisait sur le dos, je m'agenouillai à sa gauche, surpris de trouver le marbre glacé. J'avais oublié, sans doute, l'extrême humidité de La Nouvelle-Orléans et la manière dont le froid s'y glisse partout.

Les mains posées devant moi sur le sol, je contemplai mon ami. Placide, immobile, ses yeux bleus également limpides, au point que jamais on n'eût cru que l'un d'eux lui avait été arraché, il regardait comme à travers moi, loin, très loin, hors d'un esprit apparemment aussi vide qu'une chrysalide morte.

Ses cheveux décoiffés étaient pleins de poussière. Sa détestable mère elle-même ne s'était pas souciée de les arranger, ce qui m'indigna.

— Il ne laisse personne le toucher, Armand, sifflat-elle avec une émotion glacée. (Sa voix lointaine suscitait dans la vaste salle des échos profonds.) Si tu essayes, tu t'en apercevras très vite.

Je la regardai, assise contre le mur, les genoux levés, négligemment entourés des bras, vêtue de son uniforme habituel en épais tissu kaki éraillé : le pantalon serré et la veste de safari qui l'avaient rendue plus ou moins célèbre, tachés dans des contrées sauvages. Ses cheveux, aussi blonds et brillants que ceux de Lestat, étaient réunis en queue-de-cheval.

Soudain, elle se leva, furieuse, et s'approcha de moi,

laissant ses bottes de cuir toutes simples sonner haut sur le marbre sans le moindre respect.

— Pourquoi t'imagines-tu qu'il a vu des dieux et pas de simples esprits ? reprit-elle. Pourquoi t'imagines-tu que ces êtres condescendants font plus que s'amuser de nous et que nous sommes pour eux plus que des bêtes, tous, de la plus noble à la plus vile des créatures qui foulent la Terre ? (Immobile, à un ou deux mètres de moi, elle croisa les bras.) Il a tenté quelque chose ou quelqu'un. Une entité qui n'a pas pu lui résister. Et à quoi tout cela a-t-il abouti ? Dis-le-moi. Tu devrais le savoir.

— Non, je ne le sais pas, répondis-je d'une voix douce. J'aimerais que tu me laisses tranquille.

— Oh, vraiment ? Eh bien, je vais te l'expliquer. Une jeune femme du nom de Dora, une gardienne des âmes, comme on dit, qui prêchait pour qu'on s'occupe des faibles dans le besoin, a été déboutée ! Voilà comment tout s'est terminé — ses prêches, fondés sur la charité quoique adaptés à l'ère moderne, pour que les gens les entendent, ont été effacés par le satané visage d'un satané dieu.

Mes yeux s'emplirent de larmes. Je détestais que Gabrielle vît si clairement les choses, mais je ne pouvais ni lui répondre ni la réduire au silence. Je me relevai.

— Les gens sont retournés dans les églises, poursuivit-elle, méprisante. Ils sont retournés à une théologie totalement inutile, archaïque et ridicule que tu sembles bien avoir oubliée.

— Je la connais plus que tu ne crois, contrai-je avec douceur. Tu me peines. Que t'ai-je fait ? Je me suis agenouillé près de lui, rien de plus.

— Mais tu ne comptes pas t'arrêter là, et tes larmes m'offusquent.

Quelqu'un, derrière moi, lui dit quelque chose. Peut-être Pandora, mais je n'en étais pas certain. En un éclair soudain, éphémère, je pris conscience de tous ceux qui se délectaient de ma souffrance, mais peu m'importait.

— A quoi t'attends-tu, Armand ? reprit Gabrielle, aussi impitoyable qu'intelligente. (Son fin visage ovale était à la fois très semblable et très différent de celui de Lestat. Jamais son fils n'avait été aussi éloigné de tout sentiment, aussi retranché dans la colère.) Tu crois que tu verras ce qu'il a vu ? Tu t'imagines que le sang du Christ est encore là pour que tu le savoures sur ta langue ? Dois-je te citer le catéchisme ?

— Inutile, Gabrielle, répondis-je humblement.

Les larmes m'aveuglaient.

— Le pain et le vin sont le corps et le sang du Christ tant qu'ils conservent cette forme ; lorsqu'il n'y a plus de pain ni de vin, il n'y a plus de corps ni de sang. Alors que penses-tu du sang du Christ ? Qu'il a je ne sais comment conservé son pouvoir magique en Lestat, malgré le cœur de vampire — la machine — qui consume le sang des mortels aussi bien que l'air inspiré par son propriétaire ?

Je ne répondis pas. Je me disais calmement, en mon âme : *Ce n'étaient pas le pain et le vin. C'était Son sang, Son sang sacré, qu'Il a donné en montant au calvaire à l'être qui gît là, devant moi.*

Je ravalai difficilement la douleur et la colère que j'éprouvais d'en être arrivé, par la faute de Gabrielle, à m'exprimer en ces termes. Je voulais voir où se trouvaient mes pauvres enfants, car je savais, à leur odeur, qu'ils étaient toujours dans la chapelle. Pourquoi Marius ne les emmenait-il pas ? Ah, oui, bien sûr. Il voulait voir ce que j'allais décider.

— Et ne viens pas me dire que c'est une question de foi, poursuivit Gabrielle, sarcastique, en secouant sa tête ricanante. Tu es comme saint Thomas l'incrédule, tu veux tremper les crocs dans la blessure.

— Arrête, je t'en prie, je t'en supplie, murmurai-je. (Je levai les mains.) Laisse-moi essayer, laisse-le me faire mal, réjouis-toi et va-t'en.

Je pensais ce que je venais de dire, rien de plus. Je n'y sentais nul pouvoir, juste l'humilité et une inexprimable tristesse.

Mais elle en fut rudement touchée. Pour la première fois, son visage devint pure souffrance. Ses yeux s'humidifièrent, rougirent, ses lèvres se serrèrent, même, tandis qu'elle me fixait.

— Pauvre enfant perdu, souffla-t-elle. Je suis désolée pour toi. J'étais si contente que tu aies survécu au soleil.

— Alors je te pardonne tout ce que tu m'as dit de cruel.

Elle haussa les sourcils, pensive, puis hocha la tête, lentement, en un acquiescement silencieux. Enfin, levant les mains, elle recula sans un bruit pour reprendre sa position première, assise sur les marches de l'alcôve, la tête appuyée à la rampe de la communion, les genoux levés, le visage dans l'ombre. Tout juste si elle me regardait encore.

J'attendis. Elle restait immobile, silencieuse. Pas un son n'émanait des occupants dispersés de la chapelle. Les battements de cœur réguliers de Sybelle me parvenaient, ainsi que la respiration anxieuse de Benji.

Je baissai les yeux vers Lestat, inchangé, dont la chevelure voilait toujours un peu l'œil gauche. Son bras droit était tendu, les doigts légèrement pliés vers le haut. Aucun mouvement ne l'animait, pas même le plus léger, pas un souffle sorti de ses poumons ou de ses pores.

Je m'agenouillai derechef près de lui, levai la main et, sans tressaillir ni hésiter, lui écartai les cheveux du visage.

Le choc causé à tous les spectateurs me fut sensible, trahi par des soupirs, des halètements. Lestat n'eut quant à lui aucune réaction.

Je repoussai sa chevelure d'un geste lent, plus tendre encore. Moi aussi, je reçus un choc, en voyant une de mes larmes tomber sur son visage.

Quoique rouge, elle restait aqueuse, transparente, simple goutte qui sembla s'évanouir sur la courbe de la pommette pour aller se loger dans le creux en dessous.

Je glissai sur les genoux afin de me rapprocher davantage encore de Lestat, me tournant de côté, face à lui, les mains toujours dans ses cheveux. Puis j'étendis les jambes parallèlement aux siennes pour m'allonger, la tête sur son bras tendu.

Nouvelle vague de soupirs et de halètements stupéfaits. Je m'efforçai de conserver un cœur pur, vierge d'orgueil, vierge de tout, hors l'amour.

Non un amour défini, différencié. L'amour. Celui, peut-être, que m'eût inspiré un inconnu que j'eusse tué, secouru ou dépassé dans la rue, voire un proche aussi aimé que Lestat.

Le poids de ses chagrins me semblait inimaginable, et l'idée que je m'en faisais grandit dans mon esprit jusqu'à inclure la tragédie de notre existence à tous, nous qui tuons pour vivre, qui même nous développons grâce à la mort comme la Terre l'a voulu, qui subissons la malédiction d'en être conscients, de connaître l'interminable angoisse puis, enfin, la disparition de toutes les créatures dont nous nous nourrissons. Un chagrin plus grand que le sentiment de culpabilité, beaucoup plus apte à s'exprimer, trop grand pour le vaste monde.

Je me hissai le long de Lestat, m'appuyai de tout mon poids sur mon coude et promenai avec douceur les doigts dans son cou. Lentement, je pressai les lèvres contre sa peau blanche soyeuse, j'aspirai son goût et son odeur reconnaissables, un arôme suave, indéfinissable, tout personnel, suscité par ses dons physiques d'origine ainsi que par ceux qui lui avaient été accordés plus tard. Enfin, j'enfonçai mes dents aiguës dans sa peau afin de goûter son sang.

Il n'y avait plus de chapelle, non plus que de soupirs indignés ou d'exclamations respectueuses. Je n'entendais rien, alors que je savais ce qui se passait autour de moi. J'en avais conscience comme si le lieu matériel avait été un simple fantasme, car la réalité était le sang de mon ami.

Un sirop aussi épais que le miel, d'un goût fort, profond, nectar destiné aux anges mêmes.

Je gémis tout haut en le buvant, au contact de sa chaleur brûlante, si différente de celle du sang humain. Chaque lent battement du cœur puissant de Lestat lui donnait une petite poussée, jusqu'à ce que, la bouche pleine, je déglutisse sans le vouloir, jusqu'à ce que le bruit de l'organe s'amplifiât, de plus en plus fort, qu'un miroitement rouge emplît mon champ de vision, que je visse à travers cette brillance une épaisse poussière tourbillonnante.

Un vacarme sinistre, inquiétant, naquit peu à peu de nulle part, mêlé à un sable acide qui me piquait les yeux. Je me trouvais en un lieu désolé, oui, très vieux, empli de choses banales et répugnantes, de sueur, de crasse et de mort. La cacophonie se composait de voix braillardes, dont les échos se répercutaient sur les murs sales resserrés. Des voix et des voix, moqueries, insultes, cris d'horreur, brusques lambeaux de commérages ignobles, couvraient des hurlements terribles, poignants, de peur et d'indignation.

Serré contre des corps suants, je me débattais, le bras levé brûlé par le soleil couchant. Les bavardages environnants, la langue antique qu'on me bramait, qu'on me gémissait aux oreilles, m'étaient compréhensibles, tandis que je cherchais à me rapprocher de ce qui causait l'affreuse agitation moite, aspirante, à laquelle je m'efforçais d'échapper.

Il me semblait qu'ils allaient m'écraser à m'étouffer, ces femmes voilées et ces hommes à la peau rude, dont les vêtements grossiers, tissés de leurs mains, tombaient en loques. Ils me poignardaient des coudes, me marchaient sur les pieds. Incapable de rien distinguer par-delà leur masse, j'agitais les bras, assourdi de cris et de rires cruels, bouillonnants. Soudain, comme sur ordre, la foule s'écarta devant moi, et je découvris le chef-d'œuvre.

Lui, dont j'avais vu le visage imprimé sur le voile, revêtu d'une robe blanche déchirée et sanglante, les bras attachés par de grosses chaînes inégales à la traverse pesante d'une croix monstrueuse, voûté sous la charge. Sa chevelure se déversait des deux côtés de Son visage meurtri, lacéré. Le sang que Lui tiraient les épines coulait dans Ses yeux ouverts, qui ne clignaient pas.

Il me fixa, surpris, un peu égaré, peut-être, avec des prunelles immenses, comme s'Il n'avait pas été entouré de la multitude, comme si nul fouet n'avait claqué au-dessus de Son dos et de Sa tête baissée. Il me fixa d'entre Ses cheveux collés et emmêlés, de sous Ses paupières à vif, sanglantes.

— Seigneur ! criai-je.

J'avais dû tendre les bras vers Lui, car je distinguais mes mains, mes petites mains blanches, qui cherchaient à atteindre Son visage.

— Seigneur ! appelai-je à nouveau.

Il me regarda, impassible. Ses yeux rencontrèrent les miens. Ses mains pendaient des chaînes de fer ; une écume sanglante tombait de Sa bouche.

Soudain, un coup terrible m'atteignit, me propulsa en avant. Le visage du Christ emplit ma vue, me donnant l'exacte mesure de tout ce qu'il m'était possible de voir — Sa peau sale, écorchée ; Ses cils emmêlés, foncés par l'humidité ; Ses globes oculaires brillants aux pupilles emplies de nuit.

Je m'en rapprochais de plus en plus. Le sang coulait de Son front dans Ses sourcils épais, ruisselait jusqu'à Ses joues hâves. Sa bouche s'ouvrit. Un son en sortit. D'abord un soupir, puis un souffle de plus en plus fort, tandis que Son visage grandissait encore, perdait sa netteté, devenait la somme de toutes ses couleurs mouvantes, que le son atteignait au rugissement assourdissant.

Un cri de terreur m'échappa. Je fus rejeté en arrière. Pourtant, alors même que je distinguais Sa silhouette familière, l'ovale de Son visage et Sa couronne d'épines, Sa face grossissait toujours jusqu'à être indistincte, semblait descendre sur moi puis, soudain, étouffer la mienne de son poids immense, total.

Je hurlai. Impuissant, inexistant, incapable de respirer.

Je hurlai comme jamais je ne l'avais fait dans toute ma misérable existence, un hurlement si puissant qu'il couvrit le rugissement dont mes oreilles étaient emplies, mais la vision persista d'une masse énorme, obstinée, impossible à fuir, qui avait été Son visage.

— Ah, Seigneur ! criai-je de toute la force de mes poumons en feu.

Le vent lui-même rugissait.

Quelque chose me frappa derrière la tête, si violemment que mon crâne céda. Je l'entendis craquer. Je sentis l'éclaboussure humide du sang.

J'ouvris les yeux. Le regard tourné vers le ciel. Je me trouvais loin de Lestat, de l'autre côté de la chapelle. Adossé au mur, les jambes étendues, les bras pendants, la tête brûlante du choc contre les briques plâtrées.

Lestat n'avait pas bougé, je le savais.

Nul n'avait besoin de me le dire. Ce n'était pas lui qui m'avait rejeté.

Je tombai maladroitement en avant, le bras sous la joue. Des pieds se rassemblaient autour de moi. Louis était tout proche. Gabrielle même s'était déplacée. Marius entraînait à l'extérieur Sybelle et Benjamin.

Dans le silence retentissant, seule résonnait la petite voix claire de ce dernier :

— Mais qu'est-ce qui s'est passé ? Qu'est-ce que c'était ? L'autre ne l'a pas touché. Je l'ai vu. Il n'a rien fait. Il n'a pas…

Le visage caché contre le sol, un visage trempé de larmes, je me couvris la tête de mes mains tremblantes. Mon sourire amer resta invisible, bien que mes sanglots fussent audibles.

Je pleurai un long moment. Peu à peu, comme je savais qu'il le ferait, mon cuir chevelu se referma. Le sang mauvais s'infiltrait à la surface de ma peau, qu'il picotait en accomplissant sa tâche impie, en recousant la chair tel un fin rayon laser infernal.

Quelqu'un me donna un mouchoir. L'odeur de Louis s'y attardait quelque peu, me sembla-t-il, sans que je parvinsse à en être sûr. J'attendis longtemps, très longtemps, une heure entière, peut-être, avant d'emprisonner enfin le carré de tissu entre mes doigts pour essuyer mon visage ensanglanté.

J'attendis une autre heure, au cours de laquelle les gens s'éloignèrent avec une discrétion respectueuse, avant de me retourner, de me redresser et de m'asseoir, le dos au mur. Je n'avais plus mal à la tête. La plaie avait disparu. Le sang séché ne tarderait pas à s'écailler.

Je regardai Lestat un long, un calme moment.

J'avais froid, j'étais malheureux et solitaire. Aucun des murmures qu'échangeaient les autres ne pénétrait mon oreille. Je ne voyais rien des gestes et des déplacements qui se faisaient autour de moi.

Dans le sanctuaire de mon esprit, j'examinais, pour la majeure partie avec lenteur, ce que j'avais vu et entendu — ce que je t'ai raconté ici.

Enfin, je me levai. Je me rapprochai de Lestat.

Gabrielle m'adressa quelques mots. Durs et méchants. Je ne l'entendis pas. J'entendis juste un ensemble de sons, une cadence, comme si le vieux français, la langue si familière qu'elle parlait, m'avait été inconnu.

Je m'agenouillai pour embrasser les cheveux de Lestat.

Il ne bougea pas. Pas un frémissement. Je n'avais aucune crainte qu'il le fît, ni non plus aucun espoir. Je lui posai un autre baiser sur le côté du visage, puis je me levai, je m'essuyai les mains sur le mouchoir que je tenais toujours, et je me retirai.

Sans doute restai-je un long moment plongé dans une sorte de torpeur. Enfin, un souvenir me revint. Dora m'avait parlé bien longtemps auparavant d'une enfant morte au grenier, d'un petit fantôme, de vieux vêtements.

Je m'emparai de ce souvenir, je m'y cramponnai, et je parvins à m'avancer vers les escaliers.

Là, peu de temps après, je te rencontrai. Tu sais à présent, pour le meilleur ou pour le pire, ce que j'ai ou n'ai pas vu.

Ainsi s'achève ma symphonie. Laisse-moi la signer de mon nom. Lorsque tu en auras terminé la transcription, j'en donnerai un exemplaire à Sybelle. Peut-être aussi à Benjamin. Tu feras du reste ce que tu voudras.

XXV

Ceci n'est pas un épilogue, mais le dernier chapitre d'une histoire que je croyais terminée. Je l'écris de ma main. Il sera court, car il ne reste plus le moindre ressort dramatique, aussi faut-il manipuler avec le plus grand soin le squelette décharné du récit.

Peut-être, plus tard, trouverai-je les mots justes pour approfondir ma description des événements, mais je ne puis aujourd'hui qu'en rendre compte.

Je ne quittai pas le couvent, une fois signée la transcription si fidèlement réalisée par David. Il était trop tard.

La nuit s'était épuisée en mots, aussi me retirai-je dans une des pièces secrètes que me montra mon compagnon, l'endroit où avait été emprisonné Lestat. Là, étendu à même le sol dans une obscurité parfaite, surexcité par tout ce que j'avais raconté à mon hôte, plus totalement épuisé que je ne l'avais jamais été, je m'endormis aussitôt que le soleil se leva.

Au crépuscule, je me levai, rajustai mes vêtements puis regagnai la chapelle. A genoux, je donnai à Lestat un baiser des plus affectueux, comme la nuit précédente. Je ne remarquai personne ; en fait, j'ignore qui se trouvait là.

Prenant Marius au mot, je quittai le monastère dans un badigeon de lumière violette mourante. Mon regard confiant errait sur les fleurs, tandis que je guettais les cordes de la sonate qui me mèneraient à la bonne maison.

Il ne me fallut que quelques secondes pour percevoir la musique, les phrases lointaines mais rapides de l'*Allegro assai*, le premier mouvement du chant familier de Sybelle.

Son jeu avait une précision sonnante inhabituelle, vraiment, une cadence languide nouvelle qui lui conférait une autorité puissante, rouge rubis, que j'aimai aussitôt.

Ainsi donc je n'avais pas rendu ma petite fille folle de peur. Elle allait bien, elle s'épanouissait, elle tombait peut-être amoureuse, comme nombre d'entre nous, du charme moite, somnolent de la région.

Je filai droit vers la musique et me retrouvai, à peine chiffonné par le vent, devant une énorme maison en brique rouge de Metairie, banlieue campagnarde de La Nouvelle-Orléans qui, quoique très proche de la ville, donne la miraculeuse impression d'être isolée.

Les chênes géants décrits par Marius entouraient ce manoir américain tout neuf dont, ainsi qu'il l'avait promis, les portes-fenêtres aux carreaux luisants immaculés étaient ouvertes à la brise du début de soirée.

L'herbe haute me parut douce sous mes semelles. Une lumière magnifique, la lumière si chère à Marius, se déversait à l'extérieur en même temps que l'*Appassionata*, qui atteignait avec une grâce exceptionnelle son deuxième mouvement, *Andante con moto*, lequel promet d'être un passage fort calme mais évolue très vite jusqu'à la même folie que le reste.

Je m'arrêtai dans mon élan, l'oreille tendue. Jamais les notes n'avaient été aussi limpides, translucides, aussi rapides et exquisément distinctes. Par pur plaisir, je cherchai à discerner les différences entre cette interprétation et les autres, innombrables, que j'avais déjà entendues. Toutes étaient différentes, magiques, profondément émouvantes, mais celle-là s'avérait plus que spectaculaire, en faible partie grâce au corps colossal de ce qui ne pouvait être qu'un piano à queue de concert.

Un instant, le désespoir m'ensevelit, le souvenir terrible, prenant, de ce que j'avais vu en buvant le sang de Lestat la nuit précédente. Je me laissai revivre ce moment, comme on dit innocemment, puis soudain, je rougis de plaisir à la pensée que je n'aurais pas à en parler, puisque je l'avais décrit à David. Lorsqu'il me remettrait mes exemplaires de l'ouvrage, je les confierais à ceux que j'aimais, ceux qui voudraient savoir à quoi j'avais été confronté.

Quant à moi, je ne chercherais pas à l'interpréter. Impossible. Je sentais trop que le prisonnier de la route du calvaire, réel ou simple émanation de mon cœur culpabilisé, avait refusé que je le visse et m'avait monstrueusement repoussé. En fait, l'impression de rejet était si totale que je redoutais de ne pas être parvenu à la décrire.

Il me fallait chasser ces pensées. Je bannis de mon esprit tout écho de l'expérience pour me laisser retomber dans la musique de Sybelle, debout sous les chênes, rafraîchi par la brise constante venue du fleuve qui s'infiltre partout ; elle m'apaisait, me donnait l'impression que la Terre regorgeait d'une irrépressible beauté, même pour quelqu'un comme moi.

Le troisième mouvement progressait vers son brillant apogée. Il me semblait que mon cœur allait se briser.

Alors seulement, tandis que s'élevaient les dernières mesures, je pris conscience de ce qui eût dû m'apparaître dès le début.

Ce n'était pas Sybelle qui jouait. Impossible. Je connaissais la moindre nuance de ses interprétations ; ses modes d'expression ; les qualités de ton que son toucher particulier produisait forcément. Son jeu avait beau être d'une spontanéité infinie, sa musique était pour moi aussi caractéristique que le style d'un peintre ou l'écriture d'un proche. Ce n'était pas Sybelle.

Enfin, la vérité se fit jour en moi. C'était Sybelle, mais Sybelle n'était plus Sybelle.

Une seconde, je ne parvins pas à le croire. Mon cœur se figea dans ma poitrine.

Puis je franchis le seuil d'un pas furieux que rien n'eût suspendu, excepté la confirmation de ce que je croyais.

Mes yeux me la donnèrent en un instant. Ils étaient rassemblés dans un magnifique salon ; Pandora, belle silhouette déliée vêtue d'une robe de soie brune dont une ceinture marquait la taille, à la mode antique ; Marius, en veste de smoking veloutée sur pantalon de soie ; et mes enfants, mes beaux enfants. Benji, radieux dans sa djellaba blanche, dansait pieds nus tel un sauvage tout autour de la pièce, avec de grands gestes des mains, comme pour attraper l'air, tandis que Sybelle, ma magnifique Sybelle, les bras dégagés par une robe soyeuse d'un rose profond, assise au piano, ses longs cheveux rejetés dans son dos, réattaquait le premier mouvement.

Des vampires, tous, jusqu'au dernier.

Je serrai les dents de toutes mes forces et me couvris la bouche afin de ne pas secouer le monde de mes clameurs. Des rugissements s'échappèrent entre mes mains inertes.

Une seule syllabe, un refus, Non, non, non, encore et encore. J'étais incapable de rien dire d'autre, de rien hurler d'autre, de rien faire d'autre.

Des cris et des cris.

Je serrai si fort les dents que ma mâchoire me fit mal, que mes mains se mirent à trembler telles les ailes d'un oiseau qui eût refusé de me laisser garder la bouche bien close. Une fois de plus, les larmes jaillirent de mes yeux, aussi abondantes que lorsque j'avais embrassé Lestat.

Non, non, non, non !

Puis, soudain, j'étendis les mains, les refermai en poings, et le rugissement se fût échappé, il eût jailli de moi en un flot rageur, si Marius ne m'avait attrapé avec une force immense pour me jeter contre sa poitrine, écraser mon visage contre lui.

Je me débattis. Je lui donnai des coups de pied rageurs, je le martelai de mes poings.

— Comment avez-vous pu ! rugis-je.

Ses mains se refermèrent autour de ma tête en un piège parfait, ses lèvres me couvrirent de baisers haïssables que je cherchai à écarter par de grands gestes désespérés.

— Comment avez-vous pu ? Comment avez-vous osé ? Comment avez-vous pu ?

Enfin, je parvins à me dégager assez pour le frapper au visage, encore et encore.

Mais quel bien cela me faisait-il ? Mes poings étaient faibles, impuissants devant sa force, mes gestes vains, stupides, insignifiants. Il restait là, supportant tout, l'air indiciblement triste, les yeux secs quoique emplis de tendresse.

— Comment avez-vous pu ! Comment avez-vous pu ! répétais-je, incapable de m'arrêter.

Mais, soudain, Sybelle se leva et accourut vers moi, les bras tendus. Benji, qui nous avait regardés tout du long, se précipita, lui aussi. Il m'emprisonnèrent avec douceur dans une étreinte affectueuse.

— Ne te fâche pas, Armand, s'il te plaît, ne sois pas triste, s'écria Sybelle à mon oreille, d'une voix caressante. Je t'aime tellement. Tellement, tellement. Il fallait qu'on le fasse. Il le fallait. Pour rester avec toi, toujours et à jamais.

Mes doigts planèrent au-dessus d'elle, prêts à la réconforter. Puis, alors qu'elle enfouissait le front dans mon cou, désespérée, qu'elle m'étreignait avec force, je ne pus m'empêcher de la toucher, de l'enlacer, de la rassurer.

— Je t'aime, Armand, je t'adore, je ne vis que pour toi, continua-t-elle. Et maintenant, je suis près de toi pour l'éternité.

Je hochai la tête, m'efforçai de parler. Elle embrassa mes larmes. Elle les couvrit de baisers rapides, attristés.

— Arrête, ne pleure plus, murmurait-elle encore et encore. On t'aime, Armand.

— On est tellement contents ! s'écria Benji. Regarde, Armand, regarde ! On peut danser ensemble, maintenant, toi et moi, quand elle joue. On peut tout faire ensemble. On a déjà chassé, tu sais. (Il se rua vers moi, fléchit les genoux puis s'immobilisa, surexcité, prêt à bondir, comme pour mettre l'accent sur ses propos. Avec un soupir, il me tendit les bras.) Ah, tu te trompes complètement, malheureux Armand, tu as la tête pleine de rêves, mais ce ne sont pas les bons. Tu ne t'en rends pas compte ?

— Je t'aime, chuchotai-je d'une toute petite voix à l'oreille de Sybelle.

Je répétai les mêmes mots, puis, incapable de résister davantage, j'écrasai tendrement la jeune femme contre moi, je laissai mes doigts ramper sur sa peau blanche soyeuse et sa belle chevelure brillante, pleine de vitalité.

— Ne tremble pas, continuai-je sans relâcher mon étreinte. Je t'aime. Je t'aime. (J'attirai Benji à moi.) Quant à toi, petit coquin, tu me raconteras ton histoire une autre fois. Pour l'instant, laisse-moi juste te serrer dans mes bras. Te serrer.

Je frissonnais. Moi. Tandis qu'ils m'entouraient de leur amour, s'efforçaient de me tenir chaud.

Enfin, je leur échappai en les embrassant, en les caressant. Je me dérobai et me laissai tomber, épuisé, dans un grand fauteuil de velours.

La tête me lançait, les larmes me montaient à nouveau aux yeux, mais je les combattais de toutes mes forces, pour mes enfants. Je n'avais pas le choix.

Sybelle, de retour au piano, se remit à en marteler les touches — le début de la sonate. Cette fois, elle chanta aussi, par monosyllabes, d'une belle voix lente de soprano, pendant que Benji reprenait sa danse, tournoyait, caracolait, martelait le sol de ses pieds nus, sui-vait à la perfection le rythme qu'elle imposait.

Je me penchai en avant, la tête entre les mains, avec l'envie de me cacher derrière mes cheveux pendants. Mais, malgré leur épaisseur, ce n'étaient que des cheveux.

Une main se posa sur mon épaule. Je me raidis mais ne dis mot, de crainte de fondre derechef en larmes et d'insulter mon hôte de tout mon cœur.

— Je ne m'attends pas à ce que tu comprennes, murmura-t-il.

Je me redressai. Assis sur le bras du fauteuil, il me regardait.

— Comment avez-vous pu ? demandai-je, souriant, l'air avenant, la voix si veloutée, si sereine, qu'il parais-sait impossible que je lui parle d'autre chose que d'amour. Pourquoi ? Me haïssez-vous à ce point ? Ne me mentez pas. Ne me racontez pas d'âneries, vous savez que jamais, jamais je n'y croirai. Ne cherchez pas à protéger Pandora ou à les protéger, eux. Je m'occupe-rai d'eux et les aimerai à jamais. Mais ne me mentez pas. Vous l'avez fait par esprit de vengeance, hein ? Par haine ?

— Comment ai-je pu ? interrogea-t-il en écho. (Sa voix n'était toujours qu'amour ; l'amour même s'adres-sait à moi par l'intermédiaire d'une bouche sincère, suppliante.) Si j'ai jamais fait quoi que ce soit par amour, c'est ça. Je l'ai fait pour toi. A cause des souf-frances que je t'ai infligées, de la solitude qui t'a tor-turé, des horreurs que le monde t'a imposées alors que tu étais trop jeune, trop dépourvu d'expérience pour les combattre, puis trop écrasé pour lutter de tout ton cœur. Je l'ai fait pour toi.

— Mensonge, ripostai-je. Vous mentez en votre âme, sinon en votre bouche. Vous l'avez fait par rancœur, vous ne me l'avez que trop prouvé. Parce que je n'étais pas le novice en qui vous vouliez me transformer. Je n'étais pas le rebelle intelligent capable de s'opposer à

Santino et à ses monstres. J'étais resté, malgré les années, celui qui vous décevait horriblement en montant dans le soleil après avoir contemplé le voile. Voilà pourquoi vous l'avez fait. Par esprit de vengeance, par amertume, parce que je vous ai déçu. Et pour couronner ces horreurs, vous n'en avez même pas conscience. Vous n'avez pas supporté que mon cœur se gonfle à exploser quand j'ai vu le visage du Christ. Vous n'avez pas supporté que l'enfant cueilli dans un bordel de Venise, nourri de votre propre sang, éduqué avec vos propres livres, de vos propres mains, s'en remette à Lui en découvrant Son visage sur le voile.

— Non. Tu es si loin de la vérité que cela me brise le cœur. (Il secoua la tête. Bien que blême et sans larmes, il offrait une parfaite image du chagrin qui évoquait une peinture réalisée de ses mains.) Je l'ai fait parce qu'ils t'aiment comme personne ne t'a jamais aimé, parce qu'ils sont libres et qu'au fond de leur cœur généreux brille une vaste intelligence qui ne renâcle pas devant toi, devant tout ce que tu es. Je l'ai fait parce qu'ils ont été forgés dans le même creuset que moi, qu'ils possèdent l'enthousiasme de la raison et la force de l'endurance. Parce que la folie n'a pas vaincu Sybelle, que la pauvreté et l'ignorance n'ont pas vaincu Benjamin. Parce que tu les avais choisis, qu'ils étaient parfaits, que tu ne le ferais pas, toi, je le savais, et qu'ils en viendraient à te haïr pour cela comme tu m'as toi-même haï autrefois. Parce qu'ils s'éloigneraient de toi en succombant à la folie ou à la mort avant que tu ne cèdes.

« A présent, ils sont tiens. Rien ne vous sépare. Le sang qui coule dans mes veines, ancien et puissant, les a emplis de force à ras bord. Ils seront pour toi des compagnons dignes de ce nom et non de pâles ombres de ton âme, contrairement à Louis.

« La barrière qui sépare maître et novice n'existe pas entre vous. Tu apprendras les secrets de leur cœur en même temps qu'ils apprendront ceux du tien. »

J'avais envie de le croire.

Une telle envie que je me levai pour le fuir. J'adressai à Benjamin le plus doux sourire, j'accordai au passage à Sybelle un baiser soyeux, puis je gagnai le jardin, où je restai seul, sous le couvert et la garde de deux chênes imposants.

Leurs racines tortueuses sortaient de terre, saillies de bois foncé, dur et cloqué. Je posai les pieds à cet endroit rocailleux et la tête contre le tronc le plus proche.

Les branches, qui descendaient très bas, me composaient un voile, comme j'avais souhaité que le fissent mes propres cheveux. Je me sentais en sûreté, sous la protection des grands arbres et de la nuit. Mon cœur était calme mais brisé, mon esprit réduit en lambeaux. Il me suffit de me tourner vers le salon, vers l'éclat brillant de la lumière qui baignait mes deux pâles anges vampires, pour me remettre à pleurer.

Marius resta un long moment debout à une porte-fenêtre lointaine. Sans me regarder. Lorsque je cherchai Pandora des yeux, je la découvris blottie dans un grand fauteuil de velours, comme pour se protéger de quelque terrible souffrance — peut-être juste notre querelle.

Enfin, Marius, se redressant de toute sa taille, s'approcha de moi. Sans doute dut-il pour cela rassembler sa volonté. Il paraissait soudain un peu fâché, peut-être, voire fier de lui.

Je ne m'en souciais pas.

Immobile devant moi, silencieux, il semblait être venu affronter ce que j'avais à lui dire.

— Pourquoi ne pas les avoir laissés vivre leur vie ? lui reprochai-je. Vous, entre tous, quoi que vous ayez ressenti envers moi et mes folies, pourquoi ne pas leur avoir laissé vivre ce que la nature leur avait donné ? Pourquoi vous en être mêlé ?

Il ne répondit pas, mais je poursuivis sans attendre, d'un ton plus doux, afin de ne pas alarmer mes deux aimés :

— Dans mes jours les plus noirs, ce sont vos paroles qui m'ont soutenu. Oh, je ne parle pas des siècles où j'étais l'esclave d'un credo tordu et de fantasmes morbides. Mais bien après, quand je suis sorti de mon trou, à la suite du défi que m'avait lancé Lestat, quand j'ai lu ce qu'il avait écrit sur vous et que je vous ai moi-même écouté. C'est vous, maître, qui m'avez permis de voir le peu que je pouvais du monde merveilleux où je vivais, un monde tel que jamais je ne l'aurais imaginé dans les contrées et la période de ma naissance.

Incapable de me maîtriser, je m'interrompis pour reprendre mon souffle et écouter la musique — très belle, plaintive, expressive, emplie d'un mystère tout neuf, au point que je manquai me remettre à pleurer. Mais je ne pouvais me le permettre. J'avais encore beaucoup à dire, ou du moins me le semblait-il.

— C'est vous qui m'avez expliqué que nous vivions dans un monde où les anciennes religions, faites de superstition et de violence, étaient en train de mourir. Vous qui m'avez dit que nous atteignions une époque où le mal ne se prétendait plus nécessaire. Rappelez-vous, vous avez affirmé à Lestat que nul credo, nul code ne justifiait notre existence, parce que l'homme savait à présent ce que c'était que le véritable mal : la faim, le besoin, l'ignorance, la guerre et le froid. Vous l'avez dit, maître, bien mieux et de manière bien plus convaincante que je ne pourrai jamais le dire, mais c'est sur cette base rationnelle que vous avez argumenté avec le pire d'entre nous, que vous avez plaidé pour le caractère sacré et la précieuse splendeur du monde naturel et humain. Vous vous êtes fait le champion de l'âme humaine, vous avez affirmé qu'elle avait grandi en sentiment et en profondeur, que les hommes ne vivaient plus pour la gloire de la guerre mais connaissaient des raffinements qui, s'ils avaient autrefois été l'apanage des riches, étaient à présent à la portée de tous. C'est vous qui avez dit qu'une nouvelle lumière, celle de la raison, de l'éthique et de la compassion véritable, s'était allumée, après les siècles de nuit d'une religiosité sanglante, un flambeau qui n'était pas seulement clarté mais aussi chaleur.

— Arrête, Armand, inutile de continuer, interrompit Marius avec gentillesse mais fermeté. Je me rappelle mes arguments. Je me les rappelle parfaitement. Mais je n'y crois plus.

Je restai stupéfait. Frappé par la surnaturelle simplicité de son désaveu, plus destructeur que je n'eusse pu l'imaginer, alors qu'il en pensait le moindre mot, je le connaissais assez pour en être persuadé.

— J'y ai cru autrefois, c'est vrai, poursuivit-il, fixant sur moi un regard décidé, mais ma foi ne reposait ni sur la raison ni sur l'observation, comme je le prétendais alors. Il n'en a jamais rien été. J'ai fini par le comprendre, et à cet instant, à l'instant où j'ai vu mon credo pour ce qu'il était — une préconception aveugle, désespérée —, il s'est totalement effondré.

« J'ai dit ce que j'ai dit, Armand, parce qu'il me fallait le tenir pour vrai. Mes déclarations constituaient leur propre credo, le credo de la raison, de l'athéisme, de la logique, celui du sénateur romain sophistiqué qui ne pouvait considérer les répugnantes réalités du monde que d'un œil aveugle, parce que s'il venait à admettre la réalité de ce qu'il voyait dans ses misérables frères et sœurs, il deviendrait fou. »

Marius inspira avant de continuer, le dos tourné à la pièce lumineuse, comme pour protéger les novices de la chaleur de son propos, ainsi que je voulais qu'il le fît :

— L'histoire n'a pas de secrets pour moi. Je l'ai étudiée de même que d'autres étudient la Bible, et je ne connaîtrai pas le repos avant d'avoir mis au jour tous les récits qu'il est possible d'y mettre, d'avoir percé tous les codes de toutes les cultures qui ont laissé quelque trace alléchante que je puisse arracher à la terre, à la pierre, au papyrus ou à l'argile.

« Mais dans mon optimisme, je me trompais. J'étais ignorant, aussi ignorant que j'ai accusé certains de l'être. Je refusais de voir les horreurs qui m'entouraient, pires en ce siècle de raison qu'elles ne l'ont jamais été de par le monde.

« Regarde en arrière, mon enfant, si cela t'intéresse, si tu veux disputer. Songe à Kiev la dorée, que tu n'as connue qu'en chansons, après que les Mongols enragés ont eu brûlé ses cathédrales et massacré sa population comme du bétail, ainsi qu'ils l'ont fait dans toute la région deux cents ans durant. Songe aux chroniques de l'Europe, aux guerres menées partout, en Terre sainte, parmi les forêts de France et d'Allemagne, sur le sol fertile de l'Angleterre, oui, notre chère Angleterre, et dans le moindre pays asiatique du globe.

« Ah, pourquoi me suis-je leurré si longtemps ? N'ai-je pas vu les steppes russes, les villes incendiées ? L'Europe tout entière eût aussi bien pu succomber à Gengis Khan. Songe au grandes cathédrales anglaises, réduites en gravats par l'arrogant roi Henri.

« Aux livres des Mayas, jetés dans les flammes par les prêtres espagnols. Aux Incas, aux Aztèques, aux Olmèques — à tous ces peuples écrasés, éradiqués.

« Des horreurs, des horreurs et encore des horreurs. Il en a toujours été ainsi, je ne puis me mentir davantage. Quand je vois des millions de gens gazés pour satisfaire les caprices d'un dément autrichien, des tribus africaines entières massacrées au point d'emplir les rivières de cadavres gonflés, la famine absolue prendre des pays à une époque d'abondance gloutonne, il ne m'est plus possible de croire à mes platitudes.

« J'ignore quel événement a détruit mes illusions. Quelle monstruosité a arraché le masque de mes mensonges. Les millions de malheureux affamés en Ukraine, prisonniers de leur dictateur, ou les milliers de victimes mortes plus tard, empoisonnées par les rejets nucléaires déversés dans le ciel au-dessus des steppes, sans que les mêmes gouvernants qui les avait réduites à la famine fassent quoi que ce soit pour les protéger ? La destruction des monastères du noble Népal, citadelles de méditation et de grâce érigées voilà des milliers d'années, avant même ma naissance et celle de ma philosophie, abandonnées à une armée de militaires avides combattant sans merci des moines en robe safran, jetant au feu des livres fabuleux, fondant des cloches sans âge afin qu'elles n'appellent plus à la prière les hommes de bonne volonté ? Tout cela dans les deux dernières décennies, pendant que les nations occidentales dansaient dans leurs discothèques, se gorgeaient d'alcool, plaignaient d'un ton distrait le triste destin du dalaï-lama lointain ou tournaient le bouton de leurs téléviseurs.

« J'ignore ce que c'était. Peut-être les millions de morts — chinois, japonais, cambodgiens, hébreux, ukrainiens, polonais, russes, kurdes... Ah, Seigneur, la litanie est sans fin. Je ne crois plus, je n'ai plus d'optimisme, je n'ai plus foi en la raison ni en l'éthique. Je n'ai aucun reproche à t'adresser pour t'être tenu sur les marches de la cathédrale, les bras tendus vers ton dieu omniscient et parfait.

« Je ne sais rien, parce que j'en sais trop, que je n'en comprends pas assez, et de loin, et qu'il en sera toujours ainsi. Mais voilà ce que tu m'as appris, plus que quiconque : l'amour est essentiel, comme la pluie aux fleurs et aux arbres, la nourriture aux affamés et le sang aux prédateurs assoiffés, aux charognards que nous sommes. Nous avons besoin d'amour, car il permet d'oublier et de pardonner la sauvagerie mieux peut-être que n'importe quoi d'autre.

« Alors j'ai retranché tes enfants de leur fabuleux monde moderne prometteur, avec ses foules de malades désespérés. Je les en ai retranchés afin de leur donner ma seule force. Pour toi. Je leur ai offert du temps ; une chance de trouver une réponse que les mortels d'aujourd'hui ne connaîtront sans doute jamais.

« C'est tout, vraiment tout. Je savais que tu pleurerais, je savais que tu souffrirais, mais je savais aussi que tu les aurais à toi, que tu les aimerais lorsque ce serait fini, que tu avais désespérément besoin d'eux. Voilà où tu en es... de même que le serpent, le loup et le lion :

bien supérieur aux pires hommes, qui se sont révélés en ce siècle des monstres colossaux, et libre de te nourrir avec prudence d'un monde mauvais. »

Le silence s'installa entre nous.

Je réfléchis un long moment plutôt que de me précipiter dans les paroles.

Sybelle avait cessé de jouer. Elle s'inquiétait pour moi, elle avait besoin de moi. Je le sentais. Je percevais la poussée puissante de son esprit vampirique. Il me faudrait aller à elle très bientôt.

Toutefois, je pris le temps de lancer quelques mots encore :

— Vous auriez dû leur faire confiance, maître. Leur laisser une chance. Quoi que vous pensiez du monde, vous auriez dû les laisser y prendre leur temps. C'était leur monde et leur temps.

Il secoua la tête, déçu par ma réaction, semblait-il, un peu las aussi. Et désireux d'en terminer, comme s'il avait résolu ces problèmes depuis bien longtemps, avant, peut-être, que je ne vinsse la nuit précédente.

— Tu resteras mon enfant à jamais, Armand, déclara-t-il avec une grande dignité. Ce qu'il y a en moi de magique et de divin est lié à l'humain et l'a toujours été.

— Vous auriez dû les laisser attendre leur heure. Jamais mon amour pour eux n'eût prononcé leur arrêt de mort ou leur condamnation au monde étrange, inexplicable qui est le nôtre. Nous ne sommes peut-être pas pires que les mortels, mais vous auriez dû garder pour vous vos conseils. Eviter d'intervenir.

Cela suffisait.

D'autant que David était arrivé. Déjà, une copie de la transcription sur laquelle nous avions travaillé était prête, mais il pensait à bien autre chose. Il s'approcha d'un pas lent, présence évidente, afin de nous permettre de nous taire, ce que nous fîmes.

Incapable de me contenir, je me tournai vers lui.

— Tu savais ce qui allait arriver ? Tu sais quand ça s'est produit ?

— Non, je l'ignorais, répondit-il, solennel.

— Je te remercie.

— Tes enfants ont besoin de toi, reprit-il. Marius est leur créateur, certes, mais c'est à toi qu'ils appartiennent.

— Je sais, acquiesçai-je. Je pars. Je ferai ce qu'il faut.

Lorsque Marius tendit la main vers mon épaule, je m'aperçus soudain qu'il était vraiment sur le point de perdre sa maîtrise de soi.

Il prit la parole d'une voix trémulante, colorée par l'émotion. La tempête qui faisait rage en lui l'exaspérait, mon chagrin le bouleversait. Bien que j'en fusse parfaitement conscient, je n'en tirais nulle satisfaction.

— Tu me méprises, à présent, et peut-être as-tu raison. Je savais que tu pleurerais, mais au fond, je t'ai mal jugé. Il y a quelque chose en toi que je n'ai pas compris.

— Quoi donc, maître ? demandai-je avec une acidité théâtrale.

— Tu les aimais de manière désintéressée, murmura-t-il. Malgré leurs curieux défauts, leur méchanceté naturelle, tu ne les considérais pas comme souillés. Tu les aimais peut-être avec plus de respect que je… que je ne t'ai jamais aimé.

Il semblait stupéfait.

Je ne pus que hocher la tête, pas totalement persuadé qu'il eût raison. Jamais mon besoin d'eux n'avait été mis à l'épreuve, mais je n'avais aucune envie de l'avouer.

— Tu peux rester ici aussi longtemps que tu le voudras, reprit-il.

— Tant mieux, parce qu'il est possible que je le fasse. Ils s'y plaisent, et je suis las. Merci, pour cela au moins.

— Encore une chose, et je la pense de toute mon âme.

— Oui ?

David restait près de nous, ce dont je lui étais reconnaissant, car sa présence semblait mettre un frein à mes larmes.

— Franchement, je ne connais pas la réponse à la question, et je te la pose en toute humilité. Quand tu as vu le voile, qu'as-tu vu, en réalité ? Oh, je ne te demande pas si c'était le Christ ou Dieu ou un miracle. C'était un visage baigné de sang qui avait donné naissance à une religion coupable de plus de guerres, plus de cruauté que n'importe quel credo que le monde ait jamais connu. Ne te fâche pas, je t'en prie, explique-moi juste. Qu'as-tu vu ? Un merveilleux souvenir des icônes que tu peignais ? Ou quelque chose baigné d'amour et non de sang ? Dis-moi. Ça m'intéresse vraiment.

— C'est une vieille question à la réponse toute simple, déclarai-je. De mon point de vue, vous êtes complètement ignorant. Vous vous demandez comment Il a pu être mon Dieu, étant donné que le monde est tel que vous me l'avez décrit et sachant ce que vous savez des Evangiles et des Testaments écrits en Son nom. Vous vous demandez comment j'ai pu croire à tout cela parce que vous, vous n'y croyez pas. C'est ça ?

— Oui, acquiesça-t-il. Je m'interroge. Parce que je te connais. Tu n'as pas la foi, tout simplement.

Quoique saisi, je compris aussitôt qu'il avait raison.

Je souris. Une sorte de bonheur tragique, bouleversant, m'avait soudain envahi.

— Je vois ce que vous voulez dire, admis-je. Et je vais vous répondre. J'ai vu le Christ. Une lumière sanglante. Une personnalité, un homme, une présence que je connaissais. Ce n'était pas Dieu le Père Tout-Puissant, ni le Créateur de l'Univers, ni le Sauveur, Celui qui a racheté les péchés entachant mon âme avant même ma naissance, ni le deuxième membre de la sainte Trinité. Non, ce n'était rien de tel. Pour les autres, peut-être. Pas pour moi.

— Mais qui était-ce, alors ? intervint David. J'ai ton

histoire, Armand, emplie de merveilles et de souffrances, mais j'ignore qui c'était. Quel était ton concept du *Seigneur*, quand tu as prononcé le mot ?

— *Seigneur*, répétai-je. Ce n'est pas ce que vous croyez. On dit ça de manière trop intime, avec trop de chaleur. C'est une sorte de nom secret, de nom sacré. Seigneur. (Je fis une pause, avant de continuer :)

« C'est le Seigneur, oui, mais uniquement parce qu'Il représente quelque chose de beaucoup plus accessible, de beaucoup plus significatif qu'un dirigeant, un roi ou un souverain. (J'hésitai une nouvelle fois, désireux de trouver les mots justes car j'étais profondément sincère.)

« J'ai vu... *mon frère.* C'est ça. Le symbole de tous les frères. Voilà pourquoi c'est le Seigneur et pourquoi Son essence est amour. Vous faites la moue. Vous doutez de ce que je raconte. Parce que la complexité de Sa nature vous échappe. C'est quelque chose de facile à ressentir mais de difficile à vraiment comprendre. J'ai vu un homme comme moi. Et peut-être, pour nombre d'entre nous, pour des millions et des millions de gens, n'a-t-il jamais rien été d'autre ! Nous sommes tous fils et filles de quelqu'un. Lui aussi. Dieu ou non, Il a été humain, Il a souffert pour des choses qu'Il pensait absolument, universellement bonnes. Ce qui veut dire que Son sang pourrait aussi bien être le mien. En fait, il l'est. Et peut-être, pour ceux qui pensent comme moi, est-ce là la source de Sa magnificence. Vous avez dit que je n'avais pas la foi. C'est vrai. Je ne crois pas aux titres, aux légendes, aux hiérarchies inventés par des êtres tels que nous. Il n'a pas institué une hiérarchie, pas vraiment. Il l'*est*. Je Le trouve magnifique pour des raisons fort simples. Il a été chair et sang ! Il a été pain et vin afin de nourrir la Terre entière. Vous ne comprenez pas. Cela ne vous est pas possible. Trop de mensonges à Son sujet errent dans votre esprit. Je L'ai vu avant d'en entendre autant sur Lui, en regardant les icônes de ma demeure, en Le peignant alors que je ne savais pas encore tous Ses noms. Je ne puis Le chasser de mon esprit. Je ne l'ai jamais fait. Je ne le ferai jamais. »

Il ne restait rien à ajouter.

Quoique très surpris, mes compagnons ne semblaient guère pénétrés de respect. Ils réfléchissaient au problème, de façon peut-être totalement inappropriée, je n'avais aucun moyen de le savoir. De toute manière, peu m'importait. Ce n'était pas vraiment un bien qu'ils m'eussent posé cette question ou que j'eusse essayé si dur de leur dire ma vérité. Je voyais en esprit l'icône que ma mère m'avait apportée dans la neige. *L'incarnation*. Impossible à expliquer dans leur philosophie. Je m'interrogeais. Peut-être était-ce là l'horreur de ma vie : où que j'aille, quoi que je fasse, je comprenais toujours. *L'incarnation*. Une lumière sanglante.

A présent, la compagnie de Marius et de David me pesait.

Sybelle attendait. C'était tellement plus important. J'allai la prendre dans mes bras.

Des heures durant, nous discutâmes, mes deux enfants et moi. Enfin, Pandora, bouleversée quoiqu'elle n'en dît rien, se joignit à nous, l'air gai et insouciant. Marius arriva ensuite, ainsi que David.

Nous nous assîmes en cercle dans l'herbe, sous les arbres. Pour les novices, j'adoptai mon visage le plus riant. Nous évoquâmes ce que nous aimions, les endroits où nous irions, les merveilles qu'avaient vues Marius et Pandora, tout cela en nous opposant parfois aimablement sur des sujets triviaux.

Deux heures environ avant l'aube, nous nous séparâmes. Sybelle, seule au fond du jardin, se mit à examiner les fleurs l'une après l'autre avec le plus grand soin. Benji, s'étant aperçu qu'il lisait à une vitesse surnaturelle, entreprit de se frayer son chemin à travers la bibliothèque, réellement impressionnante.

David, assis au bureau de Marius, corrigeait à présent fautes d'orthographe et abréviations sur son manuscrit.

Il se donnait beaucoup de mal pour arranger la copie qu'il me destinait, réalisée à la hâte.

Marius et moi, installés sous un chêne épaule contre épaule, silencieux, observions. Peut-être aussi écoutions-nous les mêmes chants de la nuit.

J'eusse aimé que Sybelle se remît au piano. Jamais je ne l'avais vue rester si longtemps sans jouer, et j'avais une envie douloureuse de l'entendre interpréter une fois de plus la sonate.

Marius fut le premier à percevoir un son inhabituel. Il ne se raidit, alarmé, que pour se détendre aussitôt.

— Qu'est-ce que c'était ? demandai-je.

— Juste un petit bruit. Je ne suis pas arrivé... à le déchiffrer.

Il laissa son épaule se reposer contre la mienne.

Presque aussitôt, David leva les yeux de son travail. Puis apparut Pandora, avançant d'un pas lent mais félin vers une des portes-fenêtres éclairées.

A présent, j'entendais quelque chose, moi aussi. De même que Sybelle, car elle se tourna, comme nous tous, vers la grille du jardin. Jusqu'à Benji qui, ayant enfin daigné remarquer l'anomalie, abandonnait sa lecture au milieu d'une phrase pour gagner la porte d'un pas ferme, l'air sévère, ses petits sourcils froncés, décidé à s'informer de la situation puis à en prendre le contrôle.

Je crus d'abord que mes yeux me jouaient un tour, mais très vite, je devinai l'identité de la silhouette qui apparut à l'instant où la grille s'ouvrait, avant de se refermer en silence sous son bras raide, mal assuré.

Elle s'approcha, boitillante ou, plutôt, comme pénétrée d'une grande lassitude, peu habituée à la simple marche. Enfin, elle pénétra dans la lumière qui tombait sur l'herbe à nos pieds.

Je restais stupéfait. Nul ne connaissait ses intentions. Nul ne bougeait.

C'était Lestat, en loques, poussiéreux, tel que nous l'avions vu sur le marbre de la chapelle. Autant que je pusse en juger, aucune pensée n'émanait de son esprit.

Son regard vague reflétait un émerveillement épuisé. Il se tint devant nous, se contentant de nous fixer. Puis, alors que je me remettais sur mes pieds — que je me les emmêlais, en fait — pour l'étreindre, il s'approcha de moi et me murmura quelque chose à l'oreille.

Sa voix vacillait, affaiblie par le manque de pratique. Il parlait si bas que son souffle m'effleurait tout juste la chair.

— Sybelle, dit-il.

— Oui, Lestat, qu'y a-t-il, qu'est-ce qui se passe, dis-moi.

Je lui tenais les mains aussi ferme et avec autant d'amour que je le pouvais.

— Sybelle, répéta-t-il. Tu crois qu'elle me jouerait la sonate, si tu le lui demandais ? L'*Appassionata* ?

Je m'écartai afin d'examiner ses yeux bleus au regard trouble.

— Mais oui, assurai-je, le souffle presque coupé par l'excitation, par les émotions qui m'envahissaient. Je n'en doute pas. Sybelle !

Déjà, elle s'était retournée. A sa grande surprise, Lestat traversa la pelouse pour gagner la maison. Pandora s'écarta de son chemin, et tous, plongés dans un silence respectueux, nous le vîmes s'asseoir par terre, le dos contre le pied avant droit de l'instrument, les genoux relevés, sa tête lasse posée sur ses bras pliés. Il ferma les yeux.

— Tu veux bien jouer pour lui, Sybelle ? m'enquis-je. L'*Appassionata*, encore une fois, si ça ne te dérange pas.

Evidemment, ça ne la dérangeait pas.

8 h 12mn
6 janvier 1998
Little Christmas

La légende des vampires

Chroniques des vampires
Anne Rice

Ces chroniques s'ouvrent sur l'étrange entretien
d'un journaliste avec un mystérieux jeune homme,
qui s'apprête à lui relater sa vie : l'histoire authentique d'un vampire ! On y rencontre Lestat, le
succur de sang impie, Akasha, Mère de tous les
vampires, reine des Damnés, qui attend de pouvoir
régner à nouveau sur les mortels...

Il y a toujours un Pocket à découvrir

La sorcellerie dans le sang

La saga des sorcières
Anne Rice

Des siècles durant, les sorcières de la famille Mayfair ont fait face aux persécutions. Aujourd'hui, elles vivent enfin en paix à La Nouvelle-Orléans. Ou du moins, le croient-elles... Elles ignorent qu'un homme les guette au-dehors, comme tant d'autres avant lui...

Il y a toujours un Pocket à découvrir

Rédemption pour un fantôme

Le sortilège de Babylone
Anne Rice

Venu de Babylone, Azriel est un fantôme très puissant. Depuis des siècles, il est le jouet de forces obscures qui le poussent à semer la terreur parmi les hommes. Lorsqu'il se retrouve projeté au milieu d'un crime dans le New York du XXe siècle, il commence à s'interroger sur les motifs de sa présence. Jusqu'au jour où cette affaire, devenue une véritable obsession, lui apparaît comme le moyen de racheter sa liberté…

(Pocket n° 9232)

Achevé d'imprimer sur les presses de

BUSSIÈRE

GROUPE CPI

à Saint-Amand-Montrond (Cher)
en septembre 2002

POCKET - 12, avenue d'Italie - 75627 Paris Cedex 13
Tél. : 01-44-16-05-00

— N° d'imp. : 25228. —
Dépôt légal : octobre 2002.

Imprimé en France